LE DERNIER COYOTE

Du même auteur

AUX MÊMES ÉDITIONS
ET DANS LA MÊME COLLECTION

Les Égouts de Los Angeles
1993

La Glace noire
1994

La Blonde en béton
1996

Le Poète
1997

Le Cadavre dans la Rolls
1998

Créance de sang
1999

Michael Connelly

LE DERNIER COYOTE

roman

TRADUIT DE L'AMÉRICAIN
PAR JEAN ESCH

ÉDITIONS DU SEUIL
27, rue Jacob, Paris VIᵉ

COLLECTION DIRIGÉE
PAR ROBERT PÉPIN

Titre original : *The Last Coyote*
Éditeur original : Little, Brown and Company
ISBN original : 0-316-15390-7
© 1995, by Hieronymous, Inc.

ISBN 2-02-028534-7

© Éditions du Seuil, octobre 1999, pour la traduction française

Ce livre est dédié à Marcus Grupa.

CHAPITRE UN

— Vous avez quelque chose à dire avant de commencer ?

— Sur quoi ?

— Ce que vous voulez. L'incident, par exemple.

— L'incident ? Oui, j'ai des choses à dire.

Elle attendit, mais il en resta là. Il avait décidé, avant même de se rendre à Chinatown, de ne pas se laisser faire. Il l'obligerait à lui sortir tous les mots de la bouche.

— Vous voulez bien me faire part de vos remarques, inspecteur Bosch ? demanda-t-elle finalement. Tel est le but de...

— Tout ça, c'est des conneries, voilà ce que j'ai à dire. C'est totalement bidon. Rien d'autre.

— Attendez un peu. Pourquoi dites-vous que ce sont des conneries ?

— Bon, d'accord, j'ai bousculé ce type. Peut-être que je l'ai frappé. Je ne sais pas exactement ce qui s'est passé, mais je ne nie rien. Alors, bon, vous pouvez me suspendre, me muter, porter l'affaire devant la Commission, tout ce que vous voulez. Mais c'est du bidon. Les Affaires internes, c'est du bidon. Bon Dieu, pourquoi suis-je obligé de venir ici trois fois par semaine pour discuter avec vous comme si j'étais une espèce de... ? Vous ne me connaissez même pas, vous ne savez rien de moi. Pourquoi dois-je parler avec vous ? Et pourquoi êtes-vous obligée de rédiger un rapport ?

— La réponse technique figure ici même, dans votre propre déclaration. Plutôt que de prendre une sanction disciplinaire, la police veut vous soigner. Vous avez été mis en congé forcé pour dépression, ce qui veut dire...

— Je sais ce que ça veut dire, et c'est des conneries. Quelqu'un décide, de manière totalement arbitraire, que je souffre de dépression, et l'administration a le droit de me mettre indéfiniment sur la touche ou, du moins, jusqu'à ce que je joue le bon toutou devant vous.

– Il n'y a rien d'arbitraire dans cette histoire. Tout est fondé sur vos agissements qui montrent clairement, il me semble…

– Ce qui s'est passé n'a rien à voir avec une dépression. C'est une question de… Laissez tomber, va. Je vous l'ai dit, c'est des conneries. Si on en arrivait directement à l'essentiel au lieu de tourner autour du pot ? Que dois-je faire pour retrouver mon boulot ?

Il vit la colère enflammer le regard de son interlocutrice. Le mépris qu'il affichait pour sa science et son savoir-faire l'atteignait dans sa fierté. Mais la colère disparut très vite. A force d'être constamment confrontée à des flics, elle devait avoir l'habitude.

– Vous ne voyez donc pas que tout ça c'est pour votre bien ? Je suppose que certains responsables de la police vous considèrent comme un atout précieux, sinon vous ne seriez pas ici. Ils vous auraient expédié sur une voie disciplinaire, et vous vous seriez retrouvé à la porte. Au lieu de ça, ils font tout leur possible pour préserver votre carrière et l'atout qu'elle représente pour le département.

– Un atout, moi ? Je suis un flic, pas une carte à jouer. Et quand on se retrouve dehors, à la rue, tout le monde se fout de votre image. Qu'est-ce que ça veut dire, d'abord ? Je vais devoir écouter ce genre de trucs en venant ici ?

Elle se racla la gorge, avant de répondre d'un ton sévère :

– Vous avez un problème, inspecteur Bosch. Et cela va bien au-delà de l'incident qui a eu pour conséquence de vous envoyer en congé. Voilà quel est le but de ces séances. Vous comprenez ? Cet incident n'est pas isolé. Vous avez déjà eu des problèmes auparavant. Ce que j'essaie de faire, ce que je dois réussir à faire, avant de pouvoir vous autoriser à reprendre vos fonctions, c'est vous inciter à vous regarder en face. Que faites-vous ? Que cherchez-vous ? Pourquoi rencontrez-vous ce genre de problèmes ? Je veux que ces séances soient un dialogue ouvert où je vous pose des questions et où vous me dites tout ce que vous avez sur le cœur, mais de manière constructive. Pas pour nous critiquer, moi ou ma profession, ni les responsables de ce département. Pour parler de vous, inspecteur. C'est de vous qu'il s'agit ici, et de personne d'autre.

Harry Bosch se contenta de la regarder sans rien dire. Il avait envie d'une cigarette, mais pas question de lui demander l'autorisation de fumer. Jamais il n'admettrait devant elle qu'il avait cette manie. Pour s'entendre parler de fixations orales ou de dépendance à la nicotine !

Il inspira profondément et regarda la femme assise en face de lui, de l'autre côté du bureau. Petite, Carmen Hinojos avait des manières et un visage charmants. Bosch savait qu'elle n'avait pas un mauvais fond. En fait, il avait entendu dire du bien d'elle par d'autres gars qu'on avait envoyés à Chinatown. Elle faisait juste son boulot, voilà tout, et la colère de Bosch n'était pas vraiment dirigée contre elle. Il savait qu'elle était certainement assez intelligente pour l'avoir compris.

– Je suis désolée, reprit-elle. J'ai eu tort de commencer par ce genre de questions directes. Je sais bien qu'il s'agit d'un sujet délicat pour vous. Recommençons, si vous le voulez bien. Au fait, vous pouvez fumer si vous le souhaitez.

– C'est marqué dans le dossier, ça aussi ?

– Non, ce n'est pas dans le dossier. Ce n'est pas nécessaire. J'ai remarqué les mouvements de votre main ; vous n'arrêtez pas de la porter à votre bouche. Avez-vous déjà essayé d'arrêter ?

– Non. Mais nous sommes dans un lieu administratif. Vous connaissez le règlement.

C'était une bien piètre excuse. Il violait la loi quotidiennement au poste de police de Hollywood.

– Le règlement n'est pas le même ici. Je ne veux pas que vous considériez cet endroit comme une annexe de Parker Center, ou n'importe quel bureau administratif. C'est surtout pour ça que nous sommes situés à l'écart. Ici, nous n'avons pas ce type de règlements.

– Peu importe où nous sommes. Vous travaillez quand même pour le LAPD*.

– Essayez donc de penser que vous êtes loin de la police de Los Angeles. Quand vous êtes ici, essayez de vous dire que vous venez juste voir une amie. Pour parler. Vous pouvez dire tout ce que vous voulez ici.

Mais Bosch savait qu'il ne pourrait pas la considérer comme une amie. Jamais. L'enjeu était trop important. Néanmoins, il hocha la tête, pour lui faire plaisir.

– Vous n'êtes pas très convaincant.

Il haussa les épaules, comme pour lui signifier qu'il ne pouvait pas faire mieux.

– Au fait, dit-elle, si vous le souhaitez, je pourrais vous hypnotiser, pour vous débarrasser de votre dépendance à la nicotine.

---

* LAPD : Los Angeles Police Department *(NdT)*.

– Si je voulais arrêter, je pourrais. Les gens fument ou ne fument pas. Moi, je fume.

– En effet. Et, d'ailleurs, c'est peut-être même le symptôme le plus évident d'un tempérament autodestructeur.

– Je vous demande pardon, mais… On m'a suspendu parce que je fume ? C'est ça, la vraie raison ?

– Je pense que la vraie raison, vous la connaissez.

Bosch ne répondit pas. Il repensa à sa décision d'en dire le moins possible.

– Continuons, insista-t-elle. Vous êtes en congé depuis… voyons voir… ça fera une semaine mardi ?

– Exact.

– Qu'avez-vous fait de votre temps ?

– J'ai surtout rempli des formulaires de la FEMA.

– Pardon ?

– Ma maison est condamnée à la destruction.

– Le tremblement de terre remonte à trois mois. Pourquoi avoir attendu si longtemps ?

– J'avais des choses à faire. Du boulot.

– Je vois. Aviez-vous une assurance ?

– Ne dites pas « je vois », car vous ne voyez rien. Vous ne pouvez pas voir les choses comme je les vois, c'est impossible. La réponse est non : pas d'assurance. Comme presque tout le monde, je vivais en me cachant la vérité. Vous parleriez de « dénégation ». Je parie que vous aviez une assurance, vous.

– Oui. Votre maison a été sérieusement touchée ?

– Ça dépend à qui on pose la question. Les inspecteurs municipaux disent qu'elle est bonne pour la casse et que je ne peux même pas y mettre les pieds. Pour moi, ça va. Il y a juste besoin de faire quelques travaux. Ils me connaissent bien maintenant, chez « Home Depot ». J'ai pris des entrepreneurs pour effectuer une partie du travail. Ce sera bientôt terminé et je ferai appel de la décision. J'ai déjà un avocat.

– Vous y habitez toujours ?

Il acquiesça d'un signe de tête.

– Voilà ce que j'appelle se cacher la vérité, inspecteur Bosch. Je pense que vous avez tort.

– Et moi, je pense que vous n'avez pas à me dire ce que je dois faire en dehors de mon boulot de flic.

Elle leva les mains comme pour dire : « Libre à vous. »

– Même si je n'approuve pas votre décision, reprit-elle, ce n'est peut-être pas inutile. Il est bon, me semble-t-il, que vous ayez quelque chose pour vous occuper. Évidemment, je préférerais que vous choisissiez un sport ou un hobby quelconque, voire que vous envisagiez un petit voyage, mais il est important que vous vous occupiez pour éviter de ressasser l'incident.

Bosch grimaça.

– Qu'est-ce qu'il y a ?

– Franchement… Tout le monde parle de « l'incident ». Ça me rappelle tous ces gens qui parlaient du « conflit » au Vietnam au lieu de dire « la guerre ».

– Comment appelleriez-vous ce qui s'est passé ?

– Je ne sais pas. Mais « incident »… ça fait… aseptisé. Revenons un peu en arrière, docteur. Je n'ai aucune envie de partir en voyage, d'accord ? Mon boulot, c'est la police criminelle. C'est mon métier. Et j'aimerais beaucoup le reprendre. Je pourrais faire du bon travail, vous savez.

– Si le département vous y autorise.

– Si vous m'y autorisez, vous. Vous savez bien que tout dépend de vous, en définitive.

– Peut-être. Avez-vous remarqué que vous parliez de votre métier comme s'il s'agissait d'une sorte de mission ?

– C'est juste. Comme le saint Graal.

Il avait dit cela d'un ton sarcastique. Cette discussion devenait insupportable, et ce n'était que la première séance.

– Vraiment ? dit-elle. Pensez-vous que votre mission dans la vie est de résoudre des meurtres et d'envoyer les méchants en prison ?

Il se servit du haussement d'épaules pour répondre qu'il ne savait pas. Il se leva et gagna la fenêtre pour regarder Hill Street tout en bas. Les trottoirs étaient envahis de passants. Toutes les fois qu'il était venu ici, les trottoirs étaient bondés. Il remarqua deux Blanches qui marchaient côte à côte. Elles faisaient tache au milieu de cette marée de visages asiatiques. Elles passèrent devant la vitrine d'un boucher chinois, dans laquelle pendait une rangée de canards fumés, entiers, accrochés par le cou.

Un peu plus haut, il aperçut la bretelle d'accès du Hollywood Freeway, les vitres sombres de la vieille prison et, juste derrière, le bâtiment du palais de justice. Sur la gauche se dressait la tour de l'hôtel de ville. D'épaisses bâches noires étaient tendues tout autour des étages supérieurs. Cela ressemblait à une marque de deuil, mais Bosch savait que ces bâches ne se trouvaient là que pour empêcher les débris de tomber pendant qu'on réparait les dégâts du tremblement de terre. Derrière l'hôtel de ville, il vit encore la « Maison de Verre » – Parker Center –, le quartier général de la police de Los Angeles.

– Parlez-moi de votre mission, lui demanda Hinojos d'une voix douce. J'aimerais vous entendre la formuler avec des mots.

Bosch revint s'asseoir et chercha un moyen de s'expliquer, mais il se contenta finalement de secouer la tête.

– Je ne peux pas.

– J'aimerais que vous réfléchissiez... à votre mission. De quoi s'agit-il véritablement ? Réfléchissez bien.

– Et vous, quelle est votre mission, docteur ?

– Ce n'est pas ce qui nous intéresse ici.

– Bien sûr que si.

– Très bien, inspecteur. C'est la seule question personnelle à laquelle je répondrai, car nous ne sommes pas ici pour parler de moi, mais de vous. Ma mission, me semble-t-il, est d'aider les hommes et les femmes de ce département. C'est le premier aspect. Sur un plan plus large, j'aide la communauté tout entière, j'aide les habitants de cette ville. Meilleurs sont nos policiers, meilleure est notre vie quotidienne à tous et plus nous sommes en sécurité. Ça vous va comme réponse ?

– C'est parfait. Quand je pense à ma mission, vous voudriez donc que je la résume à quelques phrases comme celles-là et que je les débite machinalement, en donnant l'impression de lire une définition dans un dictionnaire ?

– Monsieur... euh, inspecteur Bosch, si vous avez l'intention de faire le malin et de vous montrer méprisant, nous n'arriverons à rien. Ça veut dire que vous n'êtes pas près de reprendre votre travail. C'est ce que vous cherchez ?

Il leva les mains pour indiquer qu'il se rendait. Hinojos baissa les yeux sur le bloc de feuilles posé sur son bureau. Bosch profita de ce qu'elle ne le regardait pas pour l'observer. Carmen Hinojos avait de petites mains brunes qu'elle gardait posées devant elle sur le bureau. Aucune bague. Dans la droite, elle tenait un joli stylo, sans doute très cher. Bosch avait toujours pensé que les stylos de prix étaient utilisés par des gens extrêmement soucieux de leur image. Mais peut-être n'était-ce pas le cas de cette femme. Ses cheveux bruns étaient tirés en arrière. Elle portait des lunettes à monture d'écaille. Elle aurait dû avoir un appareil dentaire quand elle était enfant, mais on ne lui en avait pas posé. Elle leva les yeux de dessus son bloc et leurs regards se croisèrent.

– J'ai cru comprendre, enchaîna-t-elle, que cet inci... cette situation a coïncidé, plus ou moins, avec la dégradation d'une relation amoureuse.

– Qui vous a dit ça ?

– Cela figurait dans le dossier qu'on m'a transmis. La provenance de ces informations n'a pas d'importance.

– C'est très important, au contraire, car vos informations sont fausses. Cette histoire n'a rien à voir avec ce qui s'est passé. La « dégradation de cette relation », comme vous dites, avait eu lieu environ trois mois avant.

– La douleur provoquée par ce genre de choses peut durer beaucoup plus longtemps. Je sais qu'il s'agit d'un sujet personnel, et c'est sans doute difficile pour vous, mais j'aimerais qu'on en parle. Car, voyez-vous, cela me permettrait d'avoir une idée de votre état émotionnel à l'époque où l'agression s'est produite. Cela vous pose un problème ?

Bosch lui fit signe de continuer.

– Combien de temps a duré cette relation ?

– Environ un an.

– Vous étiez mariés ?

– Non.

– Vous l'aviez envisagé ?

– Non, pas vraiment. Jamais clairement.

– Vous viviez ensemble ?

– Parfois. Mais on avait chacun notre appartement.

– Cette séparation est-elle définitive ?

– Je crois.

En prononçant ces paroles à voix haute, Bosch eut l'impression que, pour la première fois, il admettait que Sylvia Moore était sortie de sa vie pour de bon.

– Cette séparation s'est-elle faite d'un commun accord ?

Il se racla la gorge. Il n'avait pas envie de parler de tout ça, mais il était pressé d'en finir.

– Oui, on peut parler de commun accord, en effet, mais je n'en ai pris conscience qu'après son départ. Il y a trois mois, on se serrait l'un contre l'autre dans le lit pendant que la maison tremblait de tous les côtés. Et disons qu'elle est partie avant la fin des ondes de choc.

– Elles ne sont pas encore terminées.

– C'était une façon de parler.

– Êtes-vous en train de me dire que le tremblement de terre a provoqué la fin de cette relation ?

– Non, je ne dis pas ça. Je vous explique seulement que ça s'est passé à ce moment-là. Juste après. Elle est enseignante, là-bas, dans la Vallée, et son école a été détruite. Les enfants ont été répartis dans d'autres écoles et la municipalité n'avait plus besoin d'autant de professeurs. Ils lui ont proposé une année sabbatique et elle l'a prise. Elle a quitté Los Angeles.

– Avait-elle peur d'un nouveau tremblement de terre ou avait-elle peur de vous ? lui demanda-t-elle en le regardant avec insistance.

– Pourquoi aurait-elle eu peur de moi ?

Bosch savait qu'il paraissait un peu trop sur la défensive.

– Je ne sais pas. Je pose des questions, simplement. Lui aviez-vous donné des raisons d'avoir peur ?

Il hésita. C'était une question qu'il n'avait jamais vraiment abordée lorsqu'il s'interrogeait sur cette rupture.

– Si vous parlez sur un plan physique, la réponse est non. Elle n'avait pas peur de moi, et je ne lui avais donné aucune raison de me craindre.

Hinojos acquiesça et écrivit quelque chose sur son bloc. Bosch était gêné qu'elle prenne des notes à ce sujet.

– Écoutez, dit-il, tout cela n'a rien à voir avec ce qui s'est passé au poste la semaine dernière.

– Pourquoi est-elle partie ? Quelle était la véritable raison ?

Il détourna le regard. Il était furieux. Voilà comment les choses allaient se passer : elle lui poserait toutes les questions qu'elle voulait et violerait son intimité à la moindre occasion.

– Je n'en sais rien, dit-il.

– Cette réponse n'a pas cours ici. Je pense que vous le savez ou, du moins, que vous avez une idée de la raison qui l'a poussée à partir. Forcément.

– Elle a découvert qui j'étais.

– Elle a découvert qui vous étiez ? Qu'est-ce que ça signifie ?

– Il faudrait lui poser la question. C'est elle qui a dit ça. Mais elle est à Venise. En Italie.

– A votre avis, qu'entendait-elle par là ?

– Peu importe ce que je pense. C'est elle qui a dit ça, et c'est elle qui est partie.

– Ne me considérez pas comme votre ennemie, inspecteur Bosch, je vous en prie. Mon vœu le plus cher est que vous retrouviez votre travail. Comme je vous l'ai dit, c'est ma mission. Vous renvoyer dans les rues si vous en êtes capable. Mais vous compliquez les choses avec votre sale caractère.

— C'est peut-être ça qu'elle a découvert. Je suis peut-être comme ça.

— Je ne pense pas que la raison soit aussi simpliste.

— Parfois, je pense que si.

Elle regarda sa montre et se pencha en avant. Sa déception à l'issue de cette première séance était manifeste.

— Très bien, inspecteur, dit-elle. Je comprends votre embarras. Nous allons passer à autre chose, mais je pense que nous serons obligés de revenir à ce problème. Je vous demande d'y réfléchir. Essayez de formuler vos sentiments avec des mots.

Elle attendit qu'il dise quelque chose, mais en vain.

— Essayons de reparler de ce qui s'est passé la semaine dernière. Je crois savoir qu'au départ il y a le meurtre d'une prostituée...

— Oui.

— Un meurtre brutal ?

— Ce n'est qu'un mot. Ça ne veut pas dire la même chose pour tout le monde.

— Certes, mais, à vos yeux, s'agissait-il d'un meurtre brutal ?

— Oui, c'était brutal. Comme presque tous les meurtres, d'ailleurs. Quand quelqu'un meurt, c'est toujours brutal. Pour cette personne.

— C'est vous qui avez arrêté le suspect ?

— Mon partenaire et moi, oui. Enfin... pas vraiment. Le meurtrier s'est présenté spontanément pour répondre à des questions.

— Cette affaire vous a-t-elle affecté davantage que... que d'autres dans le passé, disons ?

— Peut-être. Je ne sais pas.

— Pourquoi ?

— Pourquoi s'émouvoir pour une prostituée, vous voulez dire ? Je ne me suis pas senti particulièrement concerné. Pas plus que pour n'importe quelle autre victime. Mais dans les affaires d'homicides, je me suis fixé une règle.

— Laquelle ?

— Tout le monde compte. Tout le monde ou personne.

— Expliquez-vous.

— Je viens de le faire. Tout le monde compte ou personne ne compte. C'est clair. Ça veut dire que je me casse toujours le cul pour résoudre une affaire, qu'il s'agisse d'une prostituée ou de la femme du maire. Voilà ma règle.

— Je comprends. Mais venons-en à cette affaire précise. J'aimerais que vous me donniez votre version de ce qui s'est passé après l'arrestation, et les raisons qui vous ont poussé à vous montrer violent au poste de police de Hollywood.

– Vous enregistrez notre conversation ?

– Non, inspecteur. Tout ce que vous me direz est confidentiel. A la fin de ces séances, je me contenterai d'adresser une recommandation au chef adjoint Irving. Le contenu de ces séances ne sera jamais divulgué. Mes recommandations se limitent généralement à une demi-page de conclusions et ne contiennent aucune citation.

– Voilà une demi-page qui a du poids !

Elle ne répondit pas. Bosch réfléchit en la regardant. Il se dit qu'il pourrait sans doute lui faire confiance, mais son instinct, et son expérience, lui interdisaient de se fier à qui que ce soit. Elle semblait consciente de ce dilemme et attendit.

– Vous voulez connaître ma version des faits ? demanda-t-il.

– Oui.

– Très bien, je vais vous raconter ce qui s'est passé.

CHAPITRE DEUX

Bosch fuma durant le trajet qui le ramenait chez lui, mais il s'aperçut que ce n'était pas vraiment d'une cigarette qu'il avait besoin. Ce qu'il lui fallait, c'était un verre pour se calmer. Il jeta un coup d'œil à sa montre et décréta qu'il était encore trop tôt pour s'arrêter dans un bar. Il se rabattit sur une autre cigarette et décida de rentrer chez lui.

Après avoir négocié la montée de Woodrow Wilson, il se gara le long du trottoir, à quelques pas de chez lui, et termina le trajet à pied. Il entendait des notes de piano – de la musique classique – qui provenaient de la maison d'un de ses voisins, sans qu'il puisse déterminer laquelle. Il ne connaissait pas véritablement ses voisins et ne savait pas lequel avait, peut-être, un ou une pianiste dans sa famille. Il se baissa pour passer sous le ruban de plastique jaune tendu à l'entrée de la propriété et y pénétra par la porte de l'auvent à voiture.

C'était devenu une routine : se garer plus bas dans la rue et cacher le fait qu'il vivait dans sa maison. Celle-ci avait été jugée inhabitable par un inspecteur municipal et condamnée à la démolition. Mais Bosch avait ignoré les deux décrets ; il avait brisé le scellé sur le boîtier électrique et vivait chez lui depuis trois mois.

C'était une petite maison avec un revêtement en séquoia, dressée sur des pylônes en acier plantés dans le soubassement sédimentaire qui s'était formé lorsque les Santa Monica Mountains avaient émergé du désert durant les ères mésozoïque et cénozoïque. Les pylônes avaient tenu bon pendant le tremblement de terre, mais la maison avait bougé et s'était partiellement séparée des pylônes et des rivets antisismiques. Elle avait glissé. De quatre ou cinq centimètres tout au plus. Mais c'était suffisant. Limité dans l'espace, ce glissement avait provoqué d'importants dégâts. A l'intérieur, la charpente s'était déformée ; les encadrements des portes et des fenêtres n'étaient plus d'équerre. Les vitres s'étaient brisées, la porte d'entrée était condamnée, figée dans son linteau qui avait basculé vers le nord, avec tout le reste de la maison. Pour ouvrir cette porte, Bosch serait certainement obligé d'emprunter le véhicule blindé de la police muni d'un bélier. De fait, il avait dû utiliser un pied-de-biche pour décoincer la porte de l'auvent. Elle faisait maintenant office d'entrée principale.

Bosch avait versé cinq mille dollars à un entrepreneur pour qu'il redresse la maison à l'aide de vérins. Il l'avait ensuite remise à sa place et reverrouillée sur les pylônes. Cette tâche accomplie, Bosch était maintenant heureux de pouvoir réparer lui-même les encadrements des fenêtres et des portes intérieures en fonction de ses loisirs. Il avait commencé par les vitres et, les mois suivants, avait réinstallé les portes intérieures. Il s'aidait d'ouvrages de menuiserie et très souvent était obligé de refaire deux ou trois fois ses calculs, jusqu'à ce qu'ils tombent plus ou moins juste. Mais il trouvait ce travail agréable, et même thérapeutique. Travailler avec ses mains constituait un exutoire à son boulot à la brigade criminelle. Toutefois, il n'avait pas touché à la porte d'entrée en manière d'hommage au pouvoir de la nature. Il se contentait d'utiliser la porte latérale.

Hélas, tous ses efforts n'avaient pas suffi à effacer la maison de la liste des bâtiments condamnés par la municipalité. Gowdy, l'inspecteur chargé de toute la zone, n'avait pas levé sa condamnation à mort, malgré le travail de Bosch. C'est ainsi qu'avait débuté la partie de cache-cache qui obligeait Bosch à entrer et sortir de chez lui aussi subrepticement qu'un espion dans une ambassade étrangère. Il avait cloué des bâches en plastique noir devant les fenêtres de devant, afin de ne pas être trahi par la lumière. Et sans cesse il guettait l'arrivée d'un Gowdy qui était sa Némésis.

Entre-temps, Bosch avait engagé un avocat pour contrer les décrets de l'inspecteur des bâtiments.

La porte de l'auvent donnait directement dans la cuisine. Une fois entré chez lui, Bosch ouvrit le réfrigérateur pour y prendre une boîte de Coca, puis il resta devant la porte ouverte du vieil appareil, dont le souffle le rafraîchit pendant qu'il cherchait de quoi se préparer un repas correct. Il savait exactement ce qu'il y avait sur les tablettes et dans les bacs du réfrigérateur, mais il regarda quand même. Comme s'il espérait avoir la surprise de découvrir un steak ou quelque blanc de poulet oublié. C'était très souvent qu'il accomplissait ce petit rituel – celui d'un homme seul –, ça aussi, il le savait.

Sur la terrasse de derrière, Bosch but son soda et mangea un sandwich composé d'un morceau de pain vieux de cinq jours et de tranches de viande sous plastique. Il regretta de ne pas avoir un paquet de chips pour l'accompagner : il savait qu'il aurait certainement faim un peu plus tard après cet unique sandwich en guise de dîner.

Appuyé contre la balustrade, il contempla, en contrebas, le Hollywood Freeway, presque saturé maintenant avec l'arrivée des automobilistes du lundi soir. Il avait quitté le centre-ville juste avant que la vague de l'heure de pointe ne se brise. Il faudrait veiller à ne pas dépasser l'horaire lors de ses séances avec la psychologue de la police. Elles avaient lieu à 15 h 30 le lundi, le mercredi et le vendredi. Carmen Hinojos était-elle du genre à prolonger une séance ? se demanda-t-il. Ou bien effectuait-elle sa mission uniquement durant les heures de bureau ?

De son poste d'observation privilégié dans les collines, Bosch découvrait la quasi-totalité des voies de l'autoroute qui, partant vers le nord, traversait le Cahuenga Pass pour rejoindre la San Fernando Valley. Il passa en revue tout ce qui s'était dit au cours de la séance, essayant de déterminer si celle-ci avait été bonne ou mauvaise, mais son esprit ne cessant de dériver, il se mit à observer l'endroit où l'autoroute surgissait au sommet du col. Distraitement, il choisit deux voitures qui roulaient plus au moins à la même hauteur et les suivit du regard sur la portion de route d'environ 1,5 kilomètre qu'il apercevait de sa terrasse. D'habitude, il misait sur l'une ou l'autre des deux voitures et suivait la course à laquelle participaient les deux conducteurs sans le savoir, jusqu'à la ligne d'arrivée, c'est-à-dire la sortie de Lankershim Boulevard.

Au bout de quelques minutes, il prit conscience de ce qu'il était en train de faire et pivota brusquement sur lui-même, tournant le dos à l'autoroute.

– Bon Dieu ! s'exclama-t-il.

Il comprit alors que s'occuper les mains ne suffirait pas pendant tout le temps qu'il serait en congé d'office. De retour dans la maison, il alla chercher une bouteille de bière Henry dans le réfrigérateur. Il venait de l'ouvrir lorsque le téléphone sonna. C'était son équipier, Jerry Edgar ; son appel venait de briser le silence de manière salutaire.

– Alors, c'était comment Chinatown ?

Parce que tous les flics, hommes ou femmes, craignaient de craquer un jour sous la pression du métier et de devenir candidats aux séances de thérapie de la BSS, la Section des sciences comportementales de la police, celle-ci était rarement appelée par son nom officiel. Assister aux séances de la BSS se disait généralement « aller à Chinatown », où se trouvait ce service, dans Hill Street précisément, à quelques rues de Parker Center. Quand on apprenait que tel ou tel flic s'y rendait, on disait qu'il avait le « Hill Street blues ». L'immeuble de six étages qui abritait la BSS était surnommé, quant à lui, le « Cinquante-Un-Cinquante ». Ce n'était pas son adresse. C'était le code radio utilisé dans la police pour décrire une personne folle. Ce genre de codes faisait partie de l'armure de protection qui servait aux flics à minimiser, et donc à contrôler plus facilement, leurs peurs.

– Formidable ! lui répondit Bosch d'un ton sarcastique. Tu devrais essayer. Je me suis retrouvé sur ma terrasse en train de compter les bagnoles sur l'autoroute.

– Avec ça, tu ne risques pas de manquer d'occupation.

– Exact. Et toi, quoi de neuf ?

– Ça y est, Pounds l'a fait.

– Il a fait quoi ?

– Il m'a collé avec un nouveau.

Bosch resta muet. Cette nouvelle avait quelque chose de définitif. L'idée que, peut-être, il ne retrouverait plus jamais son poste commença à s'insinuer dans son esprit.

– Il a fait ça ?

– Oui, finalement. J'ai hérité d'une affaire ce matin et il en a profité pour me refiler un de ses lèche-cul. Burns.

– Burns ? Le gars des vols de bagnoles ? Il n'a jamais bossé à la Criminelle. Je me demande même s'il a déjà bossé aux CAP.

Dans la police, les inspecteurs suivaient généralement deux voies différentes. Les crimes contre les biens, d'un côté, et, de l'autre, les crimes contre les personnes, les CAP. Cette dernière catégorie comportait les homicides, les viols, les agressions et les vols à main armée. Les inspecteurs des CAP traitaient les affaires les plus importantes et, dans l'ensemble, considéraient leurs collègues chargés des autres crimes comme des gratte-papier. Il y avait tellement de crimes contre les biens dans cette ville que ces inspecteurs passaient le plus clair de leur temps à recevoir des plaintes et à rédiger des rapports d'arrestation. Ils accomplissaient fort peu de travail d'enquête. Ils n'avaient pas le temps.

– Il n'a jamais sorti le nez de ses paperasses, dit Edgar. Mais avec Pounds, ce n'est pas un problème. Lui, tout ce qui l'intéresse, c'est d'avoir un inspecteur des homicides qui ne risque pas de l'emmerder. Burns est le client idéal. Je parie qu'il a commencé à intriguer pour avoir ta place dès qu'on a su ce qui t'arrivait.

– Qu'il crève ! Je reprendrai ma place aux homicides et ce salopard retournera aux vols de bagnoles.

Edgar ne répondit pas tout de suite. C'était comme si Bosch venait de dire quelque chose qui n'avait aucun sens pour lui.

– Tu crois vraiment, Harry ? Pounds ne prendra pas ta défense pour que tu reviennes. Pas après ce que tu as fait. Quand il m'a annoncé que je faisais équipe avec Burns, je lui ai lâché un truc du genre : « Sauf votre respect, j'aimerais mieux attendre le retour de Bosch », et il m'a répondu que si je voyais les choses de cette façon, je risquais d'attendre jusqu'à l'âge de la retraite.

– Il a dit ça ? Qu'il crève, lui aussi ! J'ai encore quelques amis dans la police.

– Irving te doit toujours un service, non ?

– Je vais bientôt savoir s'il s'en souvient.

Mais Bosch décida de ne pas insister. Il préférait changer de sujet. Certes, Edgar était son équipier, mais ils n'étaient jamais allés jusqu'à échanger de véritables confidences. Dans cette relation, Bosch jouait le rôle du mentor et n'hésitait pas à remettre sa vie entre les mains d'Edgar, mais ces liens ne tenaient que dans la rue. A l'intérieur du département, c'était une autre paire de manches. Bosch n'avait jamais fait confiance à personne. Quant à compter sur quiconque... Il n'allait pas commencer maintenant.

– C'est quoi, cette nouvelle affaire ? demanda-t-il, histoire de détourner la conversation.

– Ah, oui. Je voulais t'en parler, justement. C'est super-bizarre. Pour commencer, c'est le meurtre qui est bizarre et ce qui est arrivé ensuite l'est encore plus. Ça s'est passé dans une baraque de Santa Bonita. Il était environ 5 heures du mat'. Le type raconte qu'il a entendu un bruit ressemblant à un coup de feu, mais étouffé. Il prend son fusil de chasse dans le placard et sort jeter un œil. Le quartier a été complètement dépouillé par les camés dernièrement. Pas moins de quatre cambriolages dans son pâté de maisons le mois dernier. C'est pour ça qu'il avait son fusil sous la main. Bref, il descend l'allée de sa baraque avec son arme... le garage est derrière... et il voit une paire de jambes qui pend par la portière ouverte de sa bagnole. Elle était garée devant le garage.

– Il a tiré ?

– Non, et c'est ça qui est dingue. Il approche avec son fusil, mais le type dans la bagnole est déjà mort. Poignardé en pleine poitrine avec un tournevis !

Bosch ne comprenait pas. Il ne possédait pas assez d'éléments. Il garda le silence.

– Il a été tué par l'airbag, Harry !

– Comment ça : « il a été tué par l'airbag » ?

– Oui, l'airbag, mec ! Cette saloperie de camé essayait de piquer l'airbag à l'intérieur du volant et, Dieu sait pourquoi, le truc s'est déclenché. Il s'est gonflé d'un seul coup, comme c'est prévu, et il lui a enfoncé le tournevis dans le cœur ! J'ai jamais vu un truc pareil. Il devait tenir le tournevis à l'envers ou il se servait du manche pour frapper sur le volant. On n'a pas encore bien saisi ce qui s'était passé. On a interrogé un type de chez Chrysler. Il paraît que si tu enlèves le couvercle de protection, comme l'avait fait ce crétin, n'importe quoi, même l'électricité statique, peut déclencher le bazar. Le maccabée portait un pull. Ça vient peut-être de là. D'après Burns, c'est le premier mort par électricité statique !

Pendant qu'Edgar ricanait de la plaisanterie de son nouvel équipier, Bosch réfléchissait au scénario. Il se souvenait d'un bulletin d'information diffusé à tous les policiers, concernant les vols d'airbags, l'année précédente. Ces machins étaient très recherchés au marché noir, les voleurs pouvant en tirer jusqu'à trois cents dollars pièce auprès de garagistes sans scrupules. Les ateliers de pièces détachées rachetaient l'airbag trois cents dollars et en réclamaient neuf cents au client pour l'installer. Cela faisait ainsi deux fois plus de bénéfices qu'en le commandant au fabricant.

– Donc, c'était un accident ? demanda Bosch.

– Oui, mort accidentelle. Mais attends, l'histoire n'est pas finie. Les deux portières de la voiture étaient ouvertes.

– La victime avait un complice.

– C'est ce qu'on a pensé. Et on s'est dit que si on retrouvait ce salopard, on pourrait l'inculper en appliquant la loi sur les homicides. On a donc demandé aux gars du labo de passer l'intérieur de la bagnole au laser et de relever le maximum d'empreintes. Je les ai emportées chez le coroner et j'ai convaincu un des techniciens de les scanner pour les rentrer dans l'AFIS*. Et là… bingo !

– Tu as trouvé le complice ?

– Exactement ! L'ordinateur de l'AFIS a le bras long, Harry. Un de ses réseaux est le Centre d'identification militaire de Saint-Louis. C'est là-bas qu'on a retrouvé les empreintes de notre gars. Il était dans l'armée il y a dix ans. Ils nous ont filé son identité et on a eu

---

* AFIS : Automated Fingerprint Identification System *(NdT)*.

son adresse par le Service des cartes grises. On est allés le cueillir aujourd'hui. Il a craché le morceau. Il va rester à l'ombre un petit moment.

– Bonne journée, on dirait.

– Attends, c'est pas fini. Je t'ai pas raconté le truc le plus dingue.

– Vas-y, raconte.

– Je t'ai dit qu'on avait passé la bagnole au laser pour relever toutes les empreintes, tu te souviens ?

– Oui.

– Eh bien, figure-toi qu'on a décroché le gros lot une deuxième fois. Au rayon crimes, ce coup-là. Une affaire qui avait eu lieu dans le Mississippi. Ah, si toutes les journées pouvaient être comme celle-ci !

– C'était qui, ce gars ? demanda Harry, qui commençait à perdre patience à force d'écouter cette histoire morcelée.

– On a obtenu une correspondance avec des empreintes enregistrées sur le réseau il y a sept ans, par un truc appelé « Base d'identification criminelle des États du Sud ». Un machin qui regroupe cinq États, dont la population totale ne fait même pas la moitié de celle de L.A. Enfin, bref, une des empreintes qu'on a foutues dans la machine correspondait à celles de l'auteur d'un double meurtre à Biloxi, en 76, mec ! Un type que les journaux avaient surnommé « le Boucher du bicentenaire », vu qu'il avait tué deux femmes le 4 juillet.

– Le propriétaire de la voiture ? Le type au fusil de chasse ?

– Dans le mille ! Ses empreintes étaient sur le hachoir qu'il avait laissé dans le crâne d'une des filles. Il était un peu surpris de nous voir débarquer de nouveau chez lui cet après-midi. « On a retrouvé le complice du type qui est mort dans votre voiture, qu'on lui a dit. Ah, au fait, on vous arrête pour un double meurtre, espèce d'enfoiré. » Je crois que ça lui a coupé la chique. Tu aurais dû être là pour voir ça, Harry.

Edgar éclata de rire à l'autre bout du fil, et Bosch sentit, après seulement une semaine de mise à l'écart, combien son boulot lui manquait.

– Il a avoué ?

– Non, il est resté muet comme une carpe. Un type qui commet un double meurtre et vit peinard pendant vingt ans n'est pas idiot à ce point-là. C'est un bel exploit.

– Ouais. Et il faisait quoi, depuis ?

– Apparemment, il se tenait peinard. Il possède une quincaillerie à Santa Monica. Il est marié, il a un gamin et un chien. Un parfait exemple de réhabilitation. Mais il va retourner à Biloxi. Et j'espère pour lui qu'il aime la cuisine du Sud parce qu'il ne va pas revenir par ici de sitôt.

Edgar s'esclaffa de nouveau. Bosch, lui, ne dit rien. Cette histoire était déprimante car elle lui rappelait ce qu'il ne pouvait plus faire. Elle lui rappelait également la question de Hinojos qui voulait qu'il définisse sa mission.

– J'ai deux flics du Mississippi qui rappliquent demain, reprit Edgar. Je leur ai parlé au téléphone tout à l'heure ; ils sont aux anges.

Bosch resta muet.

– Harry ? Tu es toujours là ?

– Oui. Je pensais à un truc… C'est une sacrée journée pour les combattants du crime. Comment a réagi notre chef intrépide ?

– Pounds ? Ah, la vache ! Il a une trique de la taille d'une batte de base-ball. Tu sais ce qu'il veut faire ? Il cherche un moyen de s'approprier les lauriers des trois affaires résolues. Cet enfoiré essaie d'inscrire les deux homicides de Biloxi à notre tableau de chasse.

Bosch n'en fut pas étonné. C'était une pratique largement répandue parmi les chefs et les statisticiens de la police que de gonfler les taux de crimes résolus chaque fois et partout où cela était possible. Dans l'affaire de l'airbag, il n'y avait pas de véritable meurtre. Il s'agissait d'un accident. Mais le décès étant survenu au cours de l'exécution d'un crime, la loi de l'État de Californie stipulait qu'un complice de ce crime pouvait être accusé de la mort de son partenaire. Le complice étant arrêté pour meurtre, Bosch comprit que Pounds avait l'intention d'ajouter une affaire dans la colonne des homicides résolus. Par contre, il n'ajouterait rien dans la colonne des homicides, la mort provoquée par l'airbag étant accidentelle. Cette petite astuce statistique se traduirait par une jolie poussée du taux global d'homicides résolus par la brigade de Hollywood, taux qui, ces dernières années, menaçait en permanence de descendre sous la barre des 50 %.

Toutefois, comme il n'était pas satisfait du bond modeste provoqué par cette manipulation comptable, Pounds avait le culot de vouloir ajouter les deux meurtres commis à Biloxi dans la colonne des affaires résolues. Après tout, il pouvait faire valoir que sa brigade avait élucidé deux affaires de plus. Résultat : il ajoutait trois affaires classées d'un côté, sans rien ajouter de l'autre ; de quoi donner un sacré coup de fouet au pourcentage global d'affaires élucidées et à l'image de Pounds, en tant que chef du bureau des inspecteurs. Celui-ci devait être très content de lui et du bilan de la journée.

– Il nous a annoncé que notre taux allait grimper de six points, reprit Edgar. C'était un homme heureux, Harry. Et mon nouveau partenaire était heureux d'avoir rendu son chef heureux.

– Assez, je ne veux pas en entendre davantage.

– Je m'en doutais. Alors, qu'est-ce que tu fais pour t'occuper, à part compter les bagnoles sur l'autoroute ? Tu dois t'ennuyer à mourir, Harry.

– Non, pas vraiment, mentit Bosch. La semaine dernière, j'ai fini de réparer la terrasse. Cette semaine, je vais...

– Je te l'ai déjà dit, Harry, tu gaspilles ton temps et ton fric. Les inspecteurs vont finir par te repérer et ils vont te jeter dehors à coups de pied dans le cul. Ensuite, ils foutront ta maison par terre et t'enverront la note. Ta terrasse et tout le reste vont se retrouver dans un camion à ordures.

– J'ai engagé un avocat.

– Qu'est-ce qu'il va faire ?

– J'en sais rien. Je veux faire appel de l'ordre de démolition. C'est un spécialiste de ce genre de trucs. Il dit qu'il peut arranger ça.

– Espérons. Mais je continue à penser que tu ferais mieux d'abattre cette baraque et d'en construire une autre.

– Je n'ai pas encore gagné au loto.

– Il existe des prêts spéciaux en cas de désastre naturel. Tu pourrais en obtenir un et...

– J'ai fait une demande, Jerry. Mais j'aime cette maison comme elle est.

– O.K., Harry. J'espère que ton avocat t'arrangera ça. Bon, faut que je te laisse. Burns veut qu'on aille boire une bière au Short Stop. Il m'y attend.

La dernière fois que Bosch était allé au Short Stop, un minuscule bar de flics près de l'école de police et du Dodger Stadium, il y avait encore sur le mur un autocollant qui proclamait « JE SOUTIENS LE CHEF GATES ». Pour la plupart des flics, Gates appartenait déjà au passé, mais le Short Stop était un lieu où les vieux de la vieille se retrouvaient pour boire et se souvenir d'un métier de flic qui n'existait plus.

– Amuse-toi bien, Jerry.

– Prends soin de toi.

Appuyé contre le plan de travail de la cuisine, Bosch but sa bière. Après réflexion, il conclut que l'appel d'Edgar était une façon habile et détournée de lui annoncer qu'il choisissait son camp et le laissait tomber. Ce n'est pas grave, se dit-il. Charité bien ordonnée commence par soi-même, et Edgar devait essayer de survivre dans un lieu semé d'embûches. Bosch ne pouvait pas lui en vouloir.

Il contempla son reflet dans la porte vitrée du four. L'image était sombre, mais il y distingua ses yeux et les contours de sa mâchoire. Il avait quarante-quatre ans et par certains côtés paraissait plus âgé. Il avait encore une épaisse chevelure châtain bouclée, mais les cheveux et la moustache commençaient à grisonner. Ses yeux marron, presque noirs, semblaient fatigués et usés. Son visage avait le teint pâle d'un veilleur de nuit. Il était toujours svelte, mais parfois ses vêtements pendaient sur lui comme si on les lui avait donnés dans un centre d'accueil pour SDF, ou comme s'il sortait d'une maladie grave.

S'arrachant à ce reflet déprimant, il prit une autre bière dans le frigo. Il ressortit sur la terrasse et constata que le ciel était éclairé par les teintes pastel du crépuscule. Il ferait nuit dans pas longtemps, mais l'autoroute en contrebas était une rivière de lumières scintillantes et mouvantes, dont le flot ne ralentissait jamais.

Plongé dans la contemplation de la circulation du lundi soir, il imagina qu'il observait une fourmilière où les ouvrières se déplaçaient en lignes. Quelqu'un, ou une force quelconque, reviendrait bientôt donner un grand coup de pied dans la colline. Alors les autoroutes et les maisons s'effondreraient, mais les fourmis, elles, se contenteraient de reconstruire et se remettraient en lignes.

Quelque chose le tracassait, sans qu'il puisse mettre le doigt dessus. Ses pensées tournoyaient et se mélangeaient. Peu à peu, il replaçait ce que lui avait dit Edgar sur cette drôle d'affaire dans le contexte de sa discussion avec Hinojos. Il y avait un rapport quelque part, un lien, mais celui-ci lui échappait.

Il finit sa bière et décida que deux suffisaient. Il alla s'allonger dans une des chaises longues. Ce qu'il voulait, c'était le repos. De l'esprit et du corps. Il leva la tête et vit que le soleil couchant avait peint les nuages en orange ; on aurait dit de la lave en fusion glissant lentement dans le ciel.

Juste avant qu'il ne sombre dans le sommeil, une pensée se faufila au milieu de la lave. Tout le monde compte ou personne ne compte. C'est alors que, à la dernière seconde de lucidité, il comprit le lien qui unissait toutes ses pensées. Et sut quelle était sa mission.

CHAPITRE TROIS

Le lendemain matin, il s'habilla sans prendre sa douche, afin de pouvoir commencer à bricoler tout de suite dans la maison et effacer les pensées lancinantes de la nuit grâce à la sueur et à la concentration.

Mais se débarrasser de ces idées n'était pas chose facile. Alors qu'il enfilait un vieux jean taché de peinture, il aperçut son reflet dans le miroir brisé au-dessus de la commode et constata qu'il avait mis son T-shirt à l'envers. En travers de la poitrine, sur le coton blanc, était imprimée la devise de la brigade criminelle.

NOTRE JOURNÉE COMMENCE QUAND LA VÔTRE S'ACHÈVE

Cette phrase était censée se trouver dans le dos. Il ôta le T-shirt et le remit à l'endroit. Enfin, il vit ce qu'il était censé voir dans la glace. La réplique d'un insigne d'inspecteur plaqué sur le sein gauche et, au-dessous, en plus petit, ces mots : LAPD. BRIGADE CRIMINELLE.

Il se fit une cafetière qu'il emporta sur la terrasse, avec une grande tasse. Il alla ensuite chercher sa boîte à outils et la porte qu'il avait achetée chez « Home Depot », pour la chambre. Quand il fut enfin prêt et eut rempli sa tasse de café noir bien fumant, il s'assit sur le repose-pied d'une des chaises longues et posa la porte devant lui, sur la tranche.

La porte d'origine s'était fendue au niveau des gonds durant le tremblement de terre. Il avait déjà essayé d'installer la nouvelle quelques jours plus tôt, mais, un peu trop large, elle ne rentrait pas dans l'encadrement. Il calcula qu'il devrait la raboter d'une cinquantaine de millimètres, du côté de la poignée, pour pouvoir la fermer. Il se mit au travail, faisant aller et venir lentement le rabot sur la tranche de la porte, arrachant de fins copeaux de bois qui tombèrent en torsades à ses pieds. De temps à autre, il s'arrêtait pour examiner le résultat et passer sa main sur la zone rabotée. Il aimait suivre ainsi la progression de son travail. Rares étaient les tâches qui lui procuraient ce plaisir.

Malgré tout, il avait du mal à garder sa concentration. L'attention qu'il accordait à la porte était fréquemment interrompue par l'idée qui l'avait hanté toute la nuit : tout le monde compte ou personne ne compte. C'était ce qu'il avait dit à Hinojos. Ce à quoi il croyait. Mais était-ce la vérité ? Que signifiaient véritablement ces mots pour lui ? Était-ce juste un slogan, comme celui imprimé dans le dos de son T-shirt, ou un précepte de vie ? Ces questions se mêlaient aux échos de la conversation qu'il avait eue avec Edgar la veille au soir. Et aussi à une autre pensée, plus profonde, qui avait déjà occupé son esprit.

Il souleva le rabot et fit courir sa main encore une fois sur le bois lisse. Satisfait du résultat, il emporta la porte à l'intérieur. Au-dessus d'un vieux drap, dans un coin du salon dédié au bricolage, il frotta le montant de la porte avec du papier de verre très fin, jusqu'à ce que le bois soit parfaitement lisse.

Tenant la porte en position verticale, en équilibre sur un bloc de bois, il la fit glisser dans les gonds. Puis, à l'aide d'un marteau et en douceur, il fit entrer les goujons que, comme les charnières, il avait huilés au préalable. Enfin la porte de la chambre s'ouvrait et se fermait presque sans bruit. Mais surtout, elle s'ajustait à la perfection dans l'encadrement. Il l'ouvrit et la referma plusieurs fois, pour le plaisir, heureux de ce qu'il avait réalisé.

Hélas, cette joie fut de courte durée : cette tâche étant achevée, son esprit se retrouva libre de vagabonder. Il retourna sur la terrasse, les autres pensées revenant l'assaillir, tandis qu'il balayait les copeaux pour en faire un petit tas.

Hinojos lui avait conseillé de s'occuper. Maintenant, il savait comment suivre ce conseil. Mais il comprit aussi autre chose : peu importait les occupations qu'il pourrait s'inventer. Il lui resterait toujours une tâche à accomplir. Il appuya le balai contre le mur et rentra dans la maison pour se préparer.

CHAPITRE QUATRE

Le bâtiment des archives du LAPD était situé dans Ramirez Street, dans le centre, pas très loin de Parker Center. Bosch, en costume-cravate, se présenta à l'entrée un peu avant 11 heures. Il montra sa carte d'inspecteur par la vitre de la voiture, on lui fit vite signe de passer. Cette carte était la seule chose qui lui restait. On la lui avait retirée, en même temps que son insigne doré et son arme de service quand on l'avait mis en congé forcé la semaine précédente. Mais on la lui avait rendue un peu plus tard pour qu'il puisse pénétrer dans les locaux de la BSS, afin de participer aux séances de thérapie du Dr Carmen Hinojos.

Après s'être garé, Bosch se dirigea vers la bâtisse peinte en beige qui abritait toute l'histoire violente de cette ville. Vaste édifice de 1 000 mètres carrés, elle renfermait les dossiers de toutes les affaires du LAPD, résolues ou pas. C'est là que finissaient les dossiers quand plus personne ne s'intéressait à une enquête.

A l'accueil, une fonctionnaire qui n'appartenait pas à la police chargeait des dossiers dans un chariot pour qu'on puisse les emporter dans des dédales d'étagères où les oublier. A la façon dont elle dévisagea Bosch, celui-ci comprit qu'il était rare que quelqu'un vienne dans ce lieu. Tout se faisait par téléphone et par coursiers.

– Si vous cherchez les comptes rendus des réunions du conseil municipal, c'est le bâtiment A, de l'autre côté du parking. Celui avec les moulures marron.

Bosch lui montra sa carte.

– Je viens pour retirer un dossier.

Il glissa la main dans la poche de sa veste pendant que l'employée s'approchait du comptoir et se penchait en avant pour examiner sa carte. C'était une petite femme noire avec des cheveux grisonnants et des lunettes. Le badge épinglé sur son corsage indiquait qu'elle se nommait Geneva Beaupre.

– Hollywood, dit-elle. Pourquoi n'avez-vous pas demandé qu'on vous l'envoie par coursier ? C'est jamais des affaires urgentes.

– J'étais dans le coin, à Parker Center… Et j'avais envie de consulter ce dossier le plus vite possible.

– Bon… Vous avez le numéro ?

Il sortit de sa poche une feuille sur laquelle était inscrit le numéro 61-743. L'employée se pencha pour voir et se redressa brusquement.

– 1961 ? Vous voulez un dossier de… Je ne sais pas où c'est rangé, moi, 1961 !

– C'est ici. J'ai déjà consulté ce dossier. Je crois qu'il y avait quelqu'un d'autre à ce bureau à cette époque, mais le dossier était ici.

– Je vais jeter un œil. Vous voulez bien attendre ?

– Oui, j'attendrai.

Elle sembla contrariée par cette réponse, mais Bosch lui adressa son sourire le plus chaleureux. Elle emporta la feuille de papier et disparut au milieu des étagères. Bosch marcha de long en large devant le comptoir de la petite salle d'attente pendant quelques minutes, puis il sortit fumer une cigarette. Il était nerveux, mais n'aurait su dire pourquoi. Il continua à faire les cent pas.

– Harry Bosch !

Il se retourna et vit un homme venir vers lui du hangar des hélicoptères de la brigade aéroportée. Il le reconnut, mais ne put mettre immédiatement un nom sur son visage. Puis, ça lui revint. Le capitaine Dan Washington, l'ancien chef de patrouille du poste de Hollywood, aujourd'hui commandant du peloton aéroporté. Les deux hommes échangèrent une poignée de main cordiale, Bosch priant aussitôt le ciel que Washington ne sache pas qu'on l'avait mis sur la touche.

– Quoi de neuf à Hollywood ?

– Rien de neuf, c'est tout du vieux, capitaine.

– Que je vous dise : cet endroit me manque.

– Oh, vous ne manquez pas grand-chose. Et vous, comment ça va ?

– Je peux pas me plaindre. J'aime bien ce détachement, mais j'ai plus l'impression d'être un directeur d'aéroport qu'un flic. Pour se la couler douce, c'est un poste qui en vaut un autre.

Bosch se souvenait que Washington avait eu des démêlés politiques avec les huiles du département et qu'il avait accepté sa mutation pour pouvoir en réchapper. Il existait dans la police des dizaines de placards où, comme dans celui-ci, on pouvait se tourner les pouces en attendant que la balle change de camp.

– Qu'est-ce que vous foutez ici, au fait ?

On y était. Si Washington savait que Bosch était suspendu, lui avouer qu'il venait retirer un vieux dossier aurait été reconnaître qu'il violait ouvertement le règlement. Mais, et son affectation à la brigade aéroportée le disait bien, Washington n'était pas du genre à marcher au pas. Bosch décida de courir le risque.

– Je viens consulter un vieux dossier. J'ai du temps libre et je voulais en profiter pour vérifier deux ou trois trucs.

Washington le regarda en fronçant les sourcils, et Bosch comprit qu'il savait.

– Oui… ben, faut que je vous laisse, dit Washington. Tenez bon, mon vieux. Ne vous laissez pas abattre par les bureaucrates.

Et il lui adressa un clin d'œil et s'éloigna.

Bosch était quasiment certain que Washington ne parlerait de cette rencontre à personne. Il écrasa sa cigarette sous sa chaussure et retourna au guichet en s'engueulant : il avait commis l'erreur de sortir et de se montrer. Cinq minutes plus tard, il entendit des couinements dans une des allées entre les étagères. Geneva Beaupre reparut en poussant un chariot sur lequel était posé un classeur bleu à trois anneaux.

C'était un dossier de meurtre. Au moins cinq centimètres d'épaisseur, poussiéreux et entouré d'un élastique. Une vieille fiche de consultation de couleur verte était glissée sous l'élastique.

– J'ai trouvé ! s'exclama-t-elle.

Il y avait une note de triomphe dans sa voix. Ce serait sans doute son plus gros exploit de la journée, songea Bosch.

– Formidable.

Elle laissa tomber le gros classeur sur le comptoir.

– Marjorie Lowe. Homicide. 1961. Voyons voir… (Elle ôta la fiche coincée par l'élastique.) En effet, vous êtes le dernier à avoir demandé ce dossier. Ça remonte à… cinq ans. Vous étiez à la Brigade des vols et homicides dans ce temps-là…

– Exact. Et maintenant, je suis à Hollywood. Vous voulez que je signe encore une fois ?

Elle déposa la fiche devant lui.

– Oui. Indiquez également votre matricule, s'il vous plaît.

Il s'exécuta rapidement et sentit qu'elle l'observait pendant qu'il écrivait.

– Vous êtes gaucher.

– Oui.

Il fit glisser la fiche vers elle sur le comptoir.

– Merci, Geneva.

Il la regarda. Il avait envie d'ajouter quelque chose, mais pensa que ce serait peut-être une erreur. Elle le regarda, elle aussi, un sourire maternel se dessinant sur son visage.

– Je ne sais pas ce que vous cherchez, inspecteur Bosch, mais je vous souhaite bonne chance. J'imagine que c'est important, vu que vous replongez le nez dans cette affaire au bout de cinq ans.

– Ça fait plus longtemps que ça, Geneva. Beaucoup plus.

CHAPITRE CINQ

Bosch débarrassa tout le courrier et les manuels de menuiserie qui traînaient sur la table de la salle à manger pour y déposer le classeur et son carnet. Puis il s'approcha de la chaîne hi-fi et introduisit un CD dans le lecteur : *Clifford Brown with Strings*. Il alla encore chercher un cendrier dans la cuisine, puis revint enfin s'asseoir devant le gros classeur bleu – la couleur réservée aux affaires d'homicides – et l'observa un long moment, sans bouger. La dernière fois qu'il avait emprunté ce dossier, il l'avait à peine parcouru, se contentant d'en feuilleter les nombreuses pages. Il ne se sentait pas encore prêt à ce moment-là, et l'avait rapporté aux archives.

Cette fois, il voulait être sûr d'être prêt avant de l'ouvrir ; il demeura immobile un long moment à contempler la couverture en plastique craquelé, comme si celle-ci pouvait le renseigner sur son état de préparation. Un souvenir lui vint et occupa tout son esprit. Un garçon de onze ans dans une piscine. Il s'accroche à l'échelle en acier sur le côté, il est à bout de souffle et il pleure, mais ses larmes se confondent avec l'eau qui dégouline de ses cheveux mouillés. Le garçon a peur. Il est seul. Il a l'impression que la piscine est un océan qu'il va devoir traverser.

Clifford Brown jouait *Willow Weep for Me* ; sa trompette était aussi douce que le pinceau d'un peintre exécutant un portrait. Bosch tira sur l'élastique qu'il avait glissé autour du classeur cinq ans plus tôt, et celui-ci se brisa. Il hésita encore un court instant avant d'ouvrir le classeur, et souffla pour chasser la poussière.

Le classeur renfermait tout le dossier de l'homicide du 28 octobre 1961, commis sur la personne de Marjorie Phillips Lowe. Sa mère.

Les feuilles du dossier avaient jauni avec le temps et en étaient devenues toutes friables. En les parcourant, Bosch fut surpris de constater que les choses avaient peu changé en trente-cinq ans. La plupart des formulaires d'enquête qui se trouvaient dans ce classeur étaient toujours en vigueur. Le Rapport préliminaire et le Compte rendu chronologique de l'officier chargé de l'enquête étaient identiques à ceux que l'on utilisait aujourd'hui, exception faite de quelques mots qui avaient été remplacés pour se conformer aux exigences judiciaires et à la mentalité du « politiquement correct ». Les cases de signalement portant la mention NÈGRE avaient été remplacées, à un moment ou un autre, par le mot NOIR, qui avait ensuite cédé la place à AFRO-AMÉRICAIN. La liste des mobiles dans le tableau du Compte rendu préliminaire n'incluait pas encore des catégories telles que VIOLENCE CONJUGALE ou HAINE/PRÉJUGÉS, comme maintenant. Sur les formulaires d'interrogatoires, il n'y avait pas de case à cocher une fois qu'on avait récité ses droits à un suspect.

Mais hormis ce genre de modifications, les rapports étaient toujours les mêmes, et Bosch en conclut que les enquêtes d'aujourd'hui n'étaient guère différentes de celles d'autrefois. Certes, il y avait eu d'énormes avancées technologiques en trente-cinq ans. Malgré tout, certaines choses ne changeaient pas – et ne changeraient jamais, se dit-il : le travail de porte-à-porte, le fait de savoir poser des questions et d'écouter, de faire confiance à son instinct ou à un pressentiment. Voilà ce qui ne changeait pas, et ne pouvait pas changer.

L'affaire avait été confiée à deux enquêteurs de la brigade criminelle de Hollywood, Claude Eno et Jake McKittrick. Les rapports qu'ils avaient rédigés étaient classés par ordre chronologique. Dans les rapports préliminaires, la victime était désignée par son nom ; cela signifiait qu'elle avait été identifiée tout de suite. Le compte rendu indiquait qu'elle avait été retrouvée morte dans une ruelle derrière Hollywood Boulevard, du côté nord, entre Vista et Gower. Sa jupe et ses sous-vêtements avaient été arrachés par son agresseur. On supposait qu'elle avait été violée, puis étranglée. Son cadavre avait été abandonné dans un container à ordures situé près de la porte de derrière d'une boutique de souvenirs, la « Startime Gifts et Gags ». Le corps avait été découvert à 7 h 35 par un agent de police qui effectuait une ronde sur le Boulevard et avait l'habitude d'inspecter les petites rues annexes au début de chaque patrouille. Le sac de la victime n'avait pas été retrouvé sur les lieux du crime, mais celle-ci avait été rapidement identifiée car l'agent de police la connaissait.

Le deuxième rapport indiquait clairement pour quelle raison il la connaissait :

La victime a été appréhendée plusieurs fois pour racolage dans Hollywood Bd. (Cf. Comptes rendus d'arrestation n°s 55-002, 55-913, 56-111, 59-056, 60-815 et 60-1121.) Les inspecteurs de la brigade des mœurs, Gilschrist et Stano, la décrivent comme une prostituée qui travaillait périodiquement dans le secteur de Hollywood et en avait été chassée à plusieurs reprises. La victime habitait à la résidence El Rio, située à deux rues au nord du lieu du crime. On estime que la victime se livrait à des activités de call-girl à l'époque des faits. L'officier de police matricule 1906 a pu identifier la victime pour l'avoir souvent vue dans le secteur les années précédentes.

Bosch garda les yeux fixés sur le matricule de l'agent de police qui avait rédigé le rapport. Il savait que le numéro 1906 était celui d'un officier de patrouille devenu aujourd'hui un des hommes les plus puissants de la police de Los Angeles : le chef adjoint Irvin S. Irving. Un jour, Irving avait avoué à Bosch qu'il avait connu Marjorie Lowe, et que c'était lui qui avait découvert son corps.

Bosch alluma une cigarette et poursuivit sa lecture. Les rapports étaient rédigés à la va-vite, avec une indifférence de bureaucrate et sans souci de l'orthographe. En les lisant, Bosch comprit tout de suite que les inspecteurs Eno et McKittrick n'avaient guère consacré de temps à cette affaire. Une prostituée était morte. Ça faisait partie des risques du métier. Ils avaient d'autres chats à fouetter.

Il remarqua, sur le formulaire du rapport d'enquête annexe, une case destinée à recevoir le nom des parents proches. On pouvait y lire :

Hieronymus Bosch (Harry). Fils. 11 ans. Orphelinat McClaren. Informé le 28/10 à 15 h. Confié aux Services sociaux depuis juillet 60. MI. (Voir rapports arrestation victime 60-815 et 60-1121.) Père inconnu. Le fils reste au centre en attendant famille d'accueil.

Bosch n'eut aucun mal à déchiffrer les abréviations et à les traduire. « MI » signifiait « mère inapte ». L'ironie de la chose ne lui avait pas échappé, même après toutes ces années. L'enfant avait été enlevé à une mère jugée « inapte » et placé dans un système de protection de l'enfance tout aussi inadapté. La chose dont il avait gardé le souvenir le plus marquant ? Le bruit qui régnait dans cet endroit. Le vacarme permanent. Comme en prison.

Bosch se souvint que c'était McKittrick qui était venu lui annoncer la nouvelle. Pendant le cours de natation. La piscine couverte bouillonnait de vagues provoquées par une centaine de garçons qui y nageaient et pataugeaient en hurlant. Après qu'on l'eut fait sortir de l'eau, Harry s'était enveloppé dans une serviette blanche si souvent lavée et amidonnée qu'il avait eu l'impression d'avoir un bout de carton sur les épaules. McKittrick lui avait annoncé la nouvelle, et Harry était retourné dans l'eau ; le bruit des vagues avait étouffé ses hurlements.

Il feuilleta rapidement les rapports additionnels relatifs aux arrestations de la victime et arriva aux conclusions de l'autopsie. Il en sauta la majeure partie – il n'avait pas besoin de connaître les détails – et s'arrêta à la page de résumé, où l'attendaient quelques surprises. On estimait que le décès s'était produit entre sept et neuf heures avant la découverte du corps, c'est-à-dire vers minuit. La surprise résidait dans la cause officielle de cette mort. Elle était attribuée à un coup violent ayant provoqué un traumatisme crânien. Le rapport décrivait une profonde contusion au-dessus de l'oreille droite, avec gonflement, mais pas de lacération, ce qui avait provoqué une hémorragie fatale dans le cerveau. Toujours d'après le rapport, le meurtrier avait peut-être cru étrangler sa victime après l'avoir assommée, mais le légiste affirmait qu'elle était déjà morte quand son agresseur avait noué la ceinture de Marjorie Lowe autour de son cou et serré. Le rapport précisait encore que si on avait effectivement retrouvé du sperme dans le vagin de la victime, le corps ne présentait aucun des traumatismes généralement associés à un viol.

En relisant ce résumé avec des yeux d'inspecteur, Bosch constata que les conclusions de l'autopsie n'avaient servi qu'à embrouiller les deux inspecteurs chargés de l'enquête initiale. Une première supposition, basée sur l'aspect du corps, voulait que Marjorie Lowe ait été victime d'un crime sexuel, ce qui faisait naître le spectre d'une rencontre fortuite bien à l'image des accouplements de la profession. Mais le fait que la strangulation avait eu lieu après le décès et qu'il n'existât aucune preuve physique de viol donnait naissance à une autre hypothèse. Ces éléments permettaient de supposer que la victime avait été tuée par quelqu'un qui avait tenté de maquiller son crime et ses motivations sous l'apparence improvisée d'un crime sexuel. Si tel était le cas, Bosch ne voyait qu'une raison pour expliquer ce subterfuge : le meurtrier connaissait la victime. Pendant qu'il poursuivait sa lecture, Bosch se demanda si McKittrick et Eno étaient parvenus aux mêmes conclusions que lui.

Dans le dossier venait ensuite une enveloppe de format 18 x 24 contenant, à en croire ce qui était inscrit dessus, des photos du lieu du crime et de l'autopsie. Après un long moment de réflexion, Bosch écarta l'enveloppe. Comme la dernière fois où il avait sorti ce dossier des archives, il n'était pas capable de regarder à l'intérieur.

Sur une autre enveloppe était agrafée la liste des pièces à conviction.

PIÈCES À CONVICTION
Affaire 61-743

Empreintes digitales prélevées sur ceinture en cuir avec coquillages argentés.
Rapport coroner n° 1114 06/11/61.

Arme du crime retrouvée : ceinture en cuir noir avec coquillages argentés. Appartenant à la victime.

Vêtements de la victime. Stockés au dépôt. Casier 73B Q.G. LAPD.
    1 corsage, blanc. Taches de sang.
    1 jupe noire. Déchirée à la couture.
    1 paire de chaussures à talons hauts.
    1 paire de bas noirs, déchirés.
    1 culotte, déchirée.
    1 paire de boucles d'oreilles dorées.
    1 bracelet doré.
    1 chaîne en or avec croix.

C'était tout. Bosch examina longuement la liste avant de jeter quelques notes dans son carnet. Il y avait dans cet inventaire quelque chose qui le gênait, mais il n'aurait su dire quoi. Pas dans l'immédiat en tout cas. Il absorbait trop d'informations, il faudrait qu'il les laisse décanter avant que les anomalies remontent à la surface.

Abandonnant la liste pour le moment, il ouvrit l'enveloppe des pièces à conviction en brisant le ruban adhésif rouge et craquelé par le temps qui servait de scellé. A l'intérieur se trouvait une fiche cartonnée jaune sur laquelle figuraient deux empreintes digitales complètes – celles d'un pouce et d'un index –, ainsi que plusieurs autres empreintes partielles relevées sur la ceinture en cuir à l'aide d'une poudre noire. L'enveloppe contenait aussi un ticket rose correspondant aux vêtements qu'on avait placés dans un casier. Ces derniers n'avaient jamais été récupérés car il n'y avait jamais eu de véritable enquête. Bosch mit de côté la fiche et le ticket en se demandant ce qu'étaient devenus ces habits. Au milieu des années 60, on avait construit le Parker Center, et les services de police avaient quitté le vieux commissariat central. Celui-ci avait disparu depuis long-temps sous les coups des bulldozers. Qu'était-il advenu de toutes les pièces à conviction des affaires non résolues ?

Venait ensuite un ensemble de résumés d'interrogatoires réalisés dans les premiers jours de l'enquête. La plupart des personnes questionnées avaient connu la victime. Il s'agissait de locataires de la résidence El Rio ou d'autres femmes qui, elles aussi, faisaient le trottoir. Un bref compte rendu capta l'attention de Bosch. Il était tiré d'un interrogatoire mené trois jours après le meurtre, avec une femme nommée Meredith Roman. Le rapport la décrivait comme une associée et colocataire occasionnelle de la victime. A l'époque de l'interrogatoire, elle habitait elle aussi à l'El Rio, un étage au-dessus de la victime. Le rapport avait été tapé par l'inspecteur Eno, qui remportait haut la main le concours d'illettrisme lorsque l'on comparait les rapports des deux inspecteurs affectés à cette affaire.

> Meredith Roman (9-10-30) a été longuement interrogée ce jour à son domicile de la Résidence El Rio, ou elle vit juste au-dessus de chez la victime. Mlle Roman a fourni peu d'informations utiles à l'inspecteur soussigné concernant les activités de Marjorie Lowe durant la dernière semaine de sa vie.
>
> Mlle Roman avout s'être livré à des activités de prostitution en compagnie de la victime, à plusieurs reprises, durant les huit années précédantes, mais elle n'a jamais été arrêtée à ce jour. (Confirmé ultérieurement.) Elle a indiqué à l'inspecteur soussigné que ces activités étaient organizées par un dénommé Johnny Fox (2-2-33) qui habite au 1110 Ivar Street à Hollywood. Fox, âgé de 28 ans, n'a pas de casier judiciaire, mais la brigade des mœurs confirme qu'il a été suspect dans des affaires de proxénétisme, d'agression à main armée et de vente d'héroïne.
>
> Mlle Roman affirme avoir vu la victime pour la dernière fois dans une soirée organisé au premier étage du Roosevelt Hotel, le 21/10. Mlle Roman n'a pas assisté à cette soirée avec la victime, mais elle a discuté un court moment avec elle sur place.
>
> Mlle Roman déclare qu'elle envisage maintenant d'abandonner la prostitution et de quitter Los Angeles. Elle promet de fournir aux inspecteurs ses nouvelles coordonnées pour pouvoir être contactée en cas de nécessité. Elle s'est montrée coopérative avec le soussigné.

Bosch s'empressa de replonger dans les comptes rendus d'interrogatoires pour chercher celui concernant Johnny Fox. Il n'y en avait pas. Il retourna au Rapport chronologique, au début du classeur, pour savoir si on s'était même seulement donné la peine d'interroger Fox. Le Rapport chronologique n'était qu'une succession de notes d'une ligne renvoyant à d'autres rapports. Sur la deuxième page, il découvrit cette simple annotation :

3-11 800-2000 Surveil. Appt Fox. Rien.

Il n'y avait pas d'autre mention de Fox dans le dossier. Mais alors qu'il continuait de parcourir le Rapport chronologique jusqu'au bout, une autre indication attira son attention.

5-11 940 A. Conklin a appelé pour organizer réunion.

Bosch connaissait ce nom. Arno Conklin avait été procureur à Los Angeles dans les années 60. Pour autant qu'il s'en souvienne, Conklin n'était pas encore en poste en 1961, mais nul doute qu'il comptait déjà parmi les plus gros magistrats de la ville. Le fait qu'il s'intéresse au meurtre d'une prostituée intrigua Bosch. Malheureusement, le dossier ne contenait pas d'éléments de réponse. Aucun rapport ne faisait état d'une entrevue avec Conklin.

Il remarqua que la faute d'orthographe au verbe « organiser » apparaissait déjà dans le résumé de l'interrogatoire de Meredith Roman retranscrit par l'inspecteur Eno. Il en conclut que Conklin avait appelé Eno pour mettre au point cette entrevue. Néanmoins, le sens de ce détail lui échappait, si tant est qu'il y en eût un. Il nota le nom de Conklin en haut d'une page de son carnet.

Côté Fox, Bosch ne comprenait pas pourquoi Eno et McKittrick ne l'avaient pas recherché pour l'interroger. Il faisait pourtant un suspect idéal : c'était le souteneur de la victime. Cela dit, si Fox avait été effectivement interrogé, pourquoi le dossier ne contenait-il aucun élément relatif à un point aussi crucial de l'enquête ?

Bosch se renversa contre le dossier de sa chaise et alluma une cigarette. Il devinait déjà, et cela l'inquiétait, que quelque chose clochait dans cette affaire. Il sentit naître en lui les prémisses de l'affront. Plus il lisait ce dossier, plus il était convaincu que l'enquête avait été bâclée dès le départ.

Il se pencha de nouveau sur la table et continua de feuilleter les pages du classeur en fumant. Il y avait encore d'autres résumés d'interrogatoires et d'autres rapports, mais aucun n'avait d'intérêt. Ce n'était que du remplissage. Tout flic de la Criminelle digne de porter l'insigne était capable de pondre ce genre de rapports à la pelle s'il voulait donner l'impression d'avoir mené une enquête approfondie. Apparemment, McKittrick et Eno étaient des orfèvres en la matière. Mais tout inspecteur digne de ce nom était aussi capable de repérer ce genre de rapports bidon. Et c'était ce que Bosch voyait devant lui. Le sentiment de malaise qui lui nouait l'estomac s'accentua.

Il arriva enfin au premier Rapport complémentaire d'enquête criminelle. Celui-ci était daté d'une semaine après le meurtre et avait été rédigé par McKittrick.

L'enquête sur le meurtre de Marjorie Phillips Lowe se poursuit à cette date. Aucun suspect identifié.

L'enquête a déterminé que la victime se livrait à la prostitution dans le secteur de Hollywood et a peut-être été victime d'un client coupable de cet homicide.

Le premier suspect, John Fox, a nié toute participation à ce meurtre et a été innocenté grâce à la comparaison des empreintes et à la confirmation de son alibi par des témoins.

Aucun suspect n'a été identifié à cette date. John Fox affirme que le vendredi 30/11, à environ 21 h, la victime a quitté la résidence El Rio pour se rendre dans un lieu inconnu afin de se livrer à la prostitution. Fox déclare que tout a été organisé par la victime sans qu'il soit mis au courant. Fox dit que ce n'était pas une pratique inhabituelle. La victime avait l'habitude d'organiser des rendez-vous sans qu'il le sache.

Les sous-vêtements de la victime ont été retrouvés déchirés, sur le corps. On a remarqué qu'une paire de bas, qui appartenait aussi à la victime, était intacte et on pense qu'elle a peut-être été retirée volontairement.

L'expérience et l'instinct des enquêteurs les poussent à conclure que la victime a été assassinée dans ce lieu inconnu après y être allée de manière volontaire et avoir peut-être ôté quelques vêtements. Le corps a ensuite été transporté dans la poubelle dans la ruelle entre Vista et Gower, où on l'a découvert le lendemain matin.

Le témoin Meredith Roman a été réinterrogé à cette date pour rectifier sa première déclaration. Roman a informé l'enquêteur soussigné que, selon elle, la victime était allée dans une soirée à Hancock Park le soir précédant la découverte de son cadavre. Elle n'a pas pu fournir l'adresse, ni aucun nom. Mlle Roman dit que son intention était d'assister à cette soirée avec la victime, mais que, le soir d'avant, elle avait été agressée par John Fox au cours d'une dispute pour une histoire d'argent. Elle n'a pas pu aller à la soirée, car elle pensait ne pas être présentable à cause d'un hématome sur le visage. (Fox n'a

pas fait de difficultés pour avouer avoir frappé Roman, lors d'un interrogatoire subséquent, par téléphone. Roman a refusé de porter plainte.)
L'enquête est au point mort, en l'absence de nouvelles pistes à cette date. Les enquêteurs ont demandé l'aide d'agents de la brigade des mœurs ayant connaissance d'incidents similaires et/ou de suspects possibles.

Bosch relut le rapport, en essayant d'interpréter ce qu'on y apprenait réellement sur l'affaire. Une chose ressortait clairement : malgré l'absence de comptes rendus d'interrogatoires dans le classeur, Johnny Fox avait de toute évidence été interrogé par Eno et McKittrick. Et innocenté. La question qui se posait maintenant était la suivante : pourquoi n'avaient-ils pas rédigé un rapport, ou bien ce rapport avait-il été rédigé et ensuite retiré du dossier ? Dans ce cas, qui l'avait retiré – et pourquoi ?

Enfin, Bosch s'interrogea sur l'absence de toute référence à Arno Conklin dans le compte rendu et tous les autres rapports, à l'exception de la fiche chronologique. Peut-être, se dit-il, n'avait-on pas retiré de ce dossier uniquement le résumé de l'interrogatoire de Fox.

Bosch se leva pour aller chercher sa mallette, qu'il posait toujours sur le comptoir près de la porte de la cuisine. Il en sortit son carnet d'adresses. Ne connaissant pas le numéro des archives du LAPD, il composa le numéro du standard, où on lui passa le service. Une femme décrocha enfin, à la neuvième sonnerie.

– Euh, madame Beaupre ? Geneva ?

– Oui ?

– Bonjour, Harry Bosch à l'appareil. Je suis venu chercher un dossier tout à l'heure.

– Ah oui, le gars de Hollywood. Le vieux dossier.

– Voilà. Dites-moi… avez-vous encore la fiche d'emprunt à portée de main ?

– Ne quittez pas. Je l'ai déjà classée.

Quelques instants plus tard, elle était de retour.

– Voilà, dit-elle, je l'ai.

– Pourriez-vous me dire, je vous prie, qui d'autre a réclamé ce dossier par le passé ?

– Pourquoi avez-vous besoin de savoir ça ?

– Il manque certaines pages du dossier, madame Beaupre. J'aimerais bien savoir qui peut les avoir.

– C'est vous qui l'avez sorti en dernier. Je vous l'ai même signalé parce…

– Oui, je sais. Il y a environ cinq ans. Mais quelqu'un d'autre l'a-t-il emprunté avant moi, ou après ? Je n'ai pas fait attention quand j'ai signé la fiche.

– Attendez, je regarde.

Bosch patienta de nouveau. Pas longtemps.

– Ça y est, je l'ai. D'après la fiche, la seule autre fois où quelqu'un a réclamé ce dossier, c'était en 1972. Ça remonte à loin.

– Qui l'a réclamé à cette date ?

– Il y a un nom de griffonné. J'arrive pas à… Un nom comme Jack, on dirait… Jack McKillick…

– Jake McKittrick.

– C'est possible.

Bosch ne sut pas quoi en penser. McKittrick avait été le dernier à consulter le dossier, mais il l'avait fait plus de dix ans après le meurtre. Qu'est-ce que ça voulait dire ? Bosch sentit l'incompréhension le gagner. Il ne savait pas à quoi s'attendre, mais il avait espéré plus qu'un nom griffonné sur une fiche quelque vingt ans plus tôt.

– Très bien, madame Beaupre, dit-il. Merci beaucoup.

– Si vous avez repéré des pages manquantes, va falloir que je fasse un rapport pour M. Aguilar.

– Je ne pense pas que ce sera nécessaire, madame. Peut-être que je me trompe. Comment pourrait-il manquer des pages si personne n'a sorti ce dossier depuis que je l'ai eu entre les mains ?

Il la remercia de nouveau et raccrocha, en espérant que sa décontraction affichée dissuaderait Geneva Beaupre de donner suite à cet appel. Il ouvrit le réfrigérateur et examina son contenu en réfléchissant, puis il referma la porte et retourna à sa table.

Les dernières pages du classeur contenaient un rapport de « suivi d'enquête » daté du 3 novembre 1962. Conformément aux procédures en vigueur dans les cas d'homicides, toutes les affaires non résolues devaient être reprises un an après par une nouvelle équipe d'inspecteurs chargée de repérer des éléments qui auraient pu échapper à la première équipe. Dans la pratique, cela se résumait à donner un coup de tampon. Les inspecteurs n'aimaient pas dénicher les erreurs de leurs collègues. De plus, ils devaient s'occuper de leurs propres affaires en retard. Quand on leur collait un « suivi » sur les bras, ils se contentaient généralement de survoler le dossier et d'appeler quelques témoins ; après quoi, ils expédiaient le classeur aux archives

Dans ce cas précis, le rapport de « suivi d'enquête » rédigé par les nouveaux inspecteurs, Roberts et Jordan, arrivait aux mêmes conclusions que celui d'Eno et McKittrick. Après deux pages où ils dressaient la liste des mêmes pièces à conviction et des mêmes interrogatoires menés par les premiers inspecteurs, Roberts et Jordan concluaient à l'absence de pistes exploitables et ajoutaient que les chances de parvenir à une « conclusion positive » de l'affaire étaient nulles. Fin du « suivi d'enquête ».

Bosch referma le dossier. Il savait qu'après le rapport de Roberts et Jordan, le classeur avait été expédié aux archives en tant qu'affaire classée. Il y avait accumulé de la poussière jusqu'à ce que, d'après la fiche d'emprunt, McKittrick vienne le réclamer, pour une raison inconnue, en 1972. Bosch nota le nom de McKittrick sous celui de Conklin, sur la même feuille de son carnet. Il y ajouta les noms d'autres personnes qu'il serait peut-être utile d'interroger... à condition qu'elles soient toujours en vie et qu'on puisse les retrouver.

Il se renversa contre le dossier de son siège et constata que la musique s'était arrêtée sans même qu'il s'en aperçoive. Il jeta un coup d'œil à sa montre. 2 h 30. Il avait encore tout l'après-midi devant lui, mais il ne savait pas trop comment l'utiliser.

Il se rendit dans sa chambre pour prendre la boîte à chaussures rangée sur l'étagère de la penderie. C'était sa boîte de correspondance. Elle était remplie de lettres, de cartes et de photos qu'il avait souhaité conserver au cours de sa vie. Certaines de ces reliques remontaient à l'époque du Vietnam. Il regardait rarement dans cette boîte, mais en conservait dans sa mémoire un inventaire quasi complet. Aucun de ces souvenirs n'avait été conservé sans raison.

Sur le dessus se trouvait le dernier élément de sa collection. Une carte postale de Venise. Envoyée par Sylvia. Elle représentait un tableau qu'elle avait vu au palais des Doges. *Les Saints et les Damnés*. On y voyait un ange qui accompagnait un saint dans un tunnel, vers la lumière du paradis. Tous deux s'envolaient vers le ciel. C'était la dernière fois qu'il avait eu des nouvelles de Sylvia. Il relut ce qu'elle avait écrit au dos de la carte :

Harry, j'ai pensé que tu serais intéressé par cette œuvre de ton homonyme. C'est magnifique. Au fait, je suis amoureuse de Venise ! Je crois que je pourrais m'y installer définitivement. S.

Mais tu n'es pas amoureuse de moi, pensa-t-il en reposant la carte pour fouiller dans les autres reliques. Plus rien ne vint le distraire. Arrivé à la moitié de la boîte, il trouva ce qu'il cherchait.

CHAPITRE SIX

En milieu de journée, aller à Santa Monica en voiture prenait du temps. Bosch dut emprunter l'itinéraire le moins rapide – d'abord la 101, puis la 405 pour redescendre car la 10 ne rouvrirait que dans une semaine. Quand il arriva à Sunset Park, il était déjà plus de 15 heures. La maison qu'il cherchait était située dans Pier Street. Il s'agissait d'un petit bungalow Craftsman bâti sur la crête d'une colline, avec une véranda vitrée et des bougainvillées rouges qui couraient le long de la balustrade. Il compara l'adresse peinte sur la boîte aux lettres avec celle figurant sur l'enveloppe qui contenait la vieille carte de Noël posée sur le siège à côté de lui. Après s'être garé le long du trottoir, il regarda la carte encore une fois. Elle lui avait été adressée cinq ans plus tôt, par l'intermédiaire du LAPD. Il n'y avait jamais répondu. Jusqu'à aujourd'hui.

Il descendit de voiture, sentit l'odeur de la mer et supposa que les fenêtres de la maison orientées à l'ouest devaient offrir une vue partielle sur l'océan. Comme il faisait environ quatre degrés de moins que chez lui, il se pencha pour prendre son veston posé sur le siège arrière. Il l'enfila en se dirigeant vers le devant de la véranda.

La femme qui vint lui ouvrir la porte blanche, après qu'il eut frappé une seule fois, avait dans les soixante-cinq ans, et cela se voyait. Mince, cheveux bruns, mais dont les racines blanches commençaient à reparaître ; une nouvelle teinture s'imposait. Elle portait un rouge à lèvres épais, un chemisier blanc en soie orné de petits hippocampes bleus et un pantalon bleu marine. Elle l'accueillit avec un sourire. Bosch la reconnut, mais vit bien que son visage à lui n'évoquait absolument rien pour elle. Cela faisait presque trente-cinq ans qu'elle ne l'avait pas revu. Il lui rendit son sourire.

– Meredith Roman ?

Son sourire s'évanouit aussi vite qu'il était apparu.

– Je ne m'appelle pas comme ça, dit-elle d'un ton sec. Vous vous trompez d'adresse.

Elle voulut refermer la porte, mais Bosch appuya dessus avec sa main en essayant de gommer l'aspect menaçant de son geste. Mais il vit la panique grandir dans ses yeux.

– C'est moi, Harry Bosch, dit-il rapidement.

Elle se figea et le regarda droit dans les yeux. Il vit la panique refluer. Les souvenirs envahirent son regard comme un flot de larmes. Le sourire reparut.

– Harry ? Le petit Harry ?

Il acquiesça.

– Oh, viens dans mes bras, mon petit !

Elle l'attira et le serra contre elle en lui parlant à l'oreille.

– Comme c'est bon de te revoir après… Laisse-moi te regarder.

Elle le repoussa et écarta les mains comme si elle évaluait d'un seul coup d'œil une pièce remplie de tableaux. Son regard brillait d'une joie sincère. Bosch se sentit à la fois heureux et triste. Il n'aurait pas dû attendre si longtemps. Il aurait dû rendre visite à cette femme pour des raisons autres que celle qui l'amenait.

– Entre donc, Harry. Entre.

Bosch pénétra dans un living-room joliment meublé. Plancher en chêne, murs en stuc blancs et propres. Meubles en rotin blanc, presque tous assortis. C'était une maison pleine de clarté et de lumière, mais Bosch savait qu'il venait y apporter les ténèbres.

– Vous ne vous appelez plus Meredith ?

– Non, Harry. Depuis longtemps.

– Comment dois-je vous appeler, alors ?

– Je m'appelle Katherine maintenant. Avec un K. Katherine Register. Ça s'écrit comme un registre, mais ça se prononce « ree », comme dans « reefer* ». C'est ce que mon mari disait toujours. Pourtant, c'était un homme très droit. J'avais été son seul écart de conduite dans la vie.

– Il disait ça ?

– Assieds-toi, Harry, bon sang ! Oui, il disait ça. Il est mort il y a eu cinq ans à Thanksgiving dernier.

Bosch s'assit dans le canapé ; elle prit le fauteuil en face, de l'autre côté de la table basse.

– Je suis navré.

– C'est rien, tu ne pouvais pas savoir. D'ailleurs, tu ne l'as jamais

---

* *Reefer* : un joint *(NdT)*.

connu. Tu veux boire quelque chose ? Un café ? Quelque chose de plus fort peut-être ?

Il songea alors qu'elle lui avait envoyé la carte pour le Noël qui avait suivi le décès de son mari. Une nouvelle vague de culpabilité le submergea. Il n'avait pas répondu.

– Harry ?

– Hein ? Euh, non, rien, merci. Je… Vous voulez que je vous appelle par votre nouveau nom ?

Elle ne put s'empêcher de rire devant le côté absurde de la situation et il l'imita.

– Tu m'appelles comme tu veux.

Elle avait un rire de petite fille, un rire qu'il rattachait à une époque très ancienne.

– Ça fait plaisir de te voir. De voir ce que… enfin…

– Ce que je suis devenu ?

Elle rit de nouveau.

– Oui, sans doute. Je savais que tu étais dans la police parce que j'ai lu ton nom dans des articles de faits divers.

– Oui, je sais. J'ai reçu la carte de Noël que vous m'avez envoyée au bureau. Ce devait être juste après la mort de votre mari. Je… euh, je suis confus. Je ne vous ai jamais répondu et je ne suis pas venu vous voir. J'aurais dû.

– Ne t'en fais pas, Harry. Je sais bien que tu es très occupé avec ton travail, ta carrière, tout ça… Mais je suis contente que tu aies reçu ma carte. Tu as une famille ?

– Euh, non. Et vous ? Vous avez des enfants ?

– Non. Pas d'enfants. Tu as certainement une femme, hein, un bel homme comme toi ?

– Non. Je suis célibataire.

Elle hocha la tête comme si elle sentait qu'il n'était pas venu ici pour parler de sa vie privée. Ils restèrent un long moment à se regarder, sans parler, et Bosch se demanda ce qu'elle pensait vraiment du fait qu'il soit devenu flic. La joie initiale des retrouvailles s'enfonçait dans la gêne qui survient chaque fois que de vieux secrets remontent à la surface.

– Je crois…

Il n'acheva pas sa phrase. Il cherchait désespérément un moyen d'aborder le sujet. Son talent pour mener les interrogatoires l'avait abandonné.

– Si ça ne vous ennuie pas, je prendrais bien un verre d'eau, dit-il.

Il n'avait pas trouvé mieux.

– Je reviens tout de suite.

Elle se leva aussitôt pour se rendre dans la cuisine. Il l'entendit vider un bac à glaçons. Cela lui donna le temps de réfléchir. Il lui avait fallu une heure pour arriver chez elle et à aucun moment il n'avait pensé à la manière dont les choses pourraient se passer, ni à la façon d'amener le sujet sur le tapis. Meredith revint au bout de quelques minutes avec un verre d'eau fraîche. Elle le lui tendit et déposa sur la table basse, devant lui, un dessous de verre en liège.

– Si tu as faim, je peux te donner des crackers et du fromage. Mais je ne sais pas combien de temps tu...

– Non, merci. C'est parfait comme ça.

Il fit mine de trinquer avec son verre d'eau, en but la moitié et le reposa sur la table.

– Sers-toi du dessous de verre, Harry. Pour enlever les marques sur le verre, c'est l'horreur.

Bosch regarda ce qu'il avait fait.

– Oh, pardon.

Il déplaça son verre.

– Alors comme ça, tu es inspecteur ?

– Oui. Je travaille à Hollywood... Enfin, je ne travaille pas vraiment en ce moment. Disons que je suis en vacances.

– Oh, c'est bien.

Elle retrouva un peu de sa bonne humeur, comme si elle se disait qu'il était encore possible qu'il ne soit pas venu pour des raisons professionnelles. Bosch comprit que c'était le moment d'aborder le sujet.

– Euh, Mer... pardon, Katherine, il faut que je vous demande quelque chose.

– Quoi, Harry ?

– En regardant autour de moi, je vois que vous avez une très jolie maison... vous avez changé de nom et de vie. Vous n'êtes plus Meredith Roman et je sais que vous n'avez pas besoin que je vous parle de tout ça. Vous avez... Enfin, bref, c'est sans doute pénible pour vous de revenir sur le passé. En tout cas, ça l'est pour moi. Et, croyez-moi, je n'ai aucune envie de vous faire souffrir.

– Tu es venu pour parler de ta mère.

Il acquiesça et regarda fixement son verre posé sur le rond en liège.

– Ta mère et moi, on était les meilleures amies du monde, Harry. Des fois, je me dis que je me suis occupée de toi autant qu'elle. Jusqu'à ce qu'ils t'arrachent à elle. A nous.

Il redressa la tête. Elle contemplait des souvenirs lointains.

– Je ne crois pas passer un seul jour sans penser à elle. On n'était que des gamines. On prenait du bon temps. On ne pensait pas qu'il pouvait nous arriver quoi que ce soit.

Soudain, elle se releva.

– Suis-moi, Harry. Je vais te montrer quelque chose.

Il la suivit dans un couloir moquetté, jusqu'à une chambre. Il y avait là un lit à baldaquin avec une couverture bleu ciel, une commode en chêne et des tables de chevet assorties. Katherine Register lui montra la commode. Plusieurs photos étaient posées sur le dessus, dans des cadres dorés. La plupart représentaient Katherine en compagnie d'un homme qui paraissait beaucoup plus âgé qu'elle. Son mari, se dit-il. Mais elle lui désigna une vieille photo située à droite de l'alignement. Les couleurs en avaient passé. On y voyait deux jeunes femmes avec un petit garçon de trois ou quatre ans.

– J'ai toujours gardé cette photo, Harry. Même quand mon mari était encore de ce monde. Il connaissait mon passé. Je lui avais tout raconté. Ça n'avait pas d'importance. On a passé vingt-trois années magnifiques ensemble. Vois-tu, le passé, c'est ce qu'on en fait. Tu peux t'en servir pour te faire souffrir et faire souffrir les autres, ou au contraire l'utiliser pour devenir plus fort. Je suis forte, Harry. Alors, maintenant, explique-moi pourquoi tu es venu me voir aujourd'hui.

Bosch prit la photo encadrée.

– Je veux…

Il leva les yeux de dessus la photo pour regarder la vieille femme.

– Je vais découvrir qui l'a tuée.

Une expression indéchiffrable se figea sur le visage de Meredith/Katherine. Puis, sans un mot, la vieille femme lui prit le cadre des mains et le reposa sur la commode. Elle serra de nouveau Bosch dans ses bras, en appuyant sa tête sur sa poitrine. Il se vit en train de l'étreindre dans le miroir accroché au mur au-dessus de la commode. Quand elle se recula et leva les yeux sur lui, il constata que des larmes avaient coulé sur ses joues. Sa lèvre inférieure était agitée d'un léger tremblement.

– Retournons nous asseoir, dit-il.

Elle prit deux mouchoirs en papier dans une boîte posée sur la commode et Bosch la ramena dans le living-room, jusqu'à son fauteuil.

– Vous voulez que j'aille vous chercher de l'eau ?

– Non, ça ira. Je vais arrêter de pleurer, je suis désolée.

Elle s'essuya les yeux avec les mouchoirs en papier. Bosch se rassit sur le canapé.

– On disait qu'on était comme les deux mousquetaires, une pour toutes et toutes pour une. C'était idiot, mais on était si jeunes à l'époque… si proches !

– Je ne sais rien de cette affaire, Katherine. J'ai seulement consulté le dossier de l'enquête. Il…

Elle eut un petit ricanement amer et secoua la tête.

– Il n'y a pas eu d'enquête, Harry. Ça s'est réduit à une plaisanterie.

– C'est aussi mon sentiment, mais je ne comprends pas pourquoi.

– Écoute, Harry… tu sais le métier que faisait ta mère. (Il hocha la tête, elle continua.) C'était une fille de joie. Comme moi. Tu sais, j'en suis sûre, que c'est une façon polie de dire les choses. Et franchement, les flics se fichaient pas mal que l'une de nous se fasse tuer. Ils se sont dépêchés de tirer un trait sur l'affaire. Je sais bien que tu es policier, mais ça se passait comme ça dans le temps. Ils n'en avaient rien à foutre de nous.

– Je comprends. Et je doute que les choses aient beaucoup changé. Mais je suis persuadé qu'il y a une autre raison.

– Harry, je ne sais pas ce que tu as envie d'entendre sur ta mère.

Il la regarda en face.

– Le passé m'a rendu fort, moi aussi, dit-il. Je peux tout entendre.

– Oui, je suis sûre que tu es fort… Je me souviens de l'endroit où ils t'ont envoyé. McEvoy, ou un truc comme ça…

– McClaren.

– Voilà, c'est ça. McClaren. Quel endroit sordide ! Quand elle revenait, après être allée te voir, ta mère s'asseyait et pleurait toutes les larmes de son corps.

– Ne changez pas de sujet, Katherine. Qu'est-ce que je devrais savoir sur ma mère ?

Elle hocha la tête, mais hésita encore un moment avant de poursuivre.

– Marj connaissait des policiers. Tu comprends ?

Il acquiesça.

– Moi aussi, j'en connaissais, ajouta-t-elle. Ça marchait comme ça. Il fallait copiner pour tapiner. C'était ce qu'on disait. Et quand il y a ce genre de problème, comme quand on l'a retrouvée morte, les flics préfèrent balancer tout sous le tapis. On ne réveille pas le chien qui dort, etc., etc. A toi de choisir le cliché. Ils ne voulaient causer d'ennuis à personne.

– Vous voulez dire que, à votre avis, c'était un flic ?

– Non. Je ne dis pas du tout ça. J'ignore qui l'a tuée, Harry. Je suis navrée. J'aimerais le savoir. Ce que je veux dire, c'est qu'à mon avis les deux inspecteurs savaient où pouvait mener leur enquête et ils n'avaient pas envie de s'aventurer sur cette voie. Ils savaient où se trouvait leur intérêt. Ils n'étaient pas idiots à ce point et, je te le répète, ta mère n'était qu'une fille de joie. Ils s'en foutaient. Comme tout le monde. On l'avait tuée, point à la ligne.

Bosch regarda autour de lui. Il ne savait plus que lui demander.

– Savez-vous qui étaient ces policiers qu'elle connaissait ?

– Ça remonte à loin.

– Vous en connaissiez certains, vous aussi, non ?

– Oui, forcément. C'est comme ça que ça marchait. On se servait de ses relations pour éviter la prison. Tout le monde était à vendre. En ce temps-là, du moins. Les modes de paiement variaient selon les individus. De l'argent, pour certains. Pour d'autres, c'était autre chose.

– J'ai lu dans le classeur d'homi… dans le dossier, que vous n'aviez jamais été fichée.

– Oui, j'ai eu de la chance. On m'a embarquée plusieurs fois, mais on ne m'a jamais fichée. J'ai toujours été relâchée après avoir pu passer un coup de fil. J'ai un casier vierge parce que je connaissais un tas de flics, mon petit Harry. Tu comprends ?

– Oui, je comprends.

Elle n'avait pas détourné le regard en disant cela. Après toutes ces années de vie honnête, elle avait conservé sa fierté de pute. Elle était capable d'évoquer les moments noirs de sa vie sans ciller ni tressaillir. Parce qu'elle avait survécu et y puisait sa dignité. Assez en tout cas pour tenir jusqu'à la fin de ses jours.

– Ça t'ennuie si je fume, Harry ?

– Non, du moment que je peux en faire autant.

Ils prirent chacun une cigarette, et Bosch se leva pour les allumer.

– Tu peux prendre le cendrier sur la petite table. Essaie de ne pas mettre de cendre sur le tapis.

Elle lui montra une petite coupelle en verre posée sur la table basse située au bout du canapé. Bosch se pencha pour s'en saisir et la tint d'une main pendant qu'il fumait avec l'autre. Puis il parla, les yeux fixés au fond du cendrier.

– Ces policiers que vous connaissiez, et qu'elle connaissait certainement, elle aussi, vous vous souvenez de leurs noms ?

– Je t'ai dit que ça remontait à loin. Et je doute qu'ils aient quelque chose à voir avec ce qui est arrivé à ta mère.

– Irvin S. Irving. Ça vous rappelle quelque chose ?

Elle eut un moment d'hésitation, le temps de faire rouler ce nom dans sa tête.

– Oui, je l'ai connu. Et ta mère aussi, je crois. Il patrouillait sur le Boulevard. Elle aurait eu du mal à ne pas le connaître, mais je peux me tromper.

– C'est lui qui l'a trouvée, dit Bosch.

Elle haussa les épaules, comme pour dire : « Qu'est-ce que ça prouve ? »

– Il fallait bien que quelqu'un la trouve, lui renvoya-t-elle. On l'avait laissée dans la rue.

– Et deux types de la brigade des mœurs, Gilchrist et Stano, ça vous dit quelque chose ?

Elle hésita encore une fois avant de répondre :

– Oui, je les connaissais… des sales types.

– Et ma mère… Elle les connaissait, elle aussi ? De la même façon ? Elle acquiesça.

– Qu'entendez-vous par « sales types » ?

– Ils ne… Disons qu'ils nous considéraient comme des moins que rien. Quand ils voulaient quelque chose, que ce soit un renseignement qu'on aurait pu obtenir par un client ou un truc plus… personnel, ils arrivaient et se servaient. Des fois, ils étaient violents. Je les détestais.

– Est-ce qu'ils…

– Auraient-ils pu la tuer ? A l'époque, je t'aurais répondu non, et je n'ai pas changé d'avis. Ces types-là n'étaient pas des tueurs, Harry. C'étaient des flics. Ils étaient corrompus, naturellement, mais comme tous les autres. Ce n'était pas comme de nos jours où on lit dans le journal que des flics sont jugés pour avoir tué, tabassé ou je ne sais quoi. C'est… pardon.

– C'est rien. Vous pensez à quelqu'un d'autre ?

– Non.

– Aucun nom ?

– J'ai chassé tout ça de ma mémoire depuis longtemps.

– Bien sûr.

Il aurait voulu sortir son carnet pour parcourir ses notes, mais il ne voulait pas lui donner l'impression qu'il s'agissait d'un interrogatoire. Il essaya de se remémorer les choses qu'il avait lues dans le dossier et sur lesquelles il pourrait la questionner.

– Et le dénommé Johnny Fox ?

– Ah oui, j'avais parlé de lui aux inspecteurs. Ils se sont excités sur cette piste, mais ça n'a rien donné. Il n'a jamais été arrêté.

– Je crois que si, mais on l'a relâché. Ses empreintes ne correspondaient pas à celles du meurtrier.

Elle haussa les sourcils d'un air étonné.

– Ça, je ne le savais pas, Harry. Ils ne m'ont jamais parlé d'empreintes.

– Lors de votre deuxième interrogatoire… avec McKittrick… vous vous souvenez de lui ?

– Non, je ne crois pas. Je me souviens juste que c'étaient des flics. Deux inspecteurs. Il y en avait un qui était nettement plus intelligent que l'autre, si je me rappelle bien. Mais je ne pourrais pas te dire lequel. Apparemment, c'était le plus con qui commandait, mais c'était dans la logique des choses en ce temps-là.

– Bref, c'est McKittrick qui vous a interrogée la deuxième fois. Dans son rapport, il indique que vous étiez revenue sur votre déposition et que vous lui aviez parlé de la soirée à Hancock Park.

– Ah oui… la soirée. Je n'y suis pas allée parce que… Johnny Fox m'avait frappée la veille et j'avais un bleu sur la joue. Un truc énorme. J'avais essayé de le cacher sous du maquillage, mais pas moyen de masquer la bosse. Crois-moi, Harry, une fille de joie avec un œuf de pigeon sur le visage n'avait pas sa place à Hancock Park.

– Qui donnait cette soirée ?

– Je ne m'en souviens pas. Je ne crois même pas que je le savais à l'époque.

Il y avait quelque chose dans sa façon de répondre qui dérangeait Bosch. Son ton avait changé. On aurait presque dit qu'elle répétait des phrases apprises par cœur.

– Vous êtes sûre de ne pas vous rappeler ?

– Évidemment que j'en suis sûre. (Elle se leva.) Je crois que je vais boire un peu d'eau.

Elle emporta le verre de Bosch pour le remplir et quitta de nouveau la pièce. Bosch s'aperçut à cet instant que ses liens avec cette femme, l'émotion qu'il avait ressentie en la revoyant après tout ce temps, avaient annihilé ses instincts d'enquêteur. Il ne sentait plus la vérité. Il n'arrivait pas à dire si elle lui cachait des choses ou pas. D'une manière ou d'une autre, il fallait qu'il ramène la conversation vers cette fameuse soirée. Il avait le sentiment qu'elle en savait plus qu'elle n'en avait dit à l'époque.

Elle revint avec deux verres d'eau fraîche et reposa celui de Bosch sur le sous-verre en liège. Le soin qu'elle y mit lui fit deviner des choses qui n'étaient pas apparues dans ses paroles. Elle avait travaillé dur pour atteindre ce niveau de vie. Ce standing et les objets qui l'accompagnaient – les tables basses en verre et les tapis moelleux – représentaient beaucoup à ses yeux et il fallait en prendre soin.

Elle se rassit et but une grande gorgée d'eau.

– Je vais t'avouer une chose, Harry. Je ne leur ai pas tout raconté. Je n'ai pas menti, mais je ne leur ai pas tout dit. J'avais peur.

– De quoi ?

– J'ai pris peur le jour où ils l'ont retrouvée. Vois-tu, j'avais reçu un coup de téléphone ce matin-là. Avant même de savoir ce qui lui était arrivé. Une voix d'homme, mais je ne l'ai pas reconnue. Le type m'a dit que, si jamais je racontais quoi que ce soit, je serais la suivante. Je me souviens bien de ses paroles : « J'ai un bon conseil à te donner, ma petite : fous le camp. » Et après, évidemment, j'ai appris que les flics étaient dans l'immeuble et qu'ils étaient entrés chez elle. Et qu'elle était morte. Alors, j'ai fait ce qu'on me demandait. J'ai fichu le camp. J'ai attendu environ une semaine, jusqu'à ce que la police me dise qu'ils en avaient fini avec moi, et j'ai emménagé à Long Beach. J'ai changé de nom et de vie. C'est là-bas que j'ai rencontré mon mari, et bien des années plus tard, on est venus vivre ici... Tu sais, je ne suis jamais retournée à Hollywood, même pour traverser en voiture. C'est un endroit affreux.

– Qu'est-ce que vous avez caché à Eno et McKittrick ?

Katherine regardait fixement ses mains.

– J'avais peur, tu comprends, alors je n'ai rien dit... Mais je savais qui elle allait voir là-bas, à cette soirée. On était comme deux sœurs, ta mère et moi. On habitait dans le même immeuble, on échangeait nos vêtements, on partageait nos secrets et tout le reste. Tous les matins on bavardait, on prenait notre café ensemble. On n'avait aucun secret l'une pour l'autre. Cette soirée, on devait y aller ensemble. Mais évidemment, après que... Vu que Johnny m'avait cognée, elle a été obligée d'y aller seule.

– Qui devait-elle rencontrer, Katherine ? demanda-t-il.

– C'était ça la bonne question, évidemment, mais les inspecteurs ne me l'ont jamais posée. Ils voulaient juste savoir qui avait donné la soirée et où ça s'était passé. Ce qui n'avait aucune importance. Ce qui comptait, c'était de savoir qui ta mère devait y rencontrer, et ils ne me l'ont jamais demandé.

– Bon, alors... Qui était-ce ?

Elle cessa de contempler ses mains pour se tourner vers la cheminée. Elle regarda fixement les restes de bûches froides et noires, vestiges d'un ancien feu, comme certains regardent avec fascination un feu qui brûle.

– Un dénommé Arno Conklin. C'était un homme très important dans le…

– Je sais qui c'est.

– Ah bon ?

– Son nom apparaît dans le dossier. Mais pas de cette manière. Comment avez-vous pu cacher ça aux policiers ?

Elle se retourna vers lui et le foudroya du regard.

– Ne me regarde pas comme ça ! s'écria-t-elle. Je t'ai dit que j'avais peur. On m'avait menacée. Et de toute façon, ils n'auraient pas utilisé ce renseignement-là. Ils étaient payés par Conklin. Ils n'allaient pas lui chercher des poux dans la tête sur le simple témoignage d'une… d'une call-girl qui n'avait rien vu et connaissait juste un nom. Il fallait que je pense à moi. Ta mère était morte, Harry. Je ne pouvais rien y faire.

Bosch voyait briller dans ses yeux les éclats tranchants de la colère. Il savait que cette colère était dirigée contre lui, mais encore plus contre elle-même. Elle pouvait dresser à voix haute la liste de toutes ses justifications, mais Bosch savait qu'au fond elle souffrait tout le temps de ne pas avoir fait ce qu'il fallait.

– Vous pensez que Conklin est le meurtrier ? demanda-t-il.

– Non, je ne sais pas. Tout ce que je sais, c'est qu'elle était déjà allée avec lui sans qu'il y ait de violence. Je ne connais pas la réponse à cette question.

– Avez-vous, aujourd'hui, une idée de la personne qui vous avait téléphoné ?

– Non, aucune.

– Conklin ?

– Je ne sais pas. Je ne connaissais pas sa voix.

– Les aviez-vous déjà vus ensemble, ma mère et lui ?

– Une fois, à une soirée dansante de la Loge maçonnique. Je crois que c'est ce jour-là qu'ils se sont connus. C'est Johnny Fox qui les a présentés l'un à l'autre. Je ne pense pas qu'Arno Conklin savait… ce qu'elle était. A ce moment-là, du moins.

– Se peut-il que ce soit Fox qui vous ait appelée ?

– Non. J'aurais reconnu sa voix.

Bosch prit le temps de réfléchir.

– Avez-vous revu Fox après cette matinée ?

– Non. Je l'ai évité pendant une semaine. Ce n'était pas difficile, d'ailleurs. Je crois qu'il se cachait pour échapper aux flics. Et après, je suis partie. Le type qui m'avait téléphoné m'avait fichu une peur bleue. J'ai quitté L.A. pour aller à Long Beach le jour même où la police m'a annoncé qu'ils en avaient fini avec moi. J'ai fait ma valise et j'ai pris le car… Je me souviens que ta mère avait des affaires à moi chez elle. Des trucs qu'elle m'avait empruntés. Je n'ai même pas cherché à les récupérer. J'ai pris mes cliques et mes claques et j'ai filé.

Bosch garda le silence. Il n'avait plus de questions à poser.

– Je repense souvent à cette période, tu sais, reprit Katherine. On était dans le ruisseau, ta mère et moi, mais on était de vraies amies, et on s'amusait bien malgré tout.

– Vous savez, quand je revois mes souvenirs… Vous y êtes souvent présente. Vous étiez toujours avec elle.

– On a passé de bons moments, en dépit de tout le reste, dit-elle avec une tristesse rêveuse. Et toi, tu étais le rayon de soleil de sa vie. Quand ils t'ont emmené, elle a failli en mourir… Elle n'a jamais cessé de vouloir te récupérer, Harry. J'espère que tu le sais. Elle t'aimait. Moi aussi, je t'aimais.

– Oui, je le sais.

– Après ton départ, elle n'a plus été la même. Des fois, je me dis que ce qui lui est arrivé était presque inévitable. C'était comme si elle marchait vers cette ruelle depuis longtemps.

Bosch se leva et regarda la tristesse dans les yeux de Katherine.

– Il faut que je m'en aille, dit-il. Je vous tiendrai au courant.

– Oui, s'il te plaît. J'aimerais qu'on reste en contact.

– Moi aussi.

Il se dirigea vers la sortie en sachant que cette promesse resterait vaine. Le temps avait érodé le lien qui les avait unis. Ils étaient maintenant comme deux étrangers qui partagent le même passé. Sur le perron, il se retourna et la regarda.

– La carte de Noël que vous m'avez envoyée… Vous vouliez que je fourre mon nez dans cette histoire, n'est-ce pas ?

Elle retrouva son sourire lointain.

– Je ne sais pas, Harry. Mon mari venait de mourir et j'essayais de faire le point, tu comprends ? Je pensais beaucoup à elle. Et à toi. Je suis fière de ce que je suis devenue, mon petit Harry. Et je pense à la vie que vous auriez pu avoir, elle et toi. Ma haine est intacte. Celui qui a fait ça devrait…

Elle n'acheva pas sa phrase, mais Bosch acquiesça.

– Au revoir, Harry.

– Ma mère avait une très bonne amie.

– Je l'espère.

CHAPITRE SEPT

Bosch regagna sa voiture et sortit son carnet pour consulter sa liste :

Conklin
McKittrick & Eno
Meredith Roman
Johnny Fox

Il raya le nom de Meredith Roman et étudia ceux qui restaient. Il savait que l'ordre dans lequel il les avait notés ne correspondait pas à celui dans lequel il tenterait d'interroger ces personnes. Il savait qu'avant de pouvoir approcher Conklin, et même McKittrick et Eno, il lui faudrait avoir bien plus de renseignements.

Il sortit son répertoire de la poche de sa veste et son téléphone portable de sa mallette. Il appela le DMV, ou Service des cartes grises, de Sacramento et déclara être le lieutenant Harvey Pounds à l'employée qui lui répondit. Il lui donna son numéro de matricule et demanda une vérification de permis de conduire concernant le dénommé Johnny Fox. Après avoir consulté son carnet, il donna encore la date de naissance de ce dernier et fit un petit calcul : Fox avait aujourd'hui soixante et un ans.

Pendant qu'il attendait, Bosch ne put s'empêcher de sourire : dans un mois environ, Pounds serait obligé de fournir des explications. Depuis peu, la direction de la police avait commencé à fourrer son nez dans l'utilisation du réseau informatique du DMV. Le *Daily News* avait en effet révélé que les flics de tous les services effectuaient des recherches pour des amis journalistes ou des détectives privés aux notes de frais illimitées. Le nouveau chef de la police avait alors réagi en décrétant que tous les appels et toutes les connexions informatiques en direction du DMV devraient être enregistrés sur des formulaires du même DMV ; toute demande de renseignements devait correspondre à une enquête ou à un objectif précis. Depuis lors, ces formulaires étaient ensuite expédiés à Parker Center, puis comparés à la liste des renseignements fournis chaque mois par le DMV. Lorsque le nom du lieutenant apparaîtrait sur la prochaine liste et sans formulaire correspondant, Harvey Pounds recevrait un appel des contrôleurs de gestion.

Bosch avait relevé le numéro de matricule de Pounds sur son badge un jour que le lieutenant l'avait laissé accroché à sa veste suspendue à un portemanteau à l'entrée de son bureau. Un pressentiment l'avait poussé à le noter dans son carnet. Bosch s'était dit qu'il pourrait peut-être s'en servir un jour.

L'employée du DMV revint enfin en ligne et lui annonça qu'il n'y avait actuellement aucun permis de conduire délivré au dénommé Johnny Fox, né à la date qu'on lui avait indiquée.

– Rien d'approchant non plus ? insista Bosch.

– Non, mon gars.

– Appelez-moi lieutenant, mademoiselle, dit Bosch d'un ton cassant. Lieutenant Pounds.

– Madame, lieutenant. Mme Sharp.

– Je vous crois. Dites-moi, madame Sharp, jusqu'où remonte votre fichier informatique ?

– Sept ans. Autre chose ?

– Comment puis-je remonter plus haut ?

– C'est impossible. Si vous voulez une recherche manuelle, faut nous envoyer une lettre, lieu-te-nant. Ça prendra entre dix et quinze jours. Comptez plutôt quinze jours, pour vous. Ce sera tout ?

– Oui. Sachez que je n'apprécie pas votre comportement.

– Dans ce cas, nous sommes quittes. Salut.

Bosch éclata de rire après avoir refermé son téléphone portable. Il était sûr que cette demande ne s'égarerait pas en route. Mme Sharp y veillerait. Le nom de Pounds figurerait certainement en tête de liste quand elle arriverait à Parker Center. Il composa ensuite le numéro d'Edgar au Bureau des homicides et parvint à le joindre avant que celui-ci ne rentre chez lui, sa journée terminée.

– Harry ! Ça boume ?

– Tu es occupé ?

– Non. Rien d'urgent.

– Tu veux bien me trouver un renseignement ? J'ai déjà appelé le DMV, mais j'ai besoin de quelqu'un pour interroger l'ordinateur.

– Hmm.

– Tu peux ou tu peux pas ? Si tu angoisses à cause de Pounds, alors…

– Hé, cool, Harry. Qu'est-ce qui te prend, mec ? J'ai pas dit que je pouvais pas. Vas-y, file-moi le nom.

Bosch ne comprenait pas pourquoi l'attitude d'Edgar le mettait en rogne. Il inspira profondément pour essayer de se calmer.

– Le nom est John Fox. Johnny Fox.

– Putain, des John Fox, y en a au moins une centaine ! T'as la date de naissance ?

– Oui.

Bosch dut consulter de nouveau son carnet pour la lui donner.

– Qu'est-ce qu'il t'a fait, ce type ?

– Je t'expliquerai. Tu t'en occupes ?

– Je t'ai dit que j'allais le faire.

– O.K. Tu as mon numéro de portable. Si tu n'arrives pas à me joindre, laisse un message chez moi.

– Dès que j'aurai une minute à moi, Harry.

– Tu viens de me dire que tu n'avais rien sur le feu !

– Exact, mais je travaille quand même, mec. Je peux pas passer mon temps à courir à droite et à gauche pour m'occuper de tes conneries.

Abasourdi, Bosch garda le silence un instant.

– Va te faire foutre, Jerry. Je me démerderai sans toi.

– Écoute, Harry, je n'ai pas dit que je…

– Laisse tomber. Je ne veux pas que tu aies des ennuis avec ton nouveau partenaire, ni avec ton chef téméraire. Car c'est bien ça le problème, pas vrai ? Ne viens pas me raconter que tu as du boulot. Tu n'as rien à branler. Tu t'apprêtes à rentrer chez toi et tu le sais bien. A moins que tu aies prévu de retourner boire un verre avec notre ami Burns ?

– Harry…

– Salut, mec.

Bosch referma son portable d'un coup sec et resta assis au volant de sa voiture, le temps que sa colère s'évacue. Le téléphone sonna, alors qu'il le tenait encore dans sa main. Aussitôt, il se sentit mieux. Il l'ouvrit prestement.

– Écoute, je suis désolé, dit-il. On oublie ça, O.K. ?

Il y eut un long silence.

– Allô ?

C'était une voix de femme. Bosch se sentit rougir.

– Oui ?

– Inspecteur Bosch ?

– Oui. Euh… je suis désolé, je croyais que c'était quelqu'un d'autre.

– Qui ?

– Qui est à l'appareil ?

– Le docteur Hinojos.

– Oh ! (Bosch ferma les yeux et sa colère se ranima d'un coup.) Que puis-je pour vous ?

– J'appelais simplement pour vous rappeler que nous avions une séance demain. A 15 h 30. Je compte sur vous ?

– Je n'ai pas le choix, vous le savez bien. Mais vous n'êtes pas obligée de m'appeler pour me le rappeler. Figurez-vous que j'ai un agenda, une montre et un réveil.

Il pensa immédiatement qu'il était allé trop loin dans le sarcasme.

– J'ai l'impression que je vous appelle au mauvais moment. Je vais…

– En effet.

– … raccrocher. A demain, inspecteur Bosch.

– Salut.

Il referma son téléphone du même geste sec que précédemment et le laissa tomber sur le siège passager. Puis il démarra. Il emprunta Ocean Park jusqu'à Bundy et remonta vers la 10. En approchant du toboggan de l'autoroute, il s'aperçut que les voitures qui se dirigeaient vers l'est n'avançaient pas et que la rampe d'accès était encombrée de véhicules qui attendaient pour pouvoir encore attendre après.

– Fait chier !

Il passa devant la rampe sans tourner, puis sous le toboggan. Il prit par Bundy jusqu'à Wilshire, obliqua vers l'ouest et entra dans le centre de Santa Monica. Il lui fallut un quart d'heure pour trouver une zone de stationnement autorisé, près de la Promenade de la 3ᵉ Rue. Depuis le tremblement de terre, il évitait les parkings à plusieurs niveaux.

Bel exemple de contradiction, se dit-il en sillonnant les rues du centre à la recherche d'une place libre. Tu vis dans une maison condamnée par des inspecteurs municipaux qui estiment qu'elle risque de plonger au fond du canyon, mais tu refuses de pénétrer dans un parking. Enfin il dénicha une place juste en face du cinéma porno, à une rue de la Promenade.

Il laissa passer les heures de pointe en parcourant dans tous les sens les trois pâtés de maisons où se côtoyaient des restaurants avec terrasse, des cinémas et des boutiques. Il entra au King George de

Santa Monica Boulevard. Ce bar était fréquenté par des inspecteurs de la brigade de West L.A., mais il n'y vit aucun visage connu. Après, il s'acheta une pizza à emporter et regarda passer les gens. Un artiste de rues jonglait avec cinq couteaux de boucher. En l'observant, Bosch se dit qu'il savait ce qu'éprouvait ce type à cet instant.

Assis sur un banc, il regarda passer les troupeaux de gens. Les seules personnes qui s'arrêtaient et s'intéressaient à lui étaient les sans-abri et, bientôt, il se retrouva à court de monnaie et de billets à leur donner. Il se sentait seul. Il songea à Katherine Register et à ce qu'elle lui avait raconté du passé. Elle était forte, disait-elle, mais Bosch savait bien que la force et le réconfort peuvent provenir de la tristesse, et elle en était remplie.

Il repensa à ce qu'elle avait entrepris cinq ans auparavant. A la mort de son mari, elle avait fait le point sur sa vie et découvert le trou dans ses souvenirs. La douleur. Alors, elle lui avait envoyé cette carte, avec l'espoir qu'il pourrait faire quelque chose. Et cela avait failli marcher. Il avait sorti le dossier des archives, mais il n'avait pas eu la force, ou peut-être était-ce la faiblesse, de le lire.

A la nuit tombée, il descendit Broadway jusque Chez Mr. B's. Il y trouva un tabouret libre au bar et commanda une bière pression avec un Jack Daniels. Un quintette jouait sur la petite scène tout au fond de la salle, avec un saxophone ténor solo. Ils terminaient *Do Nothing Till You Hear from Me**, et Bosch devina qu'il arrivait à la fin d'un long set. Le saxo manquait de nerf. Le son n'était pas très clair.

Déçu, il détourna son attention du groupe et but une grande lampée de bière. Il consulta sa montre et se dit qu'en partant maintenant il éviterait les embouteillages. Mais il resta. Il prit le petit verre de Jack Daniels, le vida dans sa chope et avala une gorgée de ce mélange brutal. Le groupe attaqua *What a Wonderful World*. Aucun des membres du quintette ne s'avança pour chanter, évidemment : personne ne pouvait rivaliser avec la voix de Louis Armstrong. Mais c'était bien quand même. Bosch connaissait par cœur les paroles.

> *Je vois les arbres verts*
> *Et les roses rouges.*
> *Je les vois fleurir*
> *Pour toi et moi.*
> *Et je me dis, alors,*
> *Quel monde merveilleux.*

---

* *Ne fais rien avant d'avoir de mes nouvelles (NdT).*

Cette chanson accentua son impression de solitude et sa tristesse, mais peu importait. La solitude était le feu de poubelles devant lequel il s'était blotti toute sa vie durant ou presque. Il commençait à s'y habituer. Il avait déjà connu cela avant Sylvia et ça pouvait très bien recommencer. Il faudrait juste du temps, et de la souffrance, pour oublier.

Depuis trois mois qu'elle était partie, il n'y avait eu que cette carte postale ; rien d'autre. Son absence avait brisé son sentiment de continuité de l'existence. Avant elle, son métier avait toujours été son point de repère, aussi fiable que le coucher de soleil sur le Pacifique. Mais avec elle, il avait tenté de changer de voie. C'était l'acte le plus courageux qu'il avait jamais accompli. Hélas, pour une raison quelconque, il avait échoué. Il n'avait pas réussi à la garder et elle était partie. Et maintenant, il avait l'impression d'avoir déraillé. A l'intérieur de lui-même, il se sentait aussi morcelé que sa ville. Brisé parfois, lui semblait-il, et à tous les niveaux.

Il entendit une voix de femme, tout près de lui, chanter les paroles de la chanson. Il se retourna et découvrit une jeune femme assise quelques tabourets plus loin. Elle avait fermé les yeux et chantait à voix basse. Elle chantait pour elle, mais Bosch l'entendait.

> *Je vois le bleu du ciel*
> *Et les nuages blancs.*
> *La journée claire et bénie*
> *La nuit sombre et sacrée.*
> *Et je me dis*
> *Quel monde merveilleux.*

Elle portait une petite jupe blanche, un T-shirt et un gilet aux couleurs vives. Bosch lui donnait vingt-cinq ans au maximum et il aimait l'idée qu'elle connaisse cette chanson. Elle était assise bien droite, les jambes croisées. Son dos ondulait au rythme du saxophone. Son visage encadré de cheveux châtains était levé vers le plafond, ses lèvres entrouvertes avaient quelque chose d'angélique. Bosch la trouvait très belle, totalement perdue dans la majesté de la musique. Propre ou pas, le son l'emportait et il admirait son abandon. Ce qu'il voyait sur son visage était ce qu'y aurait vu un homme en lui faisant l'amour. Elle avait ce que d'autres flics appelaient un visage d'intouchable. Si beau qu'il lui servirait toujours de bouclier. Quoi qu'elle fasse ou qu'on lui fasse, son visage serait sa meilleure arme. Il lui ouvrirait des portes, et les refermerait derrière elle. Il lui permettrait de s'en tirer à tous les coups.

La chanson s'acheva. La fille ouvrit les yeux et applaudit. Elle avait été la première à le faire. A ce moment-là, tout le monde dans le bar, y compris Bosch, l'imita. Tel était le pouvoir de son visage d'intouchable. Bosch se retourna et fit signe au barman de lui apporter une autre bière avec un Jack Daniels. Quand les deux verres furent devant lui, il jeta un regard en direction de la femme, mais elle avait disparu. Il se tourna vers la porte du bar, juste à temps pour la voir se refermer. Il l'avait manquée.

CHAPITRE HUIT

Pour rentrer chez lui, il regagna Sunset Boulevard, qu'il suivit jusqu'en ville. La circulation était fluide. Il s'était attardé plus longtemps que prévu. Il fuma en conduisant et en écoutant la radio tout-infos. Un reportage évoquait la réouverture prochaine du lycée Grant dans la Vallée. C'était là que Sylvia avait enseigné. Avant de partir pour Venise.

Bosch était fatigué, et si jamais la police l'arrêtait, son Alcootest serait sans doute positif. Il réduisit sa vitesse sous la limite autorisée en traversant Beverly Hills. Il savait que les flics du coin ne lui feraient pas de cadeau et il n'avait pas besoin de ça en plus de sa mise en congé d'office.

A Laurel Canyon, il tourna à gauche pour emprunter la route en lacets qui gravissait la colline. Arrivé à Mulholland, il s'apprêtait à tourner à droite au feu, lorsque, jetant un coup d'œil à gauche pour vérifier qu'il n'y avait pas de voitures, il se figea. Un coyote était sorti des broussailles de l'arroyo, du côté gauche de la route, et jetait un regard inquiet dans sa direction. Il n'y avait pas d'autres voitures dans les environs. Bosch fut le seul à le voir.

Efflanqué et le poil hirsute, l'animal portait les marques du combat qu'il livrait pour survivre dans les collines urbaines. La brume qui montait de l'arroyo captait les reflets des lampadaires et enveloppait le coyote d'une faible lumière bleutée. La bête parut observer la voiture de Bosch pendant un moment. Ses yeux étincelaient dans l'éclat rougeoyant des feux arrière. Bosch eut un instant le sentiment que le coyote le regardait fixement. Puis l'animal fit demi-tour et disparut dans la brume bleutée. Bosch mit au point mort et descendit de voiture.

La soirée était fraîche et il fut parcouru d'un frisson en traversant le carrefour, jusqu'à l'endroit où il avait vu le coyote bleu. Il ne savait pas trop ce qu'il faisait, mais il n'avait pas peur. Il voulait simplement revoir l'animal. Il s'arrêta au bord du précipice et scruta l'obscurité en contrebas. Le brouillard bleu l'enveloppait lui aussi. Une voiture passa dans son dos. Lorsque le bruit du moteur s'éloigna, il tendit l'oreille et plissa les yeux. En vain. Le coyote était parti. Il regagna sa voiture et continua de rouler dans Mulholland jusqu'à Woodrow Wilson Drive pour rentrer chez lui.

Couché dans son lit ce soir-là, après plusieurs verres, il fuma sa dernière cigarette en contemplant le plafond. Il avait laissé la lumière allumée, mais toutes ses pensées s'étaient tournées vers une nuit obscure et sacrée. Vers le coyote bleu. Et la femme au visage d'intouchable. Bientôt, toutes ses pensées sombrèrent dans l'obscurité avec lui.

CHAPITRE NEUF

Il ne dormit pas beaucoup et se réveilla avant le lever du soleil. Sa dernière cigarette de la veille avait bien failli être la dernière de son existence. Il s'était endormi en la tenant entre ses doigts, et c'était la douleur fulgurante de la brûlure qui l'avait réveillé. Après avoir bandé ses deux doigts, il avait tenté de se rendormir, mais le sommeil n'avait plus voulu de lui. Ses doigts l'élançaient et il ne pouvait s'empêcher de songer à toutes les fois où il avait enquêté sur la mort de pauvres ivrognes qui s'étaient endormis et immolés. Il avait aussi imaginé les commentaires qu'aurait faits Carmen Hinojos en apprenant ce qui s'était passé. Pas mal comme symptôme d'autodestruction, non ?

Finalement, alors que la lumière du petit jour pénétrait dans la chambre, il avait renoncé à trouver le sommeil et s'était levé.

Pendant que le café passait, il gagna la salle de bains pour changer son pansement. En fixant la gaze avec du sparadrap, il jeta un coup d'œil dans le miroir au-dessus du lavabo et découvrit les rides profondes qui bordaient ses yeux.

« Merde, se dit-il. Qu'est-ce qui m'arrive ? »

Il but son café noir sur la terrasse de derrière en regardant s'éveiller la ville silencieuse. L'air était imprégné d'un petit froid vif et le parfum des eucalyptus montait des grands arbres du canyon. La couche de brouillard marin avait envahi le ravin et les collines n'étaient plus que silhouettes mystérieuses dans la brume. Pendant presque une heure, il assista à la naissance du jour et fut fasciné par ce spectacle qu'il découvrait de sa terrasse.

Ce fut seulement en rentrant se chercher une deuxième tasse de café qu'il remarqua la petite lumière clignotante de son répondeur téléphonique. Il avait deux messages. Ils dataient certainement de la veille, mais il ne les avait pas remarqués. Il enfonça la touche « Lecture ».

« Bosch, ici le lieutenant Pounds. Nous sommes mardi, il est 3 h 35. Je dois vous informer que, durant tout le temps de votre congé et jusqu'à ce que, euh…, on ait statué sur votre sort, vous devez restituer votre véhicule au garage de la brigade de Hollywood. Il est précisé ici qu'il s'agit d'une Chevrolet Caprice de quatre ans, immatriculée un-Adam-Adam-trois-quatre-zéro-deux. Veuillez faire en sorte que ce véhicule nous soit immédiatement restitué. Cette obligation figure au Manuel des procédures, article 3, paragraphe 13. Toute violation pourrait entraîner une suspension et/ou un renvoi. Je répète : ceci est un ordre du lieutenant Pounds, il est maintenant 3 h 36. Si jamais il y a une partie de ce message que vous ne comprenez pas, n'hésitez pas à me contacter à mon bureau. »

Le répondeur indiquait que le message avait en fait été laissé à 16 heures. Mardi, effectivement, juste avant que Pounds ne rentre chez lui, sans doute. Qu'il aille au diable ! se dit Bosch. Cette voiture, c'est de la merde de toute façon. Je la lui laisse.

Le deuxième message émanait d'Edgar.

« Harry, tu es là ? C'est Edgar… Euh, écoute… Oublie pour aujourd'hui, O.K. ? Disons que j'ai été con, tu as été con, on est cons tous les deux et on oublie. Quoi qu'il arrive, tu es mon équipier, ou tu l'as été et je te dois beaucoup, mec. Si je donne l'impression de l'oublier, file-moi un coup sur le crâne, comme tu l'as fait aujourd'hui. Maintenant, la mauvaise nouvelle. J'ai vérifié tout ce que j'avais sur ce Johnny Fox. Et je n'ai rien trouvé. Que ce soit au NCIC, au DOJ, au DPP. J'ai sorti le grand jeu, tu vois. On dirait que ton type est parfaitement clean, s'il est encore vivant. Tu m'as dit qu'il n'avait même pas de permis de conduire. A mon avis, on t'a peut-être refilé un nom bidon, ou alors ce type n'est plus de ce monde. Voilà. Je ne sais pas ce que tu cherches, mais si jamais tu as besoin d'autre chose, passe-moi un coup de fil… Accroche-toi, vieux. Après le boulot, tu peux me joindre chez moi si… »

Le message s'interrompait brutalement. Edgar avait parlé trop longtemps. Bosch rembobina la bande et se servit son café. De retour sur la terrasse, il réfléchit au cas de Johnny Fox. N'ayant rien trouvé au fichier des cartes grises, Bosch en avait conclu que Fox était peut-être en prison. Mais Edgar n'avait trouvé son nom dans aucun des fichiers informatiques nationaux qui recensaient tous les criminels. Bosch songea que Johnny Fox s'était peut-être acheté une conduite ou que, comme l'avait suggéré Edgar, il était mort. Il aurait volontiers parié pour la deuxième hypothèse. Les types comme Johnny Fox ne rentraient jamais dans le droit chemin.

Il pouvait sans doute se rendre aux archives municipales du comté de Los Angeles pour demander un certificat de décès, mais là, sans date précise, autant chercher une aiguille dans une botte de foin. Ça pourrait prendre des jours. Avant d'en passer par là, il décida d'essayer une solution plus simple : le *L.A. Times*.

Il rentra dans la maison pour téléphoner à la journaliste Keisha Russell. Arrivée depuis peu au Service des affaires criminelles, elle devait se battre pour faire sa place. Quelques mois plus tôt, elle avait subtilement essayé de recruter Bosch comme source d'informations. Habituellement, les journalistes procédaient en écrivant un nombre exagéré d'articles sur un crime qui ne méritait pas autant d'attention. Mais cela leur permettait d'être en contact constant avec les inspecteurs chargés de l'enquête et de s'insinuer dans leurs bonnes grâces, avec l'espoir d'en faire de futurs informateurs.

Ainsi Russell avait-elle écrit cinq articles en une semaine sur une des affaires de Bosch. Il s'agissait d'une histoire de violences conjugales : ignorant les injonctions du tribunal, un mari s'était rendu au nouveau domicile de son ex-épouse dans Franklin Avenue. Après l'avoir emmenée de force sur le balcon, au quatrième étage, il l'avait balancée dans le vide. Avant de sauter à son tour. Russell avait interrogé Bosch à plusieurs reprises pour en tirer une série d'articles très complets. C'était du bon boulot, et elle avait commencé à gagner son respect. Mais il savait bien que Russell espérait que ses articles et l'intérêt qu'elle lui portait constitueraient les fondements d'une longue relation journaliste-inspecteur. Depuis, pas une semaine ne s'était écoulée sans qu'elle l'appelle une ou deux fois pour bavarder, lui rapporter des rumeurs qu'elle tenait d'autres sources et lui poser la question qui était la raison de vivre de tous les journalistes : « Alors, du nouveau ? »

Elle décrocha après la première sonnerie. Bosch était un peu surpris de la trouver si tôt à son travail : il avait prévu de lui laisser un message sur sa boîte vocale.

– Keisha, dit-il, c'est Bosch.

– Hé, salut, Bosch. Comment ça va ?

– Ça peut aller. Vous êtes au courant, j'imagine.

– Plus ou moins. J'ai entendu dire que vous étiez en congé. Mais personne n'a voulu m'expliquer pour quelle raison. Vous avez envie d'en parler ?

– Non. Pas maintenant, en tout cas. J'ai un service à vous demander. Si ça débouche sur quelque chose, je vous refile toute l'histoire. J'ai déjà conclu ce genre de marché avec d'autres journalistes.

– Que dois-je faire ?

– Je veux juste que vous alliez à la morgue.

Elle émit un grognement de protestation.

– Je vous parle de la morgue du journal, chez vous, au *Times*.

– Ah, je préfère. Qu'est-ce que vous cherchez ?

– J'ai un nom. Ça remonte à loin. Je sais seulement que le type était une espèce d'ordure... dans les années 50 et au début des années 60, au moins. Mais après, je perds sa trace. En fait, j'ai le sentiment qu'il est mort.

– Et vous voulez sa nécro ?

– Je ne sais pas si c'est le genre de type à qui le *Times* aurait consacré une notice nécrologique. C'était du menu fretin, d'après ce que je sais. Mais je me disais qu'il avait peut-être eu droit à un article... s'il était mort de manière prématurée...

– S'il s'est fait descendre, vous voulez dire ?

– Voilà.

– O.K., j'y jetterai un œil.

Elle était impatiente, Bosch le sentait. Elle pensait qu'en lui rendant ce service, elle cimenterait leurs relations et en récolterait les fruits plus tard. Il ne dit rien qui pût la dissuader de penser cela.

– C'est quoi, le nom ?

– John Fox. On l'appelait Johnny. Je perds sa trace après 1961. C'était un maquereau, le genre minable.

– Blanc, noir, jaune ou basané ?

– Petit Blanc minable, disons.

– Vous n'avez pas sa date de naissance, par hasard ? Ça m'aiderait à limiter les recherches s'il y a plusieurs Johnny Fox dans les archives.

Il la lui donna.

– O.K. Où puis-je vous joindre ?

Il lui donna son numéro de portable. C'était le meilleur des appâts. Son numéro irait immédiatement rejoindre la liste des informateurs qu'elle conservait précieusement dans son ordinateur, comme des bijoux dans un coffre-fort. Posséder le numéro de téléphone permettant de le joindre presque à tout moment valait bien une petite visite à la morgue.

– J'ai rendez-vous avec mon rédac' chef. C'est pour ça que je suis au boulot de si bonne heure. Mais j'irai jeter un coup d'œil après. Je vous appelle dès que j'ai quelque chose.

– S'il y a quelque chose à trouver.

– Bien sûr.

Après avoir raccroché, Bosch mangea quelques Frosted Flakes provenant d'une boîte qu'il avait sortie du réfrigérateur et alluma la radio tout-infos. Il avait interrompu l'abonnement de son journal après le tremblement de terre, de peur que Gowdy, l'inspecteur des bâtiments, passe de bonne heure un matin et découvre le journal devant la porte, preuve que quelqu'un continuait à habiter ce lieu inhabitable. Il n'y avait pas grand-chose qui l'intéressait dans les gros titres. Pas d'homicide à Hollywood, en tout cas. Il ne manquait rien.

Malgré tout, un sujet attira son attention, juste après le flash sur la circulation. Une pieuvre exposée à l'aquarium municipal de San Pedro s'était apparemment suicidée en arrachant un tuyau de circulation d'eau de son bac avec un de ses tentacules. La cuve s'étant vidée, la pieuvre était morte. Les groupes écologistes parlaient de suicide, de geste désespéré de la pieuvre pour protester contre sa captivité. Il n'y a qu'à L.A. qu'on entend des trucs pareils, se dit-il en éteignant la radio. L'endroit était tellement déprimant que même les animaux marins s'y suicidaient.

Il prit une longue douche en fermant les yeux et en gardant la tête baissée sous le jet. Pendant qu'il se rasait devant la glace, il ne put s'empêcher d'observer de nouveau ses cernes. Ils semblaient encore plus marqués que précédemment et s'accordaient à merveille à ses yeux injectés de sang, conséquence de sa beuverie de la veille.

Il posa le rasoir sur le bord du lavabo et se pencha vers le miroir. Son teint était aussi pâle qu'une assiette en carton recyclé. En s'observant ainsi, il songea qu'il avait jadis été considéré comme un bel homme. Plus maintenant. Il avait l'air abattu. Apparemment, l'âge lui avait mis le grappin dessus pour le passer à tabac. Il avait l'impression de ressembler aux vieux bonshommes qu'on retrouve morts dans leur lit dans des hôtels meublés. Ou ceux qui vivent dehors, dans des cartons de réfrigérateurs. Il ressemblait plus à un mort qu'à un vivant.

Il ouvrit la porte de l'armoire de toilette pour chasser le reflet de son visage. Il chercha parmi les divers produits entreposés sur les étagères de verre et opta finalement pour une bouteille de Murine. Après s'être versé une bonne dose de gouttes dans les yeux, il essuya avec une serviette ce qui avait coulé sur son visage et ressortit de la salle de bains sans refermer la porte de l'armoire de toilette, pour ne pas être obligé de se voir de nouveau.

Il enfila son plus beau costume, un gris, et une chemise blanche. Et sa cravate bordeaux ornée de casques de gladiateur. C'était sa préférée. La plus vieille aussi. Un des côtés en était élimé, mais il la portait quand même deux ou trois fois par semaine. Il l'avait achetée dix ans plus tôt, lorsqu'il avait été affecté à la Criminelle. Il la fixa avec une pince à cravate en plaqué or qui formait le chiffre 187, numéro correspondant aux homicides dans le Code pénal de Californie. En s'habillant ainsi, il eut le sentiment de reprendre un peu le contrôle de lui-même. Il commença à se sentir mieux, et en colère. Il était prêt à sortir pour affronter le monde, et tant pis si celui-ci n'était pas prêt pour la bagarre.

CHAPITRE DIX

Il resserra encore une fois le nœud de sa cravate avant de pousser la porte de derrière du poste de police. Il emprunta le couloir conduisant à l'arrière du bureau des inspecteurs, puis il passa entre les rangées de tables pour se diriger vers Pounds, qui était assis de l'autre côté de la paroi de verre le séparant des policiers qu'il commandait. Des têtes se tournèrent sur son passage, à la table des cambriolages d'abord, à toutes les autres tables ensuite. Bosch ne salua personne, mais faillit marquer un temps d'arrêt en voyant quelqu'un assis sur sa chaise, à la table des homicides. Burns. Edgar se trouvait à sa place, mais il tournait le dos à Bosch et ne le vit pas traverser la salle.

Contrairement à Pounds. Par la paroi vitrée, celui-ci le vit marcher vers lui et se leva derrière son bureau.

Bosch remarqua immédiatement que la vitre qu'il avait cassée une semaine plus tôt avait déjà été remplacée. Il s'étonna d'une telle rapidité dans une administration où des réparations plus importantes (le remplacement d'un pare-brise criblé de balles sur une voiture de patrouille, par exemple) nécessitaient, en temps normal, un mois de réclamations et de paperasserie. Telles étaient les priorités de la police.

– Henry ! s'écria Pounds. Venez ici !

Le vieil homme qui, assis au guichet d'accueil, recevait les appels du public et orientait les visiteurs, sursauta et se dirigea vers le bureau vitré en tremblotant. C'était un civil bénévole, comme il y en avait plusieurs dans ce poste de police. Des retraités généralement, que les flics surnommaient la Brigade du sommeil.

Bosch entra dans le bureau derrière le vieil homme et posa sa mallette par terre.

– Bosch ! aboya Pounds. J'ai un témoin.

Il désigna le vieil Henry, puis tendit le doigt à travers la vitre.

– J'ai même un tas de témoins.

Bosch remarqua que Pounds avait encore des traces violacées de vaisseaux sanguins éclatés sous les deux yeux. Mais ils avaient dégonflé. Bosch s'approcha du bureau et plongea la main dans la poche de sa veste.

— Des témoins de quoi ?

— De tout ce que vous ferez ici.

Bosch se tourna vers Henry.

— Vous pouvez regagner votre poste. Je veux juste discuter avec le lieutenant.

— Non, restez là, Henry, ordonna Pounds. Je veux que vous écoutiez ce qu'il va dire.

— Vous êtes sûr qu'il s'en souviendra, Pounds ? Il n'est même pas capable de transférer les appels sur les bons postes.

Bosch se retourna vers Henry et lui jeta un regard qui indiquait clairement qui était le chef à l'intérieur du bureau de verre.

— Refermez la porte en sortant.

Henry adressa un regard timide à Pounds, puis s'empressa de ressortir du bureau, en refermant la porte derrière lui comme on le lui avait demandé. Bosch reporta son attention sur Pounds.

Lentement, comme un chat qui passe devant un chien à pas feutrés, le lieutenant s'assit sur son siège en songeant, ou en sachant par expérience, qu'il valait mieux ne pas se trouver nez à nez avec Bosch. En baissant les yeux, celui-ci remarqua un livre ouvert sur le bureau. Il se pencha en avant et le referma pour voir la couverture.

— Alors, on prépare l'examen de capitaine, lieutenant ? dit-il.

Pounds eut un mouvement de recul. Bosch constata qu'il ne s'agissait pas du manuel de préparation à l'examen de capitaine, mais d'un ouvrage destiné à créer et entretenir la motivation de ses employés. Il avait été écrit par un entraîneur de basket professionnel. Bosch ne put s'empêcher de rire.

— Vous êtes vraiment incroyable, Pounds. Au moins, vous êtes amusant. Faut vous reconnaître ça.

Pounds lui reprit le livre des mains et le fourra dans son tiroir.

— Qu'est-ce que vous voulez, Bosch ? Vous savez que vous n'avez rien à faire ici. Vous êtes en congé.

— Vous m'avez appelé, vous vous souvenez ?

— C'est faux.

— Pour la voiture. Vous vouliez la récupérer.

— Je vous ai demandé de la rapporter au garage. Je ne vous ai pas dit de venir ici. Fichez-moi le camp !

Bosch vit la colère se répandre sur le visage de Pounds, qui vira au rose. Bosch, lui, restait calme, signe que son niveau de stress diminuait. Il sortit les clés de la voiture de sa poche de veste et les laissa tomber sur le bureau, devant Pounds.

– Elle est garée devant la cellule des poivrots. Si vous voulez la récupérer, elle est à vous. Mais c'est vous qui la rendrez au garage. Ce n'est pas le boulot d'un flic ; c'est un boulot de gratte-papier.

Sur ce, il se retourna pour récupérer sa mallette et s'en aller. Il ouvrit la porte du bureau avec une telle violence qu'elle alla cogner contre une des parois de verre. Tout le bureau trembla. Bosch contourna le comptoir à l'entrée de la salle des inspecteurs, lança un « Désolé, Henry ! », sans même regarder le vieil homme, puis s'éloigna dans le couloir.

Quelques minutes plus tard, debout sur le trottoir devant l'entrée du poste de police, dans Wilcox Avenue, Bosch attendit le taxi qu'il avait commandé avec son portable. Une Caprice grise, la reproduction quasi parfaite de la voiture qu'il venait de restituer, stoppa devant lui. Il se pencha pour jeter un coup d'œil à l'intérieur. C'était Edgar. Il souriait. La vitre s'abaissa.

– Je te dépose, cow-boy ?

Bosch monta.

– Il y a un Hertz dans La Brea, près du Boulevard.

– Oui, je sais.

Ils roulèrent en silence pendant quelques minutes, jusqu'à ce qu'Edgar éclate de rire.

– Quoi ? demanda Bosch.

– Rien… c'est Burns. Je crois qu'il a failli chier dans son froc pendant que tu étais dans le bureau de Pounds. Il croyait que tu allais te pointer pour le virer de ta chaise. Il était pitoyable.

– Merde. J'aurais dû le faire. Je n'y ai pas pensé.

Ils retombèrent dans le silence. Ils roulaient maintenant dans Sunset, vers La Brea.

– C'est plus fort que toi, hein, Harry ?

– Je ne sais pas.

– Qu'est-ce qui t'est arrivé à la main ?

Bosch la leva devant ses yeux et examina son bandage.

– Je me suis blessé la semaine dernière en bricolant sur ma terrasse. J'en bave.

– Tu ferais bien de faire gaffe, sinon Pounds va t'en faire baver, lui aussi.

– Il a déjà commencé.

– Ce type est un nul, un abruti. Oublie-le, nom de Dieu ! En fait, tu ne...

– Tu commences à parler comme la psy qu'ils m'obligent à aller voir. Peut-être que je devrais m'allonger devant toi pendant une heure, qu'en dis-tu ?

– Peut-être qu'elle va te mettre du plomb dans la tête.

– J'aurais mieux fait de prendre le taxi, je crois.

– Tu devrais savoir qui sont tes amis, et les écouter pour une fois.

– On est arrivés.

Edgar ralentit devant l'agence de location de voitures. Bosch descendit avant même l'arrêt complet de la Caprice.

– Attends, Harry !

Bosch se retourna vers Edgar.

– C'est quoi, cette histoire avec Fox ? C'est qui, ce type ?

– Je ne peux rien te dire pour l'instant, Jerry. C'est mieux comme ça.

– Tu es sûr ?

Bosch entendit la sonnerie de son téléphone dans sa mallette. Il baissa instinctivement les yeux, puis il regarda de nouveau Edgar.

– Merci de m'avoir déposé, dit-il.

Et il claqua la portière.

CHAPITRE ONZE

C'était un appel de Keisha Russell du *Times*. Elle lui annonçait qu'elle avait découvert à la morgue du journal un court article sur Fox, mais qu'elle voulait le lui remettre en main propre. Bosch savait que cela faisait partie du jeu, du pacte qu'il fallait établir. Il regarda sa montre. Il pouvait attendre pour savoir ce que contenait cet article. Il l'invita à déjeuner au Pantry, dans le centre.

Quarante minutes plus tard, elle était déjà assise dans un box près de la guérite de la caisse quand il entra. Il se glissa sur la banquette en face d'elle.

— Vous êtes en retard, lui fit-elle remarquer.

— Désolé, il a fallu que je loue une voiture.

— Ils vous ont repris la vôtre ? C'est du sérieux, alors.

— On ne parlera pas de ça.

— Je sais. Vous savez à qui appartient ce restaurant ?

— Oui, au maire. Ce n'est pas mauvais pour autant.

Elle fit la moue et regarda autour d'elle, comme si cet endroit grouillait de bestioles. Le maire était républicain. Le *Times* avait soutenu le candidat démocrate. Plus grave encore, pour elle du moins, le maire apportait son soutien à la police de Los Angeles. Les journalistes n'aimaient pas ça. C'était ennuyeux. Ils voulaient des luttes intestines à la mairie, des polémiques, des scandales. Ça ajoutait du piment.

— Désolé, dit Bosch. J'aurais dû vous proposer d'aller chez Gorky ou dans un établissement plus de gauche ?

— Ne vous en faites pas pour ça, Bosch. Je vous taquine, c'est tout.

Il lui donnait vingt-cinq ans, au maximum ; c'était une Noire à la peau foncée. Elle avait une beauté pleine de grâce. Bosch ignorait d'où elle venait, mais doutait qu'elle fût de Los Angeles. Elle parlait avec un léger accent, des inflexions antillaises, qu'elle avait peut-être cherché à faire disparaître. Mais elles étaient toujours là. Il aimait la façon dont elle prononçait son nom. Dans sa bouche, il prenait une consonance exotique, on aurait dit une vague qui se brise. Peu importe qu'elle ait presque la moitié de son âge et qu'elle l'appelle uniquement par son nom de famille.

– Vous venez d'où, Keisha ?

– Pourquoi ?

– Pourquoi ? Parce que ça m'intéresse. Vous vous occupez des enquêtes criminelles, je veux savoir à qui j'ai à faire.

– Je suis d'ici, Bosch. Je suis arrivée de la Jamaïque à l'âge de cinq ans. J'ai fait mes études à USC. Et vous, d'où êtes-vous ?

– D'ici. J'ai toujours vécu ici.

Il préféra ne pas évoquer les quinze mois pendant lesquels il s'était battu dans les tunnels au Vietnam, ni les neuf d'entraînement en Caroline du Nord.

– Que vous est-il arrivé à la main ?

– Je me suis coupé en bricolant chez moi. Je m'occupe pendant que je suis en congé. Alors… ça fait quel effet de prendre la succession de Bremmer ? Il était là depuis longtemps.

– Oui, je sais. Et ce n'est pas facile. Mais je creuse mon trou petit à petit. Et je me fais des amis. J'espère que vous en ferez partie, Bosch.

– Je serai votre ami. Quand je pourrai. Voyons voir ce que vous m'apportez.

Elle déposa une chemise en papier kraft sur la table, mais le serveur, un vieil homme chauve avec une moustache gominée, arriva avant qu'elle puisse l'ouvrir. Bosch commanda un hamburger bien cuit avec des frites. Keisha fit la grimace et il crut deviner pourquoi.

– Vous êtes végétarienne, c'est ça ?

– Oui.

– Désolé. La prochaine fois, c'est vous qui choisirez l'endroit.

– Entendu.

Elle ouvrit la chemise, et Bosch remarqua qu'elle portait plusieurs bracelets en fils multicolores tressés au poignet gauche. A l'intérieur du dossier, il découvrit une photocopie d'une coupure de presse. D'après la taille de l'article, Bosch devina qu'il s'agissait d'une des histoires qu'on relègue en dernière page. Keisha lui tendit la photocopie.

– Je crois que c'est votre Johnny Fox. L'âge correspond, mais la description ne colle pas avec la vôtre. Vous m'avez parlé d'une petite crapule minable.

Bosch lut l'article, daté du 30 septembre 1962.

UN MILITANT VICTIME D'UN CHAUFFARD
par Monte Kim, correspondant du *Times*

Un homme de 29 ans, militant pour le compte d'un candidat au poste de procureur, a été écrasé samedi, à Hollywood, par une voiture roulant à vive allure.

La victime a été identifiée : il s'agit de Johnny Fox, Ivar Street, à Hollywood. D'après la police, Fox distribuait des tracts électoraux en faveur du candidat Arno Conklin, au coin de Hollywood Boulevard et de La Brea Avenue, lorsqu'il a été renversé par une voiture qui roulait à toute vitesse, au moment où il traversait la rue, vers 14 heures.

D'après la police, Fox a été tué sur le coup et son corps traîné sur plusieurs mètres par la voiture.

Le véhicule a ralenti brièvement après l'accident, puis est reparti sur les chapeaux de roue, indique la police. Les témoins ont déclaré que la voiture se dirigeait vers le sud, dans La Brea. La police n'a pas réussi à retrouver le véhicule en question, et les témoins n'ont pas pu fournir un signalement précis de la marque ou du modèle. L'enquête se poursuit, affirme la police.

Le directeur de campagne de Conklin, Gordon Mittel, a déclaré que Fox avait rejoint la bataille électorale une semaine plus tôt.

Adjoint au bureau du procureur, où il dirige la commission des enquêtes spéciales sous les ordres de John Charles Stock, bientôt en retraite, Conklin nous a déclaré qu'il n'avait pas eu l'occasion de rencontrer Fox, mais déplorait le décès de cet homme qui œuvrait pour son élection. Le candidat s'est refusé à tout autre commentaire.

Bosch examina longuement la coupure de presse après l'avoir lue.

– Ce Monte Kim, dit-il. Il travaille toujours au journal ?

– Vous plaisantez ? Ça date de la préhistoire, ce truc. En ce temps-là, une salle de rédaction, c'était un groupe de types en chemises blanches et cravates.

Bosch regarda sa propre chemise, puis la fille.

– Désolée, reprit-elle. Bref, il n'est plus dans la maison. Et je ne connais pas ce Conklin. J'étais trop jeune. Il a gagné, finalement ?

– Oui, je crois qu'il a fait deux mandats et, ensuite, je crois qu'il s'est présenté au poste de procureur général, ou un truc comme ça, et s'est ramassé. Enfin, je crois. Je n'étais pas là à cette époque.

– Vous m'avez dit que vous avez toujours vécu ici.

– Je me suis absenté un petit moment.

– Le Vietnam, c'est ça ?

– Exact.

– Évidemment. Un tas de flics de votre âge sont allés là-bas. Un sacré voyage, j'imagine. C'est pour ça que vous êtes tous devenus flics en revenant ? Pour pouvoir continuer à porter des armes ?

– Oui, quelque chose comme ça.

– En tout cas, si Conklin est toujours de ce monde, ce doit être un vieux monsieur. Mais Mittel, lui, est toujours là. Vous le savez certainement. Il est sans doute dans un de ces box, en train de déjeuner avec le maire.

Elle sourit, Bosch l'ignora.

– Oui, c'est un gros ponte. Parlez-moi de lui.

– Mittel ? C'est le numéro un d'un gros cabinet juridique du centre, l'ami d'un tas de gouverneurs, de sénateurs et autres gens puissants. Aux dernières nouvelles, il s'occupait du financement de la campagne de Robert Shepherd.

– Robert Shepherd ? Le type des ordinateurs ?

– Dites plutôt le magnat des ordinateurs. Vous ne lisez donc pas les journaux ? Shepherd veut se présenter, mais il ne veut pas dépenser ses deniers. Mittel se charge de collecter les fonds pour une campagne exploratoire.

– Il veut se présenter à quel poste ?

– Bon sang, Bosch ! Vous ne lisez pas les journaux et vous ne regardez pas la télé ?

– Je suis occupé en ce moment. Alors, à quel poste ?

– J'imagine que, comme tous les mégalomanes, il voudrait devenir président. Mais, pour l'instant, il vise le Sénat. Shepherd veut être le candidat du troisième parti. Il dit que les républicains sont trop à droite et les démocrates trop à gauche. Lui, il est juste au milieu. Et d'après ce que j'ai entendu dire, si quelqu'un est capable de rassembler assez d'argent pour lui permettre de jouer les trouble-fête, c'est Mittel.

– Autrement dit, Mittel veut fabriquer un président.

– Sans doute. Mais pourquoi vous m'interrogez sur lui, au fait ? Je suis spécialisée dans les affaires criminelles. Et vous, vous êtes flic. Quel rapport avec Gordon Mittel ?

Elle lui montra la photocopie de l'article. Bosch se dit qu'il avait peut-être posé trop de questions.

– J'essaie simplement de combler mes lacunes. Comme vous l'avez dit, je ne lis pas les journaux.

– Le journal, pas les journaux, rectifia-t-elle avec un sourire. Si jamais je vous surprends à lire ou à contacter le *Daily Snews**...

– Il n'y a pas en enfer de fureur comparable à celle d'un journaliste bafoué, c'est ça ?

– Oui, en quelque sorte.

Il sentit qu'il avait réussi à détourner les soupçons de Russell. Il leva la photocopie devant lui.

– Il n'y a pas eu de suite ? La police n'a jamais retrouvé le chauffard ?

– Je ne crois pas. Sinon, il y aurait eu un article.

– Je peux garder celui-ci ?

– C'est pour vous.

– Ça vous dirait de retourner faire un petit tour à la morgue ?

– Pour chercher quoi ?

– Des articles sur Conklin.

– Il doit y en avoir des centaines, Bosch. Vous dites qu'il a fait deux mandats de procureur.

– Je veux seulement les articles parus avant son élection. Et si vous avez un peu de temps, ajoutez-y tout ce qui concerne Mittel.

– Vous êtes très exigeant, vous savez. Je pourrais avoir des ennuis si on savait que je fais des recherches aux archives pour un flic.

Elle mima une moue, mais Bosch l'ignora une fois de plus. Il savait où elle voulait en venir.

– Vous voulez bien me raconter de quoi il s'agit, Bosch ?

Il resta muet.

– Je m'en doutais. Bon, j'ai deux interviews cet après-midi. Je serai absente. Ce que je peux faire, c'est demander à un stagiaire de rassembler les articles et de les déposer pour vous chez le gardien dans le hall du globe. Tout sera dans une enveloppe, comme ça personne ne saura ce qu'il y a dedans. Ça vous va ?

Bosch acquiesça. Il était déjà allé à Times Square à plusieurs reprises, généralement pour rencontrer des journalistes. C'était un immeuble de la taille d'un pâté de maisons, avec deux entrées. Au centre du hall principal, au coin de First et Spring Streets, trônait un énorme globe qui tournait en permanence, tout comme l'info qui ne s'arrêtait jamais.

– Vous laisserez l'enveloppe à mon nom ? Vous ne risquez pas d'avoir des ennuis ? En faisant des faveurs à un flic, comme vous disiez ? Je suppose que c'est contraire aux principes de votre journal.

---

* *Daily Snews* : jeu de mots sur *Daily News* et *Snooze*, « piquer un roupillon » *(NdT)*.

Son ton sarcastique la fit sourire.

– Ne vous inquiétez pas. Si mon rédacteur en chef me pose la question, je lui expliquerai que j'investis pour l'avenir. Ne l'oubliez pas, Bosch. L'amitié est une rue à double sens.

– Soyez tranquille. C'est une chose que je n'oublie jamais.

Il se pencha au-dessus de la table et approcha son visage de celui de Keisha.

– N'oubliez pas une chose, vous non plus. Si je ne vous dis pas pourquoi j'ai besoin de ces renseignements, c'est parce que je ne sais pas où ça mène, entre autres choses. Si même ça mène quelque part. Mais ne soyez pas trop curieuse. Ne vous amusez pas à passer des coups de fil. Vous risqueriez de tout foutre en l'air. Je pourrais avoir de gros ennuis. Et vous aussi. Pigé ?

– Pigé.

L'homme à la moustache gominée s'approcha de la table avec leur commande.

CHAPITRE DOUZE

– Je remarque que vous êtes arrivé en avance aujourd'hui. Dois-je en conclure que vous aviez très envie de venir ?

– Non, pas spécialement. J'ai déjeuné dans le centre avec une amie et je suis venu directement.

– Je suis ravie d'apprendre que vous étiez avec une amie. C'est une excellente chose.

Carmen Hinojos était assise à son bureau, son carnet ouvert devant elle, mais elle gardait les mains croisées. Comme si elle se donnait beaucoup de mal pour ne faire aucun geste qui pût être considéré comme un obstacle au dialogue.

– Que vous est-il arrivé à la main ?

Bosch regarda les pansements qui enveloppaient ses doigts.

– Je me suis donné un coup de marteau. J'ai bricolé chez moi.

– Ah, zut. C'est grave ?

– Je survivrai.

– Pourquoi êtes-vous sur votre trente et un aujourd'hui ? J'espère que vous ne vous sentez pas obligé de vous habiller pour assister à ces séances ?

– Non. Je... Je n'ai pas voulu briser ma routine. Même si je ne vais pas travailler, je me suis habillé comme d'habitude.

– Je comprends.

Après lui avoir proposé un café ou un verre d'eau, que Bosch refusa, elle débuta la séance.

– Eh bien, de quoi aimeriez-vous parler aujourd'hui ?

– Peu importe. C'est vous le boss.

– Je préfère que vous ne voyiez pas notre relation sous cet angle. Je ne suis pas votre « patron », inspecteur Bosch. Je ne suis qu'une sorte d'animatrice, quelqu'un qui est là pour vous aider à parler de tout ce que vous voulez, de tout ce qui vous pèse.

Bosch garda le silence. Il ne voyait pas quel sujet aborder. Carmen Hinojos tambourina sur son bloc de feuilles jaunes avec son stylo pendant quelques instants, avant de reprendre la parole :

– Vous n'avez rien à dire ?

– Ça ne me vient pas.

– Si on parlait d'hier ? Quand je vous ai appelé pour vous rappeler notre séance d'aujourd'hui, vous m'avez paru très énervé. C'est à ce moment-là que vous vous êtes fait mal à la main ?

– Non, ça n'a rien à voir.

Comme Carmen Hinojos ne disait rien, Bosch décida de se montrer un peu plus conciliant. Il devait admettre que cette femme avait quelque chose qui lui plaisait. Elle n'était pas agressive et il la croyait quand elle affirmait qu'elle était là uniquement pour l'aider.

– En fait, quand vous m'avez appelé, je venais d'apprendre que mon ancien équipier, je veux dire… mon équipier avant toute cette histoire, avait un nouveau partenaire. On m'a déjà remplacé.

– Qu'avez-vous ressenti ?

– Vous avez entendu. J'étais fou de rage. N'importe qui aurait réagi de la même façon. J'ai rappelé mon équipier un peu plus tard et il m'a traité comme si je n'existais déjà plus. Je lui ai appris un tas de trucs à ce type et…

– Et quoi ?

– Je ne sais pas comment dire. Ça fait mal.

– Je vois.

– Non, je crois que vous ne voyez pas. Il faudrait être à ma place pour voir les choses comme je les vois.

– Oui, sans doute. Mais je peux compatir. Restons-en là. Laissez-moi vous poser une question. Ne deviez-vous pas vous attendre à ce que votre équipier ait un nouveau partenaire ? Après tout, la règle veut que les inspecteurs de police travaillent par deux, non ? Vous êtes en congé pour une période de temps illimitée. N'était-il pas évident qu'on lui attribuerait un nouveau partenaire, permanent ou non ?

– Si, sans doute.

– N'est-ce pas moins dangereux de travailler par deux ?

– Certainement.

– Parlez-vous d'expérience ? Vous sentiez-vous plus en sécurité quand vous faisiez équipe, par rapport aux fois où vous enquêtiez seul ?

– C'est vrai, je me sentais plus en sécurité.

– Donc, ce qui s'est passé était inévitable et logique ; pourtant, cela a provoqué votre colère.

– Ce n'est pas ça qui m'a mis en colère. Je crois que c'est plutôt la façon dont il m'a annoncé la nouvelle, la manière dont il s'est comporté quand je l'ai appelé. Je me suis senti trahi. Je lui ai demandé de me rendre un service et il… Ah, je ne sais pas.

– Qu'a-t-il fait ?

– Il a hésité. Des équipiers ne font pas ça. Pas entre eux. Ils sont censés s'entraider. En fait, on peut dire que ça ressemble beaucoup à un mariage même si je n'ai jamais été marié.

Carmen Hinojos griffonna quelques notes dans son carnet, et Bosch se demanda ce qu'il avait dit de si important.

– Apparemment, dit-elle, tout en continuant d'écrire, votre seuil de tolérance à la frustration est très bas.

Cette affirmation déclencha immédiatement sa colère, mais Bosch savait qu'en la laissant éclater il ne ferait qu'apporter de l'eau au moulin de la psy. D'ailleurs, se dit-il, peut-être s'agissait-il d'une ruse destinée à provoquer ce genre de réaction. Il s'efforça de se calmer.

– Comme tout le monde, non ? répondit-il d'une voix maîtrisée.

– Oui, sans doute. Dans une certaine mesure. En lisant votre dossier, j'ai appris que vous étiez dans l'armée à l'époque de la guerre du Vietnam. Avez-vous vu des combats ?

– Si j'ai vu des combats ? Oui, j'ai vu des combats. J'étais même en plein milieu. J'étais même dessous. Pourquoi est-ce que les gens demandent toujours si on a vu des combats, comme si on nous avait emmenés voir un putain de film ?

Carmen Hinojos garda le silence un long moment ; elle tenait toujours son crayon dans sa main, mais elle n'écrivait plus. Elle semblait attendre que les voiles de la colère de Bosch retombent. Il esquissa un petit geste, en espérant lui faire comprendre qu'il était désolé, qu'il fallait oublier cet incident et passer à autre chose.

– Désolé, dit-il quand même, pour être sûr.

Mais Hinojos continuait à garder le silence et son regard commençait à peser lourdement sur lui. Il tourna la tête vers les étagères qui couvraient un des murs du bureau. Elles étaient chargées d'épais ouvrages de psychiatrie reliés en cuir.

– Je suis désolée de pénétrer dans une zone aussi sensible, dit-elle finalement. La raison en est…

– C'est bien ça le but du jeu, non ? Vous avez l'autorisation de pénétrer dans ma vie et je ne peux pas vous en empêcher.

– Dans ce cas, acceptez-le, répliqua-t-elle d'un ton sec. Nous avons déjà discuté de ça. Pour vous aider, nous devons parler de vous. Acceptez-le, et peut-être pourrons-nous aller de l'avant. Pour en revenir à ce que je disais, si je vous ai parlé de la guerre, c'était pour vous demander si vous connaissiez le syndrome du stress post-traumatique. En avez-vous déjà entendu parler ?

Bosch reporta son attention sur elle. Il savait où elle voulait en venir.

– Oui, évidemment. J'en ai entendu parler.

– Dans le passé, inspecteur, ce syndrome a tout d'abord été associé aux soldats qui revenaient de la guerre, mais, en vérité, il ne s'agit pas simplement d'un problème de guerre ou d'après-guerre. Cela peut survenir dans n'importe quel environnement générateur de stress. N'importe lequel. Et je suis bien obligée de vous le dire : je pense que vous constituez un exemple vivant des symptômes liés à ce dysfonctionnement.

– Nom de Dieu..., dit Bosch en secouant la tête d'un air effaré.

Il pivota sur son siège pour ne plus être obligé de regarder la psy, ni les étagères. Il contempla le ciel par la fenêtre. C'était un ciel sans nuages.

– ... Vous autres, reprit-il, vous restez assis dans vos bureaux, vous ne pouvez pas imaginer...

Il n'acheva pas sa phrase et se contenta de secouer la tête. Et desserra son nœud de cravate. C'était comme si l'air ne parvenait plus à entrer dans ses poumons.

– Écoutez-moi bien, inspecteur, d'accord ? Regardez les choses en face. Voyez-vous dans cette ville un métier plus stressant que celui de policier, surtout depuis quelques années ? Entre l'affaire Rodney King, la suspicion et la haine qui s'en sont suivies, les émeutes, les incendies, les glissements de terrain et les tremblements de terre, chaque officier de police de cette ville a été obligé de gérer un état de stress, plus ou moins bien.

– Vous avez oublié les abeilles tueuses.

– Je parle sérieusement.

– Moi aussi. On en a parlé aux infos.

– Avec tout ce qui s'est passé et continue de se passer dans cette ville, avec toutes ces calamités, qui est chaque fois aux premières loges ? Les officiers de police. Ceux qui doivent réagir. Ceux qui ne peuvent pas rester chez eux, rentrer la tête dans les épaules et attendre que ça passe. Partons de cette généralisation pour aller vers le particulier. Vous, inspecteur. Vous avez affronté toutes ces crises en première ligne. En même temps, vous deviez assumer votre véritable travail. Les enquêtes criminelles. Une des brigades les plus stressantes de la police. Dites-moi un peu sur combien d'affaires de meurtres vous avez enquêté ces trois dernières années ?

– Je ne cherche pas d'excuses. Je vous ai expliqué que je faisais ce métier parce que je le voulais. Ça n'avait rien à voir avec les émeutes ou…

– Combien de cadavres avez-vous vus ? Répondez à ma question, s'il vous plaît. Combien de cadavres ? A combien de veuves avez-vous annoncé la mauvaise nouvelle ? A combien de mères avez-vous appris la mort de leur fils ?

Bosch se frotta le visage à deux mains. Tout ce qu'il savait, c'était qu'il avait envie de se cacher pour qu'elle ne le voie plus.

– Beaucoup, répondit-il enfin dans un murmure.

– Plus que ça encore.

Il poussa un long soupir.

– Merci d'avoir répondu. Je ne cherche pas à vous tendre un piège. Le sens de mes questions, et de mon laïus sur la fracture sociale, culturelle et même géologique de cette ville, c'est de montrer que vous avez enduré beaucoup plus de choses que la plupart des gens… Vous comprenez ? Et encore, je ne parle pas du lourd bagage que vous avez rapporté du Vietnam, ni de la fin de cette liaison amoureuse. Mais quelles qu'en soient les raisons, les symptômes de stress sont évidents. Ils sont là, aussi flagrants que le nez au milieu de la figure. Votre intolérance, votre incapacité à sublimer les frustrations et surtout cette agression sur votre supérieur.

Elle se tut, mais Bosch refusa de parler. Il avait le sentiment qu'elle n'avait pas encore terminé. Il ne se trompait pas.

– Il y a d'autres signes, ajouta-t-elle. Votre refus de quitter votre maison endommagée peut être perçu comme une façon de nier tout ce qui se passe autour de vous. Sans oublier les symptômes physiques. Vous vous êtes regardé dans une glace dernièrement ? Pas besoin de vous poser la question pour savoir que vous buvez trop. Et votre main ? Vous ne vous êtes pas blessé avec un marteau. Vous vous êtes endormi en tenant une cigarette. C'est une brûlure que vous avez aux doigts, je suis prête à parier mon diplôme.

Elle ouvrit un tiroir d'où elle sortit deux gobelets en plastique et une bouteille d'eau. Elle remplit les gobelets et poussa l'un d'eux vers Bosch. Une offrande de paix. Il l'observa en silence. Il se sentait épuisé, irrécupérable. Et pourtant, il ne pouvait s'empêcher d'être admiratif devant cette femme qui le mettait à vif de manière si habile. Elle but une gorgée d'eau et enchaîna :

– Toutes ces choses conduisent à un diagnostic de syndrome de stress post-traumatique. Toutefois, nous avons un problème à ce niveau-là. Le mot « post » dans ce genre de diagnostic indique que la période génératrice de stress est passée. Or, ce n'est pas le cas ici. Dans cette ville. Dans votre métier. Vous êtes toujours sous pression, Harry. Vous devez vous offrir un peu d'espace pour respirer. C'est la raison de ce congé forcé. Respirez. Prenez le temps de vous retrouver et de vous remettre. Ne vous braquez pas. Saisissez cette chance. C'est le meilleur avis que je puisse vous donner. Servez-vous-en pour sauver votre peau.

Bosch expira bruyamment et leva sa main bandée.

– Vous pouvez garder votre diplôme, dit-il.

– Merci.

Il y eut un moment d'accalmie, jusqu'à ce que Carmen Hinojos reprenne, d'une voix qui se voulait apaisante.

– Sachez également que vous n'êtes pas seul dans ce cas. Il n'y a aucune raison d'avoir honte. Le nombre d'incidents liés au stress des officiers de police a grimpé brutalement au cours de ces trois dernières années. Les services des sciences du comportement ont réclamé cinq psychologues supplémentaires au conseil municipal. Nous sommes passés de 1 800 séances en 1990 à plus du double aujourd'hui. Nous avons même inventé un nom pour décrire ce phénomène. L'« angoisse bleue ». Et vous en souffrez, Harry.

Bosch sourit et secoua la tête en se raccrochant à ce qui lui restait de capacité à se cacher la vérité.

– L'« angoisse bleue ». On dirait le titre d'un roman de Wambaugh, vous ne trouvez pas ?

Elle ne répondit pas.

– Si je comprends bien, vous êtes en train de me dire que je ne retrouverai pas mon poste.

– Non, je ne dis pas du tout ça. Je dis simplement que nous avons beaucoup de travail qui nous attend.

– J'ai l'impression d'avoir été expédié au tapis par la championne du monde. Vous voulez bien que je vous appelle la prochaine fois que j'essaierai d'arracher des aveux à un salopard qui refuse de cracher un seul mot ?

– Croyez-moi, Harry. Le simple fait de dire ça est déjà un bon départ.

– Qu'attendez-vous de moi ?

– Je veux que vous ayez envie de venir ici. C'est tout. Ne considérez pas ces séances comme une punition. Je veux que vous travailliez avec moi, pas contre moi. Je veux que vous me parliez de tout et de n'importe quoi. Tout ce qui vous passe par la tête. Libérez-vous. Encore une chose : je ne vous demande pas d'arrêter totalement de boire, mais il faut diminuer les doses. Vous devez garder l'esprit clair. Comme vous le savez certainement, les effets de l'alcool chez un individu persistent longtemps après l'absorption.

– J'essaierai. Pour tout ce que vous avez dit. J'essaierai.

– Je ne vous demande rien d'autre. Et puisque vous semblez si coopératif tout à coup, je pense à autre chose. J'ai une séance qui s'est annulée demain à 15 heures. Vous pouvez venir ?

Il hésita.

– J'ai l'impression qu'on progresse, dit-elle, et je pense que ce serait bénéfique. Plus vite nous aurons fini notre travail, plus vite vous pourrez reprendre le vôtre. Alors, qu'en pensez-vous ?

– 15 heures ?

– Oui.

– O.K. Je viendrai.

– Parfait. Revenons-en à notre discussion. Et si vous commenciez ? Vous parlez de ce que vous voulez.

Bosch se pencha pour prendre le gobelet d'eau. Il regarda Carmen Hinojos en buvant et reposa le gobelet sur le bureau.

– Je parle de n'importe quoi ?

– Tout ce que vous voulez. Tout ce qui se passe dans votre vie ou dans votre tête et dont vous avez envie de parler.

Il réfléchit longuement.

– J'ai vu un coyote hier soir. Près de chez moi. Je… J'étais ivre, sans doute, mais je suis sûr de l'avoir vu.

– Pourquoi est-ce si important pour vous ?

Il essaya de formuler la réponse appropriée.

– Je ne sais pas… Ils ne sont plus très nombreux à vivre dans les collines. Près de chez moi, en tout cas. Alors, chaque fois que j'en vois un, je me dis que c'est peut-être le dernier. Vous comprenez ? Le dernier coyote. Et je crois que ça me ferait de la peine si c'était vrai, si je n'en revoyais plus jamais.

Elle hocha la tête, comme s'il venait de marquer un point dans un jeu dont il n'était pas certain de connaître les règles.

– Dans le temps, il y en avait un qui vivait dans le canyon en dessous de ma maison. Des fois, il se montrait et je…

– Pourquoi dites-vous « il » ? Même chose pour celui que vous avez vu hier. Vous êtes sûr que c'était un mâle ?

– Non, je n'en suis pas sûr. En fait, je n'en sais rien. C'était une supposition.

– O.K. Continuez.

– Euh… il vivait en dessous de chez moi et je le voyais de temps en temps. Mais après le tremblement de terre, il a disparu. Je ne sais pas ce qu'il est devenu. Et hier soir, j'ai vu celui-là. A cause de la lumière, du brouillard… on aurait dit que son poil était bleu. Il avait l'air affamé. Les coyotes ont quelque chose de… ils sont à la fois tristes et menaçants, vous voyez ?

– Oui, je vois.

– Enfin, bref, j'ai pensé à lui en me couchant. C'est à ce moment-là que je me suis brûlé la main. Je me suis endormi avec ma cigarette, en effet. Mais avant de me réveiller en sursaut, j'ai fait un rêve. Du moins, je crois que c'était un rêve. C'était peut-être une sorte de rêve éveillé, comme si j'étais encore conscient. En tout cas, le coyote était de nouveau là. Mais il était avec moi. Et on était dans le canyon, ou sur une colline ou un truc comme ça, je ne sais pas trop.

Il lui montra sa main.

– Et je me suis brûlé.

Elle acquiesça, sans faire de commentaire.

– Alors, qu'en pensez-vous ? demanda-t-il.

– Je n'ai pas l'habitude d'interpréter les rêves. Franchement, je ne sais pas quelle importance lui donner. Par contre, ce qui me semble très important dans ce que vous venez de me dire, c'est votre désir de me le dire. Cela constitue un revirement à 180 degrés dans votre approche de ces séances. Pensez-en ce que vous voulez, mais il me paraît évident que vous vous identifiez à ce coyote. Peut-être qu'il ne reste plus beaucoup de policiers comme vous, et vous sentez que votre existence, ou votre mission, est menacée, elle aussi. C'est une hypothèse. Mais écoutez bien vos paroles. Vous m'avez dit que les coyotes étaient à la fois tristes et menaçants. Cette description pourrait-elle s'appliquer à vous, Harry ?

Il but une gorgée d'eau avant de répondre :

– Triste, je l'ai été. Mais j'y ai trouvé du réconfort.

Il y eut un nouveau silence, le temps de digérer tout ce qui venait d'être dit. Carmen Hinojos regarda sa montre.

– Il nous reste du temps. Y a-t-il autre chose dont vous vouliez parler ? Une chose en rapport avec cette histoire ?

Bosch réfléchit à la question en prenant une cigarette.

– Combien de temps nous reste-t-il ?

– Aussi longtemps que vous voudrez. Ne vous inquiétez pas pour l'heure. Je veux aller jusqu'au bout.

– Vous avez parlé de ma mission. Vous m'avez demandé de réfléchir à ma mission. Et vous avez encore prononcé ce mot à l'instant…

– En effet.

Il hésita.

– Tout ce que je dis dans ce bureau est confidentiel, n'est-ce pas ?

Elle plissa le front.

– Rassurez-vous, dit-il, il ne s'agit pas de choses illégales. Je veux juste être sûr que vous n'irez pas répéter ce que je vous raconte… d'accord ? Ça ne remontera pas jusqu'à Irving ?

– Non. Ce que vous me dites ne sortira pas de cette pièce. C'est une certitude. Je vous l'ai dit, je rédige simplement un rapport final, extrêmement concis, favorable ou défavorable, que je remets au chef adjoint Irving. Rien d'autre.

Bosch acquiesça. Il hésita encore un instant avant de prendre sa décision. Il allait tout lui dire.

– Vous avez parlé de ma mission, de votre mission et ainsi de suite, et je crois que j'ai une mission à remplir depuis longtemps. Mais je ne le savais pas, ou plutôt… je ne voulais pas l'accepter. Je ne voulais pas l'admettre. Je ne sais pas comment vous expliquer ça. Peut-être que j'avais peur de quelque chose. Alors, j'ai attendu. Pendant des années. Bref, ce que je veux dire, c'est que je l'ai enfin acceptée.

– Je ne suis pas sûre de bien vous suivre, Harry. Il faut m'expliquer de quoi vous parlez.

Bosch regarda le tapis gris à ses pieds. C'est à lui qu'il s'adressa, car il ne savait pas comment dire cela devant cette femme.

– Je suis orphelin… Je n'ai jamais connu mon père et ma mère a été assassinée à Hollywood quand j'étais gosse. Mais personne… On n'a jamais retrouvé le coupable.

– Vous recherchez son meurtrier, c'est ça ?

Bosch leva les yeux et acquiesça.

– C'est ma mission désormais.

A son grand étonnement, Carmen Hinojos ne marqua aucune surprise. C'était comme si elle s'attendait à ce qu'il venait de dire.

– Racontez-moi.

CHAPITRE TREIZE

Bosch était assis à la table de la salle à manger, devant son carnet et les coupures de presse que Keisha Russell lui avait transmises par l'intermédiaire d'un stagiaire du *Times*. Le premier tas de coupures comportait les articles sur Conklin, le deuxième ceux qui concernaient Gordon Mittel. Sur la table se trouvait aussi une bouteille de Henry que Bosch avait bue à petites gorgées pendant la soirée, comme on boit un sirop pour la toux. Cette bière était la seule qu'il s'autoriserait. Le cendrier, par contre, débordait de mégots et un nuage de fumée bleutée flottait autour de la table. Bosch ne s'était fixé aucune limite pour les cigarettes. Hinojos n'avait pas parlé du tabac.

En revanche, elle avait un tas de choses à dire sur sa mission. Elle lui avait catégoriquement conseillé de tout arrêter en attendant d'être mieux préparé à affronter ce qu'il risquait de découvrir. Il lui avait rétorqué qu'il était allé trop loin pour faire demi-tour. Elle lui avait alors répondu quelque chose qu'il n'avait cessé de ruminer en rentrant chez lui, et qui maintenant encore s'insinuait dans ses pensées.

« Vous avez intérêt à vous assurer que c'est bien ce que vous voulez, lui avait-elle dit. Inconsciemment ou pas, vous avez peut-être œuvré en ce sens toute votre vie. C'est peut-être ce qui a fait de vous ce que vous êtes. Un policier, un inspecteur de la Criminelle. En élucidant la mort de votre mère, vous risquez aussi d'élucider ce qui nourrit votre besoin d'être policier. Cela pourrait vous enlever votre motivation, le sens de votre mission. Il faut vous préparer à cette éventualité, ou rebrousser chemin. »

A y réfléchir, Bosch estima qu'elle avait raison. Il savait que ce drame l'avait habité toute sa vie et avait façonné tous ses actes. Et il était toujours là, dans les recoins les plus obscurs de son esprit. Une promesse à découvrir. Une promesse de vengeance. Mais jamais il ne s'était formulé cette idée à voix haute, jamais cette pensée ne s'était présentée à lui d'une manière aussi nette. Cela revenait à élaborer un plan, et cette quête ne faisait pas partie d'un vaste projet. Malgré tout, Bosch était envahi par le sentiment d'accomplir quelque chose d'inévitable, quelque chose qu'une main invisible avait préparé depuis très longtemps.

Il chassa Hinojos de son esprit pour se concentrer sur un souvenir. Il était sous l'eau, les yeux ouverts, levés vers les lumières au-dessus de la piscine. Puis les lumières étaient masquées par une silhouette qui se tenait tout là-haut. L'image était floue, celle d'un ange noir flottant au-dessus de sa tête. Bosch avait donné un coup de pied au fond de l'eau, puis était remonté vers la silhouette.

Il prit la bouteille de bière, la vida d'un trait et tenta de se concentrer sur les coupures de presse posées devant lui.

Il avait été surpris par la quantité d'articles consacrés à Arno Conklin avant son accession au trône de procureur. Mais en les lisant, il s'était vite aperçu qu'il s'agissait essentiellement de comptes rendus sans intérêt, concernant des procès dans lesquels Conklin tenait le rôle de procureur. Bosch pouvait malgré tout se faire une idée du personnage, par le biais des affaires qu'il avait plaidées et par son style. De toute évidence, sa popularité avait grandi au bureau du procureur, comme aux yeux de l'opinion publique, grâce à une série d'affaires fortement médiatisées.

Les articles étaient classés par ordre chronologique ; le premier concernant le procès, en 1953, d'une femme qu'on accusait d'avoir empoisonné son père et sa mère et d'avoir caché leurs corps dans des malles dans le garage, jusqu'à ce que les voisins, incommodés par l'odeur, préviennent la police un mois plus tard. Les propos de Conklin étaient largement reproduits dans plusieurs articles concernant cette affaire. Dans l'un d'eux, il était décrit comme « le fringant adjoint du procureur ». L'affaire avait été une des premières où la démence avait servi de défense à l'accusée. La femme avait plaidé la déficience mentale. A en juger par le nombre d'articles, ce procès avait déclenché la passion du public et il n'avait fallu qu'une demi-heure au jury pour rendre son verdict. L'accusée avait été condamnée à la peine de mort. Conklin, lui, y avait gagné sa place dans l'arène publique en tant que protecteur de la sécurité des individus et défenseur de la justice. Une photo le montrait s'adressant aux journalistes après l'énoncé du verdict. La description qui était faite de lui dans l'article était exacte. Conklin était un homme fringant. Il portait un costume trois pièces de couleur sombre. Cheveux blonds courts, rasé de près. Grand et mince, il offrait l'image superbe du parfait Américain pour laquelle des acteurs versaient des milliers de dollars à des chirurgiens. Arno était une vedette à part entière.

L'article était suivi d'autres coupures de presse concernant diverses affaires criminelles. Conklin avait gagné tous ses procès, sans exception. Il réclamait – et obtenait – toujours la peine de mort. Bosch remarqua qu'il avait été promu au titre de premier adjoint du procureur à la fin des années 50, avant d'être nommé assistant, un des plus hauts postes au sein du bureau du procureur. Une ascension fulgurante en l'espace de seulement dix ans.

Un des articles relatait une conférence de presse au cours de laquelle le procureur John Charles Stock avait annoncé qu'il nommait Conklin responsable de l'Unité des enquêtes spéciales et le chargeait d'éradiquer les innombrables problèmes de mœurs qui menaçaient le tissu social du comté de Los Angeles. « Je me suis toujours adressé à Arno Conklin pour les boulots les plus difficiles, avait dit le procureur. Je me tourne vers lui une fois de plus. Les habitants de Los Angeles veulent une communauté propre et, Dieu m'en est témoin, nous leur donnerons ce qu'ils réclament. J'ai un bon conseil pour tous ceux qui se sentent visés : fichez le camp. San Francisco vous accueillera. San Diego vous accueillera. Mais la Cité des Anges ne veut pas de vous ! »

Venaient ensuite plusieurs articles étalés sur deux ou trois ans et dont les gros titres évoquaient des descentes de police dans des salles de jeux, des bars, des maisons closes, et dans les rues où s'effectuait le commerce de la prostitution. Conklin travaillait avec une équipe de quarante flics détachés de tous les services de police du comté. Hollywood était la cible privilégiée des « commandos Conklin », comme le *Times* avait surnommé cette brigade, mais le bras de la justice s'abattait sur les criminels à travers tout le comté. De Long Beach jusqu'au désert, tous ceux qui travaillaient pour le salaire du péché étaient mis en déroute, à en croire les journaux, du moins. Car Bosch était convaincu que les « seigneurs du vice » visés par les commandos Conklin poursuivaient tranquillement leurs activités, et que seuls le menu fretin, les petits employés interchangeables, étaient pris dans les mailles du filet.

Le dernier article consacré à Conklin concernait son intention, annoncée le 1er février 1962, de se présenter au poste le plus élevé du bureau du procureur. Pour parvenir à ses fins, Conklin mettait plus que jamais l'accent sur la nécessité de débarrasser le comté des vices qui menaçaient toute grande société. Bosch constata qu'une partie du discours qu'il avait prononcé sur les marches du vieux palais de justice, dans le centre de Los Angeles, reprenait une philosophie sécuritaire bien connue, que Conklin, ou son nègre, s'était appropriée comme s'il s'agissait d'une pensée originale.

Les gens me disent parfois : « Quel mal y a-t-il, Arno ? » Ce sont des crimes sans victimes. Si un gars a envie de miser son argent ou de payer une femme pour coucher avec lui, où est le problème ? Où est la victime ? Eh bien, mes amis, je vais vous dire où est le mal, moi, et qui est la victime. Les victimes, c'est nous. Nous tous. Quand nous autorisons ce genre d'activités, quand nous nous contentons de détourner le regard, nous nous mettons en position de faiblesse. Tous autant que nous sommes.

Voici comment je vois les choses. Chacun de ces prétendus petits délits est comme une vitre brisée dans une maison abandonnée. Ce n'est pas bien grave, n'est-ce pas ? Erreur. Si personne ne change le carreau cassé, bientôt des gamins le voient et pensent que tout le monde s'en fiche. Alors, ils s'amusent à jeter des pierres et à briser d'autres fenêtres. Un clochard qui passe dans la rue voit la maison et se dit que tout le monde s'en fiche. Résultat, il s'installe et commence à s'introduire dans les maisons voisines pendant que les habitants sont au travail.

Et avant même que vous vous en rendiez compte, un autre vaurien débarque et se met à voler des voitures. Et ainsi de suite. Les habitants commencent à voir leur quartier d'un œil différent. Ils se disent : tout le monde s'en fiche, pourquoi ne pas faire pareil ? Ils attendent un mois de plus avant de tondre l'herbe devant chez eux. Ils ne disent pas aux gamins qui traînent au coin de la rue d'éteindre leurs cigarettes et de retourner à l'école. Tout se dégrade peu à peu. Voilà ce qui se passe d'un bout à l'autre de notre grand pays, mes amis. Le délabrement s'insinue dans notre jardin comme des mauvaises herbes. Eh bien, quand je serai procureur, moi, ces mauvaises herbes, je les arracherai par la racine !

Il était précisé, à la fin de l'article, que Conklin avait choisi un « jeune homme dynamique » de son équipe pour diriger sa campagne électorale. Gordon Mittel, avait-il indiqué, démissionnerait du bureau du procureur pour se mettre au travail immédiatement. En relisant ce papier, Bosch fut brusquement frappé par un détail qui lui avait échappé à la première lecture. C'était au deuxième paragraphe.

Ce sera la première fois que le célèbre et médiatique Conklin briguera un mandat. Ce célibataire de 35 ans, habitant à Hancock Park, a indiqué qu'il avait ce projet depuis longtemps, et qu'il bénéficiait du soutien du procureur sortant, John Charles Stock, qui a participé, lui aussi, à la conférence de presse.

Bosch feuilleta les pages de son carnet, jusqu'à la liste de noms qu'il avait notés et, en face du nom de Conklin, il écrivit « Hancock Park ». Ce n'était pas grand-chose, mais cela confirmait le récit de Katherine Register. Et suffisait à le faire réfléchir. Au moins avait-il le sentiment de tenir un bout de piste.

– Sale hypocrite, murmura-t-il.

Il traça un cercle autour du nom de Conklin. Perdu dans ses pensées, il continua à l'entourer, en réfléchissant à ce qu'il allait faire.

La dernière destination connue de Marjorie Lowe était une fête à Hancock Park. D'après Katherine Register, elle s'y rendait pour retrouver Conklin. Après sa mort, celui-ci avait appelé les inspecteurs chargés de l'enquête pour organiser un rendez-vous, mais le compte rendu de cet interrogatoire, s'il avait eu lieu, avait disparu. Bosch savait bien qu'il pouvait s'agir d'une coïncidence, mais cela venait renforcer les soupçons qu'il avait eus dès le premier soir où il avait parcouru le dossier de l'enquête. Il y avait quelque chose de bizarre dans cette affaire. Quelque chose qui ne collait pas. Et plus il y réfléchissait, plus il était convaincu que la mauvaise pièce était Conklin.

Plongeant la main dans la poche de sa veste suspendue au dossier de sa chaise, il sortit son petit répertoire. Il l'emporta dans la cuisine pour appeler le numéro personnel de l'adjoint du procureur, Roger Goff.

Goff était un ami qui partageait sa passion pour le saxophone ténor. Ils avaient passé des journées entières assis côte à côte sur des bancs au tribunal, et de nombreuses nuits sur des tabourets dans des clubs de jazz. Goff était un vieux de la vieille qui travaillait depuis presque trente ans au bureau du procureur. Il n'avait aucune ambition politique, ni à l'intérieur ni à l'extérieur du bureau. Il aimait son boulot, tout simplement. C'était un oiseau rare, car jamais il ne s'en était lassé. Un millier d'adjoints étaient passés par le bureau et s'étaient usés à la tâche, avant d'émigrer vers le privé, sous l'œil de Goff, qui, lui, était resté. Aujourd'hui, il travaillait avec des procureurs et des avocats de vingt ans ses cadets. Mais il n'avait rien perdu de son talent et, surtout, il avait toujours du feu dans la voix quand il faisait face à un jury pour appeler la colère de Dieu et de la société sur ceux qui occupaient la chaise de l'accusé. Son mélange de ténacité et d'équité avait fait de lui une légende dans les milieux de la justice et de la police de L.A. En outre, Goff était un des rares procureurs pour lesquels Bosch avait un respect sans bornes.

– Salut, Roger, dit-il. C'est Harry Bosch.

– Hé, Harry, bon sang ! Comment va ?

– Ça va. Qu'est-ce que tu fous ?

– Je regarde la télé, comme tout le monde. Et toi ?

– Rien. Je réfléchissais. Dis, tu te souviens de Gloria Jeffries ?

– Glo… la vache, évidemment que je me souviens. Attends voir… Elle a… Oui, j'y suis, c'est elle dont le mari s'est fait estropier dans un accident de moto, c'est ça ?

Roger se remémorait cette affaire et, soudain, c'était comme s'il lisait tous les détails dans un de ses dossiers.

– Elle a fini par en avoir marre de s'occuper de lui. Alors, un matin où il était au lit, elle s'est assise sur sa figure pour l'étouffer. On allait conclure à une mort naturelle, mais un inspecteur soupçonneux nommé Harry Bosch n'a pas voulu gober l'histoire. Il a déniché un témoin auquel Gloria avait tout raconté. L'argument massue, le truc qui a convaincu le jury, c'était qu'elle avait dit au témoin en question que lorsqu'elle avait étouffé son mari, c'était la première fois que le pauvre vieux réussissait à la faire jouir. Alors, que dis-tu de ma mémoire ?

– Félicitations !

– Mais pourquoi tu me parles d'elle ?

– Elle va bientôt sortir de taule. Je me disais que tu aurais peut-être le temps d'envoyer une lettre.

– Merde, déjà ? Ça remonte à quand, trois ou quatre ans ?

– Presque cinq. J'ai entendu dire qu'elle passait devant la commission des remises de peine le mois prochain. Je vais envoyer une lettre, mais ce serait bien qu'il y en ait une du procureur.

– Ne t'inquiète pas, j'ai un modèle standard dans mon ordinateur. Je n'ai qu'à changer le nom et le crime, et j'ajoute quelques détails sordides. L'idée, c'est que le crime commis était trop horrible pour qu'on envisage une libération conditionnelle. C'est une bonne lettre. Je l'enverrai demain. Généralement, c'est efficace.

– Parfait. Merci.

– Il faut qu'ils arrêtent de coller le maximum à ces bonnes femmes. Elles deviennent toutes des culs bénis au bout d'un moment. Tu as déjà assisté à une de ces auditions ?

– Deux ou trois fois.

– Va donc y passer une demi-journée, si tu as le temps et si tu n'es pas d'humeur trop suicidaire. Une fois, ils m'ont envoyé à Frontera pour l'audition d'une des nanas de Manson. Pour les gros morceaux dans ce genre-là, ils envoient quelqu'un en chair et en os plutôt qu'une lettre. Enfin, bref... je m'étais tapé une dizaine de cas, en attendant le tour de la fille Manson. Tu peux me croire, Harry, tout le monde cite les Corinthiens, ou l'Apocalypse, Matthieu, Paul, Jean ceci, Jean cela. Et ça marche ! Ça marche, nom de Dieu ! Les vieux croulants de la commission gobent toutes ces conneries. Et je parie qu'ils sont à l'étroit dans leur froc à force de voir toutes ces nanas ramper devant eux. Ah, ça y est, voilà que je m'emporte. C'est de ta faute, Harry.

– Désolé.

– Je ne t'en veux pas. Quoi de neuf, sinon ? Je ne t'ai pas vu au tribunal. Tu m'as envoyé du boulot ?

C'était la question que Bosch attendait pour pouvoir faire dévier, discrètement, la conversation vers Arno Conklin.

– Pas grand-chose. C'est calme en ce moment. Mais je voulais te demander un truc. Tu as connu Arno Conklin ?

– Arno Conklin ? Évidemment que je l'ai connu. C'est lui qui m'a engagé. Pourquoi tu me demandes ça ?

– Pour rien. Je faisais du tri dans des vieux dossiers pour libérer un tiroir et je suis tombé sur des journaux. Ils étaient tout au fond. Il y avait des articles sur Conklin et j'ai pensé à toi. Je me suis dit que tu avais débuté à peu près à cette époque.

– Exact. Arno essayait d'être un type bien. Un peu trop arrogant à mon goût, mais, dans l'ensemble, je crois que c'était un type bien. Surtout si on pense qu'il était à la fois politicien et avocat.

Goff rit de sa plaisanterie, mais Bosch garda le silence. Goff avait utilisé le passé pour parler de Conklin. Bosch sentit un poids grandir dans sa poitrine et découvrit alors à quel point le désir de vengeance pouvait être puissant.

– Il est mort ?

Il ferma les yeux. En espérant que Goff ne remarquerait pas l'inquiétude qu'il avait laissé percer dans sa question.

– Non, non, il n'est pas mort. Je parlais de l'époque où je l'ai connu. C'était un type bien en ce temps-là.

– Il continue d'exercer quelque part ?

– Oh, non. C'est un vieillard maintenant. Il est à la retraite. Une fois par an, on le transporte jusqu'au banquet annuel des procureurs. Et il remet personnellement le trophée Arno Conklin.

– C'est quoi, ce machin ?

— Un bout de bois avec une plaque de cuivre dessus, que l'on remet au meilleur procureur administratif de l'année, figure-toi. Voilà l'héritage de ce type, un trophée annuel décerné à un soi-disant procureur qui ne fout jamais les pieds dans une salle de tribunal. Je ne sais pas comment ils le choisissent. C'est sans doute celui qui a le mieux léché le cul du procureur général l'année précédente.

Cette fois, Bosch éclata de rire. La plaisanterie n'était pas très amusante, mais il était surtout soulagé d'apprendre que Conklin était toujours en vie.

— Ce n'est pas drôle, Bosch. C'est même vachement triste. « Procureur administratif », qui sait ce que ça veut dire ? Voilà un bel exemple d'oxymoron. C'est comme Andrew avec ses scénarios. Il a affaire aux types des studios qu'on appelle, tiens-toi bien, des « cadres créatifs ». Tu parles d'une contradiction ! Et me voilà reparti, à cause de toi, Bosch.

Bosch savait qu'Andrew était le compagnon de Goff, mais il ne l'avait jamais rencontré.

— Pardon, Roger. Tu disais qu'on le « transportait au banquet ». Que veux-tu dire par là ?

— Arno ? Ils le transportent véritablement. Il est dans un fauteuil roulant. Je te l'ai dit, c'est un vieillard. Aux dernières nouvelles, il vivait dans une maison de retraite, sous assistance médicale. Un truc très chic à Park La Brea. Je dis toujours que je vais aller lui rendre visite un jour pour le remercier de m'avoir engagé à l'époque. Qui sait, peut-être que je pourrais lui glisser un mot sur cette récompense.

— Très drôle. J'ai entendu dire que Gordon Mittel lui avait servi de porte-parole.

— Exact. C'était le bouledogue qui monte la garde. Et il dirigeait ses campagnes. C'est comme ça que Mittel a commencé. Maintenant, c'est un sale… Enfin, bref, je suis content qu'il ait abandonné le pénal pour se consacrer à la politique. Je n'aurais pas voulu affronter cet enfoiré devant un tribunal.

— Oui, il paraît, dit Bosch.

— Tu peux multiplier par deux tout ce que tu as entendu dire à son sujet.

— Tu le connais ?

— Non, merci. J'ai toujours su garder mes distances. Il avait déjà quitté le bureau quand je suis arrivé. Mais des histoires circulaient. Au tout début, quand Arno était l'héritier présumé, et que tout le monde le savait, les manœuvres allaient bon train, paraît-il. Pour occuper la meilleure place à ses côtés. Un dénommé Sinclair, si je me souviens bien, avait été désigné pour mener la campagne d'Arno. Mais un soir, une femme de ménage a découvert des photos porno sous son sous-main. Il y a eu une enquête interne et il s'est révélé que les photos provenaient des dossiers d'un autre procureur. Sinclair a été foutu à la porte. Il a toujours affirmé que Mittel l'avait piégé.

— Tu es de cet avis ?

— Oui. C'était bien le style de Mittel… Mais va savoir…

Bosch sentit qu'il avait posé suffisamment de questions. S'il insistait, Goff risquait de s'interroger sur la raison véritable de cet appel.

— Alors ? demanda-t-il. Tu as décidé de rester enfermé toute la soirée ou ça te dit d'aller faire un saut au Catalina ? Il paraît que Redman est en ville. Je te parie un verre que Brandford et lui vont débarquer sur scène pour le dernier set.

— C'est tentant, Harry, mais Andrew organise un dîner à la maison et je crois qu'on ne va pas sortir ce soir. Il y tient beaucoup. Ça t'ennuie ?

— Non, pas du tout. D'ailleurs, j'essaie de ne plus trop lever le coude en ce moment. Il commence à fatiguer.

— Voilà une décision admirable. Je trouve que tu mériterais un morceau de bois avec une plaque en cuivre.

— Ou un petit verre de whisky.

Après avoir raccroché, Bosch alla s'asseoir à son bureau et nota quelques faits essentiels de sa conversation avec Goff dans son carnet. Puis il fit glisser la pile de coupures de presse sur Mittel devant lui. Ces dernières étaient plus récentes que celles concernant Conklin, Mittel ne s'étant fait un nom que bien plus tard. Conklin avait représenté pour lui le premier barreau de l'échelle.

La plupart des articles mentionnaient simplement la présence de Mittel dans divers galas de Beverly Hills, sa participation à des dîners de campagne électorale ou de bienfaisance. Dès le début, il avait été un homme d'argent, celui que les politiciens et les associations caritatives vont trouver quand ils veulent jeter leurs filets dans les riches enclaves du Westside. Il travaillait pour les deux camps, démocrates et républicains, indifféremment, semblait-il. Son image avait pris une nouvelle dimension quand il avait commencé à travailler pour des candidats plus importants. Ainsi le gouverneur actuel était-il un de ses clients. Tout comme une poignée de sénateurs et de membres du Congrès d'autres États de l'Ouest.

Un portrait dressé quelques années plus tôt – sans sa coopération, visiblement – s'ouvrait sur ce gros titre : LE FINANCIER DU PRÉSIDENT. On y apprenait que Mittel avait été choisi pour rassembler des donateurs susceptibles de remplir les caisses en vue de la réélection du président. On disait que la Californie était en effet une des pierres angulaires du plan de financement de la campagne nationale.

L'article soulignait un paradoxe, celui d'un Mittel homme de l'ombre dans le monde du spectacle qu'était la politique. Il détestait les feux de la rampe. A tel point même qu'il avait plusieurs fois refusé des postes que lui offraient ceux qu'il avait aidés à se faire élire.

Mittel avait préféré rester à Los Angeles, où il avait créé un puissant cabinet juridique et financier : Mittel, Anderson, Jennings & Rountree. Bosch avait pourtant le sentiment que ce juriste diplômé de Yale n'avait pas grand-chose à voir avec la loi telle qu'il la connaissait, lui. Il était même prêt à parier que ce type n'avait pas mis les pieds dans une salle de tribunal depuis des années. Repensant au trophée Arno Conklin, il ne put s'empêcher de sourire. Dommage que Mittel ait quitté le bureau du procureur. Il aurait pu se retrouver un de ces jours sur la liste des nominés.

Le portrait s'accompagnait d'une photo. On y voyait Mittel au pied de la passerelle d'Air Force One, pour accueillir le président de l'époque à l'aéroport de Los Angeles. Même si l'article remontait à plusieurs années, Bosch fut surpris de voir combien Mittel semblait jeune sur la photo. Il parcourut de nouveau le papier pour trouver sa date de naissance. Un rapide calcul mental lui permit de découvrir que Mittel avait aujourd'hui à peine soixante ans.

Il repoussa les coupures de journaux et se leva. Il resta un long moment devant la porte-fenêtre coulissante de la terrasse à contempler les lumières sur l'autre versant du canyon. Il essaya de rassembler tout ce qu'il savait sur ces faits survenus quelque trente-trois ans plus tôt. D'après Katherine Register, Conklin connaissait Marjorie Lowe. Il était évident, au vu du dossier d'homicide, qu'il avait, d'une manière ou d'une autre et pour des raisons inconnues, fourré son nez dans l'enquête. Son intervention avait ensuite été effacée, là aussi pour des raisons inconnues. Tout cela avait eu lieu trois mois seulement avant qu'il annonce sa candidature au poste de procureur principal, et moins d'un an avant qu'un personnage clé de l'enquête, Johnny Fox, ne meure alors qu'il travaillait pour lui.

Il était donc évident, songea Bosch, que Mittel, le directeur de campagne, connaissait Fox. Quoi qu'ait fait ou su Conklin, il était par conséquent fort probable que Mittel, son bras droit et l'architecte de ses ambitions politiques, ait été au courant lui aussi.

Bosch regagna sa table pour relire la liste des noms inscrits dans son carnet. Il prit son stylo et, cette fois, il entoura celui de Mittel. Il avait envie d'ouvrir une autre bière, mais il se contenta de fumer une cigarette.

CHAPITRE QUATORZE

Le lendemain matin, Bosch appela le Service du personnel du LAPD pour leur demander de vérifier si les dénommés Eno et McKittrick faisaient toujours partie des effectifs. Il était peu probable qu'ils soient encore en activité, mais il savait qu'il devait effectuer cette vérification malgré tout. Il aurait été gênant d'entreprendre une enquête sur leur compte pour s'apercevoir que l'un ou l'autre, voire les deux, travaillaient encore dans la police. Après avoir consulté les registres, l'employée du Bureau du personnel l'informa qu'aucun de ces officiers ne figurait actuellement dans les rangs de la police.

Bosch se dit qu'il allait devoir reprendre son imitation de Harvey Pounds. Il appela le Service des cartes grises à Sacramento, donna le nom du lieutenant et demanda à parler à Mme Sharp. A la manière dont elle prononça le mot « Allô ? » au bout du fil, Bosch devina qu'elle se souvenait de lui.

– Madame Sharp ?

– C'est bien elle que vous avez demandé, non ?

– En effet.

– Alors, c'est moi. Que puis-je pour vous ?

– Je voulais essayer d'arranger les choses entre nous. J'ai là quelques noms dont je voudrais connaître les adresses de permis de conduire et je me disais qu'en passant directement par vous ça irait plus vite, et peut-être que ça améliorerait nos relations de travail.

– Nous n'avons aucune relation de travail, mon gars Ne quittez pas, je vous prie.

Et elle appuya sur le bouton avant que Bosch ait le temps de dire un mot. La ligne demeura muette si longtemps qu'il commença à se dire que son petit numéro pour griller Pounds était une perte de temps. Finalement, une autre employée reprit la communication, en disant que Mme Sharp lui avait demandé d'apporter son aide au lieutenant Pounds. Bosch lui donna le matricule de Pounds, puis les noms de Gordon Mittel, Arno Conklin, Claude Eno et Jake McKittrick. Il avait besoin de connaître les adresses figurant sur leurs permis de conduire, expliqua-t-il.

On le fit attendre de nouveau. Il coinça le combiné contre son épaule et profita de ce temps mort pour se faire cuire un œuf sur le plat. Il se confectionna ensuite un sandwich avec deux tranches de pain blanc et de la sauce salsa froide provenant d'un pot qui traînait dans le réfrigérateur. Il mangea le sandwich dégoulinant penché au-dessus de l'évier. Il venait de s'essuyer la bouche et de se servir une deuxième tasse de café quand l'employée du DMV revint enfin en ligne.

– Désolée d'avoir été si longue.

– Ce n'est rien.

Bosch se souvint alors qu'il se faisait passer pour Pounds et regretta cette réponse.

La collègue de Mme Sharp l'informa qu'elle ne possédait aucune information, aucune adresse concernant les dénommés Eno et McKittrick, puis elle lui donna celles de Conklin et de Mittel. Goff avait raison. Conklin vivait maintenant à Park La Brea. Mittel, lui, habitait sur les hauteurs de Hollywood, dans Hercules Drive, au cœur d'une résidence baptisée le Mont Olympe.

A ce stade, Bosch était bien trop préoccupé pour poursuivre sa petite imitation de Pounds. Il remercia brièvement l'employée du DMV, sans en rajouter, puis raccrocha : il songeait déjà à la suite des opérations. Eno et McKittrick étaient morts, ou bien ils avaient quitté l'État. Évidemment, il pourrait obtenir leurs adresses par le biais du Service central du personnel de la police, mais cela risquait de lui prendre la journée. Finalement, il reprit le téléphone pour appeler la Section des vols et homicides, le RHD, en demandant à parler à l'inspecteur Leroy Ruben. Celui-ci avait donné presque quarante ans à la police, dont la moitié au RHD. Peut-être savait-il certaines choses sur Eno et McKittrick. Mais peut-être savait-il aussi que Bosch était en congé forcé.

– Ruben, j'écoute.

– Leroy, c'est Harry Bosch. Quoi de neuf ?

– Pas grand-chose, Harry. Et toi, tu profites de la belle vie ?

D'emblée, Leroy lui faisait comprendre qu'il était au courant de sa situation. Bosch savait maintenant qu'il n'avait d'autre solution que de jouer cartes sur table avec lui. Jusqu'à un certain point.

– C'est pas désagréable. Mais je ne fais pas la grasse matinée tous les jours.

– Ah bon ? Qu'est-ce qui t'oblige à te lever ?

– Disons que j'enquête sur une vieille affaire, pour mon compte. C'est pour ça que je t'appelais, Leroy. J'essaie de retrouver la trace de deux anciens inspecteurs. Je me suis dit que tu les connaissais peut-être. Ils bossaient à Hollywood tous les deux.

– Vas-y, je t'écoute.

– Claude Eno et Jake McKittrick. Tu te souviens d'eux ?

– Eno et McKittrick. Non… Attends, peut-être que si… Oui, je me souviens de McKittrick. Il a démissionné… y a de ça dix ou quinze ans. Il est retourné en Floride, il me semble. Oui, c'est ça, en Floride. Il est resté environ un an ici au RHD. L'autre, Eno, ça ne me dit rien du tout.

– Ça valait quand même le coup d'essayer. Je vais voir ce que je peux trouver en Floride.

– Hé, Harry, c'est quoi cette affaire ?

– Oh, un vieux truc qui traînait dans mes tiroirs. Ça m'occupe en attendant de savoir ce qui va se passer.

– Tu as du nouveau ?

– Non, pas pour l'instant. Ils m'ont envoyé chez la psy. Si j'arrive à passer l'examen, je pourrai peut-être retrouver mon poste. On verra.

– Bonne chance, en tout cas. Tu sais, quand on a appris cette histoire, on s'est bien marrés avec les gars d'ici. On a entendu parler de ce Pounds. C'est un sale con. Tu as rudement bien fait, fiston.

– Espérons que ça ne me coûtera pas ma place.

– Ça va s'arranger, tu verras. Ils t'envoient à Chinatown deux ou trois fois, ils te remontent les bretelles et ils te renvoient dans l'arène. Tu vas t'en tirer.

– Merci, Leroy.

Après avoir raccroché, Bosch s'habilla. Il enfila une chemise propre et le même costume que la veille.

Il descendit en ville dans sa Mustang de location et passa les deux heures suivantes dans un labyrinthe bureaucratique. D'abord, il se rendit au Bureau du personnel à Parker Center, expliqua à une employée la raison de sa visite et attendit une demi-heure l'arrivée d'un chef de service auquel il dut répéter son histoire. Le chef de service lui annonça alors qu'il avait perdu son temps : les renseignements qu'il cherchait se trouvaient à la mairie.

Il se rendit donc à l'annexe de l'hôtel de ville, de l'autre côté de la rue, prit l'escalier et emprunta la passerelle qui surplombait Main Street pour pénétrer dans l'obélisque blanc de la mairie. Là, il prit l'ascenseur jusqu'au Département financier, au neuvième étage, montra sa carte d'inspecteur à un autre employé assis derrière son guichet et précisa que, afin de rationaliser le processus, il serait peut-être préférable qu'il s'adresse directement à un chef de service.

Il attendit une vingtaine de minutes assis sur une chaise en plastique dans le couloir avant qu'on le fasse entrer dans une pièce exiguë, encombrée de deux bureaux, quatre meubles de rangement et plusieurs boîtes d'archives posées à même le sol. Une femme obèse à la peau blême, avec des cheveux noirs, des favoris et un soupçon de moustache, trônait derrière un des deux bureaux. Bosch remarqua sur son sous-main/calendrier une tache de nourriture, vestige d'un accident déjà ancien. Sur le bureau se trouvait également un gobelet en plastique réutilisable, avec un couvercle à vis et une paille incorporée. Une plaque en plastique indiquait que la dame s'appelait Mona Tozzi.

– Je suis la supérieure de Carla. Vous êtes agent de police, il paraît ?

– Inspecteur.

Il tira la chaise placée devant le bureau vide et s'assit devant la grosse femme.

– Excusez-moi, mais Cassidy aura certainement besoin de sa chaise quand elle va revenir. C'est son bureau.

– Quand doit-elle revenir ?

– D'un moment à l'autre. Elle est montée boire un café.

– Si on se dépêche, peut-être qu'on aura fini d'ici là, et elle pourra récupérer sa chaise.

La grosse femme émit un petit ricanement du genre « Pour qui vous prenez-vous ? », qui ressemblait davantage à un reniflement. Mais elle ne fit aucune remarque.

– Ça fait une heure et demie que j'essaie d'obtenir deux misérables adresses et je tombe sur des gens qui veulent tous m'envoyer vers quelqu'un d'autre ou me faire attendre dans le couloir. Le plus drôle dans tout ça, c'est que je travaille pour la municipalité, moi aussi, et que tout le monde s'en fout. Vous savez, mon psy a dit que je souffrais de stress post-traumatique et que je devrais me détendre. Mais moi, je vous le dis, Mona, ça commence à me rendre dingue, toute cette histoire.

Elle le regarda fixement. Sans doute se demandait-elle si elle avait une chance d'atteindre la porte, au cas où ce fou lui aurait sauté dessus. Elle fit la moue, ce qui eut pour effet de transformer son soupçon de moustache en réalité, et elle téta goulûment la paille de son verre en plastique. Bosch vit un liquide couleur sang grimper dans la paille et disparaître dans sa bouche. Elle se racla la gorge, avant de répondre d'un ton qui se voulait apaisant :

— Vous savez quoi, inspecteur ? Si vous me disiez ce que vous cherchez ?

Bosch reprit son air optimiste.

— Parfait. Je savais bien que je trouverais une personne compétente. J'ai besoin de connaître les deux adresses où sont envoyés chaque mois les chèques de retraite de deux anciens policiers.

Ses épais sourcils s'accouplèrent quand elle plissa le front.

— Je regrette, dit-elle. Ces adresses sont strictement confidentielles. Même pour les fonctionnaires de la ville. Je ne pourrais pas vous...

— Laissez-moi vous expliquer quelque chose, Mona. Je suis inspecteur à la Criminelle. Je suis en train de remonter les pistes d'un ancien meurtre, jamais résolu. J'ai besoin de rencontrer les inspecteurs chargés de l'enquête à l'époque. Je vous parle d'une affaire vieille de trente ans. Une femme a été assassinée, Mona. Je n'arrive pas à retrouver les deux policiers qui ont commencé l'enquête, et le Service du personnel de la police m'a envoyé ici. J'ai besoin de leurs adresses actuelles. Acceptez-vous de m'aider ?

— Inspecteur... Borsch, c'est ça ?

— Bosch.

— A mon tour de vous expliquer quelque chose, inspecteur Bosch. Le fait de travailler pour la municipalité ne vous donne pas accès aux dossiers confidentiels. Moi aussi, je suis fonctionnaire municipale et, pourtant, je ne vais pas à Parker Center en disant : je voudrais voir ceci ou cela. Les gens ont droit à leur vie privée. Mais voici ce que je peux faire. Et je ne peux rien faire de plus. Si vous me donnez les deux noms en question, j'écrirai à ces personnes en leur demandant de vous appeler. Ainsi, vous aurez votre renseignement. Et moi, je protège les dossiers. Ça vous convient comme ça ? Les lettres partiront dès aujourd'hui, je vous le promets.

Elle sourit, mais c'était le sourire le plus hypocrite que Bosch ait vu depuis plusieurs jours.

— Non, ça ne me convient pas du tout, Mona. Franchement, je suis très déçu.

— Je n'y peux rien.

— Si, justement.

— Écoutez, inspecteur, j'ai du travail. Si vous voulez que j'envoie ces lettres, donnez-moi les noms. Sinon, libre à vous.

Bosch acquiesça pour dire qu'il comprenait et souleva sa mallette pour la poser sur ses genoux. Il vit la grosse femme tressaillir quand il fit sauter les fermoirs d'un geste rageur. Il ouvrit sa mallette et sortit son téléphone portable. D'une main, il le déplia et composa le numéro de chez lui, puis attendit que le répondeur se mette en marche.

Mona eut l'air nerveuse.

– Qu'est-ce que vous faites ? demanda-t-elle

Il lui fit signe de se taire.

– Allô, oui, pouvez-vous me passer Whitey Springer ? demanda-t-il en s'adressant à son répondeur.

Il observa la réaction de la femme, mine de rien. Visiblement, elle connaissait ce nom. Springer était le chroniqueur du *Times* spécialisé dans toutes les affaires de la mairie. Son cheval de bataille était la défense du pauvre citoyen plongé dans le cauchemar bureaucratique. Les bureaucrates pouvaient créer ces cauchemars quasiment en toute impunité, grâce aux protections dont bénéficiaient les fonctionnaires, mais les politiciens lisaient la chronique de Springer et disposaient d'un énorme pouvoir dès qu'il s'agissait de piston, de mutations et de rétrogradations au sein de la mairie. Un bureaucrate vilipendé par Springer dans ses colonnes ne risquait certes pas de perdre son emploi, mais il pouvait dire adieu à son avancement, et rien n'empêchait un membre du conseil municipal de réclamer un audit pour un département, ou de venir fourrer son nez dans tel ou tel service. La sagesse recommandait donc d'éviter de figurer dans la chronique de Springer. Tout le monde le savait, y compris Mona.

– Oui, d'accord, je patiente, dit Bosch au téléphone.

Il s'adressa ensuite à Mona.

– Il va adorer. Voilà un flic qui essaie d'élucider une affaire de meurtre, la famille de la victime attend depuis trente ans de savoir qui l'a tuée, et une fonctionnaire plantée derrière son bureau, en train de siroter un punch aux fruits, refuse de lui donner les adresses dont il a besoin pour pouvoir discuter avec les policiers qui se sont occupés de l'enquête autrefois ? Je ne suis pas journaliste, mais j'ai l'impression qu'il y a matière à pondre un bel article. Springer sera ravi. Qu'en pensez-vous ?

Il sourit et vit avec satisfaction le visage de la femme devenir presque aussi rouge que son punch aux fruits.

– C'est bon, raccrochez, dit-elle.

– Pardon ? Pourquoi donc ?

– RACCROCHEZ ! Raccrochez, je vous donnerai le renseignement.

Bosch referma son téléphone.

– Je vous écoute.

Il lui donna les noms, Mona se leva. Elle était en colère, mais ne dit rien. Elle passait à peine entre le bureau et le mur, mais exécuta avec une grâce de ballerine le mouvement inscrit dans sa mémoire corporelle par des années de pratique.

– Ça va prendre longtemps ? demanda Bosch.

– Le temps qu'il faudra, lui répondit-elle en retrouvant un peu de son arrogance bureaucratique.

– Je vous donne dix minutes, Mona. Pas plus. Si vous dépassez ce délai, je vous déconseille de revenir, car Whitey sera là pour vous accueillir.

Elle se figea devant la porte et regarda Bosch. Il lui adressa un clin d'œil.

Dès qu'elle fut sortie, il contourna le bureau et s'amusa à le pousser légèrement vers le mur, rétrécissant ainsi la voie d'accès à sa chaise.

Elle revint sept minutes plus tard, avec une feuille. Bosch comprit immédiatement qu'un truc clochait, car Mona affichait un air triomphant. Il pensa à la femme qui avait été jugée peu de temps auparavant pour avoir tranché le pénis de son mari. Peut-être avait-elle le même regard pétillant en s'enfuyant avec la chose à la main.

– Je crois que vous avez un petit problème, inspecteur Borsch.

– De quoi s'agit-il ?

Elle voulut faire le tour du bureau, mais sa grosse cuisse heurta le coin du plateau en Formica. Apparemment, c'était plus humiliant que douloureux. Déséquilibrée par le choc, elle agita les bras, et la secousse de la collision renversa le gobelet de punch. Le liquide rouge s'échappa par l'orifice de la paille et se répandit sur le sous-main.

– Merde !

Elle s'empressa de faire le tour du bureau pour redresser le gobelet. Avant de s'asseoir, elle observa son bureau, se demandant si on ne l'avait pas déplacé.

– Vous vous êtes fait mal ? s'enquit Bosch. Quel est le problème avec les adresses ?

Elle ignora la première question, surmonta sa gêne et leva les yeux sur Bosch en souriant. Elle s'assit. Tout en parlant, elle ouvrit un des tiroirs, d'où elle sortit un paquet de serviettes en papier volées à la cafétéria.

– Le problème, c'est que vous n'êtes pas près de discuter avec l'ex-inspecteur Claude Eno. Du moins, ça m'étonnerait.

– Il est mort ?

Elle entreprit d'éponger les dégâts.

– Exact. Les chèques sont adressés à sa veuve.

– Et McKittrick ?

– Ah, McKittrick, c'est possible, encore que... J'ai son adresse. Il habite à Venice.

– Venice ? Où est le problème ?

– Je vous parle de Venice en Floride.

– En Floride ? répéta Bosch.

Il ignorait qu'il existait un Venice en Floride.

– C'est un État, dit Mona. A l'autre bout du pays.

– Oui, je sais où est la Floride, merci.

– Oh, autre chose. L'adresse que j'ai trouvée est une poste restante. Je suis vraiment désolée.

– J'en suis sûr. Pas de numéro de téléphone ?

Elle jeta les serviettes imbibées dans une corbeille à papiers, dans le coin du bureau.

– Nous n'avons pas les numéros de téléphone. Essayez les renseignements.

– C'est ce que je ferai. Savez-vous quand il a pris sa retraite ?

– Vous ne me l'avez pas demandé.

– D'accord, dites-moi ce que vous avez.

Bosch savait qu'il aurait pu en obtenir davantage ; ils avaient forcément un numéro de téléphone quelque part, mais il n'avait pas les coudées franches, car il s'agissait d'une enquête officieuse. S'il se montrait trop gourmand, il risquait de se trahir et de voir son enquête interrompue.

Elle fit glisser la feuille vers lui sur le bureau. Bosch la parcourut. Deux adresses y figuraient : celle de la poste restante de McKittrick et celle de la veuve d'Eno, à Las Vegas. Elle se prénommait Olive.

Bosch pensa à quelque chose.

– A quelle date sont envoyés les chèques ?

– C'est drôle que vous me demandiez ça.

– Pourquoi ?

– On est le dernier jour du mois aujourd'hui. Et on envoie toujours les chèques le dernier jour du mois.

C'était le coup de chance qu'il attendait. Il se dit qu'il le méritait, il avait fait ce qu'il fallait. Il prit la feuille de Mona et la glissa dans sa mallette, puis il se leva.

– C'est toujours un plaisir de travailler avec les fonctionnaires municipaux.

– Et réciproquement. Oh, inspecteur, pourriez-vous remettre la chaise à sa place ? Comme je vous le disais, Cassidy va en avoir besoin.

– Certainement, Mona. Pardonnez mon étourderie.

CHAPITRE QUINZE

Après cet épisode de claustrophobie bureaucratique, Bosch se dit qu'il avait besoin de prendre l'air. Il emprunta l'ascenseur pour regagner le hall et se dirigea vers la porte principale qui donnait dans Spring Street. Au moment où il sortait, un agent de la sécurité le pria de descendre par le côté droit du grand escalier de pierre, car on tournait, en ce moment même, un film au pied de l'édifice. Bosch observa la scène d'en haut et décida de faire une pause, le temps d'en griller une.

Il s'assit sur une des rampes en béton de l'escalier et alluma une cigarette. La scène en cours de tournage montrait un groupe d'acteurs se faisant passer pour des journalistes qui dévalaient les marches de l'hôtel de ville afin de bombarder de questions deux hommes qui descendaient de voiture, en bas de l'escalier. Ils répétèrent la scène deux fois avant de la tourner en deux prises, pendant que Bosch, assis dans son coin, fumait deux cigarettes. Les journalistes criaient toujours la même chose aux deux hommes :

« Monsieur Barrs, monsieur Barrs ! Êtes-vous coupable ? Êtes-vous coupable ? »

Les deux hommes restaient muets comme des tombes et se frayaient un chemin au milieu de la meute pour gravir les marches, devant les journalistes qui reculaient. Au cours d'une des prises, un acteur-journaliste tomba à la renverse et faillit être piétiné par ses collègues. Le réalisateur continua de tourner, songeant sans doute que cette chute ajoutait une touche de réalisme à la scène.

L'équipe du film utilisait certainement les marches et la façade de l'hôtel de ville pour représenter un palais de justice. Les hommes qui descendaient de la voiture étaient le prévenu et son avocat, un ténor du barreau. Bosch savait que l'hôtel de ville servait souvent de décor à ce genre de scènes : c'est vrai qu'il ressemblait plus à un palais de justice que tous ceux de la ville.

Bosch se lassa du spectacle après la deuxième prise et supposa qu'il y en aurait beaucoup d'autres. Il se leva, descendit First Street, en direction de Los Angeles Street, qu'il emprunta pour retourner à Parker Center. En chemin, on ne l'arrêta que quatre fois pour lui demander une pièce de monnaie, ce qui était très peu pour le centre de L.A., et constituait peut-être le signe d'une reprise économique. Alors qu'il passait devant la rangée de téléphones dans le hall du siège de la police, il s'arrêta sous l'effet d'une impulsion, décrocha un des combinés et composa le 305-555-1212. Au fil des ans, il avait été en contact à plusieurs reprises avec la « Metro-Dade Police » de Miami, et le 305 était le seul indicatif de Floride qui lui venait à l'esprit. Quand l'opératrice répondit, il demanda à joindre la ville de Venice, et elle lui indiqua que le bon indicatif était le 813.

Il refit le numéro et obtint les renseignements de Venice. Il commença par demander à l'opératrice quelle était la grande ville la plus proche de Venice. Sarasota, lui répondit-elle. Il lui demanda alors quelle était la grande ville la plus proche de Sarasota. Quand elle lui dit Saint-Petersburg, il commença enfin à se repérer. Il savait situer Saint-Petersburg sur la côte ouest de la Floride : l'équipe des Dodgers s'y rendait parfois pour les matchs de barrage du printemps, et il avait regardé sur une carte.

Finalement, il donna à l'opératrice le nom de McKittrick et très vite un message enregistré lui annonça que, sur la demande de l'abonné, ce numéro ne pouvait être communiqué. Bosch se demanda si un des inspecteurs de la police de Miami avec lesquels il avait été en relation par téléphone pourrait lui procurer ce numéro. Il ne savait toujours pas où se trouvait exactement Venice, ni à quelle distance de Miami. Il décida de laisser tomber. McKittrick avait fait en sorte qu'il soit difficile de le contacter. Il utilisait une poste restante et son téléphone était sur liste rouge. Bosch ignorait pour quelle raison un flic à la retraite prenait toutes ces précautions dans un endroit situé à 5 000 kilomètres de la ville où il avait travaillé, mais il savait que la meilleure façon de contacter McKittrick serait de l'approcher personnellement. Même s'il obtenait son numéro de téléphone, McKittrick pourrait facilement éviter de lui parler. Face à quelqu'un qui sonne à la porte, on ne se conduit pas de la même façon. En outre, Bosch bénéficiait d'un coup de chance : il savait que le chèque de retraite de McKittrick l'attendait à la poste restante. Il savait qu'il pourrait s'en servir pour retrouver l'ancien flic.

Il fixa son badge à la poche de poitrine de son veston et monta à la Section des enquêtes scientifiques. A l'accueil, il annonça qu'il voulait parler à un technicien du Service des empreintes et poussa la demi-porte du couloir qui conduisait au laboratoire, comme il le faisait toujours, sans attendre que la réceptionniste lui en donne l'autorisation.

Le laboratoire était une grande pièce avec deux rangées de postes de travail surmontés de rampes de néon. Tout au fond se trouvaient deux bureaux où étaient installés les terminaux de l'AFIS. Juste derrière, un mur vitré protégeait les gros ordinateurs centraux. Une mince pellicule de condensation embuait la paroi de verre : la salle des ordinateurs était maintenue à une température inférieure à celle du laboratoire.

C'était l'heure du déjeuner, et il n'y avait qu'un seul technicien dans la pièce, un type que Bosch ne connaissait pas. Il fut tenté de faire demi-tour et de revenir plus tard, mais le technicien leva les yeux et le vit. C'était un grand type maigre, avec des lunettes et un visage ravagé par l'acné. Les dégâts étaient tels qu'il avait toujours l'air renfrogné.

– C'est pour quoi ?

-- Bonjour, comment ça va ?

– Ça va, merci. Que puis-je pour vous ?

– Je m'appelle Harry Bosch. Commissariat de Hollywood.

Il tendit la main. Après une seconde d'hésitation, le grand type maigre la lui serra, timidement.

– Brad Hirsch.

– Ah oui, votre nom me dit quelque chose. On n'a jamais travaillé ensemble, mais ça ne devrait pas tarder. Je suis de la Criminelle et, forcément, je suis amené à bosser avec tous les gens d'ici, à un moment ou un autre.

– Oui, sans doute.

Bosch s'assit sur une chaise à côté du terminal et posa sa mallette sur ses genoux. Il remarqua que Hirsch gardait les yeux fixés sur l'écran bleu de son ordinateur. Comme s'il fuyait le regard de son interlocuteur.

– J'en profite pour venir vous voir, car c'est plutôt calme à Tinseltown en ce moment. Alors, j'ai fourré mon nez dans de vieux dossiers. Et je suis tombé sur celui-ci, qui date de 1961.

– 1961 ?

– Oui, c'est pas d'hier. Il s'agit d'une femme... cause du décès : traumatisme crânien. Mais le meurtrier a voulu faire croire à une strangulation, à un crime sexuel. En tout cas, personne n'a jamais été arrêté. L'enquête n'a mené nulle part. A vrai dire, j'ai l'impression que personne ne s'y est vraiment intéressé depuis cette époque. Ça fait une paye. Bref, si je suis ici aujourd'hui, c'est que les flics qui s'occupaient de l'affaire ont relevé une jolie collection d'empreintes sur les lieux du crime. Un paquet de partielles et même quelques complètes. Je les ai là.

Bosch sortit la carte jaunie de sa mallette et la tendit à Hirsch. Celui-ci la regarda, sans la prendre. Il reporta son regard sur l'écran de l'ordinateur et Bosch déposa la carte devant son nez, sur le clavier.

– Comme vous le savez, dit-il, c'était avant l'arrivée de tous ces super-ordinateurs, toute cette technologie que vous avez ici. Dans le temps, on se servait uniquement de ces empreintes pour les comparer à celles d'un suspect. Si elles ne correspondaient pas, on relâchait le type et rangeait les empreintes dans une enveloppe. Celles-ci dorment dans le dossier depuis cette époque. Alors, je me disais qu'on pourrait…

– Vous voulez les rentrer dans le fichier de l'AFIS.

– Exact. Histoire de tenter le coup. Avec un peu de chance, peut-être qu'on pourra ramasser un auto-stoppeur sur le bord de l'auto-route de l'information. C'est déjà arrivé. Pas plus tard que cette semaine, Edgar et Burns, deux gars de la Criminelle de Hollywood, ont résolu une vieille affaire en interrogeant l'AFIS. J'en ai parlé avec Edgar, et il m'a dit qu'un gars de chez vous, Donovan je crois, lui avait expliqué que l'ordinateur avait accès à des millions d'empreintes prélevées dans tout le pays.

Hirsch confirma d'un hochement de tête peu enthousiaste.

– Et pas uniquement des empreintes de casiers judiciaires, hein ? Vous avez aussi les dossiers de l'armée, de la police, des fonctionnaires, tout quoi. Je ne me trompe pas ?

– C'est juste. Mais, écoutez, inspecteur Bosch…

– Harry.

– O.K., Harry. L'AFIS est un formidable outil, qui ne cesse de s'améliorer. Vous avez parfaitement raison, mais il ne faut pas oublier les éléments humains et le facteur temps. Les empreintes à comparer doivent être scannées, puis codées, et après il faut entrer les codes dans la machine. Or, en ce moment, nous avons une liste d'attente de douze jours.

Il lui montra le mur au-dessus de l'ordinateur. On y avait accroché une pancarte avec des chiffres qu'on pouvait changer, comme celles dans le local syndical qui indiquaient le nombre de jours écoulés depuis que le dernier policier était tombé au champ d'honneur.

SYSTÈME D'IDENTIFICATION AUTOMATISÉE
DES EMPREINTES
Toute demande de recherches exigera une attente de 12 jours.
Aucune exception !

— Vous voyez, dit Hirsch, on ne peut pas recevoir toutes les personnes qui se présentent et les faire passer en tête de liste, vous comprenez ? Mais si vous voulez bien remplir un formulaire de demande, je…

— Je sais que vous faites des exceptions. Surtout dans **les affaires** d'homicide. Quelqu'un s'est occupé de la recherche de Burns et Edgar, l'autre jour. Ils n'ont pas attendu douze jours. On les a fait passer tout de suite. Résultat, ils ont élucidé trois affaires d'un coup… comme ça.

Bosch fit claquer ses doigts. Hirsch le regarda avant de reporter son attention sur son ordinateur.

— Oui, il y a des exceptions, dit-il. Mais ça vient d'en haut. Si vous voulez vous adresser au capitaine LeValley, peut-être qu'elle vous donnera son accord. Si vous…

— Burns et Edgar ne sont pas passés par elle. Quelqu'un s'est occupé de leur demande.

— Dans ce cas, cette personne a enfreint le règlement. Sans doute connaissaient-ils quelqu'un qui leur a rendu service.

— Moi, je vous connais, Hirsch.

— Remplissez une demande et je verrai ce que je peux…

— Ça vous prendra combien de temps… dix minutes ?

— Non. Beaucoup plus dans votre cas. Votre carte d'empreintes date de Mathusalem. Elle est obsolète. Je serai obligé de la passer au Livescan, pour encoder les empreintes. Ensuite, il faudra que je rentre manuellement tous les codes fournis par la machine. Et après, en fonction des restrictions du domaine de recherche que vous souhaitez, ça pourra prendre…

— Je ne veux aucune restriction. Je veux comparer ces empreintes avec toutes les bases de données.

— Dans ce cas, l'ordinateur peut mettre trente ou quarante minutes.

Hirsch remonta ses lunettes sur son nez avec son index, comme pour ponctuer sa détermination à ne pas enfreindre le règlement.

– Le problème, Brad, c'est que j'ignore le temps dont je dispose pour ce dossier. En tout cas, pas douze jours. Certainement pas. Je m'en occupe maintenant parce que j'ai un creux, mais dès qu'on va m'appeler pour une nouvelle affaire, ce sera foutu. C'est comme ça, à la Criminelle. Vous êtes sûr que vous ne pouvez vraiment rien faire pour moi ?

Hirsch ne bougea pas. Il continua de regarder fixement l'écran bleu. Bosch eut l'impression de se retrouver à l'orphelinat, lorsque certains gamins harcelés par des brutes épaisses se fermaient littéralement, comme des ordinateurs en mode veille.

– Que faites-vous pour le moment, Hirsch ? On pourrait déjà être au boulot.

Hirsch le dévisagea longuement avant de répondre :

– Je suis occupé. Et je sais très bien qui vous êtes, Bosch. D'accord ? C'est très intéressant votre histoire de vieux dossiers, mais je sais bien que c'est un mensonge. Je sais que vous êtes en congé forcé. Votre histoire a circulé. Vous n'avez rien à faire ici, et je ne devrais même pas vous adresser la parole. Soyez sympa, fichez-moi la paix, O.K. ? Je ne veux pas avoir d'ennuis. Je ne veux pas que les gens se fassent des idées fausses, vous comprenez ?

Bosch le regarda avec insistance, mais Hirsch avait replongé le nez dans son ordinateur.

– Très bien, Hirsch. Je vais vous raconter une histoire vraie. Un jour…

– Je ne veux plus écouter vos histoires, Bosch. Je vous demande de…

– Je vous raconte cette histoire et je fous le camp. D'accord ? Juste cette histoire.

– O.K., Bosch. Allez-y.

Bosch attendit que Hirsch lève les yeux vers lui, mais le technicien garda le regard fixé sur l'écran de son ordinateur, comme s'il s'agissait d'une barrière de protection. Bosch raconta son histoire malgré tout.

– Un jour, il y a longtemps, j'avais presque douze ans et je nageais dans une piscine. J'étais sous l'eau, mais j'avais les yeux ouverts. En levant la tête vers le bord, brusquement j'ai aperçu une silhouette noire. C'était pas facile de la distinguer à cause de l'eau, des reflets et tout ça. Mais je voyais bien que c'était un homme, alors qu'il ne devait pas y avoir d'homme là-haut. Je suis remonté à la surface pour respirer près du bord, et j'avais raison. C'était bien un homme. Il portait un costume sombre. Il s'est penché vers moi pour me saisir par le poignet. Je n'étais qu'un gringalet. Il n'a eu aucun mal à me sortir de l'eau. Il m'a posé une serviette sur les épaules, m'a conduit vers une chaise et, là, il m'a dit... il m'a dit que ma mère était morte. Assassinée. Ils ne savaient pas qui était le coupable, mais celui-ci avait laissé des empreintes. « T'en fais pas, petit, m'a-t-il dit, on a relevé ses empreintes. On l'aura. » Je me souviens bien de ses paroles. « On l'aura. » Ils ne l'ont jamais eu. Mais moi, je vais le retrouver. Voilà mon histoire, Hirsch.

Les yeux du technicien se posèrent sur la fiche jaunie.

– Oui, c'est une histoire triste, dit-il, mais je ne peux pas faire ça. Je suis désolé.

Bosch le regarda, puis se leva lentement.

– N'oubliez pas votre carte, dit Hirsch.

Il la prit et la tendit à Bosch.

– Je vous la laisse. Vous ferez ce que vous devez faire, Hirsch. Je le sais.

– Non, je ne peux pas. Je ne...

– Je vous la laisse !

La force de sa voix le stupéfia lui-même et tout disait qu'elle avait effrayé Hirsch. Celui-ci reposa la carte sur le clavier. Après quelques secondes de silence, Bosch se pencha vers lui et lui parla à voix basse :

– Tout le monde attend une occasion de faire une bonne action, Hirsch. On se sent tellement bien ensuite. Même si ça va un peu à l'encontre du règlement parfois, il faut savoir écouter la voix qui vous dit ce qu'il faut faire.

Bosch se redressa, puis il sortit son portefeuille et un stylo, prit une carte de visite et y nota plusieurs numéros. Et il la déposa sur le clavier, à côté de la carte des empreintes.

– C'est mon numéro de portable et celui de chez moi. N'essayez pas d'appeler au bureau, vous savez bien que je n'y serai pas. J'attends votre appel, Hirsch.

Sur quoi, il sortit lentement du laboratoire.

CHAPITRE SEIZE

Il attendit l'ascenseur en songeant que tous ses efforts pour persuader Hirsch étaient tombés dans l'oreille d'un sourd. C'était le genre de personne dont les cicatrices extérieures masquaient des blessures internes plus profondes. Ils étaient nombreux à lui ressembler dans la police. Hirsch avait grandi dans la peur de son propre visage. Sans doute serait-il le dernier à oser outrepasser les limites de ses attributions et à enfreindre le règlement. Encore un automate de la police. Pour Hirsch, faire le bon choix, ça voulait dire ignorer la demande de Bosch. Ou le dénoncer.

Bosch enfonça rageusement le bouton d'appel de l'ascenseur en se demandant ce qu'il pouvait bien faire maintenant. Certes, le recours à l'AFIS était une entreprise hasardeuse ; malgré tout, il était décidé à la mener à bien. C'était une piste inexplorée, et toute enquête digne de ce nom ne laissait aucune piste inexplorée. Il décida d'accorder une journée à Hirsch avant de le relancer. Si ça ne marchait toujours pas, il essaierait une autre technique. Il les essaierait toutes, jusqu'à ce que les empreintes du meurtrier se retrouvent dans l'ordinateur.

La porte de l'ascenseur s'ouvrant enfin, Bosch se fraya une petite place à l'intérieur de la cabine. C'était là une des rares choses sur lesquelles on pouvait compter à Parker Center. Les flics allaient et venaient, les chefs et même les structures de pouvoir politiques se succédaient, mais les ascenseurs, eux, étaient toujours aussi lents et toujours bondés quand ils arrivaient. Il appuya sur le bouton marqué S/S, tandis que la porte se refermait lentement. La cabine recommença à descendre. Alors que tout le monde regardait défiler sans bouger les chiffres lumineux au-dessus de la porte, Bosch, lui, gardait les yeux fixés sur sa mallette. Nul ne parlait dans cet espace exigu. Mais lorsque l'ascenseur ralentit avant d'atteindre le rez-de-chaussée,

Bosch crut entendre prononcer son prénom dans son dos. Il tourna légèrement la tête, ne sachant pas si quelqu'un s'adressait à lui ou si ce prénom était destiné à une autre personne.

Du coin de l'œil, il aperçut le chef adjoint Irvin S. Irving au fond de la cabine. Les deux hommes échangèrent un hochement de tête juste au moment où les portes s'ouvraient au rez-de-chaussée. Bosch se demanda si Irving l'avait vu appuyer sur le bouton du sous-sol. Il sortit de l'ascenseur dans le hall principal. Irving sortit derrière lui et hâta le pas pour le rejoindre.

– Bonjour, chef.

– Qu'est-ce qui vous amène par ici, Harry ?

La question était posée sur un ton badin, mais indiquait un intérêt certain. Ils se dirigèrent tous les deux vers la sortie, tandis que Bosch s'empressait d'inventer une histoire.

– Il fallait que j'aille à Chinatown et j'en ai profité pour passer au Bureau du personnel. Je voulais leur demander de m'envoyer mon chèque chez moi plutôt qu'au poste, étant donné que je ne sais pas quand je vais y retourner.

Irving acquiesça, et Bosch aurait parié qu'il avait gobé son histoire. Les deux hommes avaient à peu près la même taille, mais Irving paraissait plus imposant à cause de son crâne totalement rasé. Cette caractéristique physique et sa réputation d'intolérance vis-à-vis des policiers corrompus lui avaient valu son surnom au sein du département : M. Propre.

– Vous allez à Chinatown aujourd'hui ? Je croyais que les séances avaient lieu le lundi, le mercredi et le vendredi. En tout cas, c'était le planning que j'avais approuvé.

– Oui, en effet. Mais la psy avait un trou et m'a demandé de venir.

– Je suis ravi d'apprendre que vous vous montrez coopératif. Que vous est-il arrivé à la main ?

– Oh, ça ?

Bosch leva la main comme si elle appartenait à quelqu'un d'autre et qu'il venait de la découvrir à l'extrémité de son bras.

– Je profite de mon temps libre pour bricoler à la maison et je me suis coupé avec un morceau de verre. Je n'ai pas encore fini de tout nettoyer après la secousse.

– Je vois.

Bosch se dit que, cette fois, Irving n'avait pas gobé son histoire. Mais en vérité, il s'en fichait.

– Je vais manger un morceau vite fait à Federal Plaza, dit Irving. Ça vous dit de venir avec moi ?

– Je vous remercie, chef, mais j'ai déjà mangé.

– O.K. Prenez soin de vous. Sincèrement.

– Comptez sur moi. Merci.

Irving fit quelques pas, puis s'arrêta.

– Vous savez, Harry, nous procédons un peu différemment avec vous dans cette affaire, car j'espère bien vous faire réintégrer la Criminelle de Hollywood, et sans rétrogradation. J'attends les conclusions du Dr Hinojos, mais j'ai cru comprendre qu'il y en avait encore pour quelques semaines, au minimum.

– Oui, c'est ce qu'elle m'a dit.

– Si vous étiez disposé à faire un geste, je crois que des excuses sous la forme d'une lettre adressée au lieutenant Pounds pourraient vous être bénéfiques. Quand viendra le moment décisif, je devrai le convaincre de vous reprendre. Ce sera le plus difficile. Obtenir un rapport positif du médecin ne posera pas de problème, je pense. Je peux rédiger l'ordre ensuite, et le lieutenant Pounds sera obligé de s'y soumettre, mais ce n'est pas ça qui fera disparaître la tension. Je préférerais faire en sorte qu'il accepte spontanément votre retour, pour que tout le monde soit content.

– J'ai appris qu'il m'avait déjà trouvé un remplaçant.

– Pounds ?

– Il a collé mon équipier avec un type des vols de bagnoles. Je n'ai pas l'impression qu'il espère, ni même qu'il attende mon retour, chef.

– Vous me l'apprenez, Harry. Je vais lui en toucher un mot. Que pensez-vous de cette idée de lettre ? Dans votre situation, ça pourrait vous filer un sacré coup de pouce.

Bosch hésita avant de répondre. Il savait qu'Irving cherchait à l'aider. Les deux hommes partageaient un lien invisible. Autrefois, ils s'étaient livrés un combat acharné. Mais avec le temps, le mépris s'était émoussé et la paix qui s'était instaurée entre eux ressemblait davantage à une sorte de respect mutuel, mais teinté de méfiance.

– Je vais y réfléchir, chef. Je vous tiens au courant.

– Parfait. Vous savez, Harry, la fierté se dresse souvent sur le chemin des bonnes décisions. Ne vous laissez pas aveugler.

– Je vais y réfléchir.

Bosch regarda Irving contourner de sa démarche élastique la fontaine dédiée aux agents de police morts dans l'exercice de leurs fonctions. Il attendit que le chef adjoint traverse Los Angeles Street, en direction de Federal Plaza, où étaient rassemblés un tas de super-marchés du fast-food. Tout danger étant écarté, Bosch fit demi-tour pour retourner à l'intérieur du bâtiment.

Renonçant à attendre l'ascenseur encore une fois, il descendit au sous-sol en empruntant l'escalier.

La majeure partie du niveau souterrain de Parker Center était occupée par l'ESD ou Service de stockage des pièces à conviction. Certes, on y trouvait d'autres sections, comme le Service des fugues, mais, dans l'ensemble, c'était un endroit calme. Bosch ne croisa pas âme qui vive dans le long couloir couvert de linoléum jaune et atteignit la double porte en fer de l'ESD sans rencontrer personne qu'il connaisse.

C'était là que la police conservait toutes les pièces à conviction concernant les enquêtes qui n'avaient pas encore atterri sur le bureau du procureur pour instruction. A partir de ce moment-là, ces pièces déménageaient généralement vers les bureaux du Parquet.

L'ESD constituait donc une sorte de temple de l'échec. Tout ce qui était stocké derrière ses portes métalliques disait des milliers d'affaires non résolues. Des crimes qui n'avaient jamais débouché sur une condamnation, ni même une inculpation. L'atmosphère elle-même empestait l'échec. L'ESD étant situé dans les sous-sols, il y régnait une odeur d'humidité que Bosch avait toujours associée à la puanteur de la négligence et de l'oubli. La pourriture de l'impuissance.

Il pénétra dans une petite salle qui ressemblait à une grande cage grillagée. Il y avait une autre porte juste en face ; une pancarte fixée dessus indiquait : « Réservé au personnel de l'ESD ». Deux guichets étaient découpés dans le grillage. Le premier était fermé, mais un agent en uniforme était assis derrière le deuxième, occupé à faire des mots croisés. Entre les deux guichets, une autre pancarte indiquait : « Interdiction de stocker des armes chargées ». Bosch s'approcha du guichet ouvert et s'accouda au comptoir. L'agent leva la tête après avoir fini de noter un mot sur sa grille. Bosch lut le nom inscrit sur la plaque de son uniforme : Nelson. Nelson lut le nom inscrit sur le badge de Bosch. Cela leur évita de se présenter. C'était parfait.

– Her... on... Comment ça se prononce ce truc ?

– Hieronymeus.

– Hieronymeus. Y a pas un groupe de rock qui s'appelle comme ça ?

– Possible.

– Que puis-je pour vous, Hieronymeus de Hollywood ?

– J'ai une question.

– Je vous écoute.

Bosch déposa sur le comptoir le bordereau rose de dépôt des pièces à conviction.

– Je voudrais retirer la boîte correspondant à cette affaire. C'est très ancien. Vous l'avez encore ici quelque part ?

Le flic en uniforme prit le bordereau, y jeta un coup d'œil et émit un sifflement en découvrant la date. Il nota le numéro de l'affaire dans le registre des demandes et dit :

– Ça devrait être ici. Je vois pas pourquoi ça y serait pas. On jette rien, vous savez. Si ça vous amuse de voir la boîte du Dahlia noir, on l'a. Ça remonte à quand ? Dans les années 50, hein ? On a même des trucs plus anciens. Tant que c'est pas résolu, c'est ici.

Il leva la tête vers Bosch et lui adressa un clin d'œil.

– Je reviens tout de suite. Remplissez donc le formulaire pendant ce temps.

A travers l'ouverture du guichet, Nelson désigna avec son crayon un comptoir où étaient empilés les formulaires de retrait. Puis il se leva et disparut. Bosch l'entendit appeler quelqu'un en hurlant :

– Charlie ! Charliiiiiie !

Une voix jaillie de nulle part cria une réponse inintelligible.

– Viens me remplacer ! Je prends la machine à remonter le temps.

Bosch avait entendu parler de cette « machine ». Il s'agissait d'une petite voiture électrique de golf qu'on utilisait pour plonger dans les profondeurs du bâtiment. Plus l'affaire était ancienne, plus elle remontait dans le temps, plus elle était éloignée du guichet. D'où l'utilité de la « machine à remonter le temps ».

Bosch se dirigea vers le comptoir pour remplir un formulaire. Après quoi, il revint vers le guichet et se pencha par l'ouverture pour déposer sa demande sur la grille de mots croisés. Pendant qu'il patientait, il regarda autour de lui et remarqua un autre panneau sur le mur du fond : LES PIÈCES À CONVICTION LIÉES AUX AFFAIRES DE DROGUE NE PEUVENT ÊTRE DÉLIVRÉES SANS FORMULAIRE 492. Bosch ignorait quel était ce formulaire. Quelqu'un entra par la porte métallique en portant un dossier d'homicide sous le bras. C'était de toute évidence un inspecteur, mais Bosch ne le connaissait pas. L'homme ouvrit son dossier sur le comptoir, y chercha un numéro d'enquête et remplit un formulaire à son tour. Il s'approcha ensuite du guichet. Aucun signe du dénommé Charlie. Au bout de plusieurs minutes, l'inspecteur se tourna vers Bosch.

– Y a personne ?

– Si. Le gars est allé me chercher un truc. Il a demandé à un collègue de le remplacer, mais je ne sais pas où il est.

– Ah, fait chier !

Il frappa sèchement sur le comptoir. Finalement, après quelques minutes, un autre agent en uniforme apparut derrière le guichet. C'était un vieux de la vieille. Cheveux blancs et visage en forme de poire. Bosch se dit qu'il devait travailler au sous-sol depuis des années. Il avait la peau aussi blanche que celle d'un vampire. Il prit le formulaire de retrait que lui tendait l'autre inspecteur et disparut de nouveau, sans un mot. Bosch et l'inspecteur reprirent leur attente. Bosch sentait que son collègue l'observait, mine de rien.

– Vous êtes Bosch, c'est bien ça ? demanda-t-il finalement. De Hollywood ?

Bosch acquiesça. Le type lui tendit la main avec un grand sourire.

– Tom North. De Pacific. On ne s'est jamais rencontrés.

– Non.

Bosch lui serra la main, sans faire preuve d'un grand enthousiasme.

– On ne se connaît pas, reprit l'autre, mais j'ai bossé aux cambriolages à Devonshire pendant six ans avant d'être muté à la Criminelle de Pacific. Et devinez un peu qui était mon supérieur à l'époque ?

Bosch secoua la tête. Il l'ignorait et s'en fichait, mais North semblait ne pas s'en apercevoir.

– Pounds ! Le lieutenant Harvey Pounds, surnommé « 98 ». L'enfoiré. C'était mon supérieur. J'ai appris par le bouche à oreille ce que vous avez fait à ce connard. La gueule dans la vitre ! Ah, génial, mec. Bien joué. J'étais mort de rire quand j'ai appris ça.

– Content de vous avoir amusé.

– Oui, je sais que vous avez des emmerdes à cause de cette histoire. Je suis au courant. Mais je voulais juste vous dire que j'ai pris mon pied grâce à vous et qu'un tas de gens vous soutiennent.

– Merci.

– Qu'est-ce que vous venez foutre ici, au fait ? J'ai entendu dire que vous étiez sur la liste du Cinquante-Un-Cinquante.

Bosch était agacé d'apprendre qu'il y avait au sein de la police des gens qu'il ne connaissait même pas et qui savaient ce qui lui était arrivé et quelle était sa situation. Il s'efforça de rester calme.

– Écoutez, je...

– Bosch ! J'ai votre boîte !

C'était le voyageur dans le temps, Nelson. De retour derrière son guichet, il poussa une boîte bleu ciel par l'ouverture. De la taille d'une boîte à chaussures environ, elle était fermée par un vieux ruban adhésif rouge tout craquelé. On aurait dit qu'elle était saupoudrée de poussière. Bosch ne prit même pas la peine d'achever sa phrase. Ignorant l'inspecteur North, il alla récupérer la boîte.

– Signez ici, dit Nelson.

Celui-ci déposa un reçu jaune sur la boîte et, ce faisant, souleva un petit nuage de poussière qu'il chassa de la main. Bosch signa le reçu et prit la boîte. Puis il se retourna et vit que North l'observait. Ce dernier lui adressa un simple hochement de tête, comme s'il sentait que ce n'était pas le moment de poser des questions. Bosch répondit de la même manière et se dirigea vers la porte.

– Euh... Bosch ? dit North. Il n'y avait aucun sous-entendu dans ce que j'ai dit... au sujet de la liste. Ne le prenez pas mal, d'accord ?

Bosch le regarda fixement en poussant la porte avec son dos. Mais il ne dit rien. Il pivota sur lui-même et s'éloigna dans le couloir en tenant la boîte à deux mains, comme si elle contenait des objets précieux.

CHAPITRE DIX-SEPT

Carmen Hinojos était dans sa salle d'attente lorsque Bosch y pénétra avec quelques minutes de retard. Elle le fit entrer dans son cabinet en repoussant ses excuses d'un geste, comme si celles-ci n'étaient pas nécessaires. Elle portait un tailleur bleu marine et, en passant devant elle dans l'encadrement de la porte, Bosch perçut une légère odeur de savon. Il s'assit dans le fauteuil à droite du bureau, près de la fenêtre, comme toujours.

Hinojos sourit et Bosch se demanda pour quelle raison. Deux autres fauteuils étaient disposés devant le bureau. A chacune de leurs trois rencontres, il avait choisi le même – le plus proche de la fenêtre. Il se demanda si elle l'avait remarqué, si cela avait un sens caché et, si oui, lequel.

– Vous êtes fatigué ? lui demanda-t-elle. On dirait que vous n'avez pas beaucoup dormi cette nuit.

– C'est vrai. Mais ça va.

– Avez-vous changé d'avis au sujet de ce dont nous avons parlé hier ?

– Non, pas vraiment.

– Vous poursuivez votre enquête privée ?

– Pour l'instant.

Elle acquiesça ; la manière dont elle le fit indiquant qu'elle s'attendait à cette réponse.

– Aujourd'hui, j'aimerais qu'on parle de votre mère, reprit-elle.

– Pourquoi ? Ça n'a rien à voir avec ma présence ici. Ni avec ma mise en congé non plus.

– Je crois que c'est important. Je crois que ça peut nous aider à comprendre ce qui vous arrive et ce qui vous pousse à entreprendre cette enquête tout seul dans votre coin. Ça pourrait expliquer pas mal de choses sur vos derniers faits et gestes.

– Ça m'étonnerait. Que voulez-vous savoir ?

– Quand nous avons parlé de votre mère hier, vous avez fait plusieurs allusions à sa façon de vivre, mais vous n'avez pas vraiment dit ce qu'elle faisait, ce qu'elle était. En y réfléchissant après la séance, je me suis demandé si vous aviez du mal à accepter ce qu'elle était. Au point de ne pas pouvoir dire qu'elle…

– Que c'était une prostituée ? Voilà, je l'ai dit. Ma mère était une prostituée. Je ne suis plus un enfant, docteur. Je peux accepter la vérité. J'accepte la vérité dans tous les domaines, du moment que c'est la vérité. J'ai l'impression que vous faites fausse route.

– Peut-être. Que ressentez-vous vis-à-vis d'elle maintenant ?

– Comment ça ?

– De la colère ? De la haine ? De l'amour ?

– Je n'y pense pas. Certainement pas de la haine. Je l'aimais. Après sa disparition, rien n'a changé.

– Et le sentiment d'abandon ?

– Je suis trop vieux pour ça.

– Mais à l'époque ? Quand ça s'est passé ?

Bosch réfléchit avant de répondre.

– Sans doute y avait-il un peu de ça. Elle est morte à cause de son mode de vie, de son métier. Et moi, je suis resté derrière le grillage. J'ai dû éprouver de la colère, et un sentiment d'abandon, en effet. Mais j'ai aussi souffert. Le chagrin, c'était ce qu'il y avait de plus dur. Elle m'aimait.

– Qu'entendez-vous par « rester derrière le grillage » ?

– Je vous l'ai expliqué hier. J'étais à McClaren, l'orphelinat.

– En effet. Et sa mort vous a empêché d'en sortir, c'est ça ?

– Oui, pendant quelque temps.

– Combien ?

– J'y suis resté jusqu'à seize ans, par intermittence. Deux fois, j'ai vécu quelques mois dans une famille d'accueil, mais on m'a renvoyé au centre. Quand j'ai eu seize ans, un autre couple m'a adopté. Je suis resté chez eux jusqu'à dix-sept ans. Plus tard, j'ai appris qu'ils avaient continué à toucher les chèques du DPSS* un an après que j'avais foutu le camp.

– Expliquez-vous.

– Quand une famille adoptait un enfant, elle recevait une aide financière tous les mois. Un tas de gens recueillaient des enfants uniquement pour toucher les chèques. Je ne dis pas que cette famille

---

* DPSS : plus ou moins l'équivalent de la DDASS *(NdT)*.

faisait partie de ces gens-là, mais le fait est qu'ils n'ont pas prévenu le DPSS que j'étais parti de chez eux.

– Je comprends. Où étiez-vous donc ?

– Au Vietnam.

– Attendez un peu, revenons en arrière. Vous disiez qu'à deux reprises vous avez été recueilli par une famille d'adoption, mais qu'on vous a renvoyé au centre. Que s'était-il passé ? Pourquoi vous a-t-on renvoyé ?

– Je n'en sais rien. Ils ne m'aimaient pas. Ils ont dit que ça ne marchait pas. J'ai regagné les dortoirs derrière le grillage et j'ai attendu. Je crois que se débarrasser d'un adolescent était aussi facile que de vendre une voiture sans roues. Les familles d'adoption voulaient toujours des enfants jeunes.

– Vous êtes-vous enfui du centre ?

– Oui, deux fois. On m'a rattrapé à Hollywood.

– S'il était aussi difficile de placer des adolescents, pourquoi y a-t-il eu une troisième fois alors que vous étiez encore plus âgé... Seize ans, c'est ça ?

Bosch eut un petit rire forcé.

– Vous allez vous régaler, dit-il. J'ai été choisi par ce bonhomme et sa femme parce que j'étais gaucher.

– Gaucher ? Je ne vous suis pas.

– Ah, bon Dieu... A cette époque, Sandy Koufax jouait chez les Dodgers. Il était gaucher et je crois qu'il touchait des millions de dollars par an pour tenir la batte. Ce type, le bonhomme de la famille d'adoption, s'appelait Earl Morse ; il avait joué au base-ball chez les semi-pros, ou un truc comme ça, sans jamais réussir à percer. En fait, il rêvait de créer un grand joueur gaucher, un vrai pro. Les bons gauchers devaient être rares à cette époque. Du moins le croyait-il. En tout cas, c'était une denrée très recherchée. Earl s'était mis en tête de dénicher un gamin avec du potentiel, de le former et devenir son manager, son agent, un truc dans le genre, quand viendrait le moment de signer les contrats. Pour lui, c'était un moyen de revenir dans la partie. C'était complètement dingue, mais il avait vu ses rêves de gloire s'effondrer. Un jour, il a débarqué au centre et a emmené un groupe de gamins sur le terrain pour une petite partie. On avait une équipe. On jouait contre d'autres centres, des fois même contre les écoles de la Vallée. Enfin, bref, Earl nous a emmenés taper dans la balle. En fait, il s'agissait d'une sélection, mais aucun de nous ne le savait. Je ne l'ai compris que beaucoup plus tard. Toujours est-il qu'il a craqué sur moi en voyant que j'étais gaucher et bon lanceur.

Il a immédiatement oublié les autres, comme s'ils n'avaient jamais existé.

Il secoua la tête à l'évocation de ce souvenir.

– Que s'est-il passé ? demanda Hinojos. Vous êtes parti avec lui ?

– Oui. Je suis parti avec lui. Il avait une épouse. Elle ne parlait pas beaucoup, ni avec lui ni avec moi. Il me faisait lancer une centaine de balles par jour, en visant un pneu accroché dans le jardin derrière la maison. Et tous les soirs, il y avait une séance tactique. J'ai supporté ça pendant un an environ, et j'ai foutu le camp.

– Vous vous êtes enfui ?

– En quelque sorte. Je me suis engagé dans l'armée. Mais il fallait qu'Earl signe pour moi. Au début, il a refusé. Il avait toujours ses plans de base-ball dans la tête. Quand je lui ai expliqué que je ne toucherais plus jamais une balle de ma vie, il a signé. Mais sa femme et lui ont continué à toucher les chèques du DPSS pendant que j'étais à l'étranger. Je suppose que ce fric l'a aidé à surmonter son échec.

Hinojos garda longtemps le silence. Bosch eut l'impression qu'elle lisait des notes, mais il ne l'avait pas vue écrire depuis le début de la séance.

– Que je vous dise un truc, ajouta-t-il pour briser le silence. Une dizaine d'années plus tard, quand je faisais encore des patrouilles, j'ai arrêté un conducteur en état d'ivresse qui débouchait du Hollywood Freeway dans Sunset. Le gars était complètement bourré. J'ai réussi à le coincer au bord de la route, je me suis approché de la voiture et me suis penché pour regarder à l'intérieur et j'ai reconnu Earl. C'était un dimanche. Il revenait d'un match des Dodgers. J'ai vu le programme sur le siège à côté de lui.

Hinojos le regarda fixement, sans dire un mot. Bosch était encore dans son souvenir.

– Il n'avait pas dû trouver le gaucher qu'il cherchait... Et il était tellement ivre qu'il ne m'a même pas reconnu.

– Qu'avez-vous fait ?

– Je lui ai confisqué ses clés et j'ai prévenu sa femme... Je crois que c'est la seule fleur que j'aie faite à ce type.

Hinojos plongea de nouveau le nez dans son carnet pour poser la question suivante :

– Et votre vrai père dans tout ça ?

– Quoi, mon vrai père ?

– Avez-vous jamais su qui c'était ? Avez-vous eu des relations avec lui ?

– Je l'ai rencontré un jour. Je n'avais jamais été curieux de le connaître jusqu'à ce que je revienne de la guerre. J'ai retrouvé sa trace. En fait, il s'agissait de l'avocat de ma mère. Il avait déjà une famille. Il était sur le point de mourir quand je l'ai rencontré ; il ressemblait à un squelette… On ne peut pas dire que je l'aie vraiment connu.

– Il s'appelait Bosch ?

– Non. C'est ma mère qui m'a donné ce nom. En pensant au peintre, vous voyez ? Elle trouvait que Los Angeles ressemblait à ses tableaux. Même paranoïa, même peur. Un jour, elle m'a donné un livre avec des reproductions de ses œuvres.

Un nouveau silence s'ensuivit. Carmen Hinojos réfléchissait à ce qu'il venait de lui dire.

– Ces histoires, Harry, dit-elle enfin, toutes ces histoires que vous me racontez sont déchirantes. Elles m'aident à voir le petit garçon qui est devenu un homme. Et je perçois mieux la profondeur du trou laissé par la mort de votre mère. Vous pourriez lui reprocher un tas de choses, vous savez, et personne ne pourrait vous en tenir rigueur.

Il la regarda avec insistance pendant qu'il préparait une réponse.

– Je ne lui reproche rien. J'en veux à celui qui me l'a prise. Ces histoires parlent de moi. Pas d'elle. Vous ne pouvez pas deviner ce qu'elle était. Vous ne pouvez pas la connaître aussi bien que moi. Je sais seulement qu'elle faisait tout son possible pour me sortir de là. Elle n'a jamais cessé de me le répéter. Elle n'a jamais renoncé. Elle a seulement manqué de temps.

Hinojos acquiesça. Elle acceptait sa réponse. Un ange passa.

– Vous a-t-elle jamais avoué ce qu'elle faisait… pour gagner sa vie ?

– Non, pas exactement.

– Comment l'avez-vous appris ?

– Je ne m'en souviens plus. Je crois que je ne l'ai vraiment su qu'après sa mort et, là, j'étais déjà plus âgé. J'avais dix ans quand on me l'a prise. Je ne comprenais pas.

– Recevait-elle des hommes quand vous étiez tous les deux ?

– Non, jamais.

– Vous aviez bien une idée de la vie qu'elle menait, qu'elle vous faisait mener.

– Elle me disait qu'elle était serveuse. Elle travaillait la nuit. Elle me laissait à une dame qui avait une chambre à l'hôtel, Mme DeTorre.

Cette dame gardait quatre ou cinq gosses dont les mères faisaient la même chose. Aucun de nous ne savait.

Il s'arrêta, mais, Hinojos gardant le silence, il comprit qu'elle attendait autre chose.

– Une nuit, je suis sorti en douce pendant que la vieille dame dormait et j'ai suivi le Boulevard jusqu'à la cafétéria où elle prétendait travailler. Elle n'y était pas. J'ai demandé et on m'a dit qu'on ne la connaissait pas.

– Avez-vous interrogé votre mère ?

– Non… Le lendemain soir, je l'ai suivie. Elle est partie avec son uniforme de serveuse et je l'ai suivie. Elle est montée chez sa meilleure amie à l'étage du dessus. Meredith Roman. Quand elles sont ressorties, elles portaient des minijupes et s'étaient maquillées, tout, quoi. Elles sont parties en taxi et je n'ai pas pu les suivre.

– Mais vous saviez.

– J'avais compris quelque chose. Mais j'avais dans les neuf ans. Que pouvais-je savoir ?

– Cette comédie qui se répétait chaque soir, ce déguisement de serveuse, ça vous mettait en colère ?

– Non. Au contraire. Je pensais que… Comment dire… il y avait quelque chose de noble dans le fait qu'elle fasse tout ça pour moi. Elle me protégeait, d'une certaine façon.

Elle hocha la tête pour lui faire entendre qu'elle comprenait.

– Fermez les yeux, dit-elle.

– Hein ? Vous voulez que je ferme les yeux ?

– Oui, je vous demande de fermer les yeux et de repenser à votre enfance. Allez-y.

– A quoi jouez-vous ?

– Faites-moi plaisir. S'il vous plaît.

Il secoua la tête comme si ça l'agaçait, mais il obéit. Il se sentait ridicule.

– Et maintenant ?

– Racontez-moi une histoire sur votre mère. Décrivez-moi l'image ou la scène qui est la plus nette dans votre esprit. Racontez-la-moi, à moi.

Il se concentra. Les images de sa mère traversaient son esprit, puis s'effaçaient. Mais l'une d'elles s'y grava plus longuement.

– Bon, dit-il.

– Je vous écoute.

– C'était au centre. Elle était venue me voir et on était sur le terrain de sport, près du grillage.

– Pourquoi vous souvenez-vous de cette scène ?

– Je ne sais pas. Parce qu'elle était avec moi et que ça me rendait heureux, même si ça finissait toujours dans les larmes. Vous auriez dû voir cet endroit les jours de visite ! Ça chialait dans tous les coins… Je m'en souviens aussi parce que c'était presque vers la fin. Elle a disparu peu de temps après. Quelques mois, peut-être.

– Vous rappelez-vous de quoi vous avez parlé ?

– D'un tas de choses. De base-ball. C'était une fan des Dodgers. Je me souviens qu'un des gamins qui était plus âgé que moi m'avait volé les baskets toutes neuves qu'elle m'avait achetées pour mon anniversaire. Elle a remarqué que je ne les avais pas aux pieds et ça l'a rendue folle de rage.

– Pourquoi cet enfant vous avait-il volé vos baskets ?

– Ma mère m'a posé la même question.

– Et que lui avez-vous répondu ?

– Je lui ai dit qu'il m'avait volé mes baskets parce qu'il en avait les moyens. Comprenez bien une chose : on pouvait donner le nom qu'on voulait à cet endroit, ce n'était rien d'autre qu'une prison pour enfants… avec les mêmes règles que dans une prison. Il y avait le clan des dominateurs et celui des soumis.

– Dans quel camp étiez-vous ?

– Je ne sais pas. J'étais surtout solitaire. Mais le jour où cet enfant plus âgé et plus fort m'a pris mes baskets, j'ai fait partie des soumis. C'était un moyen de survie.

– Votre mère était fâchée ?

– Oui, mais elle ne connaissait pas les règles du jeu. Elle voulait aller se plaindre à je ne sais qui, sans comprendre qu'en le faisant elle me rendrait la vie encore plus pénible. Jusqu'au moment où elle a pigé la situation et s'est mise à pleurer.

Il se tut. Il revoyait parfaitement la scène. Il se souvenait même de l'humidité de l'air et de l'odeur qui montait des orangers en fleur.

Le Dr Hinojos se racla la gorge avant de faire irruption dans sa mémoire.

– Comment avez-vous réagi en la voyant pleurer ?

– J'ai dû me mettre à pleurer, moi aussi. Comme chaque fois. Je ne voulais pas qu'elle soit triste, mais ça me faisait du bien de savoir qu'elle savait ce que je vivais. Il n'y a que les mères pour faire ça, vous comprenez ? Vous réconforter quand vous êtes triste…

Il avait gardé les yeux fermés, il ne voyait plus que ce souvenir.

– Que vous a-t-elle dit ?

– Elle… Elle a simplement dit qu'elle allait me faire sortir de là.

Elle m'a expliqué que son avocat allait bientôt se présenter devant le tribunal pour demander l'annulation de l'ordonnance de placement et faire casser la suppression du droit de garde. Elle m'a dit qu'elle pourrait aussi faire d'autres choses. D'une manière ou d'une autre, elle allait me faire sortir.

– Et cet avocat était votre père ?

– Oui, mais je ne le savais pas... Ce que je veux dire par là, c'est que les juges se trompaient sur ma mère. C'est ça qui me fait mal au cœur. Elle était bonne avec moi, et ils ne s'en apercevaient pas... Bref, elle m'a promis de faire tout ce qu'il faudrait pour me sortir de là.

– Et elle ne l'a jamais fait.

– Non. Comme je vous le disais, on ne lui en a pas laissé le temps.

– Je suis désolée.

Bosch rouvrit les yeux et la regarda.

– Moi aussi.

CHAPITRE DIX-HUIT

Bosch s'était garé dans un parking public, tout près de Hill Street. Cela lui coûta douze dollars. Il emprunta la 101 et prit la direction du nord, vers les collines. De temps à autre, il jetait un regard à la boîte bleue posée sur le siège à côté de lui. Sans l'ouvrir. Il savait qu'il devrait s'y résoudre, mais il attendrait d'être chez lui.

Il alluma la radio au moment où l'animateur présentait une nouvelle chanson d'Abbey Lincoln. Bosch ne l'avait jamais entendue, mais il fut immédiatement séduit par les paroles et la voix grave de la chanteuse.

> *Oiseau solitaire, volant haut dans les cieux*
> *Traversant ce monde nuageux*
> *Tes cris lugubres et émouvants*
> *S'élèvent au-dessus de ce monde de tourments.*

Arrivé dans Woodrow Wilson, fidèle à sa nouvelle routine, il se gara à quelques centaines de mètres de sa maison, puis y entra avec la boîte bleue, qu'il déposa sur la table de la salle à manger. Il alluma une cigarette et fit les cent pas dans la pièce, son regard dérivant de temps en temps vers la boîte. Il savait ce qu'elle contenait (il avait trouvé la liste des pièces à conviction dans le dossier), mais il ne pouvait se défaire du sentiment qu'en l'ouvrant il violerait une intimité, commettrait un péché qu'il ne comprenait pas.

Enfin il prit son porte-clés dans sa poche ; un canif était accroché à l'anneau. Il s'en servit pour couper le ruban adhésif qui fermait la boîte. Il reposa le petit couteau et, sans réfléchir davantage, souleva le couvercle.

Les vêtements et autres objets personnels de la victime étaient enveloppés dans des sacs en plastique transparent que Bosch sortit l'un après l'autre et plaça sur la table. Le plastique avait jauni, mais on voyait encore à travers. Il passa les sacs en revue sans y toucher.

Puis il ouvrit le dossier d'homicide à l'endroit où figurait la liste des pièces à conviction afin de vérifier qu'il ne manquait rien. Tout y était. Il leva le petit sac contenant les boucles d'oreilles en or à la lumière. Elles ressemblaient à des larmes gelées. Il reposa le sac et, au fond de la boîte, aperçut le chemisier soigneusement plié dans son emballage de plastique – avec la tache de sang à l'endroit exact indiqué par le rapport : sur le sein gauche, à environ quatre centimètres du bouton du milieu.

Bosch caressa le plastique, là où s'étendait la tache. Une pensée lui vint : il n'y avait pas de sang ailleurs. Voilà. C'était ça qui l'avait tracassé pendant la lecture du dossier, sans qu'il parvienne à mettre le doigt dessus. Maintenant, il savait. Le sang. Il n'y avait aucune trace de sang, ni sur les sous-vêtements, ni sur la jupe, ni sur les bas ou les chaussures. Il n'y en avait que sur le chemisier.

Bosch savait par ailleurs que le rapport d'autopsie ne faisait état d'aucune lacération. Donc, d'où venait ce sang ? Il aurait voulu examiner les photos prises sur les lieux du crime et celles de l'autopsie, mais il s'en savait incapable. Jamais il n'ouvrirait cette enveloppe.

Il sortit le sac contenant le chemisier afin de lire l'étiquette de catalogage d'indices qui y était accrochée. Il n'était indiqué nulle part qu'une analyse du sang avait été effectuée.

Aussitôt il se sentit revigoré. Il y avait de fortes chances que ce sang soit celui du meurtrier et non celui de la victime. Il ignorait si l'on pouvait encore analyser un sang aussi vieux, mais il avait bien l'intention de se renseigner. Le problème, il le savait, était celui de la comparaison. Peu importait qu'on arrive à analyser le sang s'il n'y avait pas d'échantillon avec lequel le comparer – et pour exiger un prélèvement sanguin sur Conklin, Mittel ou n'importe qui d'autre, il faudrait une autorisation du tribunal. Et pour l'obtenir, il faudrait des preuves. Des preuves et pas seulement des soupçons ou des intuitions.

Il avait réuni tous les sachets pour les ranger dans la boîte lorsqu'il s'interrompit soudain pour examiner de plus près un de ceux qui avaient échappé à son attention. Il contenait la ceinture qui avait servi à étrangler la victime.

Bosch observa l'objet quelques instants, comme s'il s'agissait d'un serpent qu'il essayait d'identifier, puis il plongea la main dans la boîte avec prudence et ressortit la ceinture. A travers le plastique, il vit l'étiquette de catalogage attachée à un des trous. Lisse et argentée, la boucle était en forme de coquillage et couverte d'une fine pellicule de poudre noire. On y distinguait encore vaguement les lignes courbes d'une empreinte de pouce.

Malgré la souffrance que cela lui infligeait, il tint la ceinture à la lumière. Cuir noir, deux centimètres de large. Outre la boucle argentée en forme de coquillage, d'autres motifs semblables, mais plus petits, étaient fixés tout autour. L'objet raviva ses souvenirs. Ce n'était pas vraiment lui qui l'avait choisie. Meredith Roman l'avait emmené au magasin May Co. de Wilshire, avait aperçu la ceinture sur un présentoir parmi beaucoup d'autres et lui avait dit que sa mère l'aimerait à coup sûr. C'était aussi elle qui l'avait payée, mais il avait eu le droit de l'offrir à sa mère pour son anniversaire. Meredith ne s'était pas trompée. Sa mère portait souvent cette ceinture, y compris chaque fois qu'elle venait lui rendre visite après que le tribunal les eut séparés. Y compris la nuit où on l'avait assassinée.

Sur l'étiquette de catalogage ne figuraient que la référence du dossier et le nom de McKittrick. Il remarqua que les deuxième et quatrième trous de la ceinture avaient été déformés par l'ardillon de la boucle. Sa mère devait parfois la serrer plus fort, pour impressionner quelqu'un, qui sait ? ou moins fort au contraire, quand elle portait des vêtements plus amples. Enfin il savait tout de cet objet, sauf l'identité de celui qui s'en était servi pour tuer sa mère.

Il lui vint alors à l'esprit que l'individu qui avait tenu cette ceinture, cette arme, entre ses mains avait détruit une vie et marqué la sienne de manière indélébile. Il la replaça soigneusement dans la boîte et reposa les autres vêtements par-dessus. Puis il referma le couvercle.

Plus question de rester enfermé chez lui après ça. Il fallait qu'il sorte. Sans prendre la peine de se changer, il monta dans sa Mustang et démarra. La nuit était tombée, il prit Cahuenga pour descendre à Hollywood. Il se disait qu'il ne savait pas où il allait, et qu'il s'en fichait, mais c'était un mensonge. Il le savait très bien. Arrivé dans Hollywood Boulevard, il obliqua vers l'est.

La Mustang l'emmena jusqu'à Vista, où il bifurqua vers le nord, avant de tourner dans la première ruelle. La lumière de ses phares déchira l'obscurité et il aperçut un petit campement de sans-abri. Un homme et une femme y étaient recroquevillés sous une sorte d'appentis fait de cartons. Deux autres personnes, enveloppées de couvertures et de journaux, étaient couchées à côté d'eux. Une faible lueur de flammes agonisantes affleurait aux bords d'une poubelle. Bosch passa lentement devant les sans-abri, ses yeux scrutant la ruelle jusqu'à l'endroit qu'il connaissait grâce au schéma inclus dans le dossier d'homicide.

La boutique de souvenirs de Hollywood s'était transformée en librairie porno. Une entrée sur le côté pour les clients timides, plusieurs voitures garées derrière l'immeuble. Bosch s'arrêta près de la porte, éteignit les phares et coupa le moteur. Puis il resta assis dans sa voiture sans éprouver le besoin de sortir. C'était la première fois qu'il venait dans cette ruelle, jusqu'à cet endroit. Il avait juste envie de rester là sans bouger, pour regarder, sentir.

Il alluma une cigarette et suivit des yeux un homme qui sortait rapidement de la boutique spécialisée un sac sous le bras et s'empressait de regagner sa voiture garée à l'autre bout de la rue.

Bosch repensa à un épisode de son enfance. A cette époque-là, il vivait encore avec sa mère. Ils habitaient dans un petit appartement de Camrose Street et, l'été, s'installaient dans la cour de derrière, les dimanches après-midi ou les soirs où elle ne travaillait pas. Ils y écoutaient la musique qui descendait des collines, du Hollywood Bowl. Le son était faible, attaqué de toutes parts par le vacarme des automobiles et les bruits de la ville avant de parvenir à leurs oreilles, mais les notes aiguës restaient claires. Ce qu'il aimait, c'était moins la musique que la présence de sa mère à ses côtés. Cet instant qu'ils passaient ensemble. Elle lui disait toujours qu'un jour elle l'emmènerait au Hollywood Bowl pour écouter *Schéhérazade*. C'était l'œuvre qu'elle préférait. Cela ne s'était jamais fait. Le tribunal les avait séparés et elle était morte avant d'avoir pu le récupérer.

Il avait enfin entendu le Philharmonique jouer *Schéhérazade* l'année où il était avec Sylvia. En voyant des larmes apparaître aux coins de ses yeux, elle avait cru que c'était la beauté du morceau qui l'émouvait, et Bosch n'avait jamais trouvé la force de lui expliquer qu'il y avait une autre raison.

Soudain, un mouvement flou capta son attention et quelqu'un frappa à la vitre de la Mustang, de son côté. Instinctivement, il glissa la main gauche sous sa veste, mais il n'y avait aucune arme glissée dans sa ceinture. Il tourna la tête et découvrit le visage d'une vieille femme, dont les années avaient littéralement creusé les traits. On aurait dit qu'elle portait trois épaisseurs de vêtements. Elle cessa de frapper au carreau et tendit la main, paume ouverte. Encore sous le choc, Bosch s'empressa de sortir un billet de cinq dollars de son portefeuille. Il remit le contact pour pouvoir abaisser sa vitre et tendre le billet à la vieille femme. Elle ne dit pas un mot, prit l'argent et s'en alla. Bosch la regarda s'éloigner en se demandant comment elle avait atterri là. Et lui, comment y était-il arrivé ?

Il quitta la ruelle et retourna dans Hollywood Boulevard, où il continua de rouler. Au hasard au début, mais, très vite, il se découvrit un but. Il ne se sentait pas encore prêt à affronter Conklin ou Mittel, mais il savait où les trouver et avait envie de voir où ils habitaient et la vie qu'ils avaient fini par y mener.

Il continua sur le Boulevard jusqu'au croisement d'Alvarado, où il tourna pour atteindre Third Street et bifurquer vers l'ouest. Son périple le mena de la pauvreté tiers-mondiste du quartier de Little Salvador aux grandes villas défraîchies de Hancock Park, puis au vaste complexe d'appartements, de résidences et de maisons de retraite de Park La Brea.

Il y trouva Ogden Driver et roula lentement jusqu'au moment où il aperçut le Lifecare Center. Encore une belle ironie, se dit-il. « Lifecare ! » Les soins de la vie ! Alors que la seule chose qui intéressait ces gens était de savoir quand on allait crever pour pouvoir vendre la place au suivant.

Douze étages de verre et de béton, l'immeuble était banal. A travers la façade vitrée du hall, il remarqua un agent de la sécurité installé derrière un comptoir. Dans cette ville, même les personnes âgées et les infirmes n'étaient pas en sûreté. Bosch leva les yeux et constata que la plupart des fenêtres étaient éteintes. Il n'était que 21 heures et cet endroit était déjà mort. Quelqu'un ayant klaxonné derrière lui, il accéléra en pensant à Conklin et à ce que pouvait être sa vie. Il se demanda si le vieil homme, là-haut dans sa chambre, repensait parfois à Marjorie Lowe après toutes ces années.

L'arrêt suivant fut pour le Mont Olympe. Vaste complexe résidentiel tape-à-l'œil : il était composé de maisons modernes construites dans le style romain qui avaient surgi de terre au-dessus de Hollywood. L'architecture se voulait néoclassique, mais plus d'une fois Bosch avait entendu prononcer le mot de « néocrassique ». Énormes et coûteuses, ces bâtisses étaient coincées les unes contre les autres, comme des dents dans une bouche. Certes, il y avait des colonnes et des statues, mais la seule chose qui semblait véritablement classique dans cet ensemble était son côté kitsch. Bosch quitta Laurel Canyon pour prendre Mount Olympus Drive, puis il tourna dans Electra et continua jusqu'à Hercules Street. Il roula lentement en essayant de repérer le bâtiment dont il avait noté l'adresse dans son carnet le matin même.

Lorsqu'il le trouva enfin, il s'arrêta, stupéfait. Cette maison, il la connaissait. Il n'y était évidemment jamais entré, mais tout le monde la connaissait : de forme circulaire, cette villa se dressait sur un des promontoires les plus reconnaissables des collines de Hollywood. Très impressionné, Bosch contempla cet endroit avec une vive admiration. Il imagina les dimensions à l'intérieur et la vue magnifique qu'on devait y avoir des montagnes jusqu'à l'océan. Les murs ronds étaient éclairés du dehors par des lumières blanches, tout l'édifice ressemblant à un vaisseau spatial qui vient de se poser au sommet d'une montagne et s'apprête à redécoller. Pas de faux classique ici. Cette villa témoignait de la puissance et du pouvoir de son propriétaire.

Un portail interdisait l'entrée de la longue allée qui gravissait une petite colline jusqu'à la maison. Mais ce soir-là la grille était ouverte et Bosch aperçut plusieurs voitures – dont au moins trois limousines – garées le long du chemin. D'autres véhicules étaient rangés en cercle tout en haut. Il venait de comprendre qu'une grande soirée se déroulait dans la villa lorsque, une tache rouge passant devant le pare-brise de la Mustang, sa portière s'ouvrit brutalement. Il tourna vivement la tête et découvrit le visage basané d'un Latino vêtu d'une chemise blanche et d'un gilet rouge.

– Bonsoir, monsieur. Nous nous occupons de votre voiture. Si vous voulez bien suivre l'allée de gauche, quelqu'un vous accueillera là-haut.

Bosch regarda fixement le Latino sans bouger.

– Monsieur ?

Timidement, il descendit de la Mustang tandis que l'homme au gilet rouge lui remettait un ticket portant un numéro. Le gardien se glissa derrière le volant et démarra, Bosch restant planté là, conscient de se laisser entraîner par les événements – chose qu'il devait absolument éviter. Il regarda s'éloigner les feux arrière de sa voiture. Finalement, après avoir hésité encore quelques instants, il céda à la tentation. Il ferma le dernier bouton de sa chemise et ajusta son nœud de cravate en remontant l'allée.

En chemin, il dépassa une petite armée d'hommes en gilets rouges, continua, par-delà les limousines, jusqu'au sommet de la colline et découvrit alors une vue saisissante sur la ville illuminée. Il s'arrêta pour admirer le paysage. D'un côté, le Pacifique baigné par le clair de lune ; de l'autre, les tours du centre de Los Angeles. A lui seul, ce panorama justifiait le prix de la maison, quel qu'il fût.

Sur sa gauche, il entendit de la musique douce, des éclats de rire et des bribes de conversations. Il en suivit les échos le long d'un petit chemin de pierres plates qui tournait autour de la maison. L'à-pic au-dessus des autres villas disséminées sur la colline était vertigineux, mortel. Enfin, il déboucha dans un grand jardin illuminé et envahi par une foule de gens qui se pressaient sous une grande tente de toile aussi blanche que la lune. Il se dit qu'il y avait là au moins cent cinquante personnes, toutes bien habillées, toutes occupées à siroter des cocktails et à déguster des canapés disposés sur des plateaux que leur tendaient des jeunes femmes vêtues de courtes robes noires, de collants fins et de tabliers blancs. Il se demanda où les types en gilet rouge garaient toutes les voitures.

Très vite, il sentit qu'il était habillé de manière trop négligée pour la circonstance ; nul doute qu'on allait le repérer et le prendre pour un pique-assiette. Mais il y avait quelque chose de tellement irréel dans ce spectacle qu'il décida de rester.

Un surfeur en costume s'avança vers lui. Il avait environ vingt-cinq ans, le teint bronzé et des cheveux courts décolorés par le soleil. Son costume à la coupe parfaite semblait avoir coûté plus cher que tous les vêtements de Bosch réunis ; il était de couleur marron clair, mais celui qui le portait préférait sans doute dire « cacao ». Il sourit à Bosch comme sourient les ennemis.

– Tout va bien, monsieur ?

– Très bien, merci. On se connaît ?

Le sourire du surfeur en costume s'illumina légèrement.

– Je suis M. Johnson et je suis chargé de la sécurité pour cette soirée de bienfaisance. Puis-je vous demander si vous avez votre carton d'invitation ?

Bosch hésita, mais un court instant seulement.

– Je suis désolé, dit-il, mais j'ai oublié de le prendre. Je ne pensais pas que Gordon ferait appel à un service de sécurité pour ce genre de réception.

En appelant Mittel par son prénom, il espérait que le surfeur y réfléchirait à deux fois avant d'agir de manière intempestive. De fait, Bosch le vit froncer les sourcils.

– Dans ce cas, puis-je vous demander de me suivre pour signer le registre ?

– Bien sûr.

Bosch se laissa conduire à une table située sur le côté de l'accueil. Au-dessus de la porte était accrochée une grande banderole aux couleurs du drapeau américain, avec ce slogan : « ROBERT SHEPHERD MAINTENANT ! » Bosch n'eut pas besoin d'en savoir plus.

Un grand registre était posé sur la table, derrière laquelle se tenait une femme portant une robe du soir en velours noir gaufré qui ne cherchait pas à masquer sa poitrine. M. Johnson semblait d'ailleurs captivé par ce spectacle, tandis que Bosch inscrivait dans le livre le nom de Harvey Pounds.

En signant, il remarqua sur la table une pile de formulaires de promesses de don et un verre à champagne rempli de stylos. Il prit un tract et commença à lire les renseignements qu'on donnait sur le candidat surprise. Johnson détacha enfin son regard de la poitrine de l'hôtesse pour lire le nom qu'avait noté Bosch.

– Merci, monsieur Pounds. Bonne soirée.

Et le surfeur disparut au milieu de la foule, sans doute pour aller vérifier qu'un dénommé Harvey Pounds figurait bien sur la liste des invités. Bosch décida quand même de rester encore quelques minutes pour essayer d'apercevoir Mittel. Il partirait ensuite, avant que le surfeur ne se lance à sa recherche.

Il s'éloigna de l'accueil et sortit de la tente. Après avoir traversé une petite pelouse jusqu'à un mur de soutènement, il essaya de donner l'impression qu'il profitait de la vue. Et quelle vue c'était ! Pour en avoir une plus élevée, il aurait fallu se trouver à bord d'un avion sur le point d'atterrir à l'aéroport. Mais dans l'avion, il aurait manqué l'ampleur du paysage, le souffle du vent et les bruits qui montaient de la ville tout en bas.

Bosch se retourna pour observer la foule rassemblée sous la tente. Il passa les visages en revue, sans apercevoir celui de Gordon Mittel. L'homme demeurait invisible. Un groupe plus compact d'invités s'étant formé au centre de la tente, Bosch comprit que tous essayaient de tendre la main au candidat surprise ou, du moins, à l'homme qu'il supposait être Shepherd. Si la foule des invités semblait exprimer son homogénéité en termes de richesse, tous les âges étaient représentés. Il se dit que beaucoup de gens étaient venus voir tout autant Mittel que Shepherd.

Une des serveuses en blanc et noir émergea de dessous la toile blanche et s'approcha de lui avec un plateau de coupes de champagne. Bosch en prit une, remercia la jeune femme et se tourna vers la vue. Il but quelques gorgées en pensant que ce devait être du champagne de première qualité, mais il aurait été incapable de faire la différence avec du mauvais. Il avait décidé de vider son verre d'un trait et de s'en aller lorsqu'une voix venue de sa gauche l'arrêta.

– La vue est magnifique, n'est-ce pas ? C'est mieux qu'au cinéma. Je pourrais rester là des heures.

Il tourna légèrement la tête pour saluer l'intrus, mais en évitant de le regarder. Il ne voulait pas se lancer dans une conversation.

– Oui, c'est très joli. Mais je préfère mes collines.

– Ah bon ? Où donc ?

– Sur l'autre versant. Dans Woodrow Wilson.

– Ah, oui. Il y a de très belles propriétés dans ce coin-là.

Pas la mienne, se dit-il. A moins d'apprécier le style « néo-tremblement de terre ».

– Les montagnes de San Gabriel étincellent dans le soleil, dit le causeur. J'ai bien cherché une maison par là, mais j'ai fini par acheter ici.

Bosch se retourna. Il avait devant lui Gordon Mittel en personne. Le propriétaire des lieux lui tendit la main.

– Gordon Mittel, dit-il.

Bosch hésita, mais sans doute Mittel était-il habitué à voir les gens bafouiller et perdre contenance devant lui.

– Harvey Pounds, dit-il en serrant la main qu'on lui tendait.

Mittel portait un smoking noir. Il était habillé de manière trop élégante pour cette soirée, tout comme Bosch était habillé de manière trop négligée. Cheveux gris en brosse, teint hâlé aux lampes à bronzer. Mince et sec comme un élastique tendu autour d'une liasse de billets de cent dollars, il avait l'air d'avoir cinq ou dix ans de moins que son âge.

– Ravi de vous rencontrer, dit-il. Je suis content que vous soyez venu. Avez-vous fait la connaissance de Robert ?

– Non. Il m'a l'air harcelé par la meute.

– En effet. Mais il sera ravi de vous rencontrer dès qu'il aura une minute.

– Je ne doute pas qu'il soit tout aussi ravi de recevoir mon chèque.

– Bien sûr, répondit Mittel avec un sourire. Plus sérieusement... j'espère que vous pourrez nous filer un coup de main. C'est un type bien et nous avons besoin de gens comme lui.

Son sourire semblait si faux que Bosch se demanda si Mittel ne l'avait pas déjà catalogué comme pique-assiette. Il lui rendit son sourire en tapotant sa poche de poitrine.

– J'ai apporté mon chéquier.

En faisant ce geste, Bosch se souvint de ce que contenait réellement sa poche et une idée lui vint. Le champagne, bien qu'il n'en ait bu qu'une seule coupe, lui avait donné de l'audace. Il s'aperçut soudain qu'il avait envie de flanquer la frousse à ce type, histoire de voir le teint qu'il avait vraiment.

– Dites-moi, demanda-t-il, Shepherd est le bon numéro, n'est-ce pas ?

– Je ne vous suis pas.

– Va-t-il se retrouver à la Maison-Blanche un de ces jours ? C'est bien lui qui va vous en ouvrir les portes, non ?

Mittel chassa un froncement de sourcils, ou peut-être était-ce une étincelle d'agacement dans son regard.

– Nous verrons bien, répondit-il. Conduisons-le d'abord au Sénat. C'est le plus important.

Bosch acquiesça et fit mine de scruter la foule.

– J'ai l'impression que vous avez réuni toutes les bonnes personnes. Mais, bizarrement, je ne vois pas Arno Conklin. Êtes-vous toujours très proche de lui ? Il a été votre premier poulain, n'est-ce pas ?

Une ride profonde creusa le front de Mittel.

– Euh…

Il paraissait gêné, mais reprit rapidement le dessus.

– À vrai dire, il y a longtemps que nous ne nous sommes pas parlé. Il est à la retraite maintenant. C'est un vieillard dans un fauteuil roulant. Vous connaissez Arno ?

– Non, je ne l'ai jamais vu de ma vie.

– Alors, pourquoi cette question d'histoire ancienne ?

Bosch haussa les épaules.

– J'aime bien l'histoire, c'est tout.

– Et que faites-vous dans la vie, monsieur Pounds ? Êtes-vous encore étudiant ?

– Non, mon domaine à moi, c'est la loi.

– Ah, nous avons donc quelque chose en commun.

– J'en doute.

– Je sors de Standford. Et vous ?

Bosch réfléchit un instant.

– Du Vietnam.

Mittel plissa le front de nouveau et Bosch vit l'intérêt filer de son regard comme l'eau qui disparaît dans un lavabo.

– Je crois que je ferais bien de m'occuper de mes invités, dit-il. Attention au champagne, et si vous croyez que vous n'êtes pas en état de conduire, un des voituriers vous ramènera chez vous. Demandez Manuel.

– Celui avec le gilet rouge ?

– Euh, oui. Un de ceux-là.

Bosch leva son verre.

– Ne vous en faites pas, c'est seulement mon troisième.

Mittel hocha la tête et retourna se fondre au milieu de la foule. Bosch le regarda traverser la tente et s'arrêter pour serrer quelques mains, avant d'atteindre la maison, de franchir la porte-fenêtre d'une immense baie vitrée et d'entrer dans une sorte de living-room. Là, Mittel se dirigea vers un canapé et se pencha pour parler à l'oreille d'un homme en costume. Celui-ci paraissait avoir le même âge, mais était d'un aspect plus fruste. Le visage était plus dur et, bien qu'il fût assis sur le canapé, on voyait que l'individu était beaucoup plus costaud. Dans sa jeunesse, il avait certainement plus utilisé sa force que sa cervelle. Mittel se redressa, l'homme se contentant de hocher la tête. Puis Mittel disparut dans les profondeurs de la maison.

Bosch termina sa coupe de champagne et entreprit de se frayer un passage au milieu de la foule pour gagner la maison. Alors qu'il approchait des portes-fenêtres de la baie vitrée, une des jeunes femmes en noir et blanc lui demanda s'il cherchait quelque chose. Il lui répondit qu'il voulait aller aux toilettes, et elle lui indiqua une autre porte, plus loin sur la gauche. Il se rendit à l'endroit indiqué et constata que la porte était verrouillée. Il attendit quelques instants, puis la porte finit par s'ouvrir sur un homme et une femme. Ceux-ci gloussèrent en voyant Bosch qui attendait, puis ils retournèrent sous la tente.

Une fois dans les toilettes, Bosch ouvrit sa veste et sortit un morceau de papier plié de la poche intérieure de sa veste. C'était l'article sur Johnny Fox que lui avait remis Keisha Russell. Il le déplia et prit un stylo dans une autre poche. Il entoura les noms de Johnny Fox, Arno Conklin et Gordon Mittel, puis, sous l'article, il écrivit ces mots : « Quelle expérience professionnelle a permis à Johnny d'avoir ce boulot ? »

Il replia l'article en quatre et en marqua fermement les plis avec le pouce et l'index. Puis sur le dessus, il nota : « Pour Gordon Mittel. Personnel. »

De retour sous la tente, il avisa une jeune femme en noir et blanc et lui remit l'article plié.

– Trouvez immédiatement M. Mittel, lui dit-il, et remettez-lui ce message. Il l'attend.

Il la regarda s'éloigner, puis se fraya à nouveau un chemin dans la foule jusqu'à la table placée à l'entrée. Sans rien dire, il se pencha au-dessus du registre et y inscrivit le nom de sa mère. L'hôtesse protesta en disant qu'il avait déjà signé.

– C'est pour quelqu'un d'autre, lui renvoya-t-il.

En guise d'adresse, il écrivit : « Croisement de Hollywood Bld et de Vista. » Il ne marqua rien dans la case réservée au numéro de téléphone.

Scrutant la foule, il ne vit ni Mittel, ni la jeune femme à laquelle il avait confié l'article. Il regarda alors l'intérieur de la maison par les portes-fenêtres et là, dans le living-room, il aperçut Mittel tenant son message. Il marchait lentement dans la pièce en lisant l'article. Vu la direction de son regard, Bosch comprit qu'il étudiait la phrase griffonnée tout en bas. Malgré son bronzage artificiel, Mittel semblait avoir pâli d'un coup.

Bosch recula sous un petit porche pour observer la scène. Il sentit les battements de son cœur s'accélérer. C'était comme s'il assistait à une pièce secrète sur une scène.

Sur le visage de Mittel, la stupéfaction avait fait place à une sorte de colère mêlée de perplexité. Bosch le vit tendre l'article à la brute épaisse qui n'avait toujours pas quitté le canapé moelleux. Mittel se tourna ensuite vers les portes-fenêtres pour regarder les personnes rassemblées sous la tente. Il dit quelque chose et Bosch crut pouvoir lire sur ses lèvres : « Le salopard ! »

Puis il se remit à parler avec animation : il donnait des ordres. L'homme se leva du canapé, et Bosch comprit instinctivement que c'était le moment de s'en aller. D'un pas vif il regagna l'allée et trottina jusqu'au groupe de voituriers en gilet rouge. Il tendit son ticket de parking et un billet de dix dollars à l'un d'eux et lui dit, en espagnol, qu'il était très pressé.

Il eut l'impression de patienter une éternité. Tout en faisant les cent pas, il garda les yeux fixés sur la maison où il s'attendait à voir apparaître la brute épaisse. Il avait regardé dans quelle direction avait filé le voiturier et se tenait prêt à foncer en cas de nécessité. Il commençait à regretter de ne pas avoir son arme. Même s'il n'en avait pas réellement besoin. Dans ce genre de situations, elle lui donnait un sentiment de sécurité et, sans elle, il se sentait nu.

Le surfeur en costume apparut au sommet de l'allée et descendit vers Bosch à grandes enjambées. Au même moment, celui-ci vit approcher sa Mustang. Il s'avança vers sa voiture, prêt à prendre le volant. Mais le surfeur arriva le premier.

– Hé, vous, attendez une…

Bosch se retourna et lui décocha un direct à la mâchoire qui l'envoya au tapis, au beau milieu de l'allée. Le surfeur poussa un gémissement et roula sur le côté en se tenant la mâchoire à deux mains. Bosch aurait parié qu'elle était déboîtée, voire brisée. Il secoua la main pour faire disparaître la douleur tandis que la Mustang s'arrêtait à sa hauteur dans un crissement de pneus.

Le type en gilet rouge mettant du temps à descendre, Bosch l'extirpa de la voiture par la portière ouverte et sauta à l'intérieur. Au moment où il s'installait au volant, il leva la tête vers le haut de l'allée et vit la brute qui approchait à son tour. En découvrant le surfeur allongé par terre, le costaud se mit à courir, mais ses pas hésitaient dans la pente. Bosch vit les muscles de ses cuisses qui tendaient le tissu de son pantalon, mais, soudain, l'homme dérapa et tomba. Deux types en gilet rouge se précipitèrent pour l'aider, mais il les repoussa avec colère.

Bosch démarra en trombe. Il remonta à toute allure jusqu'à Mulholland et prit vers l'est pour rentrer chez lui. Il sentait monter l'adrénaline. Non seulement il avait réussi à s'en tirer, mais il était évident qu'il avait touché un nerf sensible. Que Mittel se creuse donc les méninges pendant quelque temps, se dit-il. Qu'il tremble !

– Je t'ai foutu la trouille, hein, espèce d'enfoiré ! hurla Bosch bien que personne ne puisse l'entendre.

Puis, du plat de la main, il tapa sur son volant dans un geste de triomphe.

CHAPITRE DIX-NEUF

De nouveau, il rêva du coyote. L'animal marchait sur un sentier au sommet des collines, là où il n'y avait ni maisons, ni voitures, ni êtres humains. Il se déplaçait très vite dans l'obscurité, comme s'il essayait de s'enfuir. Mais Bosch était chez lui et connaissait le terrain. Il savait que l'animal parviendrait à s'échapper. La chose qu'il cherchait à fuir n'était jamais très claire, jamais visible. Mais elle était là, derrière lui dans le noir. Et le coyote savait, par instinct, qu'il devait fuir.

Bosch fut réveillé par la sonnerie du téléphone qui fit intrusion dans son rêve comme un couteau qui transperce une feuille de papier. Il repoussa l'oreiller qu'il avait sur la tête et roula sur le côté droit, ses yeux étant aussitôt assaillis par la lumière de l'aube. Il avait oublié de baisser les stores. Il décrocha le téléphone posé par terre.

– Ne quittez pas, dit-il.

Il mit l'appareil sur le lit, se redressa et se frotta le visage. Les yeux plissés, il regarda le réveil. 7 h 10. Il toussa, se racla la gorge, puis reprit le combiné.

– Allô, oui ?

– Inspecteur Bosch ?

– Oui.

– Brad Hirsch à l'appareil. Désolé de vous appeler si tôt.

Bosch dut réfléchir. Brad Hirsch ? Ce nom ne lui disait absolument rien.

– C'est pas grave, répondit-il en continuant à fouiller dans sa mémoire.

Un silence s'ensuivit.

– C'est moi qui... je travaille aux empreintes. Vous vous souvenez ? Vous...

– Hirsch ? Oui, Hirsch. Je me souviens très bien. Qu'y a-t-il ?

– Je voulais vous dire que j'ai interrogé l'AFIS comme vous me l'avez demandé. Je suis arrivé de bonne heure et je m'en suis occupé en même temps qu'une autre recherche que je devais faire pour la Criminelle de Devonshire. Je pense que personne ne s'en apercevra.

Bosch balança les jambes à terre, ouvrit le tiroir de la table de nuit et en sortit un bloc-notes et un crayon. Il s'aperçut que ce bloc provenait du Surf and Sand Hotel de Laguna Beach, où il avait passé quelques jours avec Sylvia l'année précédente.

– Vous avez effectué la recherche ? Et ça a donné quoi ?

– Justement... Je suis désolé, mais je n'ai rien trouvé.

Bosch jeta le bloc dans le tiroir et se laissa retomber sur le lit à la renverse.

– Rien du tout ?

– L'ordinateur a sélectionné deux candidats. J'ai effectué une comparaison visuelle, mais ça ne collait pas. Aucune correspondance. Je suis désolé. Je sais que cette affaire vous tient...

Il n'acheva pas sa phrase.

– Vous avez interrogé toutes les bases de données ?

– Toutes celles de notre réseau.

– Laissez-moi vous poser une question. Ces bases dont vous parlez concernent-elles également les employés du bureau du procureur et les membres de la police de Los Angeles ?

Il y eut un nouveau silence. Sans doute Hirsch réfléchissait-il aux implications contenues dans cette question.

– Vous êtes toujours là, Hirsch ?

– Oui. La réponse est oui.

– Mais avec quelle ancienneté ? Vous voyez ce que je veux dire ? A quand remontent les empreintes les plus anciennes ?

– Ça varie selon la base de données. Celle du LAPD est très complète. Je dirais que nous possédons les empreintes de toutes les personnes qui y ont travaillé depuis la Seconde Guerre mondiale.

Ce qui innocente Irving et les autres flics, se dit Bosch. Mais cela ne le chagrinait pas outre mesure. Son collimateur était braqué dans une autre direction.

– Et les collaborateurs du procureur ?

– Là, c'est différent, répondit Hirsch. Je crois qu'ils n'ont commencé à relever les empreintes du personnel qu'au milieu des années 60.

Conklin appartenait déjà au bureau à cette époque, pensa Bosch, mais en qualité de procureur élu. Il était probable qu'il n'aurait jamais accepté qu'on le fiche, surtout s'il savait qu'il existait certain dossier d'homicide contenant une carte d'empreintes susceptible de le dénoncer.

Il pensa à Mittel. Celui-ci avait déjà quitté le bureau du procureur à l'époque où on avait commencé à relever systématiquement les empreintes des employés.

– Et la banque de données fédérale ? demanda-t-il. Supposons qu'un type travaille pour le président et possède donc le genre de laissez-passer nécessaire pour entrer à la Maison-Blanche... Ses empreintes figureraient-elles dans la base ?

– Oui, et même doublement. Dans celle des fonctionnaires fédéraux et dans celle du FBI. Ils conservent les empreintes de toutes les personnes sur qui ils enquêtent, si c'est ce que vous voulez dire. Mais attention... quelqu'un peut très bien rendre visite au président sans qu'on relève forcément ses empreintes.

Mittel n'était pas le candidat idéal, mais presque, se dit Bosch.

– Si je vous suis bien, reprit-il, que nous ayons ou n'ayons pas de banques de données complètes remontant à 1961, la personne à qui appartiennent les empreintes que je vous ai remises n'a pas été fichée depuis cette date ?

– Ce n'est pas certain à 100 %, mais quasiment. La personne dont vous parlez n'a probablement jamais laissé relever ses empreintes, du moins pas pour une base de données de notre réseau. Nous ne pouvons pas aller plus loin. En général, on peut obtenir les empreintes d'une personne sur cinquante, environ, dans ce pays. Ça n'a pas marché cette fois-ci. Je suis désolé.

– C'est pas grave, Hirsch, vous avez essayé.

– Bon, je vais me remettre à mon travail. Que dois-je faire de la carte ?

Bosch réfléchit. Y avait-il d'autres pistes à explorer ?

– Écoutez, dit-il. Vous pouvez la ranger dans un coin ? Je passerai la prendre. Sans doute aujourd'hui, un peu plus tard.

– O.K. Je la mettrai dans une enveloppe à votre nom, au cas où je ne serais pas là. Au revoir.

– Hé, Hirsch !

– Oui ?

– On se sent bien, non ?

– Pardon ?

– Vous avez fait une bonne action. Ça n'a rien donné, mais vous avez fait une bonne action.

– Oui, sans doute.

Il faisait semblant de ne pas comprendre car il était gêné, mais il comprenait très bien.

– A plus tard, Hirsch.

Après avoir raccroché, Bosch s'assit au bord du lit, alluma une cigarette et réfléchit à la manière dont il allait occuper sa journée. Les nouvelles que lui avait données Hirsch n'étaient pas bonnes, mais elles n'étaient pas décourageantes. En tout cas, ce nouvel élément ne disculpait pas Arno Conklin. Ni même Gordon Mittel, sans doute. Bosch ignorant si le fait de travailler pour des présidents et des sénateurs obligeait Mittel à donner ses empreintes, ses hypothèses restaient valides. Pas question de changer ses plans.

Il repensa à la soirée précédente et aux risques insensés qu'il avait pris en affrontant Mittel de manière aussi brutale. Son audace lui arracha un sourire et il se demanda ce qu'en penserait Hinojos. Elle y verrait probablement un symptôme révélateur de son problème. Et pas du tout une tactique habile pour obliger le renard à sortir de sa tanière.

Enfin il se leva, fit du café, alla prendre une douche, se rasa et s'habilla. Il emporta son café sur la terrasse, avec la boîte de céréales qui était dans le réfrigérateur, et laissa la porte coulissante ouverte pour pouvoir entendre la radio. Il écoutait les infos sur KFWB.

Dehors, la température était encore fraîche, vive, mais elle ne tarderait pas à se réchauffer, il le savait bien. Des geais bleus s'amusaient à plonger au fond de l'arroyo, puis à remonter juste sous la terrasse. Il vit des abeilles noires grosses comme des pièces de vingt-cinq cents s'attaquer aux fleurs jaunes des jasmins.

A la radio, on parlait d'un entrepreneur qui avait empoché un bonus de quatorze millions de dollars pour avoir terminé la reconstruction de l'autoroute 10 trois mois avant la date prévue. Les officiels qui s'étaient rassemblés pour annoncer l'exploit comparaient l'autoroute détruite à la ville elle-même. Maintenant qu'on l'avait remise debout, la ville elle aussi pouvait se redresser. La ville allait repartir. Ils avaient encore beaucoup de choses à apprendre, se dit Bosch.

Son petit déjeuner terminé, il rentra chercher l'annuaire des Pages jaunes et s'installa devant le téléphone de la cuisine. Il appela les principales compagnies aériennes afin d'organiser son départ pour la Floride. Mais, évidemment, il voulait partir le jour même et ne put trouver un billet à moins de sept cents dollars, somme exorbitante pour sa bourse. Il régla avec une carte de crédit afin d'échelonner le paiement. Il réserva aussi une voiture de location à l'aéroport international de Tampa.

Cela fait, il retourna sur la terrasse pour réfléchir à la tâche suivante. Trouver un insigne.

Il resta longtemps assis sur le bord de la chaise longue à se demander s'il avait besoin de cet insigne pour se sentir en sécurité ou s'il s'agissait là d'un accessoire indispensable à sa mission. Il savait combien il s'était senti nu depuis une semaine qu'il n'avait plus ni l'arme ni l'insigne qu'il avait portés plus de vingt ans durant. Pourtant, il avait résisté à la tentation de prendre l'arme de secours qui se trouvait dans le placard à côté de la porte d'entrée. Il pouvait s'en passer, il le savait. Mais l'insigne, c'était différent. Plus que son arme encore, c'était le symbole de sa fonction. Il lui ouvrait les portes mieux que n'importe quelle clé, lui conférait plus d'autorité que n'importe quels mots, que n'importe quelle arme. Il décida que cet insigne était indispensable. S'il se rendait en Floride et voulait piéger McKittrick, il fallait qu'il ait l'air réglo. Un insigne, il lui en fallait un.

Il savait que le sien était certainement rangé au fond d'un tiroir dans le bureau du chef adjoint Irvin S. Irving. Impossible de le récupérer sans se faire repérer. Mais il savait où trouver un autre insigne qui ferait tout aussi bien l'affaire.

Il consulta sa montre. 9 h 15. Le briefing quotidien au poste de Hollywood ne commencerait que dans quarante-cinq minutes. Il avait largement le temps.

CHAPITRE VINGT

Bosch entra dans le parking situé derrière le poste de police à 10 h 05. Il était certain que Pounds, ponctuel dans tout ce qu'il faisait, s'était déjà rendu dans le bureau du capitaine, au bout du couloir, avec la main courante de la nuit. Cette réunion avait lieu chaque matin avec le commissaire, le capitaine de patrouille, l'officier de surveillance et le lieutenant-chef, Pounds en l'occurrence. Activité routinière, elle ne durait jamais plus de vingt minutes. Les divers responsables du poste buvaient du café, passaient en revue les rapports de la nuit et parlaient des problèmes en cours, plaintes ou enquêtes présentant un intérêt particulier.

Bosch entra par la porte de derrière, au niveau de la cellule des poivrots, puis il remonta le couloir jusqu'au bureau des inspecteurs. Visiblement, la matinée avait été chargée. Il y avait déjà dans le couloir quatre type menottés aux bancs. L'un d'eux, un camé que Bosch avait déjà aperçu au poste et qu'il avait même utilisé à l'occasion comme informateur – peu fiable –, lui réclama une cigarette. Il était interdit de fumer dans tous les bâtiments municipaux. Bosch alluma une cigarette et la glissa dans la bouche du type, les bras grêlés de traces de piqûres de ce dernier étant menottés dans son dos.

– C'est quoi cette fois, Harley ? lui demanda Bosch.

– Putain, quand un type laisse son garage ouvert, c'est comme s'il me demandait carrément d'entrer. Pas vrai ?

– Explique ça au juge.

Tandis que Bosch s'éloignait, un des autres types enfermés l'apostropha du bout du couloir.

– Hé ! Et moi, mec ? J'ai besoin d'une clope.

– J'en ai plus, lui répondit Bosch.

– Va te faire foutre !

– Oui, c'est ce que je me disais.

Il entra dans la salle des inspecteurs par la porte du fond. La première chose qu'il fit fut de vérifier que le bureau vitré de Pounds était vide. Le lieutenant assistait à la réunion. Bosch jeta un coup d'œil au portemanteau à l'entrée. Parfait. A lui de jouer. En parcourant l'allée formée par la séparation entre les différentes tables, il échangea des signes de tête avec quelques inspecteurs.

Edgar était assis à sa place habituelle à la table des homicides, en face de son nouveau partenaire qui avait pris l'ancienne chaise de Bosch. En entendant un « Salut, Harry ! » lancé par un inspecteur, Edgar se retourna.

– Hé, Harry, qu'est-ce qui t'amène ?

– Salut, vieux. Je suis juste venu chercher deux ou trois trucs.

Bosch continua vers l'entrée de la salle, où le vieil Henry de la Brigade du sommeil était assis derrière son comptoir à l'accueil. Il était en train de faire des mots croisés et Bosch remarqua que plusieurs coups de gomme avaient décoloré les carrés noirs de sa grille.

– Comment ça va, Henry ? Tu t'en sors avec tes mots croisés ?

– Inspecteur Bosch.

Bosch ôta sa veste et l'accrocha à une branche du portemanteau, à côté d'une veste grise à chevrons. Celle-ci était suspendue à un cintre et Bosch savait qu'elle appartenait à Pounds. Alors qu'il y accrochait sa veste en tournant le dos à Henry et à tous les autres, il glissa subrepticement la main gauche à l'intérieur de la veste grise, en chercha la poche intérieure à tâtons et y piocha l'étui contenant l'insigne de Pounds. Il était sûr de le trouver à cet endroit. Pounds était un être d'habitudes et Bosch l'avait déjà vu ranger son insigne à cette place. Il le glissa dans sa poche de pantalon et se retourna, tandis que Henry continuait de lui parler. Bosch ne connut qu'une brève hésitation en songeant à la gravité de son geste. Voler l'insigne d'un policier était un crime sérieux, mais, pour lui, c'était justement à cause de Pounds qu'il n'avait plus d'insigne. Sur le plan de la moralité, ce que son supérieur lui avait fait était tout aussi condamnable.

– Si vous voulez voir le lieutenant, il est au bout du couloir, en réunion, dit Henry.

– Non, je ne viens pas voir le lieutenant, Henry. En fait, il ne doit même pas savoir que je suis passé. Je ne veux surtout pas faire monter sa tension, si vous voyez ce que je veux dire. Je récupère juste quelques affaires et je fiche le camp, d'accord ?

– Marché conclu. J'ai pas envie qu'il s'énerve, moi non plus.

Bosch n'avait pas à s'inquiéter ; personne dans le bureau ne dirait à Pounds qu'il était venu. Il donna une tape amicale sur l'épaule de Henry en passant derrière lui, scellant ainsi leur accord secret, puis il retourna vers la table des homicides. En le voyant approcher, Burns, qui occupait son siège, se leva.

– Tu as besoin de ta place, Harry ? demanda-t-il.

Bosch crut déceler une certaine nervosité dans sa voix. Il comprenait dans quelle situation difficile se trouvait Burns et n'avait aucune envie de lui compliquer les choses.

– Oui, si ça ne t'ennuie pas. Je me suis dit que je ferais mieux de retirer mes affaires personnelles pour que tu puisses t'installer.

Bosch contourna le bureau et ouvrit le tiroir du milieu. Il y trouva deux boîtes de Junior Mints posées sur des vieux papiers oubliés depuis longtemps.

– Oh, c'est à moi, pardon, dit Burns.

Il récupéra ses deux boîtes de bonbons à la menthe et resta planté à côté du bureau en les tenant contre lui, comme un grand gamin en costume, pendant que Bosch feuilletait ses papiers.

Il faisait tout ça pour la galerie. Pour finir, il prit quelques documents, les glissa dans une enveloppe de papier kraft et montra l'intérieur du tiroir pour faire comprendre à Burns qu'il pouvait remettre ses bonbons.

– Fais gaffe, surtout, Bob.

– Je m'appelle Bill. Gaffe à quoi ?

– Aux fourmis.

Bosch gagna ensuite la rangée de classeurs métalliques qui courait le long du mur et ouvrit un des tiroirs, sur lequel était scotchée sa carte de visite. C'était le troisième en partant du bas, à mi-hauteur, et Bosch savait qu'il était quasiment vide. En tournant le dos à la table des homicides, il sortit alors le porte-insigne de sa poche de pantalon et le déposa dans le tiroir. Puis, les mains toujours plongées dans le tiroir à l'abri des regards, il ouvrit l'étui et en sortit l'insigne doré. Il glissa celui-ci dans sa poche, et l'étui dans une autre poche. Pour donner le change, il sortit un dossier avant de refermer le classeur.

Il se retourna vers Jerry Edgar.

– Voilà, j'ai fini. C'est juste des trucs perso dont je pourrais avoir besoin. Rien de neuf ?

– Non. C'est calme.

De retour devant le portemanteau, il tourna encore une fois le dos à la salle et décrocha sa veste d'une main, tandis que, de l'autre, il sortait l'étui vide de sa poche pour le remettre dans la veste de Pounds. Son affaire faite, il enfila sa veste, dit au revoir à Henry et revint à la table des homicides.

– Bon, je m'en vais, dit-il à Edgar et à Burns en récupérant les deux dossiers qu'il avait sortis. Je ne veux pas que « 98 » pique sa crise en me voyant ici. Bonne chance, les gars.

En repartant, Bosch s'arrêta pour donner une autre cigarette au camé. Le type qui s'était plaint un peu plus tôt n'était plus sur le banc, sinon Bosch lui en aurait donné une à lui aussi.

A l'abri dans sa Mustang, il jeta les dossiers sur la banquette arrière et sortit de sa mallette son porte-insigne vide. Il glissa l'insigne de Pounds à l'emplacement prévu, à côté de sa carte d'identité. Ça fera l'affaire, se dit-il, si personne n'y regarde de trop près. Le mot LIEUTENANT était inscrit en travers de l'insigne. Sur la carte d'identité de Bosch figurait seulement la mention « inspecteur ». C'était une légère différence, sans importance, se dit-il. Et surtout, il y avait de fortes chances pour que Pounds ne remarque pas la disparition de son insigne avant un certain temps. Quittant rarement le poste pour se rendre sur les lieux d'un crime, il était rarement obligé d'ouvrir son étui pour exhiber son insigne. Il était même possible que sa disparition passe inaperçue. Bosch n'aurait qu'à le remettre à sa place quand il n'en aurait plus besoin.

CHAPITRE VINGT ET UN

Bosch finit par se retrouver devant la porte du cabinet de Carmen Hinojos en avance pour sa séance de l'après-midi. Il attendit jusqu'à 15 h 30 précises avant de frapper à la porte. Carmen Hinojos lui sourit lorsqu'il entra et Bosch remarqua que le soleil déjà déclinant projetait un faisceau lumineux sur son bureau. Il se dirigea vers le fauteuil qu'il choisissait habituellement, mais s'arrêta et décida de s'asseoir sur le siège installé à gauche du bureau. Remarquant ce manège, Hinojos le regarda en fronçant les sourcils, comme si elle avait affaire à un élève turbulent.

— Si vous croyez que je fais attention au fauteuil dans lequel vous vous asseyez, vous vous trompez, dit-elle.

— C'est vrai ? Tant mieux.

Il se leva et alla s'asseoir dans l'autre. Il préférait être près de la fenêtre.

— Je ne pourrai sans doute pas venir à la séance de lundi, annonça-t-il une fois assis.

— Pour quelle raison ?

— Je m'absente. Mais j'essaierai de revenir à temps.

— Vous partez ? Et votre enquête ?

— Justement, c'est lié. Je vais en Floride pour retrouver la trace d'un des inspecteurs de l'époque. L'un des deux est mort, l'autre vit maintenant en Floride. Il faut que je lui parle.

— Vous ne pouviez pas l'appeler ?

— Non, je ne veux pas téléphoner. Je ne veux pas qu'il puisse se défiler.

Elle hocha la tête.

— Quand partez-vous ?

— Ce soir. Je prends un vol de nuit pour Tampa.

— Regardez-vous, Harry. Vous avez une tête de zombie. Pourquoi ne pas dormir un peu et prendre un avion demain matin ?

— Non, il faut que je sois là-bas avant l'arrivée du courrier.

— Pourquoi donc ?

— Pour rien. C'est une longue histoire. Bref, je voulais vous demander quelque chose. J'ai besoin de votre aide.

Elle garda le silence un instant. Elle devait se demander jusqu'où elle était disposée à s'aventurer dans des eaux dont elle ne connaissait pas la profondeur.

— De quoi s'agit-il ?

— Vous arrive-t-il d'effectuer des expertises médico-légales pour la police ?

Elle plissa les yeux, ne comprenant pas où il voulait en venir.

— Oui, parfois, répondit-elle. De temps en temps, on m'apporte quelque chose, ou on me demande de dresser le profil psychologique d'un suspect. Mais, généralement, la police utilise des experts affiliés. Des psychiatres qui ont l'expérience de ce genre de choses.

— Mais vous êtes déjà allée sur des lieux où des crimes ont été commis ?

— En fait, non. J'ai seulement travaillé à partir de photos qu'on m'apportait.

— Parfait.

Il posa sa mallette sur ses genoux et l'ouvrit. Il en sortit l'enveloppe retrouvée dans le dossier d'homicide, celle qui contenait les photos prises sur les lieux du crime et les clichés d'autopsie. Il la déposa délicatement sur le bureau.

— Ce sont les photos de l'affaire. Je refuse de les regarder. Je ne peux pas. Mais j'ai besoin que quelqu'un me dise ce qu'il y a dessus. Elles n'ont sans doute aucun intérêt, mais je voudrais avoir un avis. L'enquête menée par ces deux inspecteurs à l'époque… Disons qu'il n'y a pas eu de véritable enquête.

— Oh, Harry, dit Hinojos en secouant la tête. Je ne suis pas certaine que ce soit une bonne idée. Pourquoi moi ?

— Parce que vous êtes au courant de ce que je fais. Et parce que j'ai confiance en vous. Je ne peux faire confiance à personne d'autre.

— Me feriez-vous confiance si mon éthique professionnelle ne m'interdisait pas de révéler ce que nous nous disons ?

Bosch l'observa.

— Je ne sais pas, avoua-t-il enfin.

— C'est bien ce que je pensais.

Elle fit glisser l'enveloppe vers le bord du bureau.

– Mettons ça de côté pour l'instant et reprenons notre séance. Il faudra que je réfléchisse.

– Je vous laisse les photos. Mais vous me tiendrez au courant, d'accord ? Je voudrais avoir votre sentiment. En tant que psychiatre et en tant que femme.

– Nous verrons.

– De quoi voulez-vous parler ?

– Où en êtes-vous dans votre enquête ?

– S'agit-il d'une question professionnelle, docteur ? Ou est-ce de la simple curiosité ?

– C'est vous qui m'intéressez. Et qui m'inquiétez, aussi. Je continue à me demander si tout ça n'est pas dangereux pour vous, psychologiquement et physiquement. Vous fourrez votre nez dans la vie de personnes influentes. Et je me retrouve coincée au milieu. Je sais ce que vous faites, mais je suis quasiment incapable de vous en empêcher. En outre, j'ai peur d'avoir été piégée.

– Piégée ?

– Vous m'avez entraînée dans cette histoire. Je parie que vous aviez l'intention de me montrer ces photos dès le jour où vous m'avez parlé de votre enquête.

– C'est exact. Mais il ne s'agissait pas d'un piège. Je pensais que dans ce bureau je pouvais parler de n'importe quoi. N'est-ce pas ce que vous m'avez dit ?

– D'accord, vous ne m'avez pas piégée. Disons que vous m'avez menée par le bout du nez. J'aurais dû vous voir venir. Mais continuons. J'ai envie qu'on parle de l'aspect émotionnel de votre démarche. Je veux savoir pourquoi le fait de retrouver ce meurtrier est devenu si important à vos yeux après tout ce temps ?

– C'est évident, non ?

– Expliquez-moi quand même.

– Impossible. Je ne peux pas expliquer ça avec des mots. Je sais seulement que, pour moi, tout a changé après la disparition de ma mère. J'ignore ce qui se serait passé si on ne l'avait pas arrachée à moi, mais… tout a changé.

– Comprenez-vous ce que vous dites et ce que ça signifie ? Vous voyez votre vie comme deux parties séparées. La première, c'est celle avec votre mère, et vous semblez l'entourer d'une aura de bonheur qui, j'en suis sûre, n'était pas toujours présente. La seconde, c'est votre vie après, une vie qui, de votre propre aveu, n'a pas tenu ses promesses, ou qui vous laisse insatisfait, d'une certaine façon. Je pense que vous êtes malheureux depuis longtemps, sans doute même depuis toujours. Votre récente relation amoureuse a peut-être été un rayon de soleil, mais vous restiez malgré tout, et vous avez toujours été, un homme malheureux.

Elle marqua une longue pause, mais Bosch ne dit rien. Il savait qu'elle n'avait pas terminé.

– Peut-être les traumatismes de ces dernières années, tant sur le plan personnel qu'au niveau plus large de votre communauté, vous ont fait prendre conscience de vous-même. Et je crains que vous ayez le sentiment, inconsciemment ou pas, de pouvoir, en revenant en arrière et en rendant une forme de justice à votre mère, redresser le cours de votre vie. Et c'est là que réside le problème, Harry. Quelle que soit l'issue de votre enquête, ça ne changera pas les choses. Rien ne peut les changer.

– Êtes-vous en train de me dire que je ne peux pas reprocher au passé ce que je suis devenu aujourd'hui ?

– Écoutez-moi, Harry. Je dis simplement que vous êtes la somme de plusieurs éléments, pas d'un seul. C'est comme un jeu de dominos. Plusieurs pièces différentes doivent s'assembler pour qu'on puisse arriver au bout, là où vous êtes maintenant. On ne passe pas directement du premier domino au dernier.

– Autrement dit, je devrais abandonner. Tout laisser tomber.

– Je ne dis pas ça non plus. Mais j'ai du mal à voir quels bénéfices émotionnels ou thérapeutiques vous pouvez espérer en tirer. A vrai dire, il est même possible que vous vous fassiez plus de mal que de bien. Ce que je vous dis a-t-il un sens pour vous ?

Il se leva et gagna la fenêtre. Il regarda dehors sans que son cerveau enregistre ce qu'il voyait. Il sentait la chaleur du soleil sur sa peau, à travers le carreau. Il parla sans se retourner.

– Je ne sais plus ce qui a du sens. Mais je sais qu'à tous les niveaux ma démarche semble en prendre. En fait, j'éprouve… J'ignore quel est le mot exact… de la honte, peut-être. Oui, j'ai honte de ne pas avoir fait ça depuis longtemps. Un tas d'années se sont écoulées sans que je fasse rien. J'ai l'impression d'avoir laissé tomber ma mère… et moi aussi par la même occasion.

– C'est compré…

– Vous vous rappelez ce que je vous ai dit le premier jour ? Tout le monde compte ou personne ne compte. Eh bien, pendant long-temps ma mère n'a pas compté. Pour personne. Ni pour la police, ni pour la société, ni même pour moi. Je dois l'avouer, pas même pour moi. Et puis j'ai ouvert ce dossier et j'ai vu qu'on avait ignoré sa mort. Que d'une certaine façon on l'avait enterrée, comme moi je l'avais fait aussi. Quelqu'un l'a assassinée parce qu'elle ne comptait pas. Parce qu'il pouvait le faire sans être inquiété. Et quand je pense à tout ce temps pendant lequel je n'ai rien fait… ça me donne envie de… je ne sais pas… de me cacher le visage dans mes mains, par exemple.

Il s'interrompit, incapable de dire ce qu'il ressentait avec des mots. Baissant les yeux vers la rue, il constata qu'il n'y avait plus de canards à l'étal de la boucherie.

— Vous savez, ajouta-t-il, elle était ce qu'elle était mais, parfois, je me dis que je ne méritais même pas ça…

Il resta debout devant la fenêtre sans regarder Hinojos. Celle-ci attendit un long moment avant de reprendre la parole :

— A ce stade, je devrais sans doute vous dire que vous êtes trop dur avec vous-même, mais je suppose que ça ne servirait pas à grand-chose.

— Non, en effet.

— Vous voulez bien revenir vous asseoir ? S'il vous plaît ?

Il s'exécuta. Lorsqu'il fut assis, leurs regards se croisèrent. Hinojos parla la première.

— Ce que j'aimerais vous expliquer, c'est que vous mélangez tout. Vous mettez la charrue avant les bœufs, comme on dit. Vous ne devez pas vous sentir coupable si cette affaire a été étouffée. Premiè-rement, vous n'aviez rien à voir là-dedans ; et, deuxièmement, vous ne l'avez découvert qu'en lisant le dossier cette semaine.

— Vous ne comprenez pas ? Pourquoi ne l'ai-je pas lu avant ? Je ne suis pas un bleu, ça fait vingt ans que je suis dans la police. J'aurais dû fourrer mon nez dans cette histoire bien avant. D'accord, je ne connaissais pas les détails, mais… et après ? Je savais qu'on l'avait assassinée et que personne n'avait jamais rien fait. C'aurait dû me suffire.

— Réfléchissez, Harry. D'accord ? Dans l'avion, cette nuit, pensez à tout ça. Vous vous êtes lancé dans une noble cause, mais vous devez prendre des précautions pour éviter d'aggraver votre état. La vérité, c'est que le jeu n'en vaut pas la chandelle. Ça ne vaut pas le prix que vous risquez de payer.

— Ça n'en vaut pas la peine ? Il y a un meurtrier en liberté ! Il croit s'en être tiré. Cela fait des années qu'il le croit. Des dizaines d'années, même. Mais je vais y remédier.

— Vous ne comprenez pas ce que je vous dis. Je ne cherche pas à défendre un coupable, et surtout pas un meurtrier. C'est de vous que je parle. C'est votre état qui me préoccupe. Il existe une règle de base dans la nature. Jamais aucune créature vivante ne se sacrifie ou ne se fait souffrir inutilement. On appelle ça l'instinct de survie et je crains que ce que vous avez vécu ne l'ait émoussé. Peut-être êtes-vous en train de le balancer par-dessus les moulins en menant cette quête sans vous préoccuper de ce qui peut vous arriver, tant sur le plan émotionnel que physique. Je ne veux pas vous voir souffrir.

Elle reprit sa respiration. Bosch garda le silence.

– Je l'avoue, reprit-elle, cette histoire me rend nerveuse. Je n'ai jamais eu à faire face à pareille situation et ça fait pourtant neuf ans que je reçois des policiers dans ce cabinet.

– Ah, oui, dit Bosch avec un sourire, j'ai une mauvaise nouvelle pour vous. Je me suis pointé à une fête organisée chez Mittel, hier soir. Je crois que je lui ai foutu la trouille. En tout cas, moi, je me suis bien fait peur.

– Merde !

– C'est un nouveau terme de psychiatrie ? Je ne connaissais pas.

– Je ne trouve pas ça drôle. Pourquoi avez-vous fait ça ?

Il réfléchit.

– Je ne sais pas. Disons que j'ai agi sur un coup de tête. Je passais devant chez lui en voiture, il y avait une fête… Je ne sais pas, mais.. ça m'a mis hors de moi. Qu'il s'amuse alors que ma mère…

– Lui avez-vous parlé de l'affaire ?

– Non. Je ne lui ai même pas donné mon nom. Nous nous sommes affrontés verbalement quelques minutes, mais je lui ai laissé un petit souvenir. Vous vous rappelez la coupure de journal que je vous ai montrée mercredi ? Je la lui ai laissée. Et j'ai vu qu'il la lisait. Je crois avoir touché une corde sensible.

Hinojos laissa échapper un grand soupir.

– Essayez donc de sortir de vous-même pour regarder les choses en face… si vous en êtes capable. Vous trouvez que c'était intelligent de débarquer là-bas, comme ça ?

– J'y ai déjà réfléchi. Non, ce n'était pas intelligent. C'était même une erreur. Il va certainement prévenir Conklin. Et ils sauront que quelqu'un s'intéresse à eux. Ils vont resserrer les rangs.

– Vous voyez, ça confirme ce que je disais. Promettez-moi de ne plus commettre ce genre de gestes insensés.

– Je ne peux pas.

– Dans ce cas, je suis obligée de vous dire qu'une relation patient-médecin peut être brisée si le thérapeute estime que son patient représente un danger pour lui-même ou pour les autres. J'ai dit que j'étais quasiment incapable de vous empêcher d'agir. Ce n'est pas tout à fait vrai.

– Vous pourriez en parler à Irving, c'est ça ?

– Oui, si j'ai le sentiment que vous agissez de manière inconsidérée.

Bosch sentit monter sa colère. Cette femme le tenait en son pouvoir ; elle pouvait contrôler tout ce qu'il faisait. Il ravala sa fureur et leva les mains en signe de reddition.

– Très bien, dit-il. Je ne ferai plus irruption dans les soirées privées.

– Non. Ça ne suffit pas. Je veux que vous vous teniez à l'écart de ces hommes qui, selon vous, sont impliqués dans cette histoire.

– Je vous promets de ne plus m'approcher d'eux… tant que je n'aurai pas toutes les cartes en main.

– Je parle sérieusement.

– Moi aussi.

– Je l'espère.

Ils restèrent silencieux pendant presque une minute après cet échange. On décompressait. Hinojos remua légèrement sur son siège, sans regarder Bosch. Elle réfléchissait à ce qu'elle allait lui dire.

– Reprenons, dit-elle enfin. Vous avez remarqué que toute cette histoire, votre quête, a totalement éclipsé la raison de votre présence ici ?

– Oui, je sais.

– Conclusion : je suis obligée de prolonger ma période d'évaluation.

– Ça m'est égal, maintenant. J'ai besoin de cette mise en congé pour faire ce que vous savez.

– Parfait. Du moment que vous êtes heureux, dit-elle d'un ton sarcastique. Mais revenons-en à l'incident qui vous a conduit ici. L'autre jour, vous êtes resté très évasif et succinct pour décrire ce qui s'était passé. Je comprends pourquoi. Nous devions d'abord nous jauger mutuellement. Mais nous avons dépassé ce stade, il me semble. J'aimerais avoir un récit plus complet. Vous avez bien dit que c'était le lieutenant Pounds qui avait tout déclenché ?

– C'est exact.

– De quelle façon ?

– Premièrement, Pounds est chef des inspecteurs alors qu'il n'a jamais été inspecteur lui-même. Oh, techniquement parlant, il a sans doute passé quelques mois dans une brigade pour pouvoir l'inscrire sur son C.V., mais c'est surtout un gestionnaire. Ce qu'on appelle un Robocrate…, un bureaucrate avec un insigne de flic. Il n'y connaît absolument rien en matière d'enquêtes. La seule chose qu'il sache faire, c'est rayer les affaires les unes après les autres sur le petit tableau accroché dans son bureau. Il est incapable de faire la différence entre l'interrogatoire d'un témoin et celui d'un suspect. Mais peu importe… après tout, la police est pleine de gens comme lui. Qu'ils fassent leur boulot et me laissent faire le mien. Malheureusement, Pounds ne connaît pas ses limites. Ce n'est pas la première fois que ça pose des problèmes. Que ça provoque des conflits. Et, finalement, cela a provoqué l'incident, comme vous dites.

– Qu'a-t-il fait ?

– Il a touché à mon suspect.

– Expliquez-moi.

– Quand vous arrêtez un suspect dans le cadre d'une enquête, il est à vous, entièrement. Personne ne s'approche de lui, vous comprenez ? Un mot de travers, une question de trop, ça peut tout faire foirer. C'est une règle de base : on ne touche pas au suspect de quelqu'un d'autre. Peu importe qu'on soit lieutenant ou capitaine. Avant de se mêler d'une affaire, on en réfère à l'inspecteur qui tient les rênes.

– Que s'est-il passé ?

– Comme je vous le disais l'autre jour, mon collègue Edgar et moi avions arrêté un suspect. Une femme avait été assassinée. Une de ces prostituées qui passent des annonces dans les journaux minables qu'on trouve dans le Boulevard. Un type la fait venir dans un motel miteux de Sunset, elle couche avec lui et on la retrouve poignardée. Voilà l'histoire, en résumé. La fille a été poignardée dans le haut de la poitrine, du côté droit. Le type la joue cool. Il appelle les flics et leur raconte que le couteau appartenait à la fille et que c'est elle qui a essayé de le braquer. Il aurait détourné l'arme et l'aurait plantée dans la fille. Légitime défense. C'est à ce moment-là qu'Edgar et moi, on débarque et remarque tout de suite des trucs qui clochent.

– Par exemple ?

– D'abord, la fille est beaucoup plus petite que lui. Je la vois mal attaquer ce type avec un couteau. Et il y a l'arme elle-même. C'est un couteau-scie à viande d'une quinzaine de centimètres. Alors qu'elle avait juste un petit sac à main sans lanière ?

– Une pochette.

– Oui, voilà. Bref, le couteau ne tenait pas à l'intérieur. D'où la question : comment l'avait-elle apporté ? Comme on dit vulgairement, ses vêtements étaient encore plus moulants que les capotes dans son sac ; elle ne pouvait donc pas le cacher sur elle. Et ce n'est pas tout. Si elle avait eu l'intention de dévaliser ce type, pourquoi commencer par coucher avec lui ? Pourquoi ne pas sortir le couteau, lui piquer son fric et foutre le camp ? D'après le type, ils ont fait l'amour et ce n'est qu'après qu'elle l'a agressé, ce qui explique pourquoi elle était nue. Mais, évidemment, cela pose une autre question. Pourquoi aurait-elle attaqué le type en étant nue ? Vous vous voyez fuir dans cette tenue ?

— Donc, cet homme mentait.

— Ça paraissait clair, mais attendez… vous ne savez pas tout. Dans le sac de la fille, dans sa pochette, on a retrouvé un bout de papier sur lequel elle avait noté le nom du motel et le numéro de la chambre et c'était une écriture de droitière. Or, comme je vous le disais, la victime avait été poignardée en haut de la poitrine, du côté droit. Donc, ça ne colle pas. Si elle l'avait attaqué, elle aurait tenu le couteau dans la main droite. Et si le type avait retourné l'arme contre elle, comme il l'affirmait, la blessure aurait été du côté gauche de la poitrine, pas du côté droit.

Bosch fit mine de se poignarder la poitrine avec la main droite pour montrer combien ce geste était difficile à exécuter.

— Bref, il y avait un tas de trucs qui clochaient, reprit-il. Le coup de couteau avait été donné de haut en bas, ce qui ne collait pas si c'était la fille qui tenait l'arme. Le coup aurait été porté de bas en haut.

Hinojos acquiesça pour montrer qu'elle comprenait.

— Mais il y avait un hic, ajouta Bosch. Nous n'avions aucun indice matériel pour contredire la version du type. Absolument rien. Uniquement la certitude que les choses ne s'étaient pas passées comme il l'affirmait. La blessure ne suffisait pas. En plus, le couteau plaidait en faveur du type. Il était posé sur le lit. On distinguait nettement des empreintes dans le sang. Et j'aurais parié que c'étaient celles de la victime. Ce n'était pas difficile à faire une fois qu'elle était morte. Je n'étais pas dupe, mais ça ne comptait pas. Ce qui comptait, c'était l'opinion du procureur et celle du jury ensuite. Le bénéfice du doute est un gigantesque trou noir qui engloutit ce genre d'affaires. Il nous fallait des preuves.

— Que s'est-il passé ?

— C'était ce qu'on appelle un « il-dit/elle-dit ». La parole de l'un contre la parole de l'autre, sauf que l'autre était morte. Ce qui compliquait les choses. Nous n'avions que la version du type. Que fait-on dans ce genre de cas ? On fait cracher le gars. On le fait craquer. Et il y a des tas de façons d'y arriver. Généralement, il faut commencer par l'enfermer dans une des salles. Après...

— Quelles salles ?

— Les salles d'interrogatoire. Au poste. C'est ce qu'on a fait. On a mis le type dans une pièce. Mais on ne l'a pas arrêté officiellement. On lui a demandé de passer nous voir, histoire de vérifier quelques derniers détails, il a dit oui, pas de problème. Très coopératif, toujours très cool. On l'a collé dans une salle et on est descendu au poste de garde pour se boire un bon café. Ils ont toujours du bon café au poste. Le propriétaire d'un restaurant détruit par le tremblement de terre nous a filé une grosse machine à café. Tout le monde y va pour boire un bon café. Bref, on prenait notre temps, on mettait au point notre tactique : lequel de nous deux l'interrogerait le premier et ainsi de suite. Pendant ce temps-là, cet enculé de Pounds — pardonnez-moi — aperçoit notre type dans la salle d'interrogatoire, et voilà qu'il entre pour l'informer. Et...

— L'informer ? C'est-à-dire ?

— Lui lire ses droits, si vous préférez. Ce type est notre témoin et Pounds, qui ne comprend rien à ce qui se passe, décide de foutre son grain de sel dans l'affaire et de lui débiter son laïus. Comme si on avait oublié de le faire, ou je ne sais quoi.

Bosch regardait Hinojos d'un air scandalisé, mais il vit immédiatement qu'elle ne comprenait pas.

— Il ne fallait pas ? demanda-t-elle. La loi n'oblige-t-elle pas à informer les gens de leurs droits ?

Bosch s'obligea à contenir sa colère. Certes, Hinojos travaillait pour la police, mais elle ne connaissait pas l'intérieur des choses. Sa perception du travail de la police reposait plus sur ce qu'en disaient les médias que sur la réalité.

— Laissez-moi vous expliquer rapidement ce qu'est la loi et ce qu'est la réalité. Nous, les flics, on a toutes les règles du jeu contre nous. A cause du code Miranda et de tous les autres règlements, on est obligés de se pointer devant un type que l'on sait ou, du moins, que l'on croit coupable, et de lui dire, en gros : « Écoutez, on pense que vous avez fait le coup et la Cour suprême et tous les avocats de la planète vous conseilleraient de la boucler, mais vous ne voulez pas nous dire deux ou trois trucs ? » Désolé, mais ça ne marche pas. Il faut contourner tout ça. Il faut utiliser la ruse, le bluff et manœuvrer en douce. Les règlements de la justice sont comme une corde raide sur laquelle on avance. Il faut faire vachement gaffe où on met les pieds, mais on a une chance d'arriver de l'autre côté. Bref, quand un connard qui n'y connaît rien vient foutre sa merde, ça peut vous pourrir la journée, sans parler du dossier.

Bosch s'arrêta pour observer Hinojos. Il lisait encore le scepticisme sur son visage. Il comprit qu'il avait devant lui un de ces nombreux citoyens qui trembleraient de peur si on leur donnait un simple aperçu de ce qui se passe vraiment dans la rue.

– Quand un suspect est informé de ses droits, c'est fini, expliqua-t-il encore. Foutu. Toujours est-il qu'Edgar et moi, on est remontés voir le type après le café, et voilà qu'il nous annonce qu'il veut parler à son avocat. Je lui dis : « Quel avocat ? Qui vous parle d'avocat ? Vous êtes témoin, pas suspect », et lui, il nous sort que le lieutenant vient de lui lire ses droits. Je dois dire qu'à ce moment-là je n'ai plus trop su qui je détestais le plus, de Pounds qui avait tout foutu en l'air, ou de ce type qui avait tué la fille.

– Dites-moi un peu… Que se serait-il passé si Pounds n'était pas intervenu ?

– On aurait fait copain-copain avec le type et on lui aurait demandé de nous raconter son histoire avec le maximum de détails, en espérant y repérer des contradictions par rapport à ce qu'il avait raconté aux agents. Puis on lui aurait dit : « Les contradictions de votre récit font de vous un suspect. » Ce n'est qu'à ce moment-là qu'on lui aurait lu ses droits, en espérant lui faire cracher le morceau en le mettant en face de ses incohérences et des indices relevés sur place. C'est comme ça qu'on aurait essayé, et peut-être même réussi, à lui soutirer des aveux. En fait, il s'agit surtout d'inciter les gens à parler. Ce n'est pas ce qu'on voit à la télé. C'est cent fois plus brutal et ignoble. Mais notre métier, comme le vôtre, c'est de faire parler les gens… Enfin, c'est mon point de vue. En tout cas, on ne saura jamais ce qui aurait pu arriver et ça, c'est à cause de Pounds.

– Que s'est-il passé ensuite… quand vous avez appris que le suspect avait été informé de ses droits ?

– Je suis ressorti et je suis allé voir directement Pounds dans son bureau. Il a compris qu'il y avait un problème car il s'est levé en me voyant. Je m'en souviens bien. Je lui ai demandé s'il avait lu ses droits à mon suspect et c'est quand il m'a répondu oui que la dispute a éclaté. On gueulait tous les deux… Après, je ne me rappelle plus très bien comment ça s'est passé. Je n'essaie pas de me défiler. Sincèrement, je ne me souviens pas des détails. J'ai dû le prendre au collet et le pousser. C'est comme ça qu'il a traversé la vitre avec sa tête.

– Et qu'avez-vous fait après ?

– Des gars sont arrivés en courant et m'ont fait sortir du bureau. Le capitaine m'a renvoyé chez moi. Pounds a dû aller à l'hôpital pour son nez. Les Affaires internes ont recueilli sa déposition et j'ai été suspendu. Sur ce, Irving est intervenu et a transformé la sanction en congé temporaire pour cause de surmenage.

– Et votre affaire, qu'est-elle devenue ?

– Le type n'a jamais avoué. Il a réclamé un avocat et a attendu que ça se passe. Edgar est allé trouver le procureur, vendredi dernier, avec les éléments dont on disposait, et il s'est fait envoyer sur les roses. Ils n'ont pas voulu aller devant un tribunal avec une affaire sans témoin et juste quelques incohérences... Les empreintes de la fille étaient sur le couteau. Tu parles d'une surprise ! La vérité, c'est que cette fille ne compte pas. Pas assez, du moins, pour que le procureur prenne le risque de perdre un procès.

Ils gardèrent tous les deux le silence. Bosch se dit qu'elle devait penser aux points communs entre cette affaire et le meurtre de sa mère.

– Résultat des courses, reprit-il, on se retrouve avec un meurtrier en liberté, et le type qui lui a permis de s'en tirer a repris sa place derrière son bureau. Le carreau brisé a été remplacé, la vie a repris son cours. C'est ça, le système. Ça m'a rendu dingue et regardez où j'en suis maintenant. Je suis sur la touche et je vais peut-être perdre mon boulot.

Le Dr Hinojos se racla la gorge avant de se lancer dans son commentaire :

– Compte tenu des circonstances que vous venez de m'exposer, il n'est pas difficile de comprendre votre colère. Mais cela n'explique pas la violence de votre réaction. Connaissez-vous l'expression « folie passagère » ?

Bosch secoua la tête.

– C'est une façon de décrire un violent coup de colère qui trouve son origine dans toutes les pressions subies par un individu. La tension s'accumule, puis elle se libère tout à coup, de manière brève et généralement brutale, souvent sur une cible qui n'est pas l'unique responsable de la tension.

– Si vous attendez que je dise que Pounds était une victime innocente, n'y comptez pas.

– Ce n'est pas ce que je vous demande. Je vous demande simplement d'analyser la situation et la façon dont cela a pu se produire.

– Je n'en sais rien. Ce sont des choses qui arrivent.

– Quand vous agressez quelqu'un physiquement, n'avez-vous pas l'impression de vous rabaisser au niveau de ce meurtrier qui a été libéré ?

– Non, absolument pas, docteur. Je vais vous dire une bonne chose : vous pouvez prendre tous les éléments de ma vie, y ajouter les tremblements de terre, les incendies, les inondations, les émeutes, et même le Vietnam, quand je me suis retrouvé avec Pounds dans cette pièce de verre, plus rien de tout ça n'avait d'importance. Appelez ça un coup de folie ou ce que vous voulez. Parfois, il n'y a que l'instant qui compte et, à cet instant-là, j'ai fait ce que je devais faire. Et si ces séances ont pour but de me persuader que j'ai mal agi, laissons tomber. L'autre jour, Irving m'a coincé dans le couloir et m'a demandé d'envisager de faire des excuses. Qu'il aille au diable ! J'ai fait ce que je devais faire.

Hinojos acquiesça et changea de position dans son fauteuil. Elle paraissait plus mal à l'aise que durant la longue diatribe de Bosch. Finalement, elle regarda sa montre, puis elle leva les yeux vers Bosch. Le temps imparti était écoulé.

– Eh bien, dit-il, ai-je fait reculer la cause de la psychothérapie d'un siècle ?

– Non, pas du tout. Plus on connaît quelqu'un et plus on connaît une histoire, mieux on comprend comment les choses se passent. C'est pour ça que j'aime mon métier.

– Moi aussi.

– Avez-vous reparlé au lieutenant Pounds depuis l'incident ?

– Je l'ai vu en allant rendre les clés de ma voiture. Il me l'a retirée. Je suis entré dans son bureau et il a failli devenir hystérique. C'est un homme tout petit, et je crois qu'il le sait.

– C'est souvent le cas.

Bosch se pencha en avant. Il était prêt à se lever et à partir lorsqu'il remarqua l'enveloppe qu'elle avait poussée sur le bord du bureau.

– Et pour les photos ? demanda-t-il.

– Je savais que vous m'en reparleriez avant de partir.

Elle regarda l'enveloppe en fronçant les sourcils.

– J'ai besoin d'y réfléchir, dit-elle. A plusieurs niveaux. Puis-je les garder pendant que vous serez en Floride ou en aurez-vous besoin ?

– Vous pouvez les garder.

CHAPITRE VINGT-DEUX

A 4 h 40 du matin, heure californienne, le gros-porteur atterrit à l'aéroport international de Tampa. Les traits tirés et les yeux vitreux, Bosch colla son nez au hublot pour voir pour la première fois le soleil se lever dans le ciel de la Floride. Tandis que l'avion roulait sur la piste jusqu'à son terminal, il ôta sa montre et avança les aiguilles de trois heures. Il était tenté de prendre une chambre dans le motel le plus proche afin de vraiment dormir, mais il n'en avait pas le temps. D'après la carte routière qu'il avait apportée, il avait au moins deux heures de route à faire pour arriver à Venice.

– Ça fait du bien de voir un ciel bleu.

C'était la femme assise à côté de lui qui avait parlé. Penchée vers lui, elle regardait, elle aussi, par le hublot. Elle avait dans les quarante-cinq ans et des cheveux prématurément gris, presque blancs. Bosch avait un peu bavardé avec elle au début du voyage et savait que, contrairement à lui qui était en visite, elle revenait chez elle. Elle avait donné cinq ans de sa vie à Los Angeles et n'en pouvait plus. Elle rentrait dans son pays. Bosch ne lui avait pas demandé si elle venait y retrouver quelqu'un, mais il était curieux de savoir si ses cheveux étaient déjà blancs quand elle avait atterri à Los Angeles cinq ans plus tôt.

– Oui, dit-il, ces vols de nuit paraissent interminables.

– Non, je parlais du smog. Ici, il n'y en a pas.

Il la regarda, puis se tourna de nouveau vers le hublot pour observer le ciel.

– Pas encore, dit-il.

Mais elle avait raison. Le ciel était d'un bleu qu'il avait rarement vu à Los Angeles. Parsemé de petits cumulus blancs qui flottaient comme des rêves dans la haute atmosphère, il avait la couleur des piscines.

L'avion se vida lentement. Bosch attendit que tout le monde soit descendu, puis il se leva et exécuta quelques mouvements de rotation du bassin et des épaules pour se détendre. Ses vertèbres craquèrent comme des dominos qui tombent l'un sur l'autre. Après avoir récupéré son fourre-tout dans le porte-bagages au-dessus de sa tête, il descendit à son tour.

A peine avait-il quitté l'appareil et posé le pied sur la piste que la moiteur l'enveloppa comme une serviette humide et chaude. Il s'empressa de rejoindre le terminal climatisé et décida de renoncer à son projet de louer une décapotable.

Une demi-heure plus tard, il roulait sur l'autoroute 275 qui traverse Tampa Bay à bord d'une autre Mustang de location. Les vitres étaient fermées et l'air conditionné branché ; malgré tout, il transpirait abondamment car son organisme ne s'était pas encore habitué à l'humidité.

Il fut surtout frappé par l'aspect monotone et plat du paysage qui l'entourait. Pendant quelque quarante-cinq minutes de route il n'aperçut pas le moindre relief, jusqu'à ce que surgisse la montagne de béton et d'acier du Skyway Bridge. Il savait que ce pont fortement incliné qui enjambait l'embouchure de la baie avait été construit pour remplacer celui qui s'était écroulé, mais il le traversa sans crainte, et en dépassant la vitesse autorisée. Après tout, il venait de Los Angeles, la ville qui avait résisté au séisme et où la vitesse autorisée officieusement sous les ponts et les passerelles se situait largement à droite sur le compteur.

Après le pont, l'autoroute rejoignait la 75 et, comme il l'avait prévu, Bosch atteignit Venice deux heures après avoir atterri. En roulant sur la Tamiami Trail, il dut lutter contre la fatigue pour ne pas céder à l'appel des petits motels aux couleurs pastel disséminés sur le bord de la route. Il continua courageusement son chemin, en quête d'une boutique de souvenirs et d'une cabine téléphonique.

Il trouva l'une et l'autre au centre commercial de Coral Reef. La boutique « Chez Tacky, cadeaux et cartes » n'ouvrait qu'à 10 heures, soit dans cinq minutes. Bosch se dirigea vers le téléphone fixé sur le mur extérieur couleur sable du centre commercial et chercha dans l'annuaire l'adresse du bureau de poste. Comme il y en avait deux en ville, il dut sortir son carnet pour vérifier le code postal de Jake McKittrick. Il appela ensuite un des deux bureaux et apprit que le numéro de code qu'il possédait correspondait à l'autre poste. Il remercia l'employée et raccrocha.

Lorsque la boutique de cadeaux ouvrit ses portes, Bosch se rendit directement au rayon papeterie, choisit une carte d'anniversaire dans une enveloppe rouge vif et paya tout de suite, sans même lire le contenu de la carte. Il prit aussi un plan de la ville sur le présentoir devant la caisse et posa le tout sur le comptoir.

– C'est une très jolie carte, dit la femme âgée qui tenait la caisse. Je suis sûre qu'elle va l'adorer.

Ses gestes étaient d'une telle lenteur – c'était à croire qu'elle se déplaçait sous l'eau – que Bosch eut envie de tendre le bras par-dessus le comptoir pour enfoncer lui-même les touches de la caisse enregistreuse et accélérer le mouvement.

De retour dans la Mustang, il glissa la carte dans l'enveloppe, sans même la signer, la cacheta et y porta le nom de McKittrick et son numéro de poste restante. Puis il démarra et reprit la route.

Il lui fallut un quart d'heure, avec l'aide du plan, pour trouver le bureau de poste de West Venice Avenue. Celui-ci était quasiment vide. Un vieil homme, debout devant une table, écrivait lentement une adresse sur une enveloppe, tandis que deux femmes âgées faisaient la queue à un guichet. Bosch vint se placer derrière elles et constata que, partout où il allait, il croisait des personnes du troisième âge… et il n'était en Floride que depuis quelques heures. Ça correspondait bien à ce qu'il avait toujours entendu dire.

Balayant les lieux du regard, il remarqua la caméra vidéo de surveillance fixée au mur derrière les guichets. Compte tenu de son emplacement, elle servait surtout à filmer les clients et d'éventuels voleurs plutôt qu'à surveiller les employés, même si les guichets étaient certainement dans le cadre, eux aussi. Bosch ne se laissa pas démonter. Sortant un billet de dix dollars de sa poche, il le plia soigneusement et le glissa sous l'enveloppe rouge. Il compta ensuite sa petite monnaie et ne garda que le montant exact dans sa main. L'attente lui parut effroyablement longue tandis que l'unique employé s'occupait des deux clientes.

– Suivant !

C'était Bosch. Il s'approcha du guichet. L'employé avait une soixantaine d'années et une barbe toute blanche. Il avait aussi quelques kilos de trop, et Bosch trouva son teint trop rougeaud. Comme s'il était en colère.

– Je voudrais un timbre, s'il vous plaît, dit-il en déposant la monnaie et l'enveloppe sur le comptoir.

Le billet de dix dollars était plié dessus. Le postier fit comme s'il ne l'avait pas vu.

— Dites-moi, reprit Bosch. A-t-on déjà distribué le courrier dans les casiers ?

— On est en train de le faire.

Il tendit un timbre à Bosch et rafla la monnaie sur le comptoir sans toucher à la lettre, ni au billet de dix dollars.

— Ah bon ?

Bosch prit l'enveloppe, lécha le timbre et le colla dessus. Et reposa l'enveloppe sur le billet. Certain que le postier avait observé ses gestes.

— Zut. Je voulais absolument envoyer ça à mon oncle Jake. C'est son anniversaire, aujourd'hui. Il n'y a pas quelqu'un qui pourrait aller porter la carte dans son casier ? Comme ça, il l'aurait en venant chercher son courrier. Je pourrais la lui porter moi-même, mais il faut que je retourne au boulot.

Bosch fit glisser l'enveloppe avec le billet de dix dollars dessous sur le comptoir, vers la barbe blanche.

— Je vais voir ce que je peux faire, dit le postier.

Il se déplaça vers la gauche et se tourna légèrement, cachant ainsi la transaction à la caméra de surveillance. D'un geste fluide, il prit l'enveloppe et le billet. Rapidement, il transféra le billet dans son autre main, qui plongea dans sa poche.

— Je reviens tout de suite ! lança-t-il aux clients qui faisaient la queue.

De retour dans le hall du bureau de poste, Bosch trouva la Boîte 313 et regarda à l'intérieur à travers la minuscule plaque de verre. L'enveloppe rouge était bien là, avec deux autres de couleur blanche. L'une d'elles étant renversée, l'adresse de l'expéditeur y apparaissait en partie.

> Municipalité de
> Services de Po
> Boîte Pos
> Los Ang
> 90021-3

Bosch était quasiment certain que l'enveloppe contenait le chèque de McKittrick. Il était arrivé juste à temps. Il ressortit du bureau de poste, alla acheter deux cafés et une boîte de doughnuts à l'épicerie d'à côté et regagna la Mustang pour attendre sous la chaleur grandissante. On n'était pas encore en mai. Il n'osait pas imaginer à quoi ressemblait l'été.

Fatigué de surveiller la porte du bureau de poste, Bosch alluma la radio. Celle-ci était réglée sur une station qui diffusait le délire d'un évangéliste au fort accent du Sud. Il fallut plusieurs secondes à Bosch pour comprendre que le prédicateur évoquait le tremblement de terre de Los Angeles. Il décida de ne pas changer de station.

« Et je vous le demaaande, est-ce une coïncidence si cette calaaamité cataaa-clysmique s'est abaaaattue sur le cœur même de l'industrie qui submerge tout notre pays sous la booooue de la pornographie ? Non, je ne le crooois pas ! Je crooois que notre Seigneur a voulu fraaapper avec force les infidèles qui se livrent à ce vil commerce qui rapporte des milliards de dollars, en faisant s'ouvrir la terre sous leurs pieds. C'est un signe, mes amis, un signe annonciateur de ce qui vaaaa venir. Le signe que tout ne va pas bien dans... »

Bosch éteignit la radio. Une femme venait de sortir du bureau en tenant une enveloppe rouge parmi d'autres lettres. Bosch la regarda traverser le parking jusqu'à une Lincoln Town Car gris métallisé. Instinctivement, il nota le numéro de la plaque d'immatriculation bien qu'il n'ait aucun contact dans la police locale susceptible d'interroger le fichier des cartes grises. La femme avait environ soixante-cinq ans. Il attendait un homme, mais l'âge de la femme correspondait. Il mit le contact et attendit qu'elle sorte de son emplacement de parking.

Elle emprunta la route principale en direction du nord, vers Sarasota. Ça roulait au ralenti. Un quart d'heure plus tard environ, au bout de trois ou quatre kilomètres, la Town Car prit à gauche dans Vamo Road, et presque aussitôt à droite, dans une allée privée masquée par de grands arbres et d'épais fourrés verdoyants. Bosch la suivait de près, à une dizaine de secondes. Arrivé à l'entrée de l'allée, il ralentit, mais ne s'y engagea pas. Il aperçut une pancarte au milieu des arbres :

Bienvenue à
PELICAN COVE
Résidence-Marina

La Town Car passa devant une sorte de guérite dotée d'une barrière rouge et blanc, qui retomba après son passage.

– Merde !

Bosch ne s'attendait pas à tomber sur une résidence gardée. Pour lui, ce genre de trucs n'existait qu'autour de Los Angeles. Il regarda encore une fois la pancarte, puis il fit demi-tour pour revenir sur la route principale. Il se rappelait avoir aperçu un autre centre commercial avant de tourner dans Vamo.

Huit maisons de la résidence Pelican Cove figuraient dans la section « À VENDRE » du *Sarasota Herald-Tribune*, dont trois seulement étaient vendues directement par leurs propriétaires. Bosch utilisa un des téléphones du centre commercial pour appeler le premier d'entre eux. Il tomba sur un répondeur. La femme qui répondit à son deuxième appel lui expliqua que son mari était parti jouer au golf et qu'elle n'osait pas faire visiter la maison en son absence. Le troisième appel fut le bon : la femme qui répondit lui proposa de venir immédiatement – elle avait même de la citronnade toute fraîche à lui offrir.

Bosch éprouva un pincement de culpabilité à l'idée de profiter d'une inconnue qui cherchait simplement à vendre sa maison. Mais il apaisa sa conscience en se disant que la femme en question ne saurait jamais qu'il s'était servi d'elle – sans compter qu'il n'avait, lui, pas d'autre solution pour parvenir jusqu'à McKittrick.

Après avoir franchi le contrôle à l'entrée et obtenu des indications pour se rendre chez la dame à la citronnade, il traversa l'immense complexe fortement boisé à la recherche de la Town Car gris métallisé. Il croisa plusieurs personnes âgées, en voiture ou à pied, presque toutes avec des cheveux blancs et la peau brunie par le soleil. Très vite, il aperçut la Town Car, vérifia son emplacement par rapport au plan que lui avait remis le garde à l'entrée et s'apprêta à rendre une petite visite éclair à la dame à la citronnade afin de ne pas éveiller les soupçons. C'est alors qu'il avisa une autre Town Car gris métallisé. Ce devait être une voiture très appréciée par les personnes du troisième âge. Il sortit son carnet pour vérifier le numéro d'immatriculation qu'il avait noté. Merde, aucune des deux voitures n'était celle qu'il avait suivie.

Il continua de rouler et finit par dénicher la Town Car qu'il cherchait dans un coin reculé, tout au bout de la résidence. Elle était garée devant un bâtiment d'un étage recouvert de panneaux de bois sombre et situé au milieu des chênes et des mûriers. A première vue, le bâtiment était divisé en six appartements. Pas de problème, se dit Bosch. Après avoir consulté le plan, il rebroussa chemin pour se rendre chez la dame à la citronnade. Elle habitait au premier étage d'un petit bâtiment situé à l'autre extrémité du complexe.

– Vous êtes jeune, vous, dit-elle en lui ouvrant la porte.

Bosch aurait voulu lui dire la même chose, mais se retint. Elle paraissait avoir entre trente-cinq et quarante ans, soit trente de moins que toutes les personnes qu'il avait croisées dans la résidence. Elle avait un joli visage, hâlé de manière uniforme et encadré de cheveux châtains qui lui tombaient sur les épaules. Elle portait un jean, une chemise bleue en oxford et un gilet noir orné sur le devant d'un motif coloré. Elle était à peine maquillée, ce qu'appréciait Bosch. Elle avait des yeux verts et le regard sérieux, ce qui n'était pas pour lui déplaire non plus.

— Je m'appelle Jasmine, dit-elle. Vous êtes monsieur Bosch ?

— Appelez-moi Harry. Je vous ai appelée tout à l'heure.

— Vous avez fait vite.

— J'étais juste à côté.

Elle l'invita à entrer et commença la visite.

— C'est un trois-pièces, comme il est dit dans l'annonce. La chambre principale possède sa propre salle de bains. L'autre salle de bains est au fond du couloir. Mais c'est surtout la vue qui fait tout le charme.

Elle l'entraîna vers une grande baie vitrée qui s'ouvrait sur une vaste étendue d'eau parsemée de petits îlots de palétuviers. Des centaines d'oiseaux étaient perchés dans les branches. Elle avait raison, la vue était magnifique.

— D'où vient toute cette eau ? lui demanda-t-il.

— C'est… Vous n'êtes pas d'ici, hein ? C'est la Little Sarasota Bay.

Bosch acquiesça, conscient d'avoir commis une erreur en posant cette question idiote.

— Non, je ne suis pas d'ici. Mais j'envisage de venir m'installer dans le coin.

— D'où êtes-vous ?

— De Los Angeles.

— Oh, oui, j'en ai entendu parler. Un tas de gens fichent le camp, paraît-il. A cause de la terre qui n'arrête pas de trembler.

— Oui, on peut dire ça.

Elle le conduisit au bout d'un couloir dans ce qui était sans doute la chambre principale. Bosch fut immédiatement frappé par le décalage entre cette pièce et la femme qu'il avait devant lui. Tout ici était sombre, vieux et lourd. Une commode en acajou semblait peser une tonne, deux tables de chevet massives et identiques supportaient des lampes tarabiscotées, les fenêtres étaient masquées par des rideaux de brocart. Tout dans cette chambre sentait le vieux. Impossible, elle ne pouvait pas dormir ici.

En se retournant, il découvrit sur le mur, à côté de la porte, un portrait à l'huile de la femme qui se tenait près de lui. Le visage était plus jeune, plus creusé, plus sévère aussi. Bosch se demandait comment on pouvait accrocher un portrait de soi-même dans sa chambre lorsqu'il remarqua que le tableau était signé. L'artiste se nommait Jazz.

– Jazz, dit-il. C'est vous ?

– Oui. Mon père avait insisté pour mettre ce tableau ici. J'aurais dû le décrocher.

Elle se dirigea vers le mur où se trouvait le tableau.

– Votre père ?

– Oui. Je lui ai offert ce portrait il y a longtemps. A l'époque, j'étais contente qu'il ne l'ait pas accroché dans le salon pour le faire voir à tous ses amis, mais, même là, c'est un peu trop, je trouve.

Elle souleva le tableau et le retourna contre le mur. Bosch pensa à ce qu'elle venait de dire.

– C'est l'appartement de votre père ?

– Oui. J'y habite tant que l'annonce passe dans le journal. Vous voulez voir la salle de bains attenante ? Il y a une baignoire à remous. Ce n'est pas mentionné dans l'annonce.

Bosch la frôla pour s'approcher de la porte de la salle de bains. Il observa ses mains, par automatisme, et ne remarqua la présence d'aucune bague, à aucun doigt. Il capta les effluves de son parfum au passage, un parfum qui évoquait son prénom : le jasmin. Il commençait à se sentir attiré par cette femme sans qu'il puisse dire si c'était l'excitation de se retrouver avec elle sous un faux prétexte, ou bien une sincère attirance. Une chose était sûre : il tombait de fatigue et il mit cette émotion sur le compte de l'épuisement. Ses défenses étaient affaiblies. Il jeta un rapide coup d'œil à la salle de bains, puis ressortit.

– Très bien. Votre père vivait seul ici ?

– Mon père ?… Oui, seul. Ma mère est morte quand j'étais enfant. Mon père, lui, est décédé à Noël.

– Toutes mes condoléances.

– Merci. Que puis-je vous dire d'autre ?

– Rien. Je me demandais juste qui avait vécu ici.

– Non, je voulais dire… Que puis-je vous dire d'autre sur l'appartement ?

– Oh, pardon. Rien. C'est parfait. J'en suis encore au premier stade de mes recherches ; je ne sais pas encore trop ce que je veux.

– Que venez-vous faire, en vérité ?

– Je vous demande pardon ?

– Que faites-vous ici, monsieur Bosch ? Vous ne cherchez pas à acheter un appartement. Vous ne l'avez même pas regardé.

Il n'y avait aucune agressivité dans sa voix. C'était celle de quelqu'un qui a confiance en ses capacités à sentir les gens. Bosch se sentit rougir. Il avait été percé à jour.

– Je viens pour… Je suis là pour repérer des endroits.

C'était une réponse affreusement pitoyable, et il le savait. Mais il n'avait pas trouvé mieux. Sans doute sentit-elle son embarras, car elle n'insista pas.

– Désolée de vous avoir mis mal à l'aise, reprit-elle. Voulez-vous visiter le reste de l'appartement ?

– Oui, euh… C'est un trois-pièces, avez-vous dit ? En fait, c'est trop grand pour ce que je cherche.

– Oui, trois pièces. Mais, ça aussi, c'était précisé dans l'annonce.

Heureusement, Bosch savait qu'il ne pouvait pas devenir plus rouge qu'il l'était déjà.

– Oh, ça a dû m'échapper, dit-il. Merci quand même pour la visite. C'est très joli.

Il s'empressa de traverser le living-room, vers la sortie. Au moment d'ouvrir la porte, il se retourna. La femme parla la première :

– Quelque chose me dit que c'est pour une bonne cause.

– Quoi donc ?

– Ce que vous faites. Si jamais vous avez envie d'en parler, mon téléphone est dans le journal. Mais vous le savez déjà.

Il acquiesça. Incapable de dire un mot. Il sortit et referma la porte derrière lui.

CHAPITRE VINGT-TROIS

Le temps que Bosch regagne l'endroit où il avait aperçu la Town Car, son visage avait retrouvé un teint normal, mais la gêne, voire la honte, était toujours là : s'être laissé ainsi piéger par cette femme ! Il s'efforça de chasser ces pensées pour se concentrer sur la mission qui l'attendait. Il se gara et alla frapper à la porte la plus proche de la Town Car. Une femme âgée finit par venir lui ouvrir et le regarda d'un air effrayé. Sa main droite tenait fermement la poignée d'un petit chariot à deux roues auquel était accrochée une bouteille d'oxygène. Deux tubes en plastique passaient derrière ses oreilles et sur ses joues pour pénétrer dans ses narines.

– Excusez-moi de vous déranger, lui dit Bosch. Je cherche les McKittrick.

La vieille femme leva une main frêle, ferma le poing avec le pouce dressé et esquissa un petit mouvement vers le plafond. Ses yeux suivirent la même direction.

– C'est en haut ?

Elle acquiesça. Bosch la remercia et s'empressa de gravir l'escalier.

Ce fut la femme qui avait récupéré l'enveloppe rouge au bureau de poste qui vint lui ouvrir la porte après qu'il eut frappé. Bosch laissa échapper un long soupir, comme s'il avait passé sa vie à la chercher. Ce qui était presque son sentiment.

– Madame McKittrick ?

– Oui ?

Il sortit son badge et ouvrit l'étui d'un petit mouvement du poignet. Il le tenait de manière à ce que ses doigts masquent une partie de l'insigne, surtout le mot LIEUTENANT.

– Je m'appelle Harry Bosch, dit-il. Je suis inspecteur de police à Los Angeles. Votre mari est-il là ? J'aimerais lui parler.

L'inquiétude forma aussitôt une ombre sur le visage de la femme.

– La police de Los Angeles ? Il n'est pas retourné là-bas depuis vingt ans.

– Il s'agit d'une vieille affaire. On m'a envoyé pour lui poser quelques questions.

– Vous auriez pu téléphoner.

– Nous n'avions pas le numéro. Alors, il est là ?

– Non, il est sur son bateau. Il va partir à la pêche.

– Où est le bateau ? Je peux peut-être l'y retrouver.

– Il n'aime pas les surprises, vous savez.

– C'en sera forcément une. Que ce soit vous qui le lui disiez ou moi. Ça ne changera rien. Il faut absolument que je lui parle, madame McKittrick.

Peut-être était-elle habituée au ton catégorique que les flics savent employer parfois. Elle céda.

– Faites le tour du bâtiment et continuez tout droit. Après la troisième maison, vous tournez à gauche, vous verrez le port.

– Où est son bateau ?

– Quai numéro 6. Il y a écrit *Trophée* en grosses lettres sur le côté. Vous ne pouvez pas le louper. Je sais qu'il n'a pas encore levé l'ancre car il attend que je lui apporte son déjeuner.

– Merci.

Bosch s'était déjà éloigné de plusieurs mètres quand Mme McKittrick le rappela.

– Inspecteur Bosch ? Vous pensez en avoir pour longtemps ? Dois-je vous préparer un sandwich à vous aussi ?

– J'ignore si ce sera long ou pas, mais ce serait très gentil de votre part.

Alors qu'il se dirigeait vers le port, Bosch s'aperçut que la femme prénommée Jasmine ne lui avait pas proposé la citronnade promise.

CHAPITRE VINGT-QUATRE

Il lui fallut un quart d'heure pour trouver la petite anse qui abritait le port de plaisance. Ensuite, repérer McKittrick fut un jeu d'enfant. Il y avait peut-être une quarantaine de bateaux amarrés à quai, mais tous, sauf un, étaient délaissés. Un homme au teint fortement hâlé que faisaient ressortir ses cheveux blancs se tenait à l'arrière du pont, penché au-dessus du moteur hors-bord. Bosch l'observa en approchant, mais ce visage ne lui disait rien ; il ne correspondait pas à l'image qu'il avait conservée dans son souvenir, celle de l'homme qui l'avait aidé à sortir de la piscine il y avait si longtemps.

L'homme avait ôté le capot du moteur et s'affairait avec un tournevis. Il portait un short kaki et un polo de golf blanc trop usé et trop taché pour le golf mais parfait pour le bateau. L'embarcation devait avoir six ou sept mètres de long et était équipée d'une petite cabine située vers la poupe, là où se trouvait le gouvernail. Des cannes à pêche étaient plantées dans des supports fixés le long de la coque, deux cannes de chaque côté.

Bosch s'arrêta au bord du quai, à la hauteur de la proue du bateau. Il voulait rester à bonne distance de McKittrick pour lui montrer son insigne. Il sourit.

— J'aurais jamais pensé voir un gars de la Criminelle de Hollywood aussi loin de chez lui ! lança-t-il.

McKittrick leva la tête sans exprimer la moindre surprise. De fait, sans rien exprimer du tout.

— Détrompez-vous. Chez moi, c'est ici. C'est quand j'étais là-bas que je vivais en exil.

Bosch répondit par un petit hochement de tête pour montrer qu'il comprenait, et lui exhiba son insigne. Il le tint de la même façon que devant l'épouse de McKittrick.

— Harry Bosch, dit-il. Criminelle de Hollywood.

– Oui, il paraît.

Ce fut Bosch qui exprima de l'étonnement. Il ne voyait pas qui à L.A. avait pu le prévenir de son arrivée. Personne de sa connaissance, *a priori*. Il n'en avait parlé qu'à Hinojos, et il ne pouvait croire qu'elle l'avait trahi.

McKittrick le rassura en lui montrant le téléphone portable posé sur le tableau de bord du bateau.

– Ma femme m'a appelé.

– Oh.

– Alors… qu'est-ce qui vous amène, inspecteur Bosch ? Du temps où je travaillais là-bas, on se déplaçait toujours par deux. C'était moins risqué. Vous manquez tellement de personnel que vous bossez en solo ?

– Non, non. En fait, mon équipier s'occupe d'une autre vieille affaire. Ils ne veulent pas dépenser du fric en envoyant deux personnes sur une enquête incertaine.

– Il va falloir m'expliquer.

– J'allais le faire. Vous permettez que je descende ?

– Si vous voulez. Je me prépare à lever l'ancre dès que ma femme m'aura apporté à bouffer.

Bosch s'avança sur le quai étroit, vers le milieu du bateau, puis il sauta sur le pont. L'embarcation oscilla légèrement sous son poids avant de se stabiliser. McKittrick prit le capot du moteur pour le remettre en place. Bosch se sentait affreusement déplacé sur ce bateau. Il portait des chaussures de ville, un jean noir, un T-shirt kaki et une veste noire très légère, mais il avait trop chaud. Il ôta sa veste et la posa à cheval sur le dossier d'une des deux chaises du cockpit.

– Qu'est-ce que vous pêchez ?

– Tout ce qui mord. Et vous, vous pêchez quoi ?

Il l'avait regardé droit dans les yeux en posant cette question et Bosch constata que ses iris marron avaient la couleur des bouteilles de bière.

– Vous avez entendu parler du tremblement de terre, je suppose ?

– Évidemment, comme tout le monde. Je vais vous dire, j'ai connu les tremblements de terre là-bas et les cyclones ici, eh bien, je vous laisse volontiers les tremblements de terre. Au moins, un cyclone, on le voit venir. Tenez, prenez Andrew, par exemple. Il en a fait des dégâts, mais imaginez un peu si personne n'avait été prévenu. C'est ce qui se passe avec les tremblements de terre.

Il fallut quelques instants à Bosch pour se souvenir qu'Andrew était le nom du cyclone qui avait ravagé la côte du sud de la Floride quelques années plus tôt. Il n'était pas facile de tenir le compte de toutes les catastrophes qui frappaient le monde. Il y avait déjà de quoi faire à Los Angeles. Son regard dériva vers l'entrée de l'estuaire. Il vit un poisson sauter en l'air. Sa rentrée dans l'eau provoqua une vive agitation parmi ses congénères du banc. Bosch se retourna vers McKittrick pour lui décrire ce qu'il venait de voir, mais songea que c'était sans doute une chose à laquelle il assistait chaque jour.

– Quand avez-vous quitté L.A. ?

– Ça fait vingt et un ans. Dès que j'ai eu mes vingt années, hop, j'ai foutu le camp. Je vous laisse L.A., Bosch. Bon Dieu, j'étais là pendant le tremblement de terre de Sylmar, en 71. Il a détruit un hôpital et plusieurs autoroutes. A l'époque, nous vivions à Tujunga, à quelques kilomètres de l'épicentre. Je peux vous dire que j'oublierai jamais. C'était comme si Dieu et le Diable se trouvaient dans la même pièce et que nous on était au milieu pour servir d'arbitre. Bordel… Mais le rapport entre le tremblement de terre et le fait que vous soyez ici ?

– C'est un phénomène plutôt étrange, mais figurez-vous que le nombre des meurtres a baissé. Peut-être les gens ont-ils retrouvé un esprit civique. En tout cas…

– Peut-être qu'il n'y a plus rien qui vaille la peine de tuer.

– Oui, peut-être. Enfin, bref, habituellement on traite entre soixante-dix et quatre-vingts meurtres par an à la brigade. Je ne sais pas quel était le chiffre à votre époque…

– Moitié moins. Facile.

– Quoi qu'il en soit, on est largement en dessous de la moyenne, cette année. Et ça nous laisse du temps pour nous plonger dans de vieilles affaires. On s'est tous partagé le boulot. Votre nom figure dans un des dossiers dont j'ai hérité. Vous savez certainement que votre équipier de l'époque est décédé, c'est pourquoi…

– Eno est mort ? Merde, je savais pas. Je pensais qu'on me préviendrait. Remarquez, ça n'aurait pas changé grand-chose.

– Oui, il est mort. C'est sa femme qui touche sa retraite. Désolé de vous l'apprendre.

– C'est rien. Eno et moi… on faisait équipe, voilà tout.

– Bref, je suis ici parce que vous êtes encore en vie. Et pas lui.

– De quelle affaire s'agit-il ?

– Marjorie Lowe.

Bosch guetta sa réaction, mais en fut pour ses frais.

– Vous vous souvenez ? dit-il. On avait retrouvé son corps au milieu des ordures, dans une ruelle...

– Dans Vista. Derrière Hollywood Boulevard, entre Vista et Gower. Je me souviens de toutes les affaires, Bosch. Résolues ou pas, je me souviens de chacune de ces putains d'enquêtes !

Mais vous ne vous souvenez pas de moi, fut tenté d'ajouter Bosch.

– Oui, c'est bien ça. Entre Vista et Gower.

– Et alors ?

– Le meurtre n'a jamais été élucidé.

– Je sais, dit McKittrick en haussant le ton. J'ai enquêté sur soixante-trois affaires en sept ans à la Criminelle. J'ai travaillé à Hollywood, Wilshire, puis au RHD. J'en ai résolu cinquante-six. Je veux bien faire la comparaison avec n'importe qui. Aujourd'hui, ils peuvent s'estimer heureux s'ils en élucident la moitié. Je vous prends les yeux fermés.

– Et vous gagneriez. C'est un joli score. Mais il ne s'agit pas de vous, Jake. Il s'agit de l'affaire.

– Ne m'appelez pas Jake. Je ne vous connais pas. Je ne vous ai jamais vu de ma vie. Je ne... Hé, attendez une minute.

Bosch le regarda d'un air hébété, stupéfait que cet homme puisse réellement se souvenir de l'épisode de la piscine. Mais il s'aperçut que McKittrick s'était arrêté en voyant approcher sa femme. Elle portait une glacière en plastique. McKittrick attendit sans rien dire qu'elle la pose près du bateau, puis il aida sa femme à monter à bord.

– Oh, inspecteur Bosch, vous allez avoir beaucoup trop chaud avec ça, dit Mme McKittrick. Vous ne voulez pas revenir avec moi à la maison pour emprunter un short et un T-shirt blanc à Jake ?

Bosch se tourna vers McKittrick avant de lever les yeux vers son épouse.

– Je vous remercie, madame, mais ça ira.

– Vous partez ensemble à la pêche ?

– En fait, je n'ai pas été invité, et de plus...

– Oh, Jake, invite-le donc à pêcher avec toi. Tu cherches toujours quelqu'un pour t'accompagner. En plus, tu seras au courant des dernières histoires sanguinolentes que tu adorais du temps de Hollywood.

McKittrick leva les yeux vers sa femme et Bosch imagina des chevaux furieux en train de tirer sur leurs liens. Mais l'ancien flic parvint à les contrôler.

– Merci pour les sandwiches, Mary, dit-il calmement. Maintenant, sois gentille, retourne à la maison et laisse-nous. D'accord ?

Elle lui jeta un regard noir et secoua la tête, comme si elle réprimandait un enfant gâté. Sans dire un mot, elle tourna les talons et repartit par où elle était venue. Les deux hommes laissèrent passer un moment avant que Bosch ne reprenne la parole pour tenter de rattraper la situation.

– Écoutez, je suis ici uniquement pour vous poser des questions sur cette affaire. Je n'essaie pas de suggérer que l'enquête a été mal conduite. Je veux juste regarder les choses avec un œil neuf. C'est tout.

– Vous oubliez un détail.

– Ah oui ? Lequel ?

– Vous êtes un baratineur.

Bosch sentit les chevaux se cabrer en lui. Il était furieux que cet homme puisse mettre en cause ses motivations, même s'il était en droit de le faire. Il était sur le point de balancer son déguisement de chic type pour lui sauter dessus, mais il se maîtrisa. Si McKittrick réagissait ainsi, c'est qu'il avait une raison. Cette vieille affaire était comme un caillou dans sa chaussure. Il avait réussi, avec le temps, à le repousser dans un coin où il ne lui faisait pas mal en marchant, mais le caillou était toujours là. Bosch devait l'inciter à le faire sortir. Ravalant sa propre colère, il s'efforça de rester calme.

– Pourquoi me traitez-vous de baratineur ?

McKittrick lui tournait le dos et fouillait sous le tableau de bord. Bosch ne voyait pas ce qu'il faisait ; peut-être cherchait-il les clés du bateau rangées dans une cachette.

– Pourquoi vous êtes un baratineur ? répondit McKittrick en se retournant. Je vais vous le dire. Parce que vous débarquez ici en exhibant votre insigne alors qu'on sait bien, vous et moi, que vous n'avez plus d'insigne.

McKittrick pointait un Beretta calibre .22 sur lui. L'arme était petite, mais suffisamment dangereuse à cette distance, et McKittrick savait forcément s'en servir.

– Bon Dieu, qu'est-ce qui vous prend ? Vous avez un problème ?

– Je n'en avais aucun avant que vous arriviez.

Bosch leva les mains à la hauteur de la poitrine pour montrer qu'il ne le menaçait pas.

– Du calme, dit-il.

– Et vous aussi. Baissez les mains. Je voudrais revoir votre insigne. Sortez-le et lancez-le-moi. Doucement.

Bosch s'exécuta tout en essayant de regarder autour de lui, sans trop oser bouger la tête. Les environs étaient déserts. Il était seul. Et désarmé. Il jeta le porte-insigne sur le pont, aux pieds de McKittrick.

– Maintenant, vous allez faire le tour jusqu'à l'avant, là-bas. Appuyez-vous contre le bastingage que je puisse vous voir. Je savais que quelqu'un essaierait de me faire chier un jour ou l'autre. Vous avez choisi le mauvais cheval, et le mauvais jour.

Obéissant, Bosch avança jusqu'à la proue du bateau. Il agrippa le garde-fou pour conserver son équilibre et se retourna face à l'ancien flic. Sans le quitter des yeux, celui-ci se pencha pour ramasser l'étui. Il entra ensuite dans la cabine et posa son arme sur la console. Bosch savait que, s'il tentait de s'en emparer, McKittrick y arriverait avant lui. Le vieil homme se pencha légèrement en avant, tourna une clé ou une manette, et le moteur rugit.

– Qu'est-ce que vous faites, McKittrick ?

– Oh, on ne m'appelle plus par mon prénom maintenant ? Plus de « Jake », comme de vieux amis ? Qu'est-ce qu'on fait ? On part à la pêche, pardi. Vous vouliez pêcher, on y va. Si vous essayez de sauter, je vous bute dans l'eau. Je m'en fous.

– Je n'irai nulle part. Calmez-vous.

– Vous voyez le taquet à côté de vous ? Détachez la corde. Lancez-la sur le pont.

Une fois que Bosch eut obéi, McKittrick récupéra son arme et recula de trois pas vers l'arrière du bateau. Il détacha l'autre amarre et écarta le bateau du quai en poussant sur un pilier. De retour dans la cabine, il enclencha la marche arrière. Le bateau quitta son mouillage en douceur. McKittrick inversa les gaz et ils repartirent à faible allure vers l'embouchure du petit port. Bosch sentit la brise chaude et salée sécher la sueur sur sa peau. Il décida de sauter à l'eau dès qu'ils arriveraient au large ou qu'ils croiseraient une autre embarcation.

– Je m'étonne que vous ne soyez pas armé, reprit McKittrick. Vous vous faites passer pour un flic et vous n'avez même pas de flingue !

– Je suis flic, McKittrick. Laissez-moi vous expliquer.

– Pas la peine, mon gars. Je suis déjà au courant. Je sais tout sur vous.

D'un geste du poignet l'ancien flic ouvrit l'étui et Bosch vit qu'il examinait la pièce d'identité et l'insigne doré de lieutenant. Il le jeta sur la console.

– Que savez-vous sur moi, McKittrick ?

– Il me reste encore quelques dents, Bosch, et j'ai encore quelques amis dans la police. Après le coup de fil de ma femme, j'ai appelé un de mes potes. Il m'a parlé de vous. Vous êtes en congé, Bosch. En congé d'office. Je ne comprends rien à cette histoire de tremblement de terre à la con que vous m'avez débitée, mais j'ai l'impression que vous avez dégotté un petit boulot de privé pendant que vous étiez sur la touche.

– Vous faites erreur.

– C'est ce qu'on verra. Une fois qu'on sera au large, vous me direz qui vous envoie, si vous ne voulez pas servir de bouffe aux poissons. Pour moi, ça change rien.

– Personne ne m'envoie. Je suis venu de mon propre gré.

De la paume de la main McKittrick poussa la boule rouge de la manette des gaz et le bateau fit un bond en avant. La proue se leva et Bosch dut s'accrocher au garde-fou.

– Mon cul ! s'exclama McKittrick par-dessus le vacarme du moteur. Vous êtes un menteur. Vous avez menti tout à l'heure et vous mentez encore.

– Écoutez-moi, hurla Bosch. Vous dites que vous vous souvenez de toutes les affaires ?

– Parfaitement ! Je ne peux pas les oublier.

– Arrêtez ce moteur, bon Dieu !

McKittrick ramena la manette des gaz vers lui. Le bateau ralentit et le bruit s'atténua.

– Dans l'affaire Marjorie Lowe, vous avez écopé du sale boulot. Vous vous rappelez ? Vous vous rappelez ce qu'on appelle le sale boulot ? C'est vous qui avez dû prévenir la famille. Vous avez dû prévenir le gamin. A l'orphelinat McClaren.

– C'est marqué dans les rapports, Bosch. Alors...

Il se tut brusquement et dévisagea Bosch pendant un long moment. Puis il reprit l'insigne pour lire le nom. Et revint sur Bosch.

– Oui, je me souviens de ce nom. La piscine... Vous êtes le gamin.

– Oui, je suis le gamin.

CHAPITRE VINGT-CINQ

McKittrick laissa son bateau dériver dans les hauts-fonds de Little Sarasota Bay pendant que Bosch lui racontait son histoire. Il ne posa aucune question et se contenta d'écouter. Profitant d'une interruption de Bosch, il ouvrit la glacière remplie par sa femme, en sortit deux bières et en tendit une à Bosch. La boîte était glacée dans sa main.

Bosch ne l'ouvrit pas avant d'avoir terminé son histoire. Enfin il acheva son récit, jusques et y compris dans ses aspects secondaires, à savoir son affrontement avec Pounds. Il avait le pressentiment, inspiré par la colère et l'étrange comportement de McKittrick, qu'il s'était trompé sur son compte. Bosch était allé en Floride en s'attendant à rencontrer un individu corrompu ou stupide, sans savoir ce qui le répugnerait le plus. Mais maintenant, il était convaincu de se trouver devant un homme hanté par ses souvenirs et les démons des mauvais choix effectués par le passé. Bosch savait que le caillou devait être éjecté de la chaussure, et la franchise était le meilleur moyen d'y parvenir.

– Voilà, vous savez tout, conclut-il. J'espère que votre femme n'a pas mis que ces deux-là.

Il ouvrit la boîte de bière et en but presque un tiers d'une seule gorgée. Elle coula délicieusement dans sa gorge sous le soleil chaud de l'après-midi.

– Vous en faites pas, elles viennent d'une famille nombreuse, répondit McKittrick. Vous voulez un sandwich ?

– Non, pas maintenant.

– Ce que vous voulez, c'est que je vous raconte.

– Je suis venu pour ça.

– D'abord, allons pêcher.

Il fit redémarrer le moteur et ils suivirent un chenal marqué par des bouées à travers la baie, en direction du sud. Bosch se souvint alors qu'il avait une paire de lunettes de soleil dans la poche de sa veste.

Il avait l'impression d'être assailli de tous les côtés par le vent chaud, mais, parfois, celui-ci cédait la place à une brise fraîche venue de la surface de l'eau. Il y avait bien longtemps que Bosch n'était pas monté sur un bateau pour aller à la pêche. Pour un homme qui, vingt minutes plus tôt, était menacé par un pistolet, il se sentait plutôt détendu.

Alors que la baie se rétrécissait pour se transformer en bras de mer, McKittrick réduisit les gaz. Il salua d'un geste un homme qui se trouvait sur le pont d'un yacht gigantesque amarré devant un restaurant au bord de l'eau. Bosch n'aurait su dire si McKittrick le connaissait ou s'il s'agissait d'une politesse entre voisins.

– Gardez le cap en vous repérant à la lanterne sur le pont, dit-il à Bosch.

– Hein ?

– Prenez ma place.

McKittrick abandonna la barre pour gagner l'arrière du bateau. Bosch vint se placer rapidement devant la barre. Il avisa la lanterne rouge suspendue au centre de la voûte d'un pont basculant, à moins d'un kilomètre de là, et manœuvra légèrement le gouvernail afin de placer le bateau dans l'alignement. En se retournant, il vit McKittrick sortir d'un compartiment encastré dans le pont un sac en plastique rempli de petits poissons morts.

– Voyons voir qui est là aujourd'hui, dit-il.

McKittrick s'approcha du bord de l'embarcation et se pencha, bien au-delà du plat-bord. Bosch le vit alors taper sur la coque avec la paume de la main, puis se relever et contempler la surface de l'eau pendant une dizaine de secondes avant de recommencer à taper.

– Qu'est-ce que vous faites ? lui demanda Bosch.

Juste au moment où il achevait sa question, un dauphin jaillit hors de l'eau vers l'arrière du bateau à bâbord, à moins de deux mètres de l'endroit où se trouvait McKittrick. Ce n'était en fait qu'une tache grise et luisante et, au début, Bosch ne fut pas certain d'avoir bien vu. Mais, très vite, le dauphin reparut à la surface, juste à côté du bateau, dressant son museau hors de l'eau et gazouillant. On aurait dit un ricanement. McKittrick laissa tomber deux des poissons dans sa gueule ouverte.

– Lui, c'est Sergent. Vous voyez ses cicatrices ?

Bosch jeta un rapide coup d'œil en direction du pont pour s'assurer qu'ils gardaient le bon cap, puis se dirigea vers l'arrière du bateau. Le dauphin était toujours là. McKittrick lui désigna un endroit sous la nageoire dorsale du dauphin. On apercevait trois bandes blanches, comme des galons, sur le dos gris et lisse de l'animal.

— Un jour, il s'est approché trop près d'une hélice et a été blessé. Les gens de Mote Marine l'ont soigné. Mais il a gardé ses galons de sergent.

Bosch acquiesça pendant que McKittrick continuait de nourrir le dauphin. Sans même lever la tête pour voir s'ils dérivaient, l'ex-flic lui dit :

— Vous feriez mieux de retourner à la barre.

En se retournant, Bosch constata qu'ils avaient perdu le cap. Il retourna à la barre pour le rectifier et resta aux commandes pendant que McKittrick continuait de distribuer ses poissons au dauphin. Une fois qu'ils furent passés sous le pont, Bosch décida de prendre son mal en patience. Que l'explication ait lieu à l'aller ou au retour, peu importait. McKittrick lui raconterait son histoire. Il ne repartirait pas sans l'avoir entendue.

Dix minutes plus tard, ils pénétrèrent dans un autre bras de mer qui les conduisit vers le golfe du Mexique. Alors, McKittrick lança dans l'eau les leurres de deux des cannes à pêche et laissa filer une centaine de mètres de fil pour chacune. Après quoi, il reprit la barre ; il était obligé de hurler pour se faire entendre par-dessus le souffle du vent et le bruit du moteur.

— On va aller vers les récifs. On pêchera à la traîne jusqu'à ce qu'on y arrive. Après, on pourra pêcher un peu dans les hauts-fonds. Et là, on pourra parler.

— Ça m'a l'air d'être un bon plan ! cria Bosch.

Aucun poisson ne se laissa prendre par les leurres et, à environ trois kilomètres de la côte, McKittrick coupa le moteur et demanda à Bosch de mouliner une des deux lignes pendant qu'il s'occupait de l'autre. Bosch étant gaucher, il lui fallut un petit moment pour s'adapter au moulinet conçu pour un droitier, mais bientôt un sourire apparut sur son visage.

— Je crois que je n'ai pas fait ça depuis que j'étais môme. A McClaren, de temps en temps, ils nous foutaient dans un car et nous emmenaient sur la jetée de Malibu.

— Bon Dieu, elle existe encore cette jetée ?

— Oui.

— Ce doit être comme pêcher dans une fosse septique maintenant.

— Probable.

McKittrick éclata de rire.

– Pourquoi vous restez là-bas, Bosch ? J'ai pas l'impression qu'ils tiennent particulièrement à vous.

Bosch réfléchit un instant avant de répondre. Le commentaire était juste, mais venait-il de McKittrick lui-même, ou bien de son informateur qu'il avait appelé juste avant son arrivée ?

– Qui avez-vous contacté à L.A. ? lui demanda-t-il.

– Je ne vous le dirai pas. C'est pour ça qu'il a accepté de me parler de vous, parce qu'il savait que je ne vous donnerais pas son nom.

Bosch acquiesça pour signifier qu'il n'insisterait pas.

– Vous avez raison, dit-il. Je sens que je ne suis pas très désiré là-bas. Mais en fait... C'est comme si plus ils poussaient dans un sens, plus je poussais dans l'autre. J'ai l'impression que s'ils arrêtaient d'essayer de me foutre dehors, par la persuasion ou la force, j'aurais envie de claquer la porte.

– Je crois comprendre.

McKittrick rangea les deux cannes à pêche dont ils s'étaient servi et entreprit de monter des lignes sur les deux autres avec des hameçons et des plombs.

– On va y aller au mulet.

Bosch hocha la tête. Il ne comprenait rien, mais il observait attentivement McKittrick. C'était peut-être le bon moment pour commencer.

– Alors comme ça, dit-il, vous avez raccroché après vos vingt ans de police à L.A. Qu'avez-vous fait ensuite ?

– Vous le voyez. Je suis venu m'installer ici. En fait, je suis de Palmetto, c'est un peu plus haut sur la côte. J'ai acheté un bateau et je suis devenu guide de pêche. J'ai fait ça pendant encore vingt ans, puis j'ai pris ma retraite et, maintenant, je pêche pour mon plaisir.

Bosch sourit.

– Palmetto ? C'est pas le nom de ces énormes cafards qui... ?

– Non. En fait, si, mais c'est aussi le nom d'une espèce de palmier. Le nom de la ville vient de là, pas du cafard.

Bosch hocha la tête et regarda McKittrick ouvrir un sac contenant de longs morceaux de mulet qu'il accrocha aux hameçons au bout de chaque ligne. Après avoir ouvert deux autres bières, ils allèrent s'asseoir chacun d'un côté du bateau, sur le plat-bord, et ils attendirent.

– Comment vous êtes-vous retrouvé à L.A. ? demanda Bosch.

– Qui est-ce qui disait : « Va vers l'ouest, mon gars ! » ? Après la reddition du Japon, je suis passé par L.A. pour rentrer chez moi et j'ai vu ces immenses montagnes qui allaient de la mer jusqu'au ciel... Bon Dieu, j'ai dîné au Derby pour mon premier soir en ville. J'allais claquer tout le fric que j'avais et devinez un peu qui a payé mon addition en me voyant en uniforme. Clark Gable en personne ! Je plaisante pas. Putain, je suis tombé amoureux de cet endroit et il m'a fallu presque trente ans pour rouvrir les yeux... Mary est de Los Angeles. Elle est née et a grandi là-bas. Mais elle se sent bien ici.

Il hocha la tête comme pour se rassurer. Bosch attendit un instant qu'il enchaîne, mais McKittrick semblait contempler des souvenirs anciens.

– C'était un chic type.

– Qui ça ?

– Clark Gable.

Bosch broya la boîte de bière dans sa main et alla en chercher une autre.

– Parlez-moi de l'affaire maintenant, dit-il, après l'avoir ouverte. Que s'est-il passé ?

– Vous savez ce qui s'est passé si vous avez lu le dossier. Tout est dedans. On a bazardé l'enquête. Du jour au lendemain, on a écrit : « Aucune piste pour le moment. » Une vraie fumisterie. C'est pour ça que je m'en souviens aussi bien. Ils n'avaient pas le droit de faire ce qu'ils ont fait.

– Qui ça « ils » ?

– Allons, les gros pontes, évidemment.

– Qu'ont-ils fait ?

– Ils nous ont retiré l'affaire. Et Eno les a laissés faire. Il a conclu un marché avec eux, en solo. Putain !

Il secoua la tête avec rancœur.

– Jake... (Cette fois, l'utilisation du prénom ne provoqua aucune protestation.) Si vous commenciez par le début ? J'ai besoin que vous m'appreniez le maximum de choses.

McKittrick remonta sa ligne sans rien dire. Son appât était intact. Il la relança, coinça sa canne dans un des tubes du plat-bord et alla se chercher une autre bière. Au passage, il prit sous le tableau de bord une casquette des Tampa Bay Lightning. Appuyé contre le plat-bord, sa bière à la main, il regarda Bosch.

– D'abord, mon gars, sachez que j'ai rien contre votre mère. Je vais juste vous raconter comment ça s'est passé, O.K. ?

– Je ne demande rien d'autre.

– Vous voulez une casquette ? Vous allez cramer.

– Non, ça va.

McKittrick haussa les épaules et commença enfin son récit.

– On a été prévenus à domicile. C'était un samedi matin. Un des flics de patrouille l'avait découverte. Mais elle n'avait pas été tuée dans cette ruelle. Ça, c'était évident. On l'avait balancée là. Le temps que j'arrive de Tujunga, les gars du labo étaient déjà au travail. Mon équipier était là, lui aussi, Eno. C'était lui le plus ancien et il était arrivé le premier. Il a pris l'affaire en main.

Bosch coinça lui aussi sa canne à pêche dans le tube pour aller chercher sa veste.

– Ça vous ennuie si je prends des notes ?

– Non. Je m'en fous. En fait, je crois bien que j'attends que quelqu'un s'occupe enfin de cette affaire depuis que je l'ai laissée tomber.

– Continuez. Eno était donc responsable de l'enquête.

– Oui, c'était lui le chef. Comprenez bien un truc. On faisait équipe depuis seulement trois ou quatre mois à l'époque. On n'était pas très proches. Après cette histoire, on l'a été encore moins. J'ai coupé les ponts au bout d'un an environ. J'ai demandé ma mutation. Ils m'ont envoyé à la Criminelle de Wilshire. J'ai rarement eu affaire à lui par la suite. Et lui non plus.

– O.K. Parlons de l'enquête.

– Oh, rien que du déjà-vu à ce niveau-là. On a suivi la routine. On avait la liste de toutes les personnes qu'elle fréquentait, principalement grâce aux collègues des mœurs, et on interrogeait tout le monde.

– Parmi ces personnes, il y avait aussi ses clients ? Cette liste ne figure pas dans le dossier.

– Oui, je crois qu'il y avait quelques clients. Et la liste n'est pas dans le dossier parce qu'Eno n'a pas voulu. N'oubliez pas que c'était lui le chef.

– D'accord. Johnny Fox était-il sur cette liste ?

– Oui. Tout en haut, même. C'était son... manager, et il...

– Son mac, vous voulez dire.

McKittrick le regarda.

– Oui. Exactement. Je ne savais pas si vous...

– Ne vous inquiétez pas. Continuez.

– Johnny Fox figurait sur la liste, en effet. On a interrogé tous les gens qui connaissaient votre mère, et tous ont décrit ce type comme un salopard. Il avait un lourd passé.

Bosch songea au témoignage de Meredith Roman affirmant que Fox l'avait frappée.

– On a appris qu'elle essayait de se libérer de lui. Mais j'ignore si c'était pour travailler à son compte ou pour rentrer dans le droit chemin. Comment savoir ? On a entendu dire qu'elle…

– Elle voulait devenir quelqu'un de respectable, dit Bosch. Pour pouvoir me sortir de l'orphelinat.

Il se sentait idiot en disant cela ; il sentait qu'il n'était pas convaincant.

– Oui, peut-être, dit McKittrick. Enfin, bref, Fox n'était pas très content. C'est pour ça qu'il figurait en tête de liste.

– Mais vous ne l'avez pas trouvé. Le rapport chronologique indique que vous avez surveillé son domicile.

– Exact. C'était notre suspect numéro un. On avait des empreintes prélevées sur la ceinture, l'arme du crime, mais on ne pouvait pas les comparer avec les siennes. Johnny avait été appréhendé plusieurs fois par le passé, mais n'avait jamais été envoyé en taule. Donc, pas d'empreintes. Il fallait absolument lui mettre le grappin dessus.

– Le fait qu'il ait été arrêté, mais jamais condamné, ça vous disait quoi ?

McKittrick vida sa bière, écrasa la boîte dans sa main et alla la jeter dans un grand seau placé dans un coin du pont.

– Pour être franc, ça ne m'a pas frappé à l'époque. Maintenant, évidemment, c'est flagrant. Il avait un ange gardien qui veillait sur lui.

– Qui ?

– Un jour où on planquait devant chez Fox en attendant qu'il rapplique, on a reçu un appel radio nous demandant d'appeler Arno Conklin. Il voulait nous parler de l'affaire. Le plus vite possible. C'était une vraie tuile. Pour deux raisons. Premièrement, Arno était en pleine ascension à cette époque-là. Il était à la tête des commandos de moralité de la ville et il avait la mainmise sur le bureau du procureur. L'autre raison, c'était qu'on n'enquêtait que depuis quelques jours et qu'on n'avait pas encore contacté le bureau du procureur, ni rien. Et voilà que, tout à coup, le type le plus puissant de l'administration judiciaire locale veut nous voir. Alors, je me suis dit… je ne sais pas ce que je me suis dit. Mais j'ai compris… Hé, vous avez une touche !

Bosch se tourna vers sa canne et la vit se courber à son extrémité sous l'effet d'un coup sec au bout de la ligne. Le moulinet se dévida à toute allure, tandis que le poisson se débattait furieusement. Bosch sortit la canne du tube et la tira vers lui d'un mouvement brusque. L'hameçon était bien planté. Il commença à mouliner, mais le poisson résistait et tirait plus de fil que Bosch n'en ramenait. McKittrick s'approcha pour augmenter la résistance du moulinet, ce qui eut pour effet immédiat d'accentuer la torsion de la canne.

– Gardez la canne levée ! Gardez la canne levée !

Bosch obéit aux conseils de McKittrick et cinq minutes durant il livra bataille contre sa prise. Il commençait à avoir mal aux bras. Il sentait la tension dans ses reins. McKittrick enfila une paire de gants et, lorsque Bosch ramena enfin le poisson qui avait abandonné le combat, il se pencha par-dessus bord pour lui planter les doigts dans les ouïes et le hisser sur le pont. Bosch découvrit alors sa prise : un poisson aux reflets bleus et noirs, brillant, magnifique dans le soleil.

– Wahoo ! s'exclama McKittrick.

– Quoi ?

McKittrick leva le poisson à l'horizontale.

– Wahoo. Là-bas dans vos restos chics de L.A., je crois qu'ils appellent ça un ono. Nous, ici, on dit simplement wahoo. La chair en est aussi blanche que celle du flétan. Vous voulez le garder ?

– Non, remettez-le à l'eau. Il est magnifique.

McKittrick arracha sans ménagement l'hameçon planté dans la gueule béante de l'animal et tendit sa prise à Bosch.

– Vous voulez le tenir ? Il pèse facilement ses six ou sept kilos.

– Non, je n'ai pas besoin de le tenir.

Bosch s'en approcha quand même et promena son doigt sur la peau lisse du poisson. Il se voyait presque dans l'éclat des écailles. Il adressa un signe de tête à McKittrick et le poisson fut rejeté à la mer. Pendant quelques secondes, il demeura immobile, entre deux eaux. Syndrome post-traumatique, se dit Bosch. Finalement, le poisson sembla sortir du coma et disparut à toute vitesse dans les profondeurs. Bosch coinça l'hameçon dans un des rivets de sa canne et remit la canne dans le tube. Il avait assez pêché. Il alla se chercher une autre bière dans la glacière.

– Si vous voulez un sandwich, servez-vous, dit McKittrick.

– Non, merci, ça va.

Bosch regrettait que le poisson les ait interrompus.

– Vous disiez avoir reçu un appel de Conklin.

– Oui, Arno. Mais je m'étais trompé. Ce n'était pas nous deux qu'il voulait voir, uniquement Claude. Pas moi. Eno y est allé seul.

– Pourquoi seulement lui ?

– Je ne l'ai jamais su, et Eno faisait comme s'il ne comprenait pas, lui non plus. J'ai supposé qu'Arno et lui s'étaient déjà rencontrés d'une manière ou d'une autre.

— Mais vous n'en savez pas plus.

— Non. Claude Eno avait une dizaine d'années de plus que moi. Il avait roulé sa bosse.

— Que s'est-il passé ensuite ?

— Je ne peux pas vous raconter ce qui s'est passé. Je peux seulement vous dire ce que mon collègue a dit qu'il s'était passé. Vous comprenez ?

McKittrick était en train d'avouer à Bosch qu'il n'avait pas confiance dans son équipier. Bosch, qui avait lui-même connu ce sentiment à plusieurs reprises, hocha la tête pour lui signifier qu'il comprenait.

— Continuez.

— Il est revenu de ce rendez-vous en disant que Conklin lui avait demandé de foutre la paix à Fox, car Fox n'avait rien à voir dans cette affaire et servait d'informateur dans une des enquêtes menées par le commando. Fox jouait un rôle très important, paraît-il, et Conklin ne voulait pas qu'il soit inquiété ou maltraité, surtout pour un crime qu'il n'avait pas commis.

— Comment Conklin pouvait-il être si catégorique ?

— Je n'en sais rien. En tout cas, Eno m'a dit qu'il avait répondu à Conklin que les adjoints du procureur ne décidaient pas à la place des policiers si telle personne était suspecte ou pas et qu'il n'était pas question de faire marche arrière avant d'avoir nous-mêmes interrogé Fox. Face à cette réaction, Conklin avait répondu qu'il pouvait nous livrer Fox pour qu'on l'interroge et relève ses empreintes. Mais à condition de le faire sur le territoire de Conklin.

— C'est-à-dire… ?

— Son bureau dans l'ancien palais de justice. Il n'existe plus aujourd'hui. Ils ont construit ce grand machin carré à la place, avant mon départ. Un truc affreux.

— Que s'est-il passé dans le bureau ? Vous étiez présent ?

— Oui, j'y étais, mais il ne s'est rien passé. On a interrogé Fox. Il était avec Conklin. Le nazi était là, lui aussi.

— Le nazi ?

— L'homme de main de Conklin, Gordon Mittel.

— Il était présent ?

— Ouais. Je crois qu'il était là pour veiller sur Conklin pendant que Conklin veillait sur Fox.

Bosch ne trahit aucun étonnement.

– Bon, mais que vous a raconté Fox ?

– Pas grand-chose, comme je vous le disais. Il nous a filé son alibi et les noms des personnes susceptibles de le confirmer. J'ai relevé ses empreintes.

– Qu'a-t-il dit de la victime ?

– Plus ou moins la même chose que sa copine.

– Meredith Roman ?

– Oui, je crois que c'est ça. Il a dit qu'elle était allée dans une soirée, qu'on l'avait engagée pour servir d'ornement au bras d'un type quelconque. Ça se passait à Hancock Park. Il ne connaissait pas l'adresse. Il affirmait ne pas être au courant de cet engagement. A nos yeux, ça ne tenait pas debout. Vous imaginez ? Un mac qui ne sait pas... qui ne sait pas où va une de ses filles ! C'était le seul élément dont on disposait, et quand on a commencé à cuisiner Fox là-dessus, Conklin est intervenu comme un arbitre de boxe.

– Il ne voulait pas que vous le cuisiniez ?

– C'est le truc le plus dingue que j'aie jamais vu. Ce type était quand même le futur procureur, tout le monde savait qu'il allait se présenter. Et voilà qu'il prenait la défense de ce salopard... contre nous... Pardon pour le « salopard ».

– C'est rien.

– Conklin voulait donner l'impression qu'on faisait fausse route et, pendant ce temps-là, cette enflure de Fox était assis dans son coin avec un grand sourire et un cure-dent coincé au coin de la bouche. Ça remonte à... au moins trente ans et, pourtant, je m'en souviens encore de ce cure-dent. Ça me foutait dans une rage folle. Enfin, bref, on n'a jamais pu lui faire avouer qu'il avait organisé ce rencard où elle était allée.

Le bateau fut soulevé par une vague ; Bosch regarda autour de lui sans apercevoir d'autre bateau. C'était un sentiment étrange. Il contempla cette vaste étendue d'eau et constata pour la première fois à quel point elle était différente de celle du Pacifique. Le Pacifique était d'un bleu froid et intimidant ; le vert chaud du golfe du Mexique vous tendait les bras.

– On a foutu le camp, reprit McKittrick. Je me disais qu'on reviendrait à la charge une autre fois. En attendant, on a vérifié son alibi et il s'est avéré que c'était du solide. Et pas uniquement parce que les témoins qu'il avait cités l'ont confirmé. Non. On a fait notre boulot. On a déniché des personnes indépendantes. Des gens qui ne connaissaient pas Fox. Dans mon souvenir, son alibi était en béton.

– Vous vous rappelez où il était ce soir-là ?

– Il a passé une partie de la nuit dans un bar d'Ivar Street, un endroit fréquenté par les macs. J'ai oublié le nom. Ensuite, il est allé dans Ventura et il a passé le restant de la nuit dans un tripot, jusqu'à ce qu'il reçoive un coup de téléphone. C'est à ce moment-là qu'il s'est tiré. L'autre truc à signaler, c'est que ça ne ressemblait pas à un alibi fabriqué exprès pour ce soir-là. C'était sa routine. Il était connu dans tous ces endroits.

– C'était quoi, ce coup de téléphone ?

– On ne l'a jamais su. En fait, on ne l'a appris qu'après avoir commencé à vérifier son alibi ; quelqu'un nous en a parlé. On n'a jamais eu l'occasion de poser la question à Fox. Mais pour être franc, à ce stade, on s'en foutait un peu. Comme je vous le disais, son alibi était en béton, et il n'a reçu l'appel qu'au petit matin. Vers 4 ou 5 heures. La vic... votre mère était déjà morte depuis longtemps. Elle est morte vers minuit. Ce coup de téléphone n'avait pas d'importance.

Bosch acquiesça, mais c'était le genre de détails qu'il n'aurait pas négligé s'il avait mené l'enquête. C'était un élément trop curieux. Qui pouvait appeler quelqu'un dans un tripot à 5 heures du matin ? Quel genre d'appel pouvait inciter Fox à abandonner une partie de cartes ?

– Et les empreintes ?

– Je les ai fait analyser, évidemment, et elles ne correspondaient pas à celles de la ceinture. Ce salopard était clean.

Une idée traversa l'esprit de Bosch.

– Vous avez comparé les empreintes de la ceinture avec celles de la victime ?

– Écoutez, Bosch, je sais que vos collègues et vous, vous vous prenez pour des caïds, mais, à l'époque, on avait la réputation d'avoir un cerveau et une paire de jambes, je vous signale.

– Je vous demande pardon.

– Il y avait quelques empreintes sur la boucle et c'étaient celles de la victime. C'est tout. Les autres appartenaient forcément au meurtrier, à cause de leurs positions. Il était clair que la ceinture avait été tenue fermement à pleines mains, à deux endroits. On ne tient pas une ceinture de cette manière pour la serrer. On la tient comme ça quand on veut étrangler quelqu'un.

Ils gardèrent tous les deux le silence pendant quelques instants. Bosch ne comprenait pas ce que voulait lui dire McKittrick. Il se sentait abattu. Il avait pensé qu'en incitant l'ex-flic à se confier, celui-ci pointerait un doigt accusateur sur Fox, Conklin ou quelqu'un d'autre. Mais non. En fait, il n'avait rien à lui apprendre.

– Comment se fait-il que vous vous souveniez si bien des détails, Jake ? C'est une vieille histoire.

– J'ai eu beaucoup de temps pour y repenser. Vous verrez, Bosch, le jour où vous partirez à la retraite. Il y aura forcément une affaire qui vous obsédera. Moi, c'est celle-ci.

– Alors, quel est votre sentiment ?

– Mon sentiment ? Je n'ai jamais digéré cet interrogatoire dans le bureau de Conklin. Il fallait être présent pour comprendre, mais... j'avais l'impression que celui qui tenait les rênes, c'était Fox. C'était lui qui commandait.

Bosch se contenta de hocher la tête ; il voyait bien que McKittrick se débattait pour parvenir à expliquer ce qu'il ressentait.

– Vous avez déjà interrogé un suspect en présence de son avocat qui intervient sans cesse ? demanda McKittrick. Dans le genre : « Ne répondez pas à ceci, ne répondez pas à cela » ?

– Oui, tout le temps.

– Eh bien, c'était pareil. On avait l'impression que Conklin, le futur procureur, bordel de merde, était l'avocat de cette ordure de Fox. Il n'arrêtait pas de rejeter nos questions. A tel point que si on n'avait pas su qui était qui, on aurait pu croire qu'il travaillait pour Fox, je vous assure. Tous les deux, d'ailleurs. Mittel aussi. J'étais presque certain que Fox avait un moyen de pression sur Arno Conklin. D'une manière ou d'une autre. Et j'avais raison. Ça s'est confirmé plus tard.

– Vous voulez dire quand Fox est mort ?

– Exact. Il a été tué par un chauffard qui a pris la fuite alors qu'il travaillait pour la campagne de Conklin. Je me souviens que l'article dans le journal ne faisait aucune allusion à son passé de proxénète et de gangster de Hollywood Boulevard. Non, c'était juste un pauvre gars qui s'était fait écraser. Le parfait innocent. Je vous le dis, cet article a dû coûter un joli paquet de dollars à Conklin et un journaliste s'en est mis plein les poches.

Bosch ne dit rien, il sentait que la suite allait venir.

– J'étais inspecteur à Wilshire à cette époque-là, reprit McKittrick. Mais cette nouvelle a éveillé ma curiosité. J'ai appelé le commissariat de Hollywood pour savoir qui s'occupait de l'enquête. C'était Eno. Parlez d'une surprise ! Évidemment, personne n'a jamais été arrêté. Ce qui confirmait également ce que je pensais de lui.

McKittrick regardait fixement l'horizon, où le soleil commençait à décliner. Il lança sa boîte de bière en visant la poubelle. Il manqua son tir ; la boîte rebondit contre le plat-bord et tomba dans l'eau.

– Ah, merde, tiens ! Je crois qu'il est temps de rentrer.

Il rembobina sa ligne.

– A votre avis, demanda Bosch, qu'a donc gagné Eno dans tout ça ?

– Je ne sais pas. Peut-être a-t-il réclamé des faveurs, un truc dans ce genre. Je ne dis pas qu'il s'est enrichi, mais je pense qu'il en a quand même tiré un bénéfice. Il n'aurait pas fait tout ça pour rien. Mais je n'en sais pas plus.

McKittrick ôta les cannes des tubes pour les fixer horizontalement à des crochets plantés le long de la coque à l'arrière du bateau.

– En 1972, vous avez ressorti le dossier des archives. Pour quelle raison ? demanda Bosch.

McKittrick le regarda d'un air surpris.

– J'ai signé la même fiche de retrait il y a quelques jours, lui expliqua Bosch. Votre nom figurait encore dessus.

McKittrick hocha la tête.

– C'était juste après avoir fait ma demande de retraite. Avant de partir, je voulais faire un peu le tri dans mes dossiers et tout ça. J'avais conservé les empreintes qu'on avait prélevées sur la ceinture. J'avais gardé la fiche. Et la ceinture aussi.

– Pourquoi ?

– Vous savez bien pourquoi. Je pensais qu'elles ne seraient pas à l'abri dans le dossier ou parmi les pièces à conviction. Avec Conklin au poste de procureur et Eno qui travaillait pour lui. Alors, j'ai conservé ces machins. Puis les années ont passé et je les ai retrouvés dans mes affaires en faisant du rangement pour partir en Floride. Juste avant de tirer ma révérence, j'ai remis la fiche des empreintes dans le dossier et je suis allé replacer la ceinture dans la boîte des pièces à conviction. Eno vivait déjà à Las Vegas, il était à la retraite. Conklin avait sombré, il était grillé, il ne faisait plus de politique. Cette affaire était oubliée depuis longtemps. J'ai tout remis. Peut-être espérais-je qu'un jour quelqu'un comme vous viendrait y mettre son nez.

– Et vous ? demanda Bosch. Avez-vous relu le dossier en remettant la fiche ?

– Oui, et j'ai compris que j'avais eu le nez creux. Quelqu'un était passé par là pour faire le ménage. On avait enlevé l'interrogatoire de Fox. Sans doute Eno.

– En tant qu'inspecteur numéro deux dans cette enquête, vous étiez chargé de toute la paperasse, non ?

– Exact. C'est moi qui ai rédigé les rapports. La plupart, du moins.

– Qu'y avait-il dans le compte rendu de l'interrogatoire de Fox qui ait pu pousser Eno à le supprimer ?

– Je ne me souviens pas d'un détail en particulier, mais je me disais que le suspect mentait certainement et que Conklin était à côté de la plaque, un truc dans ce genre.

– Vous souvenez-vous si d'autres éléments avaient disparu ?

– Non, rien d'important. Juste ça. Je pense qu'il voulait simplement faire disparaître le nom de Conklin.

– Dans ce cas, il a laissé échapper un truc. Vous aviez noté son appel dans le rapport chronologique d'enquête. C'est comme ça que j'ai su.

– J'ai fait ça ? Je m'en félicite. Et vous voilà.

– Oui.

– Allez, on rentre. Dommage que ça n'ait pas voulu mordre aujourd'hui.

– Je ne me plains pas, j'ai attrapé mon poisson.

McKittrick reprit sa place à la barre. Il s'apprêtait à remettre le moteur en marche lorsqu'il pensa à quelque chose.

– Oh, attendez. (Il retourna vers la glacière et l'ouvrit.) Je ne veux pas faire de peine à Mary.

Il sortit les sachets en plastique contenant les sandwiches préparés par son épouse.

– Vous avez faim ?

– Non, pas trop.

– Moi non plus.

Il ouvrit les sachets et jeta les sandwiches par-dessus bord. Bosch l'observait.

– Jake… quand vous m'avez braqué avec votre flingue, qui pensiez-vous que j'étais ?

McKittrick plia soigneusement les sachets sans rien dire, puis il les remit dans la glacière. Il se redressa et se tourna vers Bosch.

– Aucune idée. Je me suis simplement dit que j'allais peut-être devoir vous conduire jusqu'ici et vous balancer à la mer, comme les sandwiches. J'ai l'impression de m'être caché ici toute ma vie à attendre qu'ils envoient quelqu'un.

– Malgré le temps et la distance ?

– Je ne sais pas. Plus le temps passe, plus j'en doute, en effet. Mais les vieilles habitudes ont la vie dure. Et j'ai toujours un flingue près de moi. Même si, la plupart du temps, j'oublie pour quelle raison.

Ils quittèrent le golfe, accompagnés par le vrombissement du moteur et les embruns salés qui aspergeaient délicatement leurs visages. Sans parler. C'était terminé. Par moments, Bosch jetait un regard vers McKittrick. Son visage ridé était masqué par l'ombre de la visière de sa casquette, mais Bosch apercevait ses yeux ; ils regardaient quelque chose qui s'était produit bien des années auparavant et qu'on ne pouvait pas effacer.

CHAPITRE VINGT-SIX

Après sa virée en mer, Bosch fut assailli par une migraine due à l'effet combiné d'un abus de bière et de soleil. Il refusa l'invitation à dîner de McKittrick, en expliquant qu'il était trop fatigué. Ayant regagné sa voiture, il prit deux cachets de Tylenol dans son sac de voyage et les avala sans eau en espérant que ce serait efficace. Après quoi, il sortit son carnet pour passer en revue toutes les notes qu'il avait prises pendant le récit de McKittrick.

Il en était venu à se prendre d'affection pour l'ancien flic à la fin de leur partie de pêche. Peut-être se reconnaissait-il un peu dans ce vieux bonhomme. McKittrick était hanté par le remords d'avoir laissé tomber l'affaire. Il n'avait pas fait ce qu'il fallait. Et Bosch savait qu'il s'était rendu coupable de la même négligence durant toutes ces années où il l'avait ignorée en sachant qu'elle était là et l'attendait. Aujourd'hui, il essayait de rattraper le temps perdu, et McKittrick en faisait autant en acceptant de se confier à lui. Mais l'un et l'autre savaient qu'il était peut-être un peu trop tard.

Bosch se demanda ce qu'il allait faire à son retour à Los Angeles. Apparemment, il n'avait qu'une solution : affronter Conklin. Mais il renâclait : il n'était pas suffisamment armé pour cette confrontation et le savait. Il n'avait que des soupçons et aucune preuve concrète. Conklin aurait l'avantage.

Une vague de désespoir le submergea soudain. Il ne voulait pas que l'affaire se résume à cela. Conklin avait tenu bon pendant presque trente-cinq ans. Il ne craquerait pas maintenant, face à Bosch. Celui-ci savait qu'il lui fallait autre chose. Mais il n'avait rien.

Il mit le moteur en route, mais resta au point mort. Il poussa au maximum la climatisation, ajouta ce que lui avait dit McKittrick à l'espèce de brouet qu'il avait déjà et entreprit de formuler une théorie. Pour lui, c'était là une des composantes essentielles de toute enquête criminelle. Il fallait rassembler tous les éléments, les secouer et faire tomber des hypothèses. Le plus important était de ne pas devenir esclave d'une théorie. Les théories changeaient et il fallait changer avec elles.

D'après le récit de McKittrick, il semblait évident que Fox possédait un moyen de pression sur Conklin. Lequel ? Voyons, se dit-il. Les femmes étaient le gagne-pain de Fox. Logiquement, on pouvait donc supposer qu'il avait mis le grappin sur Conklin par le biais d'une femme, voire de plusieurs. Les articles de presse de l'époque précisaient que Conklin était célibataire. La morale de ce temps-là, comme celle d'aujourd'hui, exigeait que Conklin, en tant que haut fonctionnaire et futur candidat au poste de premier procureur, n'ait pas succombé en privé aux vices qu'il pourfendait en public. Car si tel était le cas et si on le dénonçait, il pouvait dire adieu à sa carrière politique, sans parler de son poste de chef des commandos de moralité. Conclusion, se dit Bosch, si c'était bien là son talon d'Achille et si Fox était l'instigateur de ce libertinage, ce même Fox avait en main assez d'atouts pour faire pression sur Conklin. Cela aurait expliqué les conditions inhabituelles de l'interrogatoire de Fox mené par McKittrick et Eno.

Évidemment, se dit-il aussi, cette théorie était encore plus prégnante si Conklin ne s'était pas contenté de succomber à l'appel du sexe et si, allant au-delà, il avait tué une femme que lui avait envoyée Fox, à savoir : Marjorie Lowe. Cela aurait expliqué pourquoi, étant le meurtrier, Conklin était si sûr de l'innocence de Fox. Cela aurait également expliqué comment Fox avait poussé Conklin à se mouiller pour lui et pourquoi, par la suite, Conklin l'avait engagé pour sa campagne électorale. Tout se résumait donc à ceci : si Conklin était le meurtrier, la mainmise de Fox devenait d'autant plus forte, Conklin étant alors, comme ce wahoo au bout de la ligne, un gros poisson pris à l'hameçon.

A moins, se dit-il, que l'homme à l'autre bout de la ligne, celui qui tenait la canne à pêche, soit obligé de lâcher prise pour une raison ou pour une autre. Il repensa à la mort de Fox : tout collait. Conklin avait laissé passer du temps entre les deux morts. Il avait joué le rôle du poisson ferré, allant jusqu'à donner un poste important à Fox pour sa campagne, comme celui-ci l'exigeait ; puis, quand tout semblait calme à l'horizon, Fox avait été écrasé par une voiture. Un pot-de-vin versé au journaliste avait permis de faire le silence sur le passé trouble de la victime, à supposer que le journaliste en ait eu connaissance, et, quelques mois plus tard, Conklin était couronné procureur.

Bosch tenta alors de préciser le rôle de Mittel dans cette théorie. Il était peu probable que tout cela se soit déroulé en vase clos. En tant que bras droit et homme de main de Conklin, Mittel, on pouvait le supposer, en savait autant que son patron.

Bosch aimait bien cette idée, mais elle le mettait d'autant plus en colère que ce n'était justement que ça : une idée. Il secoua la tête d'un air dépité en constatant qu'il était revenu à la case départ. Tout cela n'était que bavardages, il n'avait aucune preuve.

Lassé de ces réflexions stériles, il décida de mettre toutes ces pensées de côté pendant un temps. Il baissa la climatisation, car l'air était trop froid sur sa peau rougie par les coups de soleil, et démarra. Tandis qu'il roulait au pas dans Pelican Cove, en direction du poste de contrôle de la résidence, il se surprit à penser à la jeune femme qui avait essayé de lui vendre l'appartement de son père décédé. Elle avait signé son autoportrait du nom de Jazz. Ça lui plaisait.

Finalement, il effectua un demi-tour pour retourner vers son petit immeuble. Il faisait encore jour et aucune lumière ne brillait derrière les fenêtres. Bosch ignorait si la jeune femme était encore chez elle. Il se gara à proximité et observa l'entrée pendant plusieurs minutes en se demandant ce qu'il devait faire, et même s'il devait faire quelque chose.

Un quart d'heure plus tard, alors que l'indécision semblait l'avoir totalement paralysé, il la vit sortir. Il était garé tout près de la porte, à une vingtaine de mètres, entre deux autres voitures. Malgré son engourdissement général, il parvint à glisser au fond de son siège pour éviter d'être repéré. La jeune femme pénétra dans le parking et disparut derrière la rangée de voitures dans laquelle il se trouvait, mais il n'osait pas bouger, ni même tourner la tête pour suivre ses déplacements. Il tendit l'oreille. Guetta un bruit de moteur. Mais après ? se demanda-t-il. La suivre ? A quoi jouait-il ?

Des petits coups frappés à sa vitre le firent sursauter. C'était elle. Malgré sa confusion, il eut la présence d'esprit de remettre le contact pour pouvoir baisser la vitre.

– Oui ? dit-il.

– Que faites-vous, monsieur Bosch ?

– Comment ça ?

– Vous restez ici sans bouger. Je vous ai vu.

– Je...

Il était trop honteux pour terminer sa phrase.

– Je devrais peut-être appeler la sécurité...

– Non, ne faites pas ça. Je... euh, je voulais juste... J'allais venir sonner à votre porte. Pour m'excuser.

– Vous excuser ? De quoi ?

– Pour tout à l'heure. Quand je suis allé chez vous. Je... vous aviez raison, je ne cherchais pas à acheter un appartement.

– Que veniez-vous faire, alors ?

Il ouvrit sa portière et descendit : assis au volant, il se sentait en position d'infériorité.

– Je suis flic, lui avoua-t-il. J'avais besoin d'entrer dans la résidence pour voir quelqu'un. Je me suis servi de vous et je suis désolé. Sincèrement. J'ignorais que votre père était... enfin, tout ça quoi.

Elle sourit et secoua la tête.

– C'est l'histoire la plus bête que j'aie jamais entendue. Et Los Angeles, c'était inventé aussi ?

– Non. Je viens vraiment de L.A. C'est là que je travaille.

– A votre place, je ne sais pas si je l'avouerais ; les flics de Los Angeles n'ont pas bonne réputation.

– Oui, je sais. Mais...

Il sentit renaître son courage. Il reprenait l'avion le lendemain, peu importait ce qui allait se passer : de toute façon, il ne reverrait plus jamais cette femme, ni la Floride.

– ...Vous aviez parlé d'une citronnade, mais je n'y ai pas eu droit. Je me disais que je pourrais peut-être vous raconter mon histoire et m'excuser... en échange de votre citronnade..., dit-il en tournant la tête vers la porte de l'immeuble.

– Les policiers de L.A. ne manquent pas de toupet, lui renvoya-t-elle, mais en souriant. D'accord. Je vous offre un verre, mais votre histoire a intérêt à être bonne. Et pas trop longue. Je pars pour Tampa ce soir.

Ils gagnèrent l'entrée de l'immeuble, et Bosch s'aperçut qu'il avait le sourire.

– Qu'y a-t-il à Tampa ?

– C'est là que je vis et ça me manque. Depuis que j'ai mis l'appartement en vente, je suis plus souvent ici que là-bas. J'ai envie de passer un dimanche chez moi, dans mon atelier.

– Ah oui, vous peignez.

– J'essaie.

Elle ouvrit la porte et le laissa entrer le premier.

– C'est parfait, dit-il. Il faut que je sois à Tampa ce soir, moi aussi. Je reprends l'avion demain matin.

Devant un grand verre de citronnade, il lui expliqua comment il s'était servi d'elle pour franchir le poste de garde afin d'approcher un autre résident. Elle ne parut pas s'en offusquer. Au contraire, il lui sembla qu'elle admirait son ingéniosité. Mais il se garda bien de lui expliquer que sa ruse avait fait long feu face à un McKittrick qui l'avait menacé de son arme. Il évoqua vaguement son enquête, sans mentionner les liens personnels qui le rattachaient à cette affaire ; elle parut intriguée par l'idée qu'on puisse résoudre un meurtre commis trente-trois ans plus tôt.

Le premier verre de citronnade fut suivi de trois autres, les deux derniers arrosés d'une bonne dose de vodka qui se chargèrent d'éliminer les restes de migraine de Bosch et nimbèrent la conversation d'une douce atmosphère. Entre le troisième et le quatrième verre, elle lui demanda si elle pouvait fumer, il alluma aussitôt deux cigarettes. Puis, tandis que le ciel s'assombrissait au-dessus des palétuviers, il orienta la conversation sur elle. Il avait senti en elle comme un parfum de solitude, une sorte de mystère même. Derrière ce joli visage se cachaient des blessures. Celles qu'on ne voit pas.

Elle s'appelait Jasmine Corian, mais, précisa-t-elle, ses amis l'appelaient Jazz. Elle avait grandi au soleil de Floride et n'avait jamais voulu le quitter. Elle avait été mariée, mais cela remontait à loin. Elle n'avait personne dans sa vie pour l'instant et s'y était habituée. Elle consacrait la majeure partie de son temps à son art ; il crut comprendre ce qu'elle voulait dire. Son art à lui, bien que peu de gens eussent employé ce terme, l'occupait lui aussi presque entièrement.

– Que peignez-vous ? lui demanda-t-il.

– Surtout des portraits.

– De qui ?

– De gens que je connais. Peut-être que je ferai le vôtre, Bosch. Un jour.

Ne sachant que répondre, il effectua une transition maladroite afin de revenir sur un terrain moins dangereux.

– Pourquoi ne pas confier l'appartement à un agent immobilier ? Comme ça, vous pourriez rester à Tampa et peindre.

– J'avais envie de changer de décor. En plus, je ne tiens pas trop à verser 5 % à un intermédiaire. C'est une très belle résidence. Les appartements se vendent très bien sans agents immobiliers. Il y a beaucoup d'acheteurs canadiens. Je ne devrais pas avoir de problèmes pour le vendre. L'annonce est dans le journal depuis une semaine seulement.

Il acquiesça. Il regrettait d'avoir abordé le sujet de l'immobilier au lieu de continuer à parler de peinture. Ce changement maladroit semblait avoir terni l'ambiance.

– Ça vous dirait d'aller dîner ? demanda-t-il.

Elle le regarda d'un air solennel, comme si cette proposition et sa réponse avaient des implications plus profondes. Elles en avaient sans doute. Du moins Bosch le pensait-il.

– Où irions-nous ?

C'était un moyen de gagner du temps, mais il décida de jouer le jeu.

– Je ne sais pas. Je ne connais pas cette ville. La Floride non plus. Je vous laisse choisir. Dans le coin ou en remontant vers Tampa. Ça m'est égal. Mais j'aimerais bien dîner avec vous, Jazz. Si vous êtes d'accord.

– A quand remonte votre dernier rendez-vous ? Avec une femme, je veux dire.

– Avec une femme ? Je ne sais pas. Plusieurs mois, je crois. Mais… écoutez, je ne suis pas du genre dragueur. Il se trouve que je suis en ville ce soir, seul, et je me disais que peut-être…

– O.K., Harry. On y va.

– Dîner ?

– Oui, dîner. Je connais un restaurant sur le chemin. Au-dessus de Longboat. Il faudra me suivre.

Il sourit et acquiesça.

Elle conduisait une Coccinelle bleu pastel décapotable, dont une des ailes était rouge. Il ne risquait pas de la perdre, surtout sur les autoroutes de Floride où l'on roulait au ralenti.

Ils durent s'arrêter devant deux ponts basculants avant d'atteindre Longboat Key. Ils parcoururent toute l'île dans sa longueur, puis empruntèrent encore un pont pour accéder à Anna Maria Island et s'arrêtèrent enfin dans un endroit baptisé « Le Banc de sable ». Ils traversèrent le bar et la salle de restaurant pour aller s'asseoir sur une terrasse qui dominait le golfe. Il faisait délicieusement frais ; ils mangèrent des crabes et des huîtres accompagnés de bière mexicaine. Bosch se sentait bien.

Ils parlèrent peu, mais ce n'était pas nécessaire. C'était toujours dans les silences qu'il se trouvait le plus à l'aise avec les femmes qui traversaient sa vie. Les effets de la vodka et de la bière attisaient ses sentiments envers elle et arrondissaient tous les angles un peu trop vifs de cette soirée. Le désir qu'il éprouvait pour elle devenait plus intense, plus envoûtant. McKittrick et l'enquête se retrouvèrent vite relégués dans les ténèbres de son esprit.

– C'était bon, dit-il lorsqu'il ne fut plus capable ni d'avaler ni de boire quoi que ce soit. Délicieux, même.

– Oui, c'est la spécialité de la maison. Je peux vous dire quelque chose, Harry ?

– Allez-y.

– Je plaisantais, tout à l'heure, en parlant des flics de Los Angeles. Mais j'ai connu d'autres policiers avant… et vous semblez différent. Je ne sais pas de quoi il s'agit exactement, mais c'est comme si vous étiez resté vous-même, vous voyez ?

– Je crois… Merci… Enfin, je suppose.

Ils éclatèrent de rire ensemble, puis, en hésitant, Jazz se pencha au-dessus de la table pour déposer un petit baiser fugace sur ses lèvres. C'était bon et il sourit. Il sentit le goût de l'ail.

– Heureusement que vous avez des coups de soleil, dit-elle, sinon, vous auriez recommencé à rougir.

– Non, non. Enfin… c'est gentil de dire ça.

– Vous voulez venir chez moi ?

Cette fois, ce fut Bosch qui hésita. Pas qu'il aurait eu besoin de réfléchir à la réponse. Il voulait seulement lui donner la possibilité de retirer sa proposition au cas où elle aurait parlé trop vite. Finalement, comme elle ne disait rien, il sourit et hocha la tête.

– Oui, dit-il, avec joie.

Ils quittèrent le restaurant et coupèrent par l'intérieur des terres pour rejoindre l'autoroute. En suivant la Coccinelle, il se demanda si Jazz allait changer d'avis en se retrouvant seule dans sa voiture. Il eut la réponse en atteignant le péage du Skyway Bridge. Alors qu'il s'arrêtait devant le guichet, son billet d'un dollar à la main, le péagiste secoua la tête et lui fit signe de ranger son argent.

– La dame de la Coccinelle a payé pour vous.

– Ah bon ?

– Ouais. Vous la connaissez ?

– Pas très bien.

– Je crois que ça va pas tarder. Bonne chance.

– Merci.

CHAPITRE VINGT-SEPT

Bosch ne risquait plus de la perdre désormais. A mesure que le trajet se prolongeait, il sentait croître en lui une sorte d'euphorie adolescente en songeant à ce qui l'attendait. Il était fasciné par le caractère direct de cette femme et curieux de savoir de quelle manière cela se traduirait lorsqu'ils feraient l'amour.

Elle le conduisit au nord de Tampa, puis dans un secteur baptisé Hyde Park. Ce quartier, qui dominait la baie, était constitué de vieilles maisons victoriennes ou Craftsman dotées d'énormes vérandas. Jasmine habitait un appartement au-dessus d'un garage pour trois voitures construit derrière une grande demeure victorienne grise avec des volets verts.

Arrivé en haut des marches, alors qu'elle introduisait sa clé dans la serrure, Bosch pensa à quelque chose et ne sut que faire. Elle ouvrit la porte et se retourna vers lui. Elle comprit qu'un problème le tracassait.

– Ça ne va pas ? lui demanda-t-elle.

– Si, si. Mais je pensais... je devrais peut-être essayer de trouver une pharmacie ou un truc comme ça...

– Ne t'en fais pas, j'ai ce qu'il faut. Par contre, ça ne t'ennuie pas d'attendre une seconde ? Le temps que je fasse un peu de rangement, vite fait.

Il la regarda.

– Je me fiche du désordre.

– S'il te plaît.

– Bon, d'accord. Prends ton temps.

Il patienta environ trois minutes, puis elle revint lui ouvrir et le fit entrer. Si elle avait fait du rangement, elle l'avait fait dans le noir. L'unique source de lumière provenait d'une autre pièce, qui semblait être la cuisine. Elle le prit par la main et l'entraîna dans un couloir sombre qui conduisait à la chambre. Là, elle alluma la lumière, faisant apparaître une pièce meublée de manière spartiate. L'élément principal en était un lit en fer forgé à baldaquin. A côté se trouvaient une table de chevet en bois brut et une commode assortie, le coin opposé étant occupé par une vieille machine à coudre Singer, sur laquelle trônait un vase bleu contenant des fleurs fanées. Les murs étaient entièrement nus, mais il y remarqua un clou qui dépassait du plâtre au-dessus du vase. Apercevant les fleurs, Jasmine s'empressa d'ôter le vase.

– Il faut que j'aille jeter ça, dit-elle. Je ne suis pas revenue ici depuis une semaine et j'avais oublié de les enlever.

Le fait de déplacer les fleurs fanées répandit une légère odeur âcre dans la chambre. Pendant l'absence de Jasmine, Bosch reporta son attention sur le clou solitaire et il lui sembla apercevoir les contours d'un rectangle sur le mur. Quelque chose avait été accroché à cet endroit. Jasmine n'était pas entrée la première dans la chambre pour y faire du rangement, sinon elle aurait jeté les fleurs fanées. Elle était entrée pour décrocher un tableau.

De retour dans la chambre, elle posa le vase vide sur le dessus de la machine à coudre.

– Tu veux une autre bière ? lui demanda-t-elle. J'ai aussi du vin.

Il s'approcha d'elle, de plus en plus intrigué par le mystère de cette femme.

– Non, je ne veux rien, dit-il.

Ils s'enlacèrent. Il sentit le goût de la bière, de l'ail et du tabac en l'embrassant, mais il s'en fichait. D'ailleurs, il savait que son haleine devait sentir la même chose. Il appuya sa joue contre la sienne, et son nez frôla l'endroit, dans son cou, où elle avait apposé une touche de parfum : jasmin nocturne.

Ils glissèrent vers le lit et se déshabillèrent entre deux baisers ardents. Elle avait un corps magnifique, avec des marques de bronzage visibles sur sa peau mate. Il embrassa ses adorables petits seins et la poussa en douceur sur le lit. Elle lui dit d'attendre, roula sur le côté, et, du tiroir de la table de chevet, elle sortit une bande de trois préservatifs emballés, qu'elle lui tendit.

– Trois ? C'est un souhait ?

Ils éclatèrent de rire ensemble, la tension semblant s'évanouir tout à coup.

– Je ne sais pas, répondit-elle. On verra.

Pour Bosch, les aventures sexuelles étaient toujours une question de timing. Le désir qu'éprouvaient deux individus suivait son propre chemin. Il existait des besoins émotionnels différents des besoins physiques et, parfois, ces deux choses se rejoignaient chez l'un et s'emboîtaient avec les besoins de l'autre. La rencontre de Bosch avec Jasmine Corian faisait partie de ces moments. Le sexe créait un monde à l'abri de toute intrusion. Si vital que cela aurait pu durer une heure ou seulement quelques minutes sans qu'il sente la différence. Finalement, il se retrouva au-dessus d'elle, son regard plongé dans le sien. Elle s'accrocha à ses bras, comme si sa vie en dépendait. Leurs deux corps tremblèrent à l'unisson, puis il resta couché sur elle, immobile, reprenant son souffle dans le creux formé par son cou et son épaule. Il se sentait si bien qu'il avait envie d'éclater de rire, mais il se retint car elle n'aurait pas compris. Il réprima son rire et le transforma en une petite toux étouffée.

– Ça va ? lui demanda-t-elle à voix basse.

– Je ne me suis jamais senti mieux.

Finalement, il se décolla d'elle et recula en rampant sur son corps. Il embrassa ses seins, puis se redressa entre ses jambes et ôta son préservatif en utilisant son corps pour se cacher.

Il se leva, gagna une porte qu'il espérait être celle de la salle de bains, mais qui était en fait celle d'un placard. La suivante étant la bonne, il jeta le préservatif dans les toilettes. Distraitement, il se demanda si ce dernier allait se retrouver quelque part dans la baie de Tampa.

Quand il revint dans la chambre, elle était assise dans le lit, les draps enroulés autour de la taille. Il récupéra sa veste par terre et prit ses cigarettes. Il lui en donna une et l'alluma. Puis il se pencha pour embrasser ses seins encore une fois. Le rire contagieux de Jasmine le fit sourire.

– Tu sais, je suis contente que tu ne sois pas venu équipé.

– Équipé ? De quoi tu parles ?

– Tu as proposé d'aller à la pharmacie, tu te souviens ? Ça montre le genre d'homme que tu es.

– Explique-toi.

– Si tu étais arrivé de Los Angeles avec un préservatif dans ton portefeuille, ça aurait fait tellement… prémédité, disons. Le genre « mec à l'affût », tu vois. Il n'y aurait eu aucune spontanéité. Mais tu n'es pas comme ça, Harry Bosch, et ça me fait plaisir. C'est tout.

Il essaya de suivre son raisonnement, mais ne fut pas sûr de comprendre et se demanda ce qu'il devait penser du fait qu'elle, elle était « équipée ». Il décida de laisser tomber et alluma sa cigarette.

– Qu'est-ce qui t'est arrivé à la main ?

Elle avait remarqué les traces sur ses doigts. Il avait ôté ses pansements dans l'avion. Ses brûlures ayant cicatrisé, on ne **voyait** plus que des boursouflures rouges.

— Je me suis endormi avec une cigarette.

Il sentait qu'il pouvait lui dire toute la vérité.

— Mince, ça fout la trouille.

— Comme tu dis. Je crois que ça ne m'arrivera plus jamais.

— Tu veux passer la nuit ici ?

Il se rapprocha et l'embrassa dans le cou.

— Oui, murmura-t-il.

Elle se pencha pour caresser la cicatrice, semblable à une fermeture Éclair, qu'il avait sur l'épaule gauche. Toutes les femmes avec lesquelles il couchait avaient ce geste. C'était une marque affreuse et il ne comprenait pas pourquoi elles éprouvaient le besoin de la toucher.

— Tu t'es fait tirer dessus ? demanda-t-elle.

— Oui.

— Ça fout la trouille.

Il répondit par un haussement d'épaules. C'était de l'histoire ancienne ; il n'y pensait presque jamais.

— Ce que j'essayais de te dire tout à l'heure, reprit-elle, c'est que tu ne ressembles pas à la plupart des flics que je connais. On dirait qu'il te reste trop d'humanité. Comment ça se fait ?

Il haussa de nouveau les épaules comme s'il ne savait pas.

— Ça va, Harry ?

Il écrasa sa cigarette.

— Oui, ça va très bien. Pourquoi ?

— Je ne sais pas. Tu connais la chanson que chantait Marvin Gaye avant d'être tué par son propre père ? Ça parlait de guérison par le sexe. Il disait que ça faisait du bien à l'âme. Un truc comme ça. Bref, moi, j'y crois… pas toi ?

— Si, sans doute.

— J'ai l'impression que tu as besoin d'être guéri, Harry. C'est les vibrations que je ressens.

— Tu as envie de dormir ?

Elle se rallongea et remonta les draps sur elle. Bosch fit le tour de la chambre, nu, pour éteindre la lumière. Quand il la rejoignit sous les draps dans le noir, elle roula sur le côté, lui tourna le dos et lui demanda de passer ses bras autour d'elle. Il vint se coller contre elle et l'enlaça. Il adorait son odeur.

— Pourquoi est-ce qu'on t'appelle Jazz ?

— Je ne sais pas. C'est comme ça. A cause de mon prénom.

Après un instant de silence, elle lui demanda pourquoi il lui avait posé cette question.

– A cause de l'odeur de ton corps. Elle fait penser aux deux : à la fleur et à la musique.

– Le jazz a une odeur ?

– Oui. Une odeur sombre, fumée.

Ils restèrent silencieux un long moment après cet échange et Bosch crut qu'elle s'était endormie. Incapable de trouver le sommeil, il avait les yeux grands ouverts et contemplait les ombres de la chambre. Mais, soudain, elle lui demanda dans un murmure :

– Harry… quelle est la pire chose que tu te sois infligée dans la vie ?

– Que veux-tu dire ?

– Tu le sais bien. La chose la plus terrible… le truc qui t'empêche de dormir la nuit si tu y penses trop ?

Il réfléchit.

– Je ne sais pas, dit-il avec un petit rire gêné. J'ai fais un tas de trucs moches. Et souvent à moi-même, j'en ai l'impression. En tout cas, j'y pense souvent et…

– Cite-m'en une. Vas-y, tu peux me le dire.

Oui, il savait qu'il le pouvait. Il savait qu'il pouvait lui dire presque tout sans être jugé sévèrement.

– Quand j'étais gosse… J'ai passé presque toute mon enfance dans un centre d'accueil, une sorte d'orphelinat. Quand j'y suis arrivé, un garçon plus âgé m'a volé mes chaussures, une paire de baskets. Elles ne lui allaient pas, mais il me les a volées quand même, uniquement parce qu'il pouvait le faire. C'était un des chefs de la meute et il m'a volé mes chaussures. Je n'ai pas réagi, et j'ai souffert.

– Mais tu n'as rien fait. Ce n'est pas ce que je…

– Attends, ce n'est pas fini. Je t'ai raconté ça pour que tu comprennes. J'ai grandi moi aussi. Je suis devenu un des caïds de l'orphelinat et j'ai fait la même chose. J'ai volé les chaussures d'un nouveau. Il était plus petit que moi, je ne pouvais même pas les enfiler. Mais je les ai prises et je… je ne sais plus, je crois que je les ai jetées, un truc comme ça. Je les ai volées parce que j'en avais la possibilité. J'ai fait exactement ce qu'on m'avait fait… Et parfois encore j'y repense et j'ai honte.

Elle serra sa main dans la sienne, comme pour le réconforter, pensa-t-il, mais elle ne dit rien.

– C'est le genre d'histoires que tu attendais ?

Elle lui serra la main de nouveau, toujours sans mot dire. Au bout d'un moment, il reprit la parole.

– Mais la chose que je regrette le plus, je crois, c'est d'avoir laissé échapper une femme.

– Une femme qui avait commis un crime ?

– Non. Une femme avec qui j'étais... Nous étions amants et quand elle a voulu s'en aller, je n'ai pas vraiment... je n'ai rien fait. Je ne me suis pas battu pour la retenir. Et quand j'y repense, je me dis parfois que si j'avais réagi, j'aurais peut-être pu la faire changer d'avis... Je ne sais pas.

– T'a-t-elle expliqué pourquoi elle voulait s'en aller ?

– Elle avait fini par trop bien me connaître. Je ne lui reproche rien. Je ne dois pas être facile. J'ai vécu seul presque toute ma vie.

Le silence envahit de nouveau la chambre, mais cette fois Bosch attendit. Il sentait que Jasmine avait quelque chose à dire, ou à demander. Mais quand enfin elle s'exprima, il n'aurait su dire si elle parlait de lui ou d'elle.

– On dit qu'un chat méchant qui griffe et qui crache devant tout le monde, même ceux qui veulent lui donner de l'amour, n'a pas été dorloté suffisamment quand il était petit.

– Tu me l'apprends.

– Je crois que c'est la vérité.

Sans rien dire, Bosch fit remonter sa main jusqu'à ses seins.

– C'est ça ton histoire ? lui demanda-t-il. Tu n'as pas été assez dorlotée ?

– Va savoir...

– Et toi, Jasmine, quelle est la pire chose que tu te sois infligée ? J'ai l'impression que tu as envie de m'en parler.

Elle attendait qu'il lui pose la question, il le savait. C'était l'heure des confessions, et il en vint à penser qu'elle avait orchestré tous les événements de la soirée uniquement pour arriver à cet instant.

– Tu n'as pas essayé de t'accrocher à la personne que tu aurais dû retenir, lui dit-elle. Moi, je me suis accrochée à quelqu'un alors que je n'aurais pas dû. Je me suis accrochée trop longtemps. Et je savais où cela me conduisait. Tout au fond de moi, je le savais. C'était comme si j'étais sur une voie ferrée et voyais le train arriver à toute vitesse, mais j'étais hypnotisée par les lumières et ne pouvais pas bouger.

Bosch avait les yeux ouverts dans le noir. Il distinguait à peine les contours de l'épaule et de la joue de Jasmine. Il se colla contre son dos, l'embrassa dans le cou et lui murmura :

– Tu t'en es sortie. C'est le plus important.

– Oui, je m'en suis sortie, répéta-t-elle avec une sorte de mélancolie. Je m'en suis sortie.

Elle garda longtemps le silence. Finalement, sa main remonta sous les couvertures et vint caresser celle de Bosch qui emprisonnait un de ses seins. Elle posa sa main sur la sienne.

– Bonne nuit, Harry.

Il attendit quelques instants, jusqu'à ce qu'il entende la respiration régulière de son sommeil. Alors seulement, il put se laisser sombrer lui aussi. Ce fut une nuit sans rêves. Uniquement la chaleur et l'obscurité.

CHAPITRE VINGT-HUIT

Le lendemain matin, il se réveilla le premier. Il prit une douche et emprunta la brosse à dents de Jasmine sans lui demander la permission. Puis il remit les affaires qu'il portait la veille et alla chercher son sac de voyage dans sa voiture. Après avoir enfilé des vêtements propres, il s'aventura dans la cuisine, en quête de café. Il ne découvrit qu'une boîte de thé en sachet.

Renonçant à son projet, il visita l'appartement, ses pas faisant craquer le vieux plancher en pin. Le living-room était aussi dépouillé que la chambre. L'ameublement se limitait à un canapé sur lequel on avait jeté une couverture blanc cassé, une table basse et une vieille chaîne stéréo avec une platine à cassettes, mais pas de lecteur CD. Pas de téléviseur non plus. Là encore, rien aux murs, sauf des traces indiquant qu'il n'en avait pas toujours été ainsi. Bosch remarqua d'ailleurs deux clous enfoncés dans le plâtre. Ni rouillés, ni recouverts de peinture. Ils n'étaient pas là depuis longtemps.

Grâce à une double porte-fenêtre, le living-room s'ouvrait sur une véranda vitrée. Il y avait là quelques meubles en rotin et des plantes vertes, ainsi qu'un oranger nain portant de véritables fruits. Leur parfum embaumait toute la véranda. Bosch s'approcha des grandes fenêtres et regarda vers le sud. Tout au bout de l'allée, au-delà de la propriété, il aperçut la baie. Les reflets du soleil matinal y projetaient une lumière d'un blanc immaculé.

Il retraversa le living-room, en direction d'une autre porte située sur le mur opposé à la porte-fenêtre. Il l'ouvrit et fut immédiatement assailli par l'odeur âcre de la peinture à l'huile et de la térébenthine. C'était dans cette pièce que Jasmine peignait. Il n'hésita qu'un court instant avant d'y pénétrer.

La première chose qu'il remarqua fut la fenêtre qui offrait une vue directe sur la baie, au-delà des jardins et des garages de trois ou quatre maisons bordant l'allée. C'était magnifique, et il comprit tout de suite pourquoi Jasmine avait choisi cet endroit pour pratiquer son art. Au centre de la pièce, sur une bâche maculée de taches de peinture, trônait un chevalet, mais pas de tabouret. Elle peignait debout. Il n'y avait aucune lampe au plafond, aucune source d'éclairage artificiel. Elle ne peignait qu'à la lumière du jour.

Il contourna le chevalet et constata que la toile posée dessus était encore vierge. Le long d'un des murs courait un grand établi surchargé de tubes de peinture éparpillés au milieu des palettes et des vieilles boîtes de café remplies de pinceaux et de brosses. Au bout de l'établi, un évier permettait de laver le matériel.

Il aperçut d'autres toiles appuyées contre le mur, sous l'établi. Retournées, elles semblaient inutilisées, comme celle posée sur le chevalet ; elles attendaient la main de l'artiste. Pourtant, Bosch aurait parié le contraire. A cause des clous plantés dans les murs des autres pièces. Se penchant sous l'établi, il fit glisser quelques toiles. Bizarrement, il avait presque le sentiment d'enquêter sur une affaire, de résoudre une énigme.

Les trois portraits qu'il avait sortis au hasard étaient peints dans une palette très sombre. Aucun n'était signé, mais il était évident que tous avaient été exécutés par la même main. Celle de Jasmine. Bosch reconnaissait son style d'après le tableau qu'il avait vu chez son père. Les lignes en étaient tranchantes, les couleurs sombres. La première toile représentait une femme nue et tournant le dos au peintre, dans la pénombre. Il eut le sentiment que c'étaient les ténèbres qui engloutissaient cette femme. Et cette femme n'était autre que Jasmine elle-même.

Le deuxième tableau semblait appartenir à la même série. C'était le même nu baigné de pénombre, mais la femme y faisait face au spectateur. Bosch constata que Jasmine s'était offert une poitrine plus généreuse que dans la réalité et se demanda si c'était un acte délibéré, chargé de sens, ou bien une modification inconsciente de la part du peintre. Il remarqua également, sous le vernis d'ombres grises qui recouvrait le tableau, des rehauts de rouge sur le corps de la femme. Il n'y connaissait pas grand-chose en art, mais il savait reconnaître un portrait tourmenté.

Il s'intéressa ensuite au troisième tableau qu'il avait sorti de dessous l'établi. Celui-ci n'avait rien à voir avec les deux précédents, si ce n'est qu'il s'agissait, là encore, d'un nu de Jasmine. Mais Bosch reconnut sans peine une réinterprétation du célèbre *Cri* d'Edvard Munch, un tableau qui l'avait toujours fasciné mais qu'il n'avait vu que sous forme de reproduction. Sur la toile qu'il avait devant les yeux, le visage du personnage effrayé était celui de Jasmine. Le paysage irréel, tourbillonnant et effrayant de Munch avait été remplacé par le Skyway Bridge. Bosch identifia immédiatement les câbles verticaux, jaune vif, des travées du pont.

– Qu'est-ce que tu fais ?

Il sursauta comme si on l'avait poignardé dans le dos. Jasmine se tenait sur le seuil de l'atelier. Elle portait un peignoir en soie qu'elle tenait fermé avec ses bras. Ses yeux étaient gonflés. Elle venait de se réveiller.

– Je regarde ton travail. Ça ne t'embête pas ?

– Cette porte était fermée à clé.

– Non, je t'assure.

Elle saisit la poignée et la fit tourner, comme si cela pouvait prouver qu'il mentait.

– Elle n'était pas fermée à clé, Jazz. Mais je suis désolé. Je ne savais pas que je ne devais pas entrer ici.

– Tu veux bien remettre ces toiles sous l'établi, s'il te plaît ?

– Oui, oui, bien sûr. Pourquoi les as-tu décrochées des murs ?

– Je ne les ai pas décrochées.

– Parce que ce sont des nus ? A cause de ce qu'elles représentent ?

– Je t'en prie, ne parlons pas de ça. Range-les.

Elle abandonna le seuil de l'atelier et Bosch remit les tableaux où il les avait trouvés. Il rejoignit Jasmine dans la cuisine ; elle remplissait une bouilloire au robinet. Elle lui tournait le dos ; il entra et posa délicatement une main sur son épaule. Elle tressaillit.

– Je suis désolé, Jazz. Je suis flic. Je suis curieux.

– Ce n'est rien.

– Tu es sûre ?

– Oui, je suis sûre. Tu veux du thé ?

Elle avait arrêté l'eau, mais elle ne se retourna pas et ne posa pas non plus la bouilloire sur la cuisinière.

– Non. J'avais envie de t'emmener prendre un petit déjeuner quelque part.

– A quelle heure pars-tu ? Je croyais que ton avion décollait ce matin.

– Justement… je me disais que je pourrais peut-être rester un jour de plus et ne partir que demain… si tu en as envie toi aussi. Si tu veux bien de moi. J'aimerais bien rester un peu.

Elle se retourna et le regarda au fond des yeux.

– J'ai envie que tu restes, moi aussi.

Ils s'enlacèrent et s'embrassèrent, mais Jasmine se recula précipitamment.

– C'est pas juste. Tu t'es brossé les dents, et moi, j'ai une haleine épouvantable.

– Oui, mais j'ai utilisé ta brosse, alors nous sommes quittes.

– C'est dégueulasse. Je vais devoir en acheter une neuve.

– Exact.

Ils échangèrent un sourire et Jasmine noua ses bras autour du cou de Bosch ; son intrusion dans l'atelier semblait oubliée.

– Appelle la compagnie aérienne pendant que je me prépare. Je connais un endroit où on peut aller.

Elle voulut se dégager, mais il la retint. Il fallait qu'il revienne sur le sujet ; c'était plus fort que lui.

– J'aimerais te poser une question, dit-il.

– Quoi ?

– Pourquoi ces tableaux ne sont pas signés ?

– Ils ne sont pas prêts.

– Celui accroché chez ton père était signé, pourtant.

– Il était pour lui, alors je l'ai signé. Les autres sont pour moi.

– La femme sur le pont… Elle va sauter ?

Jasmine le dévisagea longuement avant de répondre :

– Je ne sais pas. Des fois, quand je le regarde, je me dis que oui. Je crois qu'elle y pense, mais on ne peut pas savoir.

– Elle ne peut pas faire ça, Jazz.

– Pourquoi ?

– C'est impossible.

– Je vais me préparer.

Elle lui échappa et quitta la cuisine.

Bosch utilisa le téléphone accroché au mur près du réfrigérateur pour appeler la compagnie aérienne. Alors qu'il s'arrangeait pour pouvoir partir lundi matin, il décida soudain, sur un coup de tête, de demander à l'employée de la compagnie aérienne s'il était possible de rentrer à Los Angeles en passant par Las Vegas. Ça l'était, à condition de faire une escale de trois heures et quatorze minutes, lui répondit-elle. D'accord. Il dut payer cinquante dollars supplémentaires, en plus des sept cents déjà versés, pour effectuer les changements souhaités. Il fit débiter sa carte de crédit.

En raccrochant, il repensa à sa décision subite de s'arrêter à Las Vegas. Certes, Claude Eno était décédé, mais sa femme continuait à toucher sa pension. Peut-être méritait-elle l'escale à cinquante dollars.

— Prêt ? lui lança Jasmine du living-room.

Bosch sortit de la cuisine. Elle l'attendait vêtue d'un short en jean et d'un débardeur sous une chemise blanche ouverte et nouée à la taille. Elle avait déjà chaussé ses lunettes de soleil.

Elle le conduisit dans un endroit où l'on versait du miel sur les scones et servait les œufs avec du gruau de maïs et du beurre. Bosch n'avait pas mangé de gruau de maïs depuis ses classes à Benning. Le petit déjeuner était un délice. Ils parlèrent peu. Il n'y eut aucune allusion aux tableaux, ni à la conversation qu'ils avaient eue la veille avant de s'endormir. Comme si tout ce qu'ils avaient dit s'accommodait uniquement de l'obscurité, et peut-être ses tableaux aussi.

Quand ils eurent fini le café, Jasmine insista pour régler l'addition. Bosch se chargea du pourboire. Ils passèrent l'après-midi à se balader à bord de la Coccinelle décapotable. Jasmine lui offrit une visite complète, d'Ybor City à Saint-Petersburg Beach. Ils brûlèrent un plein d'essence et grillèrent deux paquets de cigarettes. En fin d'après-midi, ils se retrouvèrent dans un endroit baptisé Indian Rocks Beach pour admirer le coucher de soleil au-dessus du golfe.

— J'ai pas mal voyagé, déclara Jasmine. C'est la lumière d'ici que je préfère.

— Tu es déjà allée en Californie ?

— Non, pas encore.

— Parfois, le soleil couchant ressemble à de la lave qui se déverse sur la ville.

— Ce doit être très beau.

— Ça permet de pardonner beaucoup de choses, d'oublier… C'est comme ça, Los Angeles. Il y a un tas de machins qui déconnent, mais quand ça fonctionne, c'est vraiment formidable.

— Je crois comprendre.

— Il y a une chose qui m'intrigue.

— C'est reparti. Quoi encore ?

— Si tu refuses de montrer tes tableaux, comment fais-tu pour gagner ta vie ?

La question était un peu déplacée, mais elle l'avait obsédé toute la journée.

— Je vis avec l'argent de mon père. Déjà avant sa mort. Ce n'est pas énorme, mais je n'ai pas de gros besoins. Ça me suffit. Je ne me sens pas obligée de vendre mes toiles et, si je le fais un jour, ce ne sera pas un compromis. Ma peinture restera pure.

Pour Bosch, cela ressemblait plutôt à un prétexte pour justifier sa peur de s'exposer aux regards de tous, mais il n'insista pas. Jasmine, elle, continua :

– Tu restes toujours flic, hein ? Tu poses toujours des questions ?

– Non. Seulement quand je m'intéresse à quelqu'un.

Elle l'embrassa furtivement et retourna à la voiture.

Après être passés chez elle pour se changer, ils allèrent dîner dans un steak house de Tampa, où la carte des vins ressemblait à un livre si épais qu'il était posé sur un lutrin. Le lieu en lui-même semblait être l'œuvre d'un décorateur italien souffrant d'un léger délire de grandeur : un mélange de dorures rococo, de velours rouge éclatant, de statues et de tableaux classiques, le tout dans une lumière tamisée. Le genre d'endroit auquel il s'attendait de la part de Jasmine. Elle lui expliqua que le propriétaire de ce paradis du mangeur de viande était en fait végétarien.

– Je parie qu'il est originaire de Californie, dit-il.

Elle sourit et garda le silence pendant que Bosch repensait à son enquête. Il n'y avait pas songé une seule fois de toute la journée. Et maintenant, un pincement de culpabilité venait le tourmenter. C'était un peu comme s'il avait mis sa mère de côté pour profiter égoïstement de la compagnie de Jasmine. Celle-ci semblait lire en lui et deviner le combat qu'il livrait.

– Tu peux rester encore un jour, Harry ?

Il sourit, mais secoua la tête.

– Impossible. Il faut que je rentre. Mais je reviendrai. Dès que possible.

Il régla l'addition avec sa carte de crédit, qui ne devait pas être loin de sa limite, et ils rentrèrent chez Jasmine. Sachant que le temps leur était compté, ils allèrent se coucher immédiatement pour faire l'amour.

Le contact du corps de Jasmine, son goût, son parfum faisaient le bonheur de Bosch. Il aurait voulu que ce moment ne s'achève jamais. Certes, il avait déjà éprouvé une attirance soudaine pour certaines femmes, et avait même concrétisé parfois son désir, mais jamais il n'avait ressenti une attirance aussi absolue. Sans doute à cause de tout ce qu'il ignorait de cette femme, se dit-il. C'était ça qui le fascinait. Son mystère. Physiquement, il n'aurait pu être plus proche de Jasmine qu'il ne l'avait été durant ces instants, et, pourtant, une grande partie d'elle lui demeurait cachée, inexplorée. Ils firent l'amour tendrement, sur un rythme lent, et conclurent leur union par un long et profond baiser.

Couché sur le flanc à côté d'elle, il avait posé son bras sur son ventre plat. La main de Jasmine jouait avec ses cheveux. C'était l'heure des vraies confessions.

– Tu sais, Harry, lui dit-elle, je n'ai pas connu beaucoup d'hommes dans ma vie.

Il ne répondit pas car il ignorait quelle était la réponse appropriée. Cela faisait bien longtemps qu'il ne se préoccupait plus des antécédents sexuels de la femme avec laquelle il couchait, sauf pour des raisons de santé.

– Et toi ? demanda-t-elle.

Il ne put résister :

– Je n'ai pas eu beaucoup d'hommes dans ma vie, moi non plus. En fait, aucun, à ma connaissance.

Elle lui donna un petit coup de poing dans l'épaule.

– Tu as très bien compris ma question.

– La réponse est non. Je n'ai pas eu beaucoup de femmes dans ma vie. Pas suffisamment, en tout cas.

– Les hommes que j'ai connus, la plupart… c'était comme s'ils attendaient quelque chose que je n'avais pas. J'ignore ce que c'était, mais je ne pouvais pas le leur donner, évidemment. Alors, je les quittais trop tôt, ou je restais trop longtemps.

Il se dressa sur un coude et la regarda.

– Parfois, dit-il, j'ai l'impression de connaître des inconnus mieux que n'importe qui d'autre, y compris moi. J'apprends tellement de choses sur les gens dans mon métier ! Des fois, je me dis que je n'ai même pas de vie propre. Je n'ai que la leur… Je ne sais pas ce que je raconte.

– Je crois que si… et je comprends. Peut-être qu'on est tous comme ça.

– Je ne sais pas… Je ne crois pas.

Après cet échange, ils restèrent muets un moment. Bosch se pencha en avant pour embrasser les seins de Jasmine en gardant un mamelon longuement entre ses lèvres. Elle prit sa tête à deux mains et la plaqua sur sa poitrine. Il sentit sur elle l'odeur du jasmin.

– Harry… Tu t'es déjà servi de ton arme ?

Il redressa la tête. Cette question semblait déplacée. Malgré l'obscurité de la chambre, il voyait qu'elle le regardait. Elle l'observait et attendait une réponse.

– Oui.

– Tu as tué quelqu'un.

Ce n'était pas une question.

– Oui.

Elle ne dit plus rien.

– Qu'y a-t-il, Jazz ?

– Rien. Je me demandais ce qu'on ressentait, c'est tout. Comment on faisait pour vivre après.

– Je peux juste te dire que ça fait mal. Même quand tu n'as pas le choix et que le type devait mourir, ça fait mal. Et il faut continuer à vivre, voilà.

Elle ne fit aucun commentaire. Bosch ignorait ce qu'elle voulait l'entendre dire, mais espéra qu'elle avait eu la réponse qu'elle attendait. Il était désorienté. Il ne comprenait pas le sens de ces questions et se demandait si, d'une certaine façon, elle cherchait à le tester. Il reposa la tête sur l'oreiller et attendit le sommeil, mais ses interrogations ne lui permirent pas de le trouver. Au bout d'un moment, Jasmine se tourna vers lui et l'enlaça.

– Je crois que tu es un homme bon, lui murmura-t-elle dans l'oreille.

– Tu crois ?

– Tu reviendras, dis ?

– Oui, je reviendrai.

CHAPITRE VINGT-NEUF

Bosch interrogea toutes les agences de location de l'aéroport international McCarran de Las Vegas, mais aucune n'avait la moindre voiture disponible. Il se réprimanda de ne pas avoir effectué de réservation et sortit du terminal, dans l'air chaud et sec, pour prendre un taxi. Celui-ci était conduit par une femme, et quand il lui indiqua sa destination, dans Lone Mountain Drive, Bosch remarqua très nettement son air déçu dans le rétroviseur. Il ne se rendait pas dans un hôtel ; elle ne pouvait donc pas espérer trouver un client pour le retour.

— Ne vous en faites pas, lui dit Bosch qui comprenait son problème. Si vous m'attendez, vous pourrez me ramener à l'aéroport.

— Vous en aurez pour combien de temps ? Je veux dire par là… Lone Mountain, c'est loin d'ici, vers les sablonnières.

— Ça peut durer cinq minutes, peut-être moins. Ou bien une demi-heure. Mais pas beaucoup plus, *a priori*.

— Pendant que le compteur tourne ?

— A vous de décider.

Elle réfléchit un instant, puis démarra.

— Où sont passées toutes les voitures de location ? lui demanda Bosch.

— Y a une grosse convention en ville. Un machin d'électronique ou je ne sais quoi.

C'était un trajet d'une demi-heure, jusque dans le désert, au nord-ouest du Strip. Les immeubles de néon et de verre commencèrent à se raréfier. Le taxi traversa ensuite des quartiers résidentiels, puis ceux-ci se raréfièrent eux aussi, le sol ressemblant bientôt à un tapis brunâtre et rêche, parsemé de broussailles rabougries. Bosch savait que les racines de chacun de ces buissons s'étendaient sous terre et aspiraient le peu d'eau que conservait le sol aride. Le résultat était un paysage moribond et désolé.

Les maisons, elles aussi, devenaient de plus en plus rares, plus espacées ; chacune d'elles était comme un poste avancé dans un *no man's land*. Les chaussées avaient été tracées et pavées il y a longtemps, mais la ville champignon de Las Vegas n'était pas encore arrivée jusque-là. Elle s'en rapprochait néanmoins, comme une étendue de mauvaises herbes.

La route commença à monter vers une montagne couleur chocolat au lait. Le taxi trembla lorsqu'une procession de semi-remorques les croisa dans un grondement d'enfer. Ils transportaient des tonnes de sable provenant des fosses d'excavation dont lui avait parlé la conductrice. Bientôt, la route pavée céda la place au gravier ; le taxi souleva dans son sillage un nuage de poussière blanche. Bosch commençait à se demander si l'adresse que lui avait donnée la chef de service de la mairie n'était pas bidon. Mais, finalement, ils arrivèrent à destination.

L'adresse à laquelle le chèque de pension de Claude Eno était expédié chaque mois correspondait à une grande maison dans le style ranch en stuc rose, coiffée d'un toit de tuiles blanches et poussiéreuses. Un peu plus loin, on apercevait l'endroit où s'achevait la route de graviers. C'était le terminus. Personne n'avait jamais habité plus loin que Claude Eno.

— Eh ben, dites donc ! commenta la femme taxi. Vous voulez que je vous attende ? On se croirait sur la Lune.

Elle s'était engagée dans l'allée, derrière une Oldsmobile Cutlass de la fin des années 70. Une autre voiture était garée sous un auvent, protégée par une toile goudronnée qui avait conservé sa couleur bleue d'origine vers le fond de l'auvent, mais était devenue quasiment blanche par endroits, là où on l'avait sacrifiée au soleil.

Bosch sortit son argent ; il donna trente-cinq dollars pour la course, puis il prit deux billets de vingt dollars supplémentaires, les déchira en deux et en tendit la moitié par-dessus le siège.

— Si vous m'attendez, je vous file les deux autres moitiés.

— Plus le retour jusqu'à l'aéroport.

— O.K. Plus le retour.

Il descendit de voiture en pensant que si la porte restait close personne n'aurait jamais perdu quarante dollars aussi rapidement à Las Vegas. Mais il était en veine. Une femme, la soixantaine bien sonnée apparemment, lui ouvrit avant même qu'il ne frappe. Pas étonnant, se dit-il. Quand on vivait dans cette maison, on voyait arriver les visiteurs de loin.

Un souffle d'air conditionné s'échappa par la porte ouverte.

– Madame Eno ?

– Non

Il sortit son carnet pour comparer l'adresse qu'il avait notée avec le numéro en chiffres noirs fixé sur la façade de la maison, à côté de la porte. Ils correspondaient.

– Olive Eno n'habite pas ici ?

– C'est pas ce que vous m'avez demandé. Je ne suis pas Mme Eno.

– Dans ce cas, pourrais-je parler à Mme Eno, je vous prie ?

Agacé par le caractère pinailleur de cette femme, il exhiba son insigne, que lui avait rendu McKittrick après la sortie en bateau.

– Il s'agit d'une enquête de police.

– Vous pouvez toujours essayer. Elle n'a parlé à personne, en dehors des personnages de son imagination, depuis trois ans.

Elle lui fit signe d'entrer ; il pénétra dans la maison fraîche.

– Je suis sa sœur. C'est moi qui m'occupe d'elle. Elle est à la cuisine. Nous étions en train de déjeuner quand j'ai vu le nuage de poussière sur la route et vous ai entendu arriver.

Il la suivit dans un couloir dallé menant à la cuisine. La maison sentait le vieux, la poussière et le moisi, l'urine. Dans la cuisine, une vieille femme ressemblant à un gnome à cheveux blancs était assise dans un fauteuil roulant, dont elle occupait à peine la moitié du siège. Un plateau coulissant était tiré devant elle, et les mains noueuses, livides, de la vieille femme étaient posées dessus, l'une sur l'autre. Un voile laiteux de cataracte recouvrait ses yeux qui semblaient morts et fermés au monde extérieur. Bosch remarqua un bol de compote de pomme sur la table. Il ne lui fallut que quelques secondes pour comprendre la situation.

– Elle aura quatre-vingt-dix ans en août, dit la sœur. Si elle y arrive.

– Depuis combien de temps est-elle dans cet état ?

– Longtemps. Ça fait trois ans que je m'occupe d'elle.

Elle se pencha vers le visage de gnome et hurla :

– N'est-ce pas, Olive ?

Cet éclat de voix sembla déclencher une sorte de mécanisme chez Olive Eno, dont la mâchoire se mit en marche sans qu'aucun son intelligible ne sorte de sa bouche. Elle interrompit rapidement ses efforts, et la sœur se redressa.

– Ne t'en fais pas pour ça, Olive. Je sais que tu m'aimes.

Elle n'avait pas prononcé cette phrase d'un ton aussi fort. Peut-être craignait-elle qu'Olive ne parvienne à articuler un démenti.

– Comment vous appelez-vous ? lui demanda Bosch.

– Elizabeth Shivone. C'est à quel sujet ? J'ai vu marqué Los Angeles sur votre insigne, pas Las Vegas. Vous n'êtes pas un peu loin de votre secteur ?

– En fait, non. Ça concerne son mari. Une affaire dont il s'est occupé dans le temps.

– Ça va bientôt faire cinq ans que Claude est mort.

– Comment est-il mort ?

– Il est mort, voilà tout. La pompe a lâché. Il est mort là, par terre, à peu près à l'endroit où vous êtes.

Ils regardèrent tous les deux le sol de la cuisine, comme si, peut-être, le cadavre était toujours là.

– Je suis venu pour examiner ses affaires.

– Quelles affaires ?

– Je ne sais pas. Je me disais que, peut-être, il conservait des dossiers du temps où il était dans la police.

– Vous feriez mieux de me dire franchement ce que vous faites ici. Votre histoire ne me paraît pas très claire.

– J'enquête sur une affaire dont il s'est occupé en 1961. Elle n'a pas été résolue. Certaines parties du dossier ont disparu. Je me disais qu'il les avait peut-être emportées, qu'il en avait peut-être gardé des éléments importants. Mais j'ignore lesquels. Ça peut être n'importe quoi. Je me suis dit que ça valait la peine d'essayer.

Il voyait fonctionner les méninges de la vieille femme et, soudain, son regard se figea : sa mémoire venait de s'accrocher à un souvenir.

– Il y a bien quelque chose, n'est-ce pas ?

– Non. Vous devriez vous en aller.

– C'est une grande maison. Claude avait-il un bureau ?

– Il a quitté la police il y a trente ans. Il a construit cette maison au milieu de nulle part justement pour être loin de tout ça.

– Qu'a-t-il fait quand il est venu s'installer ici ?

– Il a travaillé pour les services de sécurité des casinos. Quelques années au Sands et vingt ans au Flamingo. Il touchait deux retraites et prenait bien soin d'Olive.

– A propos… qui encaisse les chèques de pension maintenant ?

Il la regarda pour bien se faire comprendre. La femme qui lui faisait face garda le silence un long moment avant de jouer l'offusquée.

– Je pourrais obtenir la tutelle, monsieur. Regardez-la. Ce ne serait pas un problème. Je veille sur elle.

– Oui, en la nourrissant avec de la compote de pomme.

– Je n'ai rien à cacher.

– Vous voulez que quelqu'un vérifie, ou vous préférez qu'on s'en tienne là ? Franchement, je me contrefiche de ce que vous faites, madame. Et je me fiche que vous soyez sa sœur ou pas. Si je devais parier, je dirais que non. Mais, en l'occurrence, je m'en fous. J'ai d'autres préoccupations. Je veux juste jeter un coup d'œil aux affaires d'Eno.

Il s'interrompit pour la laisser réfléchir et regarda sa montre.

– Vous avez pas de mandat, hein ?

– Non, je n'ai pas de mandat. Mais j'ai un taxi qui m'attend. Si vous m'obligez à obtenir un mandat, je risque d'être beaucoup moins sympa avec vous.

Elle le toisa, comme si elle essayait de savoir à quel moment il pourrait cesser d'être « sympa ».

– Le bureau est par là, dit-elle enfin comme si ces mots lui arrachaient la gorge.

D'un pas vif, elle l'entraîna dans le même couloir et tourna à gauche pour entrer dans une pièce au centre de laquelle trônaient un vieux bureau métallique et deux classeurs de quatre tiroirs et une chaise.

– Quand il est mort, Olive et moi, on a tout mis dans ces meubles de rangement et on n'y a plus jamais touché.

– Tous les tiroirs sont pleins ?

– Oui, les huit. Regardez.

Il sortit de sa poche un autre billet de vingt dollars, le déchira en deux et en donna une moitié à Shivone.

– Apportez ça au chauffeur de taxi. Dites-lui que ce sera un peu plus long que prévu.

Elle poussa un grand soupir, lui prit le morceau de billet d'un geste rageur et quitta la pièce. Bosch s'approcha alors du bureau pour ouvrir les tiroirs. Les deux premiers étaient vides. Le suivant contenait des fournitures de bureau. Dans le quatrième se trouvait un carnet de chèques. Il le feuilleta rapidement et s'aperçut qu'il s'agissait d'un compte destiné aux frais ménagers. Il y avait aussi une chemise contenant des reçus récents et d'autres papiers. Le dernier tiroir était fermé à clé.

Il commença par les tiroirs inférieurs des deux classeurs. Rien dans les premiers tiroirs ne semblait lié, même de loin, à l'affaire qui l'intéressait. Quelques dossiers portaient les noms de divers casinos et maisons de jeux. Les dossiers conservés dans un autre tiroir portaient des noms de personnes. Après avoir feuilleté certains d'entre eux, Bosch conclut qu'ils concernaient des tricheurs et des joueurs professionnels répertoriés. Eno s'était constitué une petite bibliothèque de renseignements privés. Pendant qu'il consultait les dossiers, Shivone avait effectué sa commission et était venue s'asseoir sur la chaise en face du bureau. Elle observait Bosch, et celui-ci en profita pour lui poser quelques questions, distraitement :

– Quel travail effectuait Claude pour les casinos ?

– Il faisait le chien d'arrêt.

– C'est-à-dire ?

– C'est comme un agent infiltré, si vous préférez. Il traînait dans les salles du casino, jouait avec les jetons de la maison et il observait les gens. Il était doué pour repérer les tricheurs et leurs façons de faire.

– Qui se ressemble s'assemble, je suppose ?

– Qu'est-ce que ça signifie ? Il faisait du bon travail.

– J'en suis sûr. C'est comme ça qu'il vous a connue ?

– Je ne réponds plus à vos questions.

– Tant pis.

Il ne lui restait que les deux tiroirs du haut à inspecter. Il ouvrit le premier, qui ne contenait aucun dossier. Juste un vieux Rolodex poussiéreux et d'autres accessoires qui se trouvaient sans doute sur le bureau dans le temps. Il y avait également un cendrier, une pendule et un porte-stylo en bois sculpté, avec le nom d'Eno gravé dessus. Bosch sortit le Rolodex et le posa sur le meuble de classement. Il souffla dessus pour chasser la poussière et le fit tourner, jusqu'à ce qu'il arrive à la lettre C. Il passa toutes les fiches en revue, mais ne trouva aucun Arno Conklin. Il n'eut pas plus de succès en essayant de trouver Gordon Mittel.

– Dites, vous avez l'intention de regarder toutes les fiches ? lui demanda Shivone d'un ton exaspéré.

– Non, je vais plutôt emporter le truc en entier.

– Pas question. Vous ne pouvez pas débarquer ici et...

– Je l'emporte. Si vous souhaitez porter plainte, n'hésitez pas. Après, je porterai plainte contre vous.

Elle resta muette après cela. Il ouvrit le dernier tiroir et découvrit qu'il contenait une douzaine de dossiers concernant de vieilles enquêtes menées par la police de Los Angeles dans les années 1950 et au début des années 60. Il n'avait pas le temps de tous les consulter, mais il prit la peine de passer en revue les étiquettes : aucune ne portait le nom de Marjorie Lowe. Il ouvrit au hasard quelques-uns des dossiers et comprit rapidement qu'Eno avait photocopié les documents relatifs à certaines enquêtes afin de les emporter, quand il avait quitté la police. Toutes les affaires que Bosch avait choisies au hasard étaient des meurtres, dont deux concernaient des prostituées. Une seule de ces affaires avait été résolue.

– Allez me chercher un carton ou un sac, peu importe, pour mettre ces dossiers, lança Bosch par-dessus son épaule. (Sentant que la femme qui se trouvait avec lui dans la pièce n'avait pas bougé, il haussa le ton :) Dépêchez-vous !

Elle se leva et sortit. Bosch resta devant les classeurs, à contempler les dossiers en réfléchissant. Il ignorait s'ils avaient de l'importance ou pas. Il ignorait ce qu'ils signifiaient. Il savait seulement qu'il devait les emporter, au cas où ils se révéleraient importants. Mais plus que l'intérêt éventuel de ces dossiers, c'était le sentiment qu'il y manquait certainement quelque chose qui le tracassait. Cette quasi-certitude lui venait de la confiance qu'il avait en McKittrick. L'ex-inspecteur était persuadé que son ancien équipier, Eno, possédait un moyen de pression sur Conklin ou, tout du moins, qu'il avait conclu une sorte de marché avec lui. Or, il n'y avait rien à ce sujet dans ces dossiers. Et pourtant Bosch avait le sentiment que si Eno détenait effectivement des documents compromettants pour Conklin, ils devaient se trouver là. S'il avait gardé ses vieux dossiers du LAPD, il avait forcément gardé tout ce qu'il possédait sur Conklin. En fait, il les aurait conservés dans un endroit sûr. Mais où ?

La vieille femme revint dans le bureau et jeta un carton par terre. Le genre de carton dans lequel on met les boîtes de bière. Bosch y déposa une épaisse liasse de dossiers, d'une trentaine de centimètres d'épaisseur, ainsi que le Rolodex.

– Vous voulez un reçu ? demanda-t-il.

– Non, je ne veux rien de vous.

– Moi, j'ai encore besoin de vous.

– Ça ne finira donc jamais ?

– J'espère que si.

– Qu'est-ce que vous voulez ?

– Quand Eno est mort, avez-vous aidé la vieille dame… votre sœur, je veux dire… l'avez-vous aidée à vider le coffre de son mari ?

– Comment savez…

Elle s'interrompit, mais c'était trop tard.

– Comment je le sais ? C'est évident. La chose que je cherche, il la conservait forcément dans un endroit sûr. Qu'en avez-vous fait ?

– On a tout fichu en l'air. C'étaient des machins sans importance. Des vieux dossiers et des papiers de la banque. Il ne savait plus ce qu'il faisait. Il était vieux, lui aussi.

Bosch regarda sa montre. Il devait faire vite s'il ne voulait pas manquer son avion.

– Donnez-moi la clé du tiroir du bureau.

Elle ne bougea pas.

– Dépêchez-vous, je n'ai pas de temps à perdre. Si vous ne l'ouvrez pas, je l'ouvrirai moi-même. Mais, dans ce cas, je crains que ce tiroir ne puisse plus servir.

Plongeant la main dans la poche de sa blouse, elle en sortit un gros trousseau de clés. Elle s'approcha du bureau, déverrouilla le tiroir, l'ouvrit et recula.

– On savait pas ce que c'était, ni ce que ça représentait.

– C'est pas grave.

Bosch se pencha au-dessus du tiroir. Il y avait là deux fines chemises cartonnées et deux paquets d'enveloppes tenues par des élastiques. La première chemise qu'il ouvrit contenait le certificat de naissance d'Eno, son passeport, son contrat de mariage et d'autres papiers personnels. Il la remit à sa place. La deuxième chemise renfermait des formulaires du LAPD, et Bosch ne mit pas longtemps à reconnaître les feuilles et les rapports qui avaient été retirés du dossier d'homicide de Marjorie Lowe. Il savait qu'il n'avait pas le temps de les lire maintenant et déposa la chemise dans le carton de bière, avec les autres dossiers.

L'élastique du premier paquet d'enveloppes craqua lorsqu'il tenta de l'ôter, et cela lui rappela l'élastique qui entourait le classeur bleu contenant tous les éléments de l'enquête. Tout dans cette affaire, se dit-il, était vieux, prêt à lui péter dans les doigts.

Les enveloppes provenaient toutes d'une succursale de la Wells Fargo Bank de Sherman Oaks, chacune contenant un relevé de compte épargne au nom de McCage Incorporated. L'adresse de la société était une boîte postale, à Sherman Oaks, elle aussi. Bosch prit trois enveloppes au hasard dans le paquet. Bien qu'étalés sur plusieurs années, à la fin des années 1960, tous les relevés étaient quasiment identiques. La somme de mille dollars était déposée sur le compte le 10 de chaque mois, et le 15 du même mois un virement d'un montant égal était effectué sur une succursale de la Nevada Savings & Loan de Las Vegas.

Sans aller plus loin, Bosch en déduisit que ces relevés bancaires indiquaient l'existence d'un compte alimenté par des pots-de-vin, dont Eno était le détenteur. Très vite, il examina les cachets de la poste. Les plus récents dataient de la fin des années 80.

– Et ces enveloppes ? demanda-t-il. Quand a-t-il cessé de les recevoir ?

– Je ne peux pas vous en dire plus. J'ignore ce que représentent ces documents, et Olive ne le savait pas non plus quand ils ont forcé le coffre.

– Ils ont forcé le coffre ?

– Oui, après la mort de Claude. Olive n'avait pas de procuration. Claude était le seul à avoir la clé. On a dû le faire ouvrir.

– Il y avait aussi de l'argent dans le coffre ?

Elle hésita avant de répondre ; sans doute craignait-elle qu'il le réclame.

– Oui, un peu. Mais vous arrivez trop tard, tout a été dépensé.

– Je m'en fiche. Combien y avait-il ?

Elle pinça les lèvres en faisant mine d'essayer de se souvenir. Ce n'était pas un numéro très convaincant.

– Allons, je ne viens pas pour le fric, et je ne travaille pas pour le fisc.

– Environ dix-huit mille dollars.

Un coup de klaxon retentit. Le taxi s'impatientait. Bosch regarda sa montre. Il fallait qu'il s'en aille. Il jeta les paquets d'enveloppes dans le carton de bière.

– Et sur le compte de la Nevada Savings & Loan ? Combien y avait-il ?

Il avait posé cette question au flan, en supposant que le compte sur lequel était transféré l'argent provenant de la Sherman Oaks appartenait à Eno. Shivone hésita de nouveau. Silence ponctué par un autre coup de klaxon.

– Environ cinquante mille. Mais, là aussi, il ne reste presque plus rien. Il faut bien s'occuper d'Olive, vous comprenez ?

– Oui, évidemment. Avec cet argent plus les retraites, ça doit être dur, dit Bosch de son ton le plus sarcastique. Mais je parie que votre compte en banque est bien garni.

– Écoutez, monsieur. Je ne sais pas pour qui vous vous prenez, mais Olive n'a que moi au monde et je suis la seule à m'occuper d'elle. Ça vaut bien un dédommagement.

– Dommage qu'elle ne puisse pas décider du prix de votre dévouement. Encore une question et je m'en vais ; vous pourrez continuer à lui soutirer tranquillement tout ce que vous pouvez... Qui êtes-vous ? Vous n'êtes pas sa sœur. Qui êtes-vous ?

– Ça ne vous regarde pas.

– Vous avez raison. Mais ça pourrait me regarder.

Elle prit l'air outré pour bien lui montrer à quel point il choquait sa sensibilité délicate, puis elle sembla retrouver une certaine dose d'amour-propre. Elle était fière d'être celle qu'elle était.

– Vous voulez savoir qui je suis ? Je suis la meilleure femme qu'il ait jamais connue. Je suis restée longtemps avec lui. Olive portait l'alliance de Claude, mais, moi, j'avais son cœur. Vers la fin, alors qu'ils étaient vieux tous les deux et que cela n'avait plus d'importance, nous avons laissé tomber les conventions et il m'a fait venir ici. Pour vivre avec eux. Pour m'occuper d'eux. Alors, ne venez pas me dire que je ne mérite pas d'en tirer un petit quelque chose.

Il se contenta de hocher la tête. Curieusement, aussi sordide que puisse paraître cette histoire, il trouvait une raison de respecter cette femme : elle lui avait dit la vérité, il en était sûr.

– Quand l'avez-vous rencontré ?

– Une question, vous aviez dit.

– Quand l'avez-vous rencontré ?

– A l'époque où il travaillait au Flamingo. J'y travaillais aussi. J'étais croupière.

– Vous a-t-il parlé de L.A., de certaines affaires, des gens de là-bas ?

– Non, jamais. Il disait que c'était un chapitre clos.

Bosch lui montra les paquets d'enveloppes dans le carton.

– La société McCage, ça vous dit quelque chose ?

– Non, rien.

– Parlez-moi de ces relevés de compte.

– Je ne les avais jamais vus jusqu'au jour où on a fait ouvrir le coffre. Je ne savais même pas qu'il avait un compte à la Nevada Savings. Claude avait ses secrets. Même pour moi.

CHAPITRE TRENTE

Arrivé à l'aéroport, il régla la course et s'engouffra dans le terminal principal, encombré par son sac de voyage et le carton de bière contenant les dossiers et autres. Il s'arrêta dans une des boutiques situées dans la galerie marchande pour y acheter un cartable en toile bon marché et y transféra tous les objets provenant du bureau d'Eno. Le cartable était suffisamment petit pour qu'il ne soit pas obligé de le faire enregistrer. Sur le côté, il était écrit : LAS VEGAS – PAYS DU SOLEIL ET DU PLAISIR ! Un logo représentait un coucher de soleil derrière une paire de dés.

A la porte d'embarquement, on lui apprit qu'il devait patienter une demi-heure. Il choisit un groupe de sièges inoccupés, le plus loin possible de la cacophonie des rangées de machines à sous installées au centre du terminal de forme circulaire.

Assis là, il se plongea dans la lecture des dossiers du cartable. Celui qui l'intéressait le plus renfermait les rapports volés dans le dossier de l'enquête sur le meurtre de Marjorie Lowe. Il parcourut rapidement les documents, mais n'y trouva rien de surprenant, ni d'inattendu.

Le résumé de l'interrogatoire de Johnny Fox en présence d'Arno Conklin et Gordon Mittel y figurait, et Bosch sentait derrière les mots de McKittrick toute son indignation contenue. Dans le dernier paragraphe, il exprimait plus clairement ses doutes.

L'interrogatoire du suspect n'a donné aucun résultat, et cela à cause des fréquentes interventions de MM. A. Conklin et G. Mittel. Les deux « procureurs » ont refusé de laisser « leur » témoin répondre entièrement aux questions, ou, de l'avis du soussigné, d'y répondre en disant la vérité. J. Fox demeure donc suspect pour le moment, en attendant confirmation de son alibi et l'analyse des empreintes.

Les documents ne contenaient pas d'autre élément notable, et Bosch comprit qu'Eno les avait sans doute retirés du dossier uniquement parce qu'ils faisaient état de l'implication de Conklin dans l'affaire. Eno cherchait à couvrir Conklin. Et quand Bosch se demanda pour quelle raison Eno agissait ainsi, il pensa immédiatement aux relevés de compte qui se trouvaient dans le coffre à la banque, avec les documents subtilisés. Ils constituaient la trace du marchandage.

Il sortit ensuite les enveloppes et, en se fiant aux cachets de la poste, entreprit de les classer par ordre chronologique. La plus ancienne avait été expédiée à la boîte postale de la société McCage Inc. en novembre 1962. Soit un an après la mort de Marjorie Lowe, et deux mois après celle de Johnny Fox. Eno enquêtait sur l'affaire Lowe et, d'après McKittrick, avait ensuite enquêté sur le décès de Fox.

Bosch sentit au plus profond de lui qu'il était sur la bonne voie. Eno avait coincé Conklin. Et peut-être aussi Mittel. Eno savait ce que McKittrick ignorait : Conklin connaissait Marjorie Lowe. Peut-être même savait-il que Conklin l'avait tuée. En tout cas, il avait de quoi faire cracher à Conklin mille dollars par mois, à vie. Ce n'était pas une somme énorme. Eno n'était pas gourmand, même si un millier de dollars au début des années 60, c'était certainement bien plus que ce qu'il gagnait en tant que flic. Mais le prix de la corruption importait peu. C'était les versements qui intéressaient Bosch. Il s'agissait d'un aveu. Et si on pouvait établir le lien avec Conklin, ça devenait une preuve en béton. Bosch sentit croître son excitation. Il rangea le dossier et les enveloppes dans le cartable et emporta le tout vers les téléphones.

Avec sa carte AT&T, il appela d'abord le service des renseignements de Sacramento, puis la chambre de commerce et demanda le service des enregistrements de sociétés. En trois minutes, il apprit que McCage Inc. n'était pas une société californienne, et ne l'avait jamais été, à en croire les archives qui remontaient jusqu'à 1971. Il raccrocha et recommença la même manœuvre, en appelant cette fois la chambre de commerce du Nevada à Carson City.

L'employée lui indiqua que la McCage Inc. avait été radiée des registres et lui demanda s'il souhaitait connaître, malgré tout, les informations que possédait l'État. Quand il répondit par l'affirmative en essayant de masquer son excitation, l'employée lui annonça qu'elle devait consulter les archives sur microfiches, ce qui prendrait quelques minutes. Pendant qu'il patientait, Bosch sortit un carnet pour être prêt à prendre des notes. Il constata que la porte d'embarquement était maintenant ouverte et que les premiers passagers commençaient à monter à bord. Tant pis, se dit-il. S'il devait manquer l'avion, il le manquerait. Dans l'état où il était, rien ne pourrait l'arracher au téléphone.

Il observa les rangées de machines à sous au centre du terminal. Elles étaient prises d'assaut par des voyageurs qui tentaient leur chance une dernière fois avant de repartir, ou une première, à peine débarqués de leur avion. Bosch n'avait jamais eu envie de jouer contre des machines. C'était une chose qu'il ne comprenait pas.

Il était facile, en examinant les gens qui se pressaient autour de ces appareils, de voir quels étaient ceux qui gagnaient et ceux qui perdaient. Pas besoin d'être inspecteur de police pour étudier les visages et comprendre. Il repéra une femme qui serrait un ours en peluche sous son bras. Elle jouait sur deux machines en même temps, et très vite. Il constata que cette technique lui servait surtout à doubler ses pertes. A sa gauche se trouvait un homme coiffé d'un chapeau de cow-boy noir qui introduisait des pièces dans la machine et abaissait le bras mécanique sur un rythme soutenu. Il jouait avec des pièces d'un dollar. Bosch calcula qu'en l'espace de quelques minutes, l'homme avait déjà dépensé soixante dollars sans rien obtenir en échange. Au moins n'avait-il pas d'animal en peluche à porter sous le bras.

Bosch reporta son attention sur la porte d'embarquement. La file des passagers s'était réduite à quelques retardataires. Il savait qu'il allait manquer l'avion. Mais peu importait. Il resta au téléphone en gardant son calme.

Soudain, un cri retentit ; Bosch se retourna et vit l'homme au chapeau de cow-boy l'agiter au-dessus de sa tête, tandis que sa machine crachait le jackpot. La femme à l'ours en peluche abandonna un instant ses machines pour regarder ce déluge de pièces d'un air solennel. Chaque cling métallique des dollars tombant dans le plateau devait résonner dans son crâne comme un coup de marteau. Pour lui rappeler qu'elle perdait.

– Regarde-moi maintenant, baby ! s'exclama le cow-boy.

Apparemment, cette injonction ne s'adressait à personne en particulier. Penché en avant, il fit glisser les pièces dans son chapeau. La femme à l'ours en peluche se remit au travail sur ses deux machines.

Au moment où l'on refermait la porte d'embarquement, l'employée de la chambre de commerce revint en ligne. Les archives immédiatement disponibles, annonça-t-elle à Bosch, indiquaient que la société McCage avait été enregistrée en novembre 1962 et dissoute par l'État vingt-huit ans plus tard, les frais de renouvellement et les taxes n'ayant pas été versés pendant un an. Bosch savait pour quelle raison : Eno était mort.

– Voulez-vous connaître les noms des membres de la direction ?

– Oui, volontiers.

– Bien. Président-directeur général : Claude Eno. E-N-O. Vice-président : Gordon Mittel, avec deux t. Le trésorier s'appelait Arno Conklin. Ça s'écrit…

– Je sais. Merci.

Il raccrocha, récupéra son sac de voyage, son cartable et courut vers la porte d'embarquement.

– Ah, c'était moins une, dit l'employée de la compagnie d'un air agacé. Vous ne pouviez pas vous défaire de ces foutus bandits man-chots, hein ?

– Non, dit-il d'un ton indifférent.

Elle lui ouvrit la porte et il courut dans le couloir jusqu'à l'avion. Celui-ci n'était qu'à moitié plein. Ignorant le siège qu'on lui avait attribué, il choisit une rangée inoccupée. Alors qu'il déposait son sac dans le compartiment à bagages, une idée lui vint. Une fois assis, il sortit son carnet et l'ouvrit à la page où il avait jeté quelques notes en abrégé durant sa conversation avec l'employée de la chambre de commerce :

P.D.G : C.E.
V.P. : G.M.
Trés. : A.C.

Lentement, il nota ces initiales sur la même ligne :

CE GM AC

Il les étudia quelques instants, et un sourire apparut sur son visage. Il avait trouvé l'anagramme et la nota juste en dessous :

MC CAGE

Le sang bouillonnait dans tout son corps. Comme chaque fois qu'il sentait, qu'il savait qu'il approchait du but. Tous ces gens devant leurs machines à sous et dans tous ces casinos au milieu du désert ne pourraient jamais connaître ni même comprendre cette excitation. C'était une griserie qu'ils n'éprouveraient jamais, quel que fût le nombre de sept donnés par les dés, le nombre de black jacks que le croupier leur mît entre les mains. Bosch approchait d'un meurtrier, et cette jouissance surpassait tous les jackpots de la planète.

CHAPITRE TRENTE ET UN

En quittant l'aéroport de Los Angeles une heure plus tard, Bosch baissa les vitres de sa Mustang pour que l'air frais et sec fouette son visage. Le bruissement du vent dans le bosquet d'eucalyptus à la sortie de l'aéroport était toujours là pour lui souhaiter la bienvenue. Il trouvait cette présence réconfortante quand il rentrait de voyage. C'était une des choses qu'il aimait dans cette ville, et il était heureux qu'elle soit toujours là pour l'accueillir.

Au croisement de Sepulveda, il fut arrêté par le feu rouge et en profita pour remettre sa montre à l'heure. Il était 14 h 05 à Los Angeles. Il avait juste le temps de rentrer chez lui, de se changer et de manger un morceau, avant de se rendre à Parker Center et à son rendez-vous avec Carmen Hinojos.

Il passa sous le toboggan de la 405 et emprunta la longue bretelle courbe pour rejoindre l'autoroute encombrée. En tournant le volant pour négocier le virage interminable, il s'aperçut que les muscles de ses bras, biceps et triceps, étaient douloureux et se demanda si c'était d'avoir lutté farouchement contre le poisson en compagnie de McKittrick, ou à cause de Jasmine qui s'était agrippée à lui lorsqu'ils avaient fait l'amour. Il repensa à elle pendant quelques minutes et décida de l'appeler de chez lui avant de redescendre en ville. Leur séparation lui paraissait déjà bien lointaine. Ils avaient promis de se revoir le plus vite possible, et Bosch espérait sincèrement que cette promesse serait tenue. Jasmine était pour lui un mystère, dont il n'avait même pas encore commencé à gratter la surface.

La 10 ne devant rouvrir que le lendemain, Bosch passa devant la sortie sans s'arrêter et continua sur la 405 jusqu'à ce qu'elle franchisse les Santa Monica Mountains et redescende dans la Vallée. Il choisit le chemin le plus long, en pensant qu'il serait moins encombré, et parce qu'il disposait d'une boîte aux lettres à Studio City depuis que la poste refusait de déposer le courrier dans une habitation condamnée à la démolition.

Il bifurqua sur la 101 et se heurta rapidement à un mur de voitures qui avançaient au pas sur six files. Il suivit le troupeau, jusqu'à ce que son impatience prenne le dessus. Alors, il sortit à la hauteur de Coldwater Canyon Boulevard et emprunta une succession de rues secondaires. Dans Moorpark Road, il passa devant plusieurs immeubles qui n'avaient pas encore été démolis ou réparés ; les drapeaux rouges et les bandes de plastique jaune de la police étaient blanchis pas des mois de soleil. Sur la plupart des constructions on apercevait encore des panneaux qui proclamaient : DEVENEZ PROPRIÉTAIRE POUR 500 $! ou bien CONSTRUCTIONS RÉNOVÉES. Sur un de ces bâtiments ornés d'un drapeau rouge et dont toute la façade était quadrillée de profondes fissures, quelqu'un avait peint à la bombe un slogan que beaucoup avaient considéré comme l'épitaphe de la ville durant les mois qui avaient suivi le tremblement de terre :

LA GROSSE DAME A FINI DE CHANTER

Certains jours, il était difficile de ne pas y croire. Pourtant, Bosch s'efforçait de conserver la foi. Il fallait bien que quelqu'un s'en charge. A en croire les journaux, les gens qui quittaient la ville étaient plus nombreux que les arrivants. Peu importe, se disait Bosch, je reste.

Il bifurqua vers Ventura et s'arrêta au bureau des postes restantes. Sa boîte aux lettres ne contenait que des factures et des publicités. Il fit un saut au delicatessen voisin pour commander un « spécial » : un sandwich à la dinde au pain complet avec de l'avocat et des germes de haricots, à emporter. Il continua dans Ventura Boulevard jusqu'à ce qu'il devienne Cahuenga, et tourna dans Woodrow Wilson Drive pour gravir la colline et rentrer chez lui. Dans le premier virage, il dut ralentir sur la route étroite pour laisser passer une voiture du LAPD. Il salua d'un geste les deux flics qui se trouvaient à l'intérieur, bien qu'ils ne le connaissent certainement pas. Ils devaient venir de North Hollywood. Ils ne lui répondirent pas.

Comme d'habitude, il se gara à une centaine de mètres de chez lui et revint sur ses pas. Il décida de laisser le cartable dans le coffre de la Mustang car il aurait peut-être besoin des dossiers en ville. Il descendit la rue qui menait chez lui, son sac de voyage dans une main, son sandwich dans l'autre.

Alors qu'il atteignait l'auvent, il aperçut une voiture de patrouille qui montait. En la regardant approcher, il constata que c'étaient les deux flics qu'il venait de croiser. Pour une raison inconnue, ils avaient fait demi-tour. Bosch s'arrêta au bord de la chaussée pour voir s'ils allaient lui demander leur chemin ou la raison pour laquelle il les avait salués. Il n'avait aucune envie qu'ils le voient entrer dans sa maison condamnée. Mais la voiture de patrouille passa devant lui sans qu'aucun des deux flics ne lui adresse même un regard. Le conducteur avait les yeux fixés sur la route, le passager parlait dans le micro de sa radio de bord. Sans doute un appel, se dit Bosch. Il attendit que la voiture disparaisse dans le virage suivant et se faufila sous l'auvent.

Il ouvrit la porte de la cuisine, entra chez lui et sentit immédiatement quelque chose de bizarre. Il avança de deux pas avant de comprendre ce qui le troublait. Une odeur étrangère flottait dans la maison, ou, du moins, dans la cuisine. Une odeur de parfum, se dit-il. Non, c'était de l'eau de Cologne. Un homme parfumé à l'eau de Cologne s'était introduit chez lui ou s'y trouvait encore.

Sans un bruit, Bosch déposa son sac de voyage et son sandwich sur le sol de la cuisine et porta la main à sa ceinture. Les vieilles habitudes ont la vie dure. Il n'avait plus d'arme, et son pistolet de rechange était rangé sur l'étagère dans le placard de l'entrée. L'espace d'un instant, il envisagea de se précipiter dehors, dans l'espoir de rattraper la voiture de patrouille, mais il savait qu'elle avait fichu le camp depuis longtemps.

Au lieu de cela, il ouvrit un tiroir d'où il sortit, toujours sans bruit, un petit couteau de cuisine. Il y avait des couteaux plus grands, mais celui-ci serait plus maniable. Il avança vers l'entrée voûtée du couloir qui menait à la porte d'entrée. Arrivé sur le seuil, invisible aux yeux de celui ou ceux qui pouvaient se trouver là, il s'immobilisa, penché en avant, aux aguets. Il entendait le bourdonnement sourd de l'autoroute au pied de la colline derrière la maison, mais aucun bruit à l'intérieur. Presque une minute de silence s'écoula. Au moment où il allait sortir de la cuisine, il entendit quelque chose : le léger bruissement d'un tissu. Comme des jambes qu'on croise ou décroise. Il sut alors qu'il y avait quelqu'un dans le living-room. Et maintenant, celui ou ceux qui s'étaient introduits chez lui savaient qu'il savait.

– Inspecteur Bosch, dit une voix dans le silence de la maison. Vous n'avez rien à craindre. Vous pouvez venir.

Bosch connaissait cette voix, mais tous ses sens étaient tellement affûtés que son cerveau ne parvint pas immédiatement à l'enregistrer pour l'analyser et l'identifier. Il savait simplement qu'il l'avait déjà entendue.

– Je suis le chef adjoint Irving, Bosch, ajouta la voix. Veuillez vous montrer, je vous prie. C'est la meilleure façon d'éviter une bavure, de part et d'autre.

Oui, c'était bien sa voix. Bosch se détendit ; il posa le couteau sur le comptoir, rangea son sandwich dans le réfrigérateur et sortit de la cuisine. Irving était là, assis dans le fauteuil du living-room. Deux hommes en costume, que Bosch ne connaissait pas, s'étaient installés sur le canapé. Balayant la pièce du regard, il remarqua que la boîte contenant ses lettres et ses cartes, rangée dans la penderie, était sur la table basse, ouverte. Le dossier d'homicide qu'il avait laissé sur la table de la salle à manger se trouvait maintenant sur les genoux d'un des deux types. Ils avaient fouillé la maison, ils avaient fourré leur nez dans ses affaires.

Soudain, Bosch repensa à la voiture de patrouille.

– J'ai aperçu vos guetteurs, dit-il. Quelqu'un veut-il bien m'expliquer ce qui se passe ?

– Où étiez-vous, Bosch ? demanda un des types en costume.

Bosch l'observa. Son visage ne faisait pas jaillir la moindre étincelle de souvenir.

– Qui êtes-vous, nom de Dieu ?

Il se pencha pour récupérer la boîte contenant les lettres et les cartes sur la table basse.

– Inspecteur, dit Irving, je vous présente le lieutenant Angel Brockman, et voici Earl Sizemore.

Bosch acquiesça. Un de ces deux noms ne lui était pas inconnu.

– J'ai entendu parler de vous, dit-il au dénommé Brockman. C'est vous qui avez expédié Bill Connors au placard. Je parie que vous avez gagné le titre de meilleur flic des Affaires internes du mois. Un bel honneur.

Impossible de ne pas remarquer le ton sarcastique qu'il avait pris. Le placard était l'endroit où la plupart des flics planquaient leur arme quand ils n'étaient pas en service. « Aller au placard » était l'expression utilisée pour parler du suicide d'un flic. Connors était un vieil agent de patrouille du commissariat de Hollywood qui s'était suicidé l'année précédente, alors qu'il était l'objet d'une enquête des Affaires internes qui l'accusaient d'avoir refilé des sachets d'héroïne à des fugueuses pour coucher avec elles. Après sa mort, les filles en question avaient avoué avoir inventé cette histoire car Connors les harcelait pour qu'elles déguerpissent de son secteur. C'était un type bien, mais sous le poids de toutes ces accusations, il avait préféré aller au placard.

– Connors a fait un choix, Bosch. A vous de faire le vôtre. Vous voulez bien nous dire où vous étiez ces dernières vingt-quatre heures ?

– Vous voulez bien m'expliquer de quoi il s'agit ?

Un bruit sourd lui parvint de la chambre.

– Bon Dieu...

Il se précipita dans le couloir et découvrit un autre type en costume dans sa chambre, penché au-dessus du tiroir de sa table de chevet.

– Hé, foutez-moi le camp d'ici ! Allez, du balai !

Bosch se rua dans la chambre et referma le tiroir d'un coup de pied. L'homme ressortit en levant les mains comme un prisonnier et retourna dans le living-room avec les autres.

– Je vous présente Jerry Toliver, ajouta Irving. Il travaille avec le lieutenant Brockman aux Affaires internes. L'inspecteur Sizemore, quant à lui, appartient au RHD.

– Formidable, dit Bosch. Tout le monde connaît tout le monde maintenant. Alors, que se passe-t-il ? demanda-t-il à Irving en se disant que, s'il devait obtenir une réponse franche, elle viendrait certainement de ce côté.

Irving se montrait généralement honnête et sincère dans ses rapports avec lui.

– Ins... Harry, dit-il, nous devons d'abord vous poser quelques questions. Il est préférable qu'on vous explique ensuite.

Bosch comprit alors que c'était du sérieux.

– Vous avez un mandat ?

– On vous le montrera plus tard, répondit Brockman. Allons-y.

– Où ça ?

– En ville.

Bosch avait eu suffisamment de démêlés avec les Affaires internes pour savoir que les choses se passaient de manière inhabituelle. Le simple fait que Irving, numéro deux de la police de L.A., soit là, indiquait la gravité de la situation. Il en conclut qu'il ne s'agissait pas simplement de lui chercher des poux dans la tête au sujet de son enquête en solitaire. Dans ce cas, Irving ne se serait pas déplacé. Non, il se passait quelque chose de très grave.

– Très bien, dit Bosch, qui est mort ?

Les quatre hommes le regardèrent avec des visages de pierre, confirmant ses soupçons : quelqu'un était mort. Il sentit sa poitrine se serrer et, pour la première fois, il perçut en lui les prémices de la peur. Les noms et les visages des personnes qu'il avait impliquées dans son enquête défilèrent dans son esprit. Meredith Roman, Jake McKittrick, Keisha Russell, les deux femmes de Las Vegas. Qui d'autre ? Jazz ? L'aurait-il mise en danger sans le savoir ?... La vérité le frappa brutalement : Keisha Russell. La journaliste avait fait ce qu'il lui avait déconseillé. Elle était allée voir Conklin ou Mittel pour leur poser des questions au sujet de la vieille coupure de presse qu'elle avait déterrée pour Bosch. Elle s'était jetée dans la gueule du loup et son erreur lui avait coûté la vie.

– Keisha Russell ? demanda-t-il.

Il n'obtint aucune réponse. Irving se leva et les autres l'imitèrent. Sizemore garda le dossier d'homicide dans la main. Il avait décidé de l'emporter. Brockman se rendit dans la cuisine pour récupérer le sac de voyage de Bosch.

– Harry, montez donc avec Earl et moi, dit Irving.

– Et si je vous retrouvais là-bas, plutôt ?

– Non, vous venez avec moi.

Ces paroles, prononcées d'un ton sévère, ne souffraient aucune discussion. Bosch leva les mains pour indiquer qu'il n'avait pas le choix et se dirigea vers la porte.

Il prit place à l'arrière de la LTD de Sizemore, juste derrière Irving. Il regarda par la fenêtre, tandis qu'ils descendaient la colline. Il ne cessait de repenser au visage de la jeune journaliste. Elle était morte à cause de sa curiosité, certes, mais il ne pouvait s'empêcher de partager une partie de la culpabilité. C'était lui qui l'avait initiée à ce mystère, et celui-ci s'était développé jusqu'à ce qu'elle ne puisse plus résister.

– Où l'a-t-on retrouvée ? demanda-t-il.

Il n'obtint que le silence en guise de réponse. Il ne comprenait pas pourquoi ils ne lui disaient rien, surtout Irving. Par le passé, le chef adjoint lui avait laissé entendre qu'il existait entre eux une sorte de connivence, même s'ils ne s'appréciaient guère.

– Je lui avais dit de ne pas s'en mêler, dit Bosch. Je lui avais demandé d'attendre quelques jours.

Irving se retourna à moitié sur son siège pour s'adresser à Bosch derrière lui.

– Je ne sais pas de qui, ni de quoi vous parlez, inspecteur.

– Keisha Russell.

– Connais pas.

Il se retourna. Bosch était de plus en plus perplexe. Les noms et les visages défilèrent de nouveau dans son esprit. Il ajouta Jasmine à la liste, mais la retira aussitôt. Elle ne savait rien de cette affaire.

– McKittrick ?

– Inspecteur, dit Irving en se tournant de nouveau. Nous participons à l'enquête sur le meurtre du lieutenant Harvey Pounds. Les personnes que vous citez ne sont pas concernées. Mais si vous pensez que nous devrions les contacter, soyez gentil de nous le dire.

Bosch était trop abasourdi pour répondre. Harvey Pounds ? Ça n'avait aucun sens. Il n'avait rien à voir avec cette affaire ; il n'était même pas au courant. Pounds ne quittait jamais son bureau… Comment avait-il pu se mettre en danger ?… Soudain, l'horrible réalité le submergea, comme une vague d'eau glacée. Oui, il comprenait maintenant. Évidemment. Et au moment même où il comprenait ce qui s'était passé, sa propre responsabilité lui apparut. Il était dans de sales draps.

– Est-ce que je… ?

Il ne put achever sa question.

– Oui, dit Irving. Vous êtes considéré comme suspect pour l'instant. Peut-être allez-vous enfin vous taire en attendant le début de l'interrogatoire officiel.

Bosch appuya la tête contre la vitre et ferma les yeux.

– Nom de Dieu…

A cet instant, il comprit qu'il ne valait pas mieux que Brockman qui avait envoyé un homme au placard. Car Bosch savait bien, dans les tréfonds obscurs de son âme, qu'il était responsable. Il ne savait pas comment, ni quand, cela s'était passé, mais il savait.

Il avait tué Harvey Pounds. Et il avait l'insigne de Pounds dans sa poche.

CHAPITRE TRENTE-DEUX

Bosch était comme engourdi, étranger à tout ce qui se passait autour de lui. Dès qu'ils arrivèrent à Parker Center, on le conduisit dans le bureau d'Irving au sixième étage et le fit asseoir dans la salle de réunion voisine. Il y demeura seul pendant une demi-heure avant d'être rejoint par Brockman et Toliver. Brockman s'assit en face de lui, Toliver s'installant à sa droite. Qu'ils se trouvent dans les bureaux d'Irving et non pas dans une des salles d'interrogatoire des Affaires internes signifiait qu'Irving tenait à garder le contrôle de la situation. Si jamais il se retrouvait avec une affaire de « flic qui tue un flic » sur les bras, mieux valait prendre toutes les précautions pour étouffer le scandale. Le désastre médiatique pouvait rivaliser avec celui de l'affaire Rodney King.

Au milieu du brouillard et des visions fulgurantes qu'il avait du cadavre de Pounds, une pensée tenace parvint enfin à s'imposer à lui : il était dans de sales draps. Il ne pouvait pas se recroqueviller dans sa coquille. Il devait rester vigilant. L'homme qui était assis en face de lui se ferait un plaisir de lui coller un meurtre sur le dos et, pour ce faire, il était prêt à toutes les extrémités. Que Bosch sache au fond de lui-même qu'il n'avait pas tué Pounds, pas physiquement du moins, ne suffisait pas. Il devait se défendre. Il décida de ne rien laisser paraître devant Brockman. Il jouerait les durs, comme tout le monde dans cette pièce. Il se racla la gorge et prit la parole avant Brockman.

— C'est arrivé quand ?

— C'est moi qui pose les questions.

— Je peux vous faire gagner du temps, Brockman. Dites-moi quand ça s'est passé et je vous dirai où j'étais. On sera débarrassés de ça. Je comprends que je sois suspect ; je ne peux pas vous en vouloir, mais vous me faites perdre mon temps.

— Vous n'éprouvez donc aucun sentiment ? Un homme est mort. Vous travailliez avec lui.

Bosch le regarda longuement avant de répondre d'un ton égal :

— Peu importe ce que j'éprouve. Nul ne mérite d'être assassiné, mais Pounds ne me manquera pas et je ne regretterai sûrement pas de ne plus travailler avec lui.

— Bon Dieu ! dit Brockman en secouant la tête. Cet homme avait une femme, et un gosse à la fac.

— Peut-être qu'il ne leur manquera pas à eux non plus. Comment savoir ? Ce type était un sale con dans son boulot. Il n'y a aucune raison de penser qu'il était différent chez lui. Et votre femme, Brockman, que pense-t-elle de vous ?

— Épargnez-moi votre numéro, Bosch. Je ne tomberai pas dans…

— Vous croyez en Dieu, « Brickman » ?

Bosch avait volontairement employé le surnom de Brockman au sein de la police, allusion à la manière méthodique dont il bâtissait ses dossiers d'accusation contre les flics, comme feu Bill Connors.

— On n'est pas là pour parler de moi et de mes croyances, Bosch. C'est de vous qu'il s'agit.

— Exact, il s'agit de moi. Alors, je vais vous dire ce que je pense. Je ne sais pas ce que je crois. J'ai dépassé la moitié de ma vie et je n'ai toujours pas la réponse. Mais la théorie vers laquelle je penche, c'est que chacun sur cette terre possède en lui une masse d'énergie qui fait ce qu'il est. Tout est une question d'énergie. Et quand on meurt, cette énergie s'en va ailleurs. Pounds dans tout ça ? Il était rempli d'énergie négative et elle est partie ailleurs. Alors, pour répondre à votre question, non, sa mort ne me rend pas triste. Mais j'aimerais savoir où est allée cette mauvaise énergie. J'espère que vous n'en avez pas hérité, Brickman. Vous avez déjà votre dose.

Bosch lui adressa un clin d'œil et vit la confusion se peindre sur le visage de l'inspecteur des Affaires internes ; il essayait de comprendre le sens caché de cette pique. Finalement, il décida de laisser tomber.

— Bon, arrêtons les conneries. Pourquoi avez-vous provoqué le lieutenant Pounds dans son bureau jeudi dernier ? Vous savez pourtant que c'est zone interdite durant votre mise en congé.

— Disons que c'était un peu une situation à la Catch 22. C'est comme ça qu'on dit, je crois. Je n'avais pas le droit d'aller là-bas, en effet, mais il se trouve que Pounds, mon supérieur, m'avait téléphoné pour m'informer que je devais restituer ma voiture de fonction. Un exemple de l'énergie négative dont je vous parlais. J'étais déjà en congé forcé, mais ça ne lui suffisait pas. Il fallait qu'il me confisque ma bagnole par-dessus le marché. Alors, je lui ai apporté les clés. C'était mon supérieur et c'était un ordre. En allant là-bas, j'ai enfreint le règlement, mais en n'y allant pas, je l'aurais enfreint aussi.

– Pourquoi l'avez-vous menacé ?

– Je ne l'ai pas menacé.

– Il a rempli un additif à sa plainte pour agression déposée il y a quinze jours.

– Je me fous de savoir ce qu'il a rempli. Il n'y a eu aucune menace. Ce type était un froussard. Il s'est sans doute senti menacé. Mais il n'y a pas eu de menaces. C'est différent.

Bosch se tourna vers le deuxième type en costard. Toliver. Apparemment, celui-ci resterait muet jusqu'à la fin. C'était son rôle. Il se contentait de regarder fixement Bosch comme un écran de télé.

Balayant la pièce du regard, Bosch remarqua le téléphone posé sur une tablette à gauche de la table. Le témoin vert signalait un appel de conférence. Autrement dit, l'interrogatoire était retransmis en dehors de la salle de réunion. Sans doute vers un magnétophone. Sans doute vers la pièce voisine, le bureau d'Irving.

– On a un témoin, dit Brockman.

– Un témoin de quoi ?

– Des menaces.

– Écoutez, lieutenant. Si vous me disiez exactement de quelles menaces il s'agit, pour qu'on sache de quoi on parle. Après tout, si vous pensez que je l'ai effectivement menacé, vous pouvez me répéter ce que j'ai dit.

Brockman réfléchit avant de répondre.

– C'est très simple. Vous lui avez dit, je cite, que s'il continuait à vous faire chier, vous lui feriez la peau. Pas très original.

– Mais foutrement compromettant, pas vrai ? Allez vous faire foutre, Brockman, je n'ai jamais prononcé ces paroles. Je ne doute pas que ce connard de Pounds l'ait écrit dans son « additif », c'était bien son style, mais votre témoin est un sacré baratineur.

– Vous connaissez Henry Korchmar ?

– Henry Korchmar ?

Bosch ignorait de qui il voulait parler, mais comprit soudain que Brockman faisait référence au vieil Henry de la Brigade du sommeil. Bosch ne connaissait pas son nom de famille et, en l'entendant dans ce contexte, il n'avait pas fait le rapprochement.

– Le vieux ? Il n'était même pas dans le bureau. Ce n'est pas un témoin. Je lui ai dit de foutre le camp et il a obéi. Tout ce qu'il vous a raconté, c'était pour soutenir Pounds parce qu'il avait la trouille. Mais il n'était pas présent. Vous pouvez continuer comme ça, Brockman. Je vous trouverai au moins dix inspecteurs qui ont assisté à la scène à travers les vitres du bureau. Ils vous diront que Henry n'était pas là, ils vous diront aussi que Pounds était un menteur, et tout le monde le savait. Alors, où sont vos menaces dans tout ça ?

Comme Brockman ne disait rien, Bosch enchaîna :

– Vous n'avez pas fait votre boulot. A mon avis, vous savez très bien que tous les gens qui bossent dans le bureau des inspecteurs vous considèrent comme la lie de la police. Ils ont plus de respect pour les types qu'ils foutent en taule. Vous le savez et c'est pour ça que vous avez eu honte d'aller les interroger. Au lieu de ça, vous vous fiez à la parole d'un vieux bonhomme qui ne savait même pas que Pounds était mort quand vous l'avez questionné.

En voyant Brockman détourner le regard, Bosch comprit qu'il l'avait coincé. Profitant de sa victoire, il se leva et se dirigea vers la porte.

– Où allez-vous ?

– Chercher de l'eau.

– Jerry, accompagne-le.

– Quoi ? Vous croyez que je vais me sauver, Brockman ? Si vous pensez ça, c'est que vous ne savez absolument rien de moi. Venez donc faire un tour à Hollywood un jour, je vous montrerai comment on interroge les individus suspectés de meurtre. Je ne vous ferai pas payer.

Bosch quitta le bureau, suivi de Toliver. Il but un grand verre d'eau fraîche au distributeur installé au bout du couloir, puis il s'essuya la bouche avec la main. Il était nerveux, à cran. Il ne savait pas combien de temps il faudrait à Brockman pour voir clair dans son jeu.

Lorsqu'il regagna la salle de réunion, Toliver resta trois pas en arrière, toujours sans dire un mot.

– Vous êtes encore jeune, lui glissa Bosch par-dessus son épaule. Tout n'est peut-être pas perdu pour vous, Toliver.

Il entra dans la pièce au moment où Brockman franchissait une porte située à l'opposé. Bosch savait qu'elle donnait directement dans le bureau d'Irving. Dans le temps, il avait mené une enquête sur un serial killer à partir de cette pièce, sous la direction d'Irving.

Les deux hommes reprirent leurs places respectives, l'un en face de l'autre.

– Bien, dit Brockman. Je vais vous lire vos droits, inspecteur Bosch.

Il sortit une petite fiche cartonnée de son portefeuille et commença à lire le code Miranda. Bosch était persuadé que la ligne téléphonique était reliée à un magnétophone. Ils devaient avoir besoin de l'enregistrement.

– Voilà, conclut Brockman. Acceptez-vous de renoncer à ces droits pour nous parler de ce problème ?

– C'est un « problème » maintenant ? Je croyais que c'était un meurtre. D'accord, je renonce à mes droits.

– Jerry, va chercher un formulaire de renoncement, il n'y en a pas ici.

Jerry se leva et ressortit par la porte du couloir. Bosch l'entendit marcher d'un pas vif sur le linoléum, puis ouvrir une porte. Il prenait l'escalier pour descendre au service des Affaires internes, à l'étage du dessous.

– Bon, commençons par...

– Vous ne voulez pas attendre le retour de votre témoin ? A moins que cette conversation soit enregistrée en secret, à mon insu ?

La nervosité s'empara aussitôt de Brockman.

– Oui, Bosch... c'est... euh... enri... enregistré. Mais pas en secret. On vous l'a dit avant de commencer.

– Bien joué, lieutenant. Excellente votre dernière réplique. Il faudra que je m'en souvienne.

– Bon. Commençons par...

La porte s'ouvrit et Toliver revint avec un formulaire. Il le tendit à Brockman, qui l'examina un instant, sans doute pour vérifier que c'était le bon, et le fit glisser sur la table vers Bosch. Celui-ci s'en saisit et griffonna une signature à l'emplacement approprié. Il connaissait bien ce document. Il le refit glisser vers Brockman, qui le déposa sur le coin de la table sans même y jeter un coup d'œil. Il ne vit donc pas qu'en guise de signature Bosch avait écrit : « Merde. »

– Poursuivons. Inspecteur Bosch, veuillez nous dire où vous étiez ces dernières soixante-douze heures.

– Vous ne voulez pas me fouiller d'abord ? Hein, Jerry ?

Il se leva en écartant les pans de sa veste pour bien montrer qu'il n'était pas armé. Il pensait qu'en les provoquant de cette manière, ils mettraient un point d'honneur à ne pas le fouiller. L'insigne de Pounds constituait une pièce à conviction accablante qui l'enverrait à coup sûr au tapis si jamais ils la découvraient.

– Assis, Bosch ! aboya Brockman. On n'a pas l'intention de vous fouiller. On essaie de vous accorder le bénéfice du doute, mais vous ne nous facilitez pas la tâche, nom de Dieu !

Bosch se rassit, soulagé pour l'instant.

– Dites-nous simplement où vous étiez. On n'a pas que ça à faire.

Bosch réfléchit. Il était surpris par la fourchette temporelle qui les intéressait. Soixante-douze heures. Qu'était-il donc arrivé à Pounds, et pourquoi n'avaient-ils pas estimé l'heure du décès de manière plus précise ?

– Soixante-douze heures… Ça nous ramène à vendredi après-midi. J'étais à Chinatown au Cinquante-Un-Cinquante. D'ailleurs, ça me fait penser que je dois y être dans dix minutes. Si vous voulez bien m'excuser, les gars…

Il se leva de nouveau.

– Assis, Bosch ! On s'en est occupé. Asseyez-vous.

Bosch se rassit sans rien dire. Curieusement, il s'aperçut qu'il était déçu de louper sa séance avec Carmen Hinojos.

– Allez, Bosch, on vous écoute. Qu'avez-vous fait ensuite ?

– Je ne me souviens pas de tous les détails. Mais ce soir-là, j'ai mangé au Red Wind et je me suis arrêté à l'Épicentre pour boire quelques verres. Puis je suis allé à l'aéroport sur les coups de 10 heures. J'ai pris l'avion de nuit pour la Floride, Tampa plus précisément. J'ai passé le week-end là-bas et je suis rentré une heure et demie environ avant de vous trouver chez moi, illégalement.

– Ce n'était pas illégal. On avait un mandat.

– Je ne l'ai pas vu.

– On s'en fout. Vous étiez en Floride ? Ça veut dire quoi ?

– Ça veut dire que j'étais en Floride. Qu'est-ce que ça peut vouloir dire d'autre à votre avis ?

– Vous pouvez le prouver ?

Bosch sortit de sa poche intérieure de veste la pochette de la compagnie aérienne contenant la souche de son billet et la fit glisser sur la table.

– Voilà le billet d'avion, pour commencer. Je crois qu'il y a aussi le reçu de la location de voiture.

Brockman ouvrit rapidement la pochette et en inspecta le contenu.

– Qu'êtes-vous allé faire là-bas ? demanda-t-il sans lever les yeux.

– Le Dr Hinojos, la psy du département, m'a conseillé de changer d'air. Et je me suis dit : « Pourquoi pas la Floride ? Je n'y suis jamais allé et j'ai toujours adoré le jus d'orange. Et puis, zut, je me suis dit, en route pour la Floride ! »

Brockman recommença à paniquer. Il ne s'attendait pas à ça,

c'était évident. La plupart des flics n'avaient pas conscience de l'importance du premier interrogatoire avec un suspect ou un témoin dans une enquête. Il influait sur tous les interrogatoires suivants, et même sur le témoignage au tribunal par la suite. Il fallait s'y préparer. A l'instar des avocats, il fallait connaître presque toutes les réponses avant de poser les questions. Les inspecteurs des Affaires internes misaient tellement sur l'effet d'intimidation de leur présence que la majorité d'entre eux n'avaient généralement même pas besoin de préparer leurs interrogatoires. Mais quand ils se heurtaient à un mur comme aujourd'hui, ils ne savaient plus quoi faire.

– O.K., Bosch… Qu'avez-vous fait en Floride ?

– Vous connaissez la chanson que chantait Marvin Gaye ? Avant de se faire buter ? Ça s'appelle…

– De quoi parlez-vous ?

– …*Sexual Healing*. La chanson dit que c'est bon pour l'esprit.

– Oui, je connais, dit Toliver.

Brockman et Bosch se tournèrent vers lui.

– Pardon, murmura-t-il.

– Je répète ma question, Bosch, dit Brockman. De quoi parlez-vous ?

– Je vous explique que j'ai passé presque tout mon temps avec une femme de là-bas que je connais. Le reste du temps, je l'ai passé avec un guide de pêche sur un bateau dans le golfe du Mexique. Je vous explique que j'étais avec quelqu'un presque à chaque instant, espèce d'abruti. Les rares fois où j'étais seul, je n'aurais pas eu le temps de revenir ici pour tuer Pounds. Je ne sais même pas quand il a été tué, mais je peux d'ores et déjà vous dire que votre dossier d'accusation est vide. Vous regardez dans la mauvaise direction, Brockman.

Bosch avait choisi ses mots avec soin. Il ignorait s'ils étaient au courant de son enquête privée et n'avait aucune envie de leur fournir des informations là-dessus, s'il pouvait l'éviter. Certes, ils avaient récupéré le dossier d'homicide et la boîte contenant les pièces à conviction, mais il pensait être capable de trouver une explication. Ils possédaient également son carnet, car il l'avait fourré dans son sac de voyage à l'aéroport. Y figuraient les noms et adresses de Jasmine et McKittrick, l'adresse de la maison d'Eno à Las Vegas, et d'autres notes concernant l'affaire. Mais peut-être ne seraient-ils pas capables d'établir un lien entre tous ces éléments. Si la chance était de son côté.

Brockman sortit un carnet et un stylo de sa poche intérieure de veste.

– Très bien, Bosch, filez-moi le nom de cette femme et du guide de pêche. Je veux aussi leurs numéros de téléphone et ainsi de suite.

– Ça m'étonnerait.

Brockman ouvrit de grands yeux.

– Je me fous de ce que vous pensez, donnez-moi leurs noms.

Bosch ne dit rien et regarda la table devant lui.

– Vous nous avez donné votre alibi, on doit vérifier.

– Je sais où j'étais, c'est suffisant.

– Si vous n'avez rien à vous reprocher, comme vous le prétendez, laissez-nous vérifier, qu'on puisse vous disculper et passer à autre chose, envisager d'autres hypothèses.

– Vous avez déjà la compagnie aérienne et l'agence de location de voitures. Commencez donc par là. Je refuse de mêler à cette histoire des personnes qui ne sont pas concernées. Ce sont des gens bien et, contrairement à vous, ils m'apprécient. Je ne vous laisserai pas gâcher et piétiner nos relations avec vos gros sabots.

– Vous n'avez pas le choix, Bosch.

– Oh que si ! Pour l'instant, en tout cas. Vous voulez essayer de me faire porter le chapeau ? Essayez donc. S'il le faut, je ferai appel à ces gens et ils vous enfonceront le nez dans votre merde, Brockman. Vous pensez avoir mauvaise réputation chez les flics après avoir expédié Bill Connors au placard ? Si vous poursuivez dans cette voie, vous risquez d'avoir une plus mauvaise image que Richard Nixon. Je ne vous donnerai pas ces noms. Mais si vous voulez absolument inscrire quelque chose dans votre petit carnet, notez que je vous ai dit « merde ». Ça résume bien les choses.

Le visage de Brockman se couvrit de taches roses et blanches. Il resta muet un moment, avant de reprendre la parole.

– Vous savez ce que je pense ? Je continue à croire que c'est vous. Je crois que vous avez engagé quelqu'un pour faire le coup et vous êtes parti faire le mariole en Floride pour pas rester dans les parages. Un guide de pêche ! Voilà un bobard de première ou je m'y connais pas ! Et la femme ? C'est qui ? Une pute que vous avez levée dans un bar ? Un alibi à cinquante dollars ? Ou peut-être êtes-vous allé jusqu'à cent ?

D'un mouvement explosif, Bosch repoussa la table vers Brockman qui ne s'y attendait pas. Elle glissa sous ses bras et s'écrasa contre sa poitrine. Sa chaise se renversa. Bosch maintint la pression de son côté, clouant Brockman contre le mur, et fit reculer sa propre chaise.

Puis il leva la jambe gauche et appuya son pied sur la table pour maintenir la pression. Il vit les marbrures roses s'accentuer sur le visage de Brockman, qui commençait à manquer d'air. Les yeux lui sortaient de la tête. Mais il n'avait aucun moyen de repousser la table.

Toliver mit du temps à réagir. Abasourdi, il regarda Brockman sans bouger, comme s'il attendait des ordres, avant de se lever enfin d'un bond pour se précipiter vers Bosch. Celui-ci n'eut aucun mal à repousser son premier assaut ; il envoya dinguer le jeune inspecteur dans un palmier en pot qui se trouvait dans un coin de la pièce. Au même moment, il vit, du coin de l'œil, une silhouette entrer dans la salle de réunion par l'autre porte. Il sentit sa chaise se dérober sous lui et il se retrouva sur le cul, écrasé par un poids énorme. Il tourna légèrement la tête, c'était Irving.

– Ne bougez plus, Bosch ! lui hurla ce dernier dans l'oreille. Arrêtez ça tout de suite !

Bosch relâcha tous les muscles de son corps en signe de reddition et Irving le libéra en se levant. Bosch demeura un instant à terre avant de s'agripper au bord de la table pour se remettre debout. Brockman, les mains plaquées sur la poitrine, essayait de reprendre son souffle ; il respirait avec peine. Irving posa sa main sur le torse de Bosch autant dans un geste d'apaisement que pour l'empêcher de se jeter de nouveau sur Brockman. De l'autre main il lui montra Toliver qui tentait vainement de redresser le palmier dans le pot. Déraciné, celui-ci refusait de tenir debout. Finalement, il l'appuya contre le mur.

– Vous ! lui lança Irving d'un ton cinglant. Dehors !

– Mais, monsieur, je…

– Dehors, j'ai dit !

Toliver sortit rapidement dans le couloir, tandis que Brockman retrouvait enfin sa voix.

– Bo… Bosch, espèce de salopard, vous… vous allez vous retrouver en taule. Vous…

– Personne n'ira en taule, déclara Irving. C'est bien compris ?

Irving avala une grande bouffée d'air. Bosch remarqua que le chef adjoint semblait aussi essoufflé que toutes les personnes présentes dans la pièce.

– L'incident est clos, ajouta Irving. Lieutenant, vous avez voulu le provoquer, vous avez eu ce que vous cherchiez.

Le ton d'Irving ne souffrait aucune discussion. La poitrine de Brockman se soulevait violemment ; il appuya ses coudes sur la table et passa ses mains dans ses cheveux pour faire croire qu'il avait conservé une certaine contenance, mais il ne lui restait que l'humiliation. Irving se retourna vers Bosch ; la colère faisait saillir les muscles de ses mâchoires.

– Quant à vous, Bosch, je ne sais pas comment vous aider. Vous êtes toujours aussi indomptable. Vous saviez ce qu'il faisait, vous l'avez souvent fait vous-même. Mais vous n'avez pas été capable d'encaisser sans broncher. Quel genre d'homme êtes-vous ?

Bosch ne répondit pas ; Irving n'attendait pas de réponse. Brockman fut pris d'une quinte de toux et le chef adjoint se retourna vers lui.

– Ça va aller ?

– Oui, oui, je crois.

– Allez donc vous faire examiner par un médecin en face.

– Non, pas la peine.

– Dans ce cas, retournez dans votre bureau et reposez-vous. J'ai quelqu'un d'autre qui voudrait parler à Bosch.

– Je souhaite poursuivre l'interro…

– L'interrogatoire est terminé, lieutenant. Vous l'avez fait foirer.

Et se tournant vers Bosch, il ajouta :

– Tous les deux.

CHAPITRE TRENTE-TROIS

Irving abandonna Bosch dans la salle de réunion, Carmen Hinojos y faisant son entrée quelques instants plus tard. Elle s'assit sur la chaise qu'avait occupée Brockman. Dans son regard, la colère et la déception se mêlaient, à parts égales. Mais Bosch l'affronta sans ciller.

— Harry, je n'arrive pas à croire...

Il posa son index sur sa bouche pour lui faire signe de se taire.

— Quoi ? Qu'est-ce qu'il y a ?

— Nos séances sont-elles toujours confidentielles ?

— Évidemment.

— Même ici ?

— Oui. Pourquoi ?

Bosch se leva et s'approcha du téléphone posé sur la petite étagère. Il appuya sur le bouton qui permettait de couper l'appel de conférence et revint s'asseoir.

— J'espère qu'il s'agit d'un oubli, déclara Hinojos. J'en parlerai au chef Irving.

— Vous êtes certainement déjà en train de lui parler. Le coup du téléphone était trop évident. Il a sans doute fait installer des micros dans la pièce.

— Allons, Harry, nous ne sommes pas à la CIA.

— Non, en effet. C'est encore pire, parfois. Je dis simplement qu'Irving ou les Affaires internes sont peut-être en train de nous écouter d'une manière ou d'une autre. Faites attention à ce que vous dites.

Carmen Hinojos prit un air exaspéré.

— Je ne suis pas parano, docteur. Je parle d'expérience.

— Très bien, peu importe. Je me fiche de savoir si on nous écoute ou pas. Je n'arrive pas à croire que vous ayez pu faire ça. Ça me rend triste et ça me déçoit. A quoi ont servi nos séances ? A rien ? J'étais assise là et je vous ai entendu utiliser cette même violence qui vous a conduit dans mon cabinet. Ce n'est pas un jeu, Harry. Nous sommes dans la vie réelle. Et je suis obligée de prendre une décision qui pourrait fort bien déterminer votre avenir. Tout cela ne me facilite pas les choses.

Il attendit pour être certain qu'elle avait terminé.

– Vous étiez dans la pièce voisine avec Irving pendant tout ce temps ?

– Oui, il m'a appelée pour m'expliquer la situation et me demander de venir. J'avoue que...

– Attendez un peu. Avant qu'on aille plus loin... Avez-vous discuté avec lui ? Lui avez-vous parlé de nos séances ?

– Non, bien sûr que non.

– Très bien. Juste pour information, je tiens à préciser que je ne renonce à aucun de mes droits au secret professionnel. Nous sommes bien d'accord ?

Pour la première fois, elle détourna le regard. Il vit la colère assombrir son visage.

– Savez-vous à quel point vous m'insultez en disant ça ? Vous croyez vraiment que je lui parlerais de nos séances uniquement parce qu'il pourrait me l'avoir demandé ?

– Il l'a fait ?

– Vous n'avez aucune confiance en moi, n'est-ce pas ?

– Vous l'a-t-il demandé ?

– Non.

– Tant mieux.

– Il n'y a pas qu'avec moi. Vous ne faites confiance à personne.

Bosch s'aperçut qu'il était allé trop loin : il y avait plus de peine que de colère sur le visage de Hinojos.

– Je suis désolé, vous avez raison, je n'aurais pas dû dire ça. Mais je... comment dire ? J'ai le dos au mur, docteur. Dans ce genre de situations, on oublie parfois qui est de votre côté et qui ne l'est pas.

– Et vous réagissez de manière violente face à tous ceux que vous considérez comme vos ennemis. C'est un spectacle désolant. C'est très, très décevant.

Il se tourna vers le palmier en pot dans le coin de la pièce. Avant de sortir, Irving l'avait rempoté, n'hésitant pas à se salir les mains avec la terre noire. Bosch constata qu'il penchait encore légèrement vers la gauche.

– Mais d'abord, que veniez-vous faire ici ? demanda-t-il. Pourquoi Irving vous a-t-il appelée ?

– Il voulait que j'assiste à votre interrogatoire en restant dans la pièce d'à côté. Il était curieux de connaître mon interprétation de vos réponses et de savoir si, selon moi, vous pouviez être responsable de la mort du lieutenant Pounds. Mais grâce à vous, et à la façon dont vous avez attaqué cet homme, il n'a pas eu besoin de mon avis. Il est évident que vous avez une tendance, et une capacité, à agresser de manière violente vos collègues policiers.

– C'est des conneries tout ça, et vous le savez. Ce que j'ai fait à ce type qui ose se faire passer pour un flic, nom de Dieu, ça n'a rien à voir avec ce qu'ils veulent me coller sur le dos. Vous parlez de deux choses qui sont à des millions d'années-lumière, et si vous n'êtes pas capable de voir ça, vous vous êtes trompée de boulot.

– Je n'en suis pas si sûre.

– Avez-vous déjà tué quelqu'un, docteur ?

En posant cette question, il repensa à sa séance de confessions avec Jasmine.

– Non, bien sûr.

– Eh bien, moi, si. Et, croyez-moi, ce n'est pas du tout la même chose que de secouer un peu un sale connard prétentieux avec un costard lustré au cul. Pas du tout. Si vous et les autres estimez qu'il suffit d'être capable de l'un pour être capable de l'autre, vous avez encore beaucoup à apprendre.

Tous les deux restèrent muets un long moment, le temps de laisser leur colère refluer.

– Bon, dit finalement Bosch. Et maintenant, on fait quoi ?

– Je ne sais pas. Le chef Irving m'a simplement demandé de venir vous parler, de vous calmer. Il est en train de réfléchir, je suppose. Mais je crois que je n'ai pas réussi à vous calmer.

– Que vous a-t-il dit quand il vous a demandé de venir ici pour écouter l'interrogatoire ?

– Il m'a simplement expliqué ce qui s'était passé et m'a dit qu'il souhaitait connaître mon opinion sur cet interrogatoire. Vous devez comprendre une chose, Harry, malgré vos problèmes avec l'autorité : Irving est, selon moi, la seule personne qui ait choisi votre camp dans cette affaire. Je ne pense pas qu'il croie sérieusement à votre culpabilité, pas directement, du moins. Mais il sait que vous êtes un suspect potentiel qui doit être interrogé. Si vous aviez su garder votre sang-froid durant cet interrogatoire, tout serait rentré dans l'ordre rapidement. Ils auraient vérifié votre alibi en Floride et on n'en parlait plus. Je leur ai dit que vous m'aviez parlé de ce voyage.

– Je ne veux pas qu'ils vérifient mon alibi. Je ne veux pas qu'ils se mêlent de ça.

– C'est trop tard. Il sait que vous mijotez quelque chose.

– Comment le sait-il ?

– Quand il m'a appelée pour me prier de venir, il a mentionné le dossier concernant l'affaire de votre mère. Le dossier d'homicide. Il m'a dit qu'on l'avait retrouvé chez vous. Il m'a aussi dit qu'ils avaient retrouvé toutes les pièces à conviction dans une…

– Et… ?

– Il m'a demandé si je savais ce que vous faisiez avec tout ça.

– Autrement dit, il vous a demandé de lui révéler les sujets abordés durant nos séances ?

– De manière indirecte.

– Ça m'a l'air plutôt direct. Vous a-t-il précisé qu'il s'agissait de l'enquête sur le meurtre de ma mère ?

– Oui.

– Que lui avez-vous répondu ?

– Que je n'avais pas le droit d'évoquer le contenu de nos séances. Ça ne lui a pas fait plaisir.

– Je m'en doute.

Une nouvelle vague de silence s'abattit entre eux. Hinojos balaya la pièce du regard. Celui de Bosch resta fixé sur elle.

– Savez-vous ce qui est arrivé à Pounds ? demanda-t-il.

– Non, pas exactement.

– Irving vous a forcément dit quelque chose. Vous lui avez posé la question, je suppose.

– Il m'a dit qu'on avait retrouvé Pounds dans le coffre de sa voiture, dimanche soir. Il s'y trouvait depuis un moment, je crois. Une journée, peut-être. Irving m'a dit qu'il… que le corps présentait des signes de torture. Des mutilations particulièrement sadiques, paraît-il. Il n'est pas entré dans les détails. En tout cas, Pounds était encore vivant, ils en sont sûrs. Il m'a dit qu'il avait énormément souffert. Bref, il voulait savoir si vous étiez le genre d'individu capable de commettre de telles choses.

Bosch garda le silence. Il imaginait la scène. Son sentiment de culpabilité le submergeant de nouveau, il crut qu'il allait avoir la nausée.

– Si ça vous intéresse, sachez que j'ai répondu non.

– Hein ?

– Je lui ai répondu que vous n'étiez pas le genre d'individu capable de faire ça.

Bosch hocha la tête ; ses pensées étaient déjà reparties au loin, très loin. Il comprenait enfin ce qui était arrivé à Pounds, et c'était bien lui qui avait tout déclenché. Bien qu'innocent sur un plan purement légal, il était moralement coupable. Il méprisait Pounds, il avait pour lui moins de respect que pour certains meurtriers qu'il avait connus, mais le poids de la culpabilité menaçait de le broyer. Il se frotta le visage et passa ses mains dans ses cheveux. Un frisson le parcourut de la tête aux pieds.

— Ça ne va pas ? lui demanda Hinojos.

— Si, si.

Il sortit ses cigarettes et en alluma une avec son briquet Bic.

— Vous ne devriez pas, Harry. Nous ne sommes pas dans mon bureau.

— Je m'en fous. Où l'a-t-on retrouvé ?

— Pardon ?

— Pounds ! Où l'a-t-on retrouvé ?

— Je ne sais pas. Où était sa voiture, vous voulez dire ? Je ne sais pas. Je n'ai pas demandé.

Elle l'observa et remarqua que la main qui tenait la cigarette tremblait.

— Allez, Harry, dites-moi ce qui ne va pas. Que se passe-t-il ?

Bosch la dévisagea longuement.

— O.K., vous voulez savoir ? C'est moi qui l'ai tué.

Hinojos réagit comme si elle venait d'assister au meurtre en direct, aux premières loges, si près qu'elle avait été éclaboussée par le sang. Son visage se transforma en un masque hideux. L'image même de la répulsion. Elle recula au fond de sa chaise comme si elle éprouvait le besoin de s'éloigner de lui, même de quelques centimètres.

— Vous voulez dire que... cette histoire de Floride...

— Non. Je ne l'ai pas réellement tué. Pas de mes propres mains. Ce que je veux dire... c'est que je l'ai fait tuer. Que c'est moi qui ai provoqué sa mort.

— Qu'en savez-vous ? Rien ne prouve que...

— Je le sais. Croyez-moi, je le sais.

Il détourna le regard et s'arrêta sur un tableau accroché au mur au-dessus de la tablette. Un banal paysage de mer. Il revint sur Hinojos.

— C'est drôle..., dit-il sans achever sa phrase.

Il se contenta de secouer la tête.

— Qu'est-ce qui est drôle, Harry ?

Il se leva, marcha jusqu'au palmier et écrasa sa cigarette dans le terreau humide.

– De quoi parlez-vous ?

Il revint s'asseoir et la regarda.

– Les individus civilisés, ceux qui se cachent derrière la culture, l'art, la politique... et même la justice, c'est d'eux dont il faut se méfier. Ils portent un déguisement parfait. Mais ce sont les plus cruels. Ce sont les individus les plus dangereux sur terre.

CHAPITRE TRENTE-QUATRE

Bosch avait l'impression que cette journée ne prendrait jamais fin, que plus jamais il ne ressortirait de cette salle de réunion. Après le départ de Hinojos, ce fut au tour d'Irving d'entrer. Il le fit sans dire un mot, s'assit à la place de Brockman et croisa les mains sur la table. Il paraissait exaspéré. Peut-être sentait-il l'odeur du tabac. Bosch s'en fichait pas mal, mais ce silence prolongé le mettait mal à l'aise.

– Où est passé Brockman ? demanda-t-il.

– Il est parti.

– Vous m'avez entendu... je lui ai dit qu'il avait tout foutu en l'air. Et vous aussi.

– Comment ça ?

– Vous pouviez aisément vous disculper. Vous le laissiez vérifier votre alibi et on n'en parlait plus. Mais non, il a fallu que vous vous fassiez un ennemi de plus. Il a fallu que vous fassiez votre Harry Bosch.

– C'est en cela que nous sommes différents, chef. Vous feriez bien de sortir un peu de votre bureau parfois, pour retourner dans la rue. Je ne me suis pas fait un ennemi. Brockman était déjà mon ennemi avant même que je le rencontre. Comme tous les autres. Et franchement, je vais vous dire un truc, chef : je commence à en avoir marre que tout le monde m'analyse, qu'on vienne fourrer son nez dans mon cul. Ça devient lassant.

– Il faut bien que quelqu'un s'en charge. Vous ne le faites pas vous-même.

– Vous n'en savez rien.

Irving repoussa la faible défense de Bosch comme on chasse une fumée de cigarette.

– Et maintenant ? demanda Bosch. Pourquoi êtes-vous là ? Vous allez essayer de démonter mon alibi ? C'est ça ? Vous prenez la place de Brockman ?

— Je n'ai pas besoin de démonter votre alibi. On a vérifié, il semble solide. Brockman et ses collègues ont déjà reçu l'ordre de suivre d'autres pistes.

— Comment ça, vous avez vérifié ?

— Accordez-nous un peu de crédit, Bosch. Les noms figuraient dans votre carnet.

Glissant la main à l'intérieur de sa veste, Irving sortit le carnet qu'il jeta sur la table, vers Bosch.

— Cette femme avec qui vous avez passé un certain temps, là-bas, elle m'en a dit suffisamment pour que je croie à votre histoire. Vous devriez peut-être l'appeler, vous aussi. J'ai eu l'impression qu'elle était un peu déroutée par mes questions. Je me suis montré très circonspect dans mes explications.

— Je vous en remercie. Je suppose que je suis donc libre de foutre le camp ? dit-il en se levant.

— Techniquement parlant, oui.

— C'est-à-dire ?

— Asseyez-vous un instant, inspecteur.

Bosch haussa les épaules. Il avait tenu le coup jusque-là, il pouvait bien continuer jusqu'au bout. Il se rassit sur sa chaise en protestant à peine.

— Je commence à avoir mal au cul, à force, dit-il seulement.

— J'ai connu Jake McKittrick, déclara Irving. Je l'ai bien connu. On a travaillé ensemble à Hollywood pendant de nombreuses années. Mais vous le savez déjà. Pourtant, même si c'est toujours agréable de reprendre contact avec un ancien collègue, je ne peux pas dire que j'ai beaucoup apprécié la conversation que j'ai eue avec mon vieil ami Jake.

— Vous l'avez appelé, lui aussi ?

— Pendant que vous discutiez avec la psy.

— Alors, qu'attendez-vous de moi ? Il vous a tout raconté, je suppose.

Les doigts d'Irving tambourinaient sur la table.

— Ce que j'attends ? Je veux vous entendre dire que ce que vous êtes en train de faire, ou ce que vous avez fait, n'a pas le moindre rapport avec ce qui est arrivé au lieutenant Pounds.

— Impossible, chef. Je ne sais pas ce qui lui est arrivé, je sais seulement qu'il est mort.

Irving l'observa longuement ; il s'interrogeait, il se demandait s'il devait le traiter en égal et lui raconter toute l'histoire.

– Je m'attendais à un démenti immédiat. Votre réponse suggère que vous pensez qu'il pourrait y avoir un lien. Vous ne pouvez pas savoir à quel point ça me contrarie.

– Tout est possible, chef. Laissez-moi vous poser une question. Vous avez dit que Brockman et ses collègues suivaient d'autres pistes. Ont-elles une chance d'aboutir ? Autrement dit, Pounds avait-il une vie secrète, ou bien sont-ils en train de courir après leur queue ?

– Nous n'avons rien de très sérieux. Vous étiez notre meilleur suspect, j'en ai peur. D'ailleurs, Brockman continue de le penser. Il veut creuser l'hypothèse selon laquelle vous auriez engagé un tueur et seriez parti en Floride pour vous fabriquer un alibi.

– Oui, c'est une bonne théorie.

– Je trouve que c'est un peu tiré par les cheveux. Je lui ai dit de laisser tomber. Pour l'instant. Et je vous demande, à vous aussi, de laisser tomber ce que vous êtes en train de faire. Cette femme, là-bas, en Floride, me semble la personne idéale avec qui passer un peu de temps. Sautez dans un avion et retournez la rejoindre. Restez-y deux ou trois semaines. Quand vous rentrerez, on parlera de votre retour à la table des homicides de la brigade de Hollywood.

Bosch n'aurait su dire si les paroles d'Irving contenaient une menace. Ou alors… ? S'agissait-il d'un chantage ?

– Et si je refuse ?

– C'est que vous êtes stupide. Et que vous méritez tout ce qui peut vous arriver.

– Que croyez-vous que j'aie en tête, chef ?

– Je ne crois rien, je sais ce que vous avez en tête. C'est pas sorcier. Vous avez récupéré le dossier d'homicide de votre mère. Pourquoi maintenant et pas avant, je l'ignore. Mais vous avez décidé de mener votre petite enquête en solo et ça, ça pose sacrément problème… pour nous. Si vous n'arrêtez pas, Harry, je serai obligé d'intervenir. Je vous mettrai sur la touche. Pour toujours.

– Qui protégez-vous ?

Bosch vit la colère envahir le visage d'Irving, dont le teint vira au rouge. Ses yeux semblèrent rétrécir et s'assombrir sous l'effet de la fureur.

– Ne recommencez jamais ce genre de sous-entendus. J'ai consacré ma vie à ce…

– Il s'agit de vous, n'est-ce pas ? Vous la connaissiez. Vous l'avez découverte. Vous avez peur de vous retrouver entraîné dans cette histoire si je déterre quelque chose. Je parie que vous saviez déjà tout ce que McKittrick vous a raconté au téléphone.

– C'est ridicule, je...

– Vraiment ? Vraiment ? Je ne crois pas. J'ai déjà interrogé un témoin qui se souvient de vous à l'époque où vous patrouilliez sur le Boulevard.

– Quel témoin ?

– Elle a dit qu'elle vous connaissait. Et elle sait que ma mère vous connaissait, elle aussi.

– La seule personne que je protège, c'est vous, Bosch. Vous ne pouvez pas comprendre ça ? Je vous ordonne d'arrêter cette enquête.

– Vous ne pouvez pas. Je ne travaille plus pour vous. Je suis en congé, souvenez-vous. Repos forcé. Je suis un simple citoyen, désormais, et j'ai le droit de faire tout ce que je veux, du moment que c'est légal.

– Je pourrais vous faire inculper de recel de documents volés, je parle du dossier d'homicide.

– Je ne l'ai pas volé. Et quand on foire une enquête, on appelle ça comment ? Un délit mineur ? Le procureur vous enverra sur les roses avec votre accusation.

– Mais vous perdriez votre job. Ce serait fini pour vous.

– Vous arrivez un peu tard, chef. Une semaine plus tôt, votre menace aurait eu du poids. J'aurais été obligé d'en tenir compte. Maintenant, ça n'a plus aucune importance. Je suis libéré de toute cette merde, c'est tout ce qui compte, et je me fous de ce que je dois faire, je le fais.

Irving garda le silence. Sans doute prenait-il conscience qu'il n'avait plus aucune prise sur Bosch. Le travail et la carrière de Bosch avaient constitué des moyens de pression autrefois. Maintenant, il avait enfin brisé ses chaînes.

– Si vous étiez à ma place, chef, demanda-t-il d'une voix calme et posée, pourriez-vous laisser tomber ? A quoi bon continuer à me démener pour mon métier si je ne peux même pas faire ça pour elle, pour ma mère... et pour moi ?

Bosch se leva et rangea son carnet dans sa veste.

– Je m'en vais. Où sont mes affaires ?

– Non.

Bosch hésita. Irving leva les yeux vers lui, et Bosch constata que la colère avait disparu.

– Je n'ai rien fait de mal, lui dit calmement Irving.

– Bien sûr que si, lui répondit Bosch sur le même ton. (Il se pencha au-dessus de la table, leurs deux visages n'étant plus séparés que par quelques centimètres.) Comme nous tous, chef. On a tous laissé tomber. Voilà notre crime. Mais les choses ont changé. En ce qui me concerne, en tout cas. Si vous voulez m'aider, vous savez où me joindre.

Il se dirigea vers la porte.

– Que voulez-vous ? lui lança Irving.

Bosch se retourna.

– Parlez-moi de Pounds. J'ai besoin de savoir ce qui s'est passé. C'est la seule façon de savoir si cela a un rapport avec mon histoire.

– Asseyez-vous.

Bosch tira la chaise qui se trouvait près de la porte et s'assit. Les deux hommes attendirent de retrouver leur calme avant qu'Irving ne reprenne la parole.

– Les recherches ont commencé samedi soir. On a retrouvé sa voiture dimanche midi à Griffith Park, dans un des tunnels condamnés après le tremblement de terre. Comme s'ils savaient qu'on effectuerait des recherches aériennes, ils avaient planqué la voiture dans un tunnel.

– Pourquoi avoir entrepris des recherches avant même de savoir qu'il était mort ?

– Sa femme nous a appelés samedi matin. Elle nous a expliqué que Pounds avait reçu un coup de téléphone vendredi soir, à son domicile. Elle ignorait qui c'était. En tout cas, cette personne a réussi à convaincre Pounds de sortir de chez lui pour la rejoindre. Il n'a pas dit à sa femme de quoi il s'agissait ; il lui a seulement dit qu'il serait de retour dans une heure ou deux. Il est parti et n'est jamais revenu. Le lendemain matin, elle nous a appelés.

– Pounds est bien sur liste rouge, non ?

– Oui. Ce qui laisse penser qu'il s'agit de quelqu'un de la police.

Bosch réfléchit.

– Non, pas nécessairement. Il suffit que cette personne ait des relations au niveau municipal. Qu'elle puisse obtenir le numéro de Pounds sur un simple coup de fil. Faites passer le mot, chef : immunité pour toute personne qui avoue avoir transmis le numéro. Promettez la clémence en échange du nom du type qui voulait connaître ce numéro. C'est lui qui nous intéresse. On peut parier que celui qui a donné le numéro ignorait ce qui allait se passer.

Irving acquiesça.

– Bonne idée. Des centaines de personnes au sein de la police

pouvaient obtenir ce numéro. C'est peut-être une autre piste inté-
ressante.

– Continuez à me raconter ce qui s'est passé.

– On s'est mis au boulot sur place, dans le tunnel. Dès le dimanche, la presse avait eu vent qu'on recherchait Pounds, et le tunnel
nous a facilité les choses. Aucun hélicoptère n'est venu tournoyer
au-dessus de nos têtes pour nous emmerder. On a juste rallumé les
lumières du tunnel.

– Pounds était dans sa voiture ?

Bosch faisait comme s'il ne savait rien. S'il voulait que Hinojos
respecte les confidences qu'il lui faisait, il devait, lui aussi, respecter
les siennes.

– Oui, il était dans le coffre. Et… bon Dieu, c'était affreux ! Il…
il était totalement nu. On l'avait frappé… Il portait des traces évidentes de torture…

Bosch attendit, mais Irving s'était arrêté.

– Lesquelles ? Que lui ont-ils fait ?

– Ils l'ont brûlé. Les parties génitales, les mamelons, les doigts…
Oh, Seigneur !

Irving passa sa main sur son crâne chauve en fermant les yeux.
Bosch savait qu'il ne parvenait pas à chasser ces images de ses pensées.
Bosch était hanté lui aussi. Son sentiment de culpabilité formait une
boule palpable dans sa poitrine.

– Comme s'ils voulaient obtenir quelque chose de lui, reprit
Irving. Mais il ne pouvait pas leur donner ce qu'ils réclamaient. Il
ne l'avait pas et… ils se sont acharnés.

Soudain, Bosch sentit les légères secousses d'un tremblement de
terre et agrippa le bord de la table pour conserver son équilibre. Il
observa la réaction d'Irving et constata qu'il n'y avait eu aucune
secousse. Ça venait de lui. Il s'était remis à trembler.

– Attendez.

La pièce tangua lorsqu'il se redressa.

– Qu'est-ce qu'il y a ?

– Je reviens.

Sans rien ajouter, Bosch se leva et quitta la pièce. Rapidement, il
se dirigea vers les toilettes pour hommes au fond du couloir, près du
distributeur d'eau. Un type était en train de se raser devant un des
lavabos, mais Bosch ne prit pas le temps de l'observer. Il se précipita
dans une des cabines et vomit dans la cuvette. Il était moins une.

Il tira la chasse d'eau, mais les spasmes reprirent, encore et encore, jusqu'à ce qu'il soit entièrement vidé, jusqu'à ce qu'il n'ait plus rien en lui, uniquement l'image du cadavre nu et martyrisé de Pounds.

– Ça ne va pas, mon vieux ? demanda une voix à l'extérieur du W.C.

– Foutez-moi la paix.

– Oh, désolé, je m'inquiétais, c'est tout.

Bosch resta encore quelques minutes à l'intérieur du W.C., appuyé contre le mur. Il s'essuya la bouche avec du papier toilette et le jeta dans la cuvette avant de tirer la chasse. Il ressortit d'un pas mal assuré et se dirigea vers un des lavabos. Le type était toujours là. Il faisait son nœud de cravate. Bosch lui jeta un rapide regard dans la glace : il ne le connaissait pas. Penché au-dessus du lavabo, il s'aspergea le visage et se rinça la bouche avec de l'eau fraîche. Il se sécha avec des serviettes en papier. Pas une fois il ne se regarda dans la glace.

– Merci de vous être inquiété, lança-t-il en sortant des toilettes.

On aurait dit qu'Irving n'avait pas bougé depuis le départ de Bosch.

– Ça ne va pas ? lui demanda-t-il.

Bosch s'assit et sortit ses cigarettes.

– Désolé, je vais devoir fumer.

– Vous ne m'avez pas attendu.

Bosch alluma sa cigarette et inspira une longue bouffée. Il se leva et gagna la corbeille posée dans un coin de la pièce. Il y avait là un gobelet à café usagé qu'il récupéra pour en faire un cendrier.

– Juste une, dit-il. Vous n'aurez qu'à ouvrir la porte pour aérer.

– C'est une mauvaise habitude que vous avez.

– Oui, comme celle de respirer l'air de cette ville. Comment est-il mort ? A-t-il reçu un coup fatal ?

– L'autopsie avait lieu ce matin. Crise cardiaque. La douleur était trop intense, son cœur a lâché.

Bosch laissa passer un instant ; il sentait ses forces revenir peu à peu.

– Racontez-moi la suite.

– Il n'y a rien à ajouter. C'est tout. On n'a rien trouvé d'autre. Aucun indice sur le corps. Aucun indice à l'intérieur de la voiture. Tout a été nettoyé. Pas le moindre début de piste.

– Et ses vêtements ?

– Ils étaient dans le coffre. Rien à en tirer non plus. Toutefois, le meurtrier a gardé une seule chose.

– Laquelle ?

– Son insigne. Ce salopard lui a volé son insigne.

Bosch se contenta de hocher la tête en détournant le regard. Il y eut un moment de silence.

– Donc, reprit Bosch, en voyant ce qu'on lui avait fait subir, les tortures et ainsi de suite, vous avez immédiatement pensé à moi. Merci de votre confiance.

– Écoutez, inspecteur, vous lui aviez fait passer la tête à travers une vitre quinze jours plus tôt. Et il nous avait adressé un rapport complémentaire pour nous dire que vous l'aviez menacé. Que voulez...

– Je ne l'ai jamais menacé.

– Je m'en fous. Il a porté plainte, c'est ce qui compte. Que ce soit vrai ou faux, il a rempli un rapport. Ça signifie qu'il se sentait menacé par vous. Que devais-je faire ? M'asseoir dessus, dire : « Harry Bosch ? Allons, notre cher Harry est incapable de faire une chose pareille ! », et passer à autre chose ? Soyons sérieux.

– D'accord, vous avez raison. Laissons tomber. Il n'a rien dit du tout à sa femme avant de partir ?

– Seulement que quelqu'un l'avait appelé et qu'il devait s'absenter une heure pour retrouver une personne très importante. Il n'a mentionné aucun nom. On l'a appelé vendredi soir sur les coups de 9 heures.

– Ce sont ses paroles exactes ?

– Oui, je crois. Pourquoi ?

– S'il a dit ça de cette façon, on a l'impression qu'il s'agit de deux personnes.

– Comment ça ?

– On dirait qu'une première personne l'a appelé pour organiser un rendez-vous avec une deuxième personne, cette personne « très importante ». Si cette personne avait appelé elle-même, Pounds aurait dit à sa femme que Machin, un type important, venait de l'appeler et qu'il devait le retrouver. Vous voyez ce que je veux dire ?

– Je vois. Mais celui qui a appelé a pu également utiliser le nom d'une personne importante comme appât, pour attirer Pounds. Et peut-être que cette personne n'a rien à voir avec tout ça.

– Ça aussi, c'est possible. En tout cas, il fallait que les arguments utilisés soient rudement convaincants pour faire sortir Pounds le soir, tout seul.

– Peut-être connaissait-il cette personne.

– Peut-être. Mais, dans ce cas, il aurait sans doute donné le nom à sa femme.

– Exact.

– A-t-il emporté quelque chose ? Une mallette, des dossiers… ?

– Pas à notre connaissance. Sa femme regardait la télé dans le salon. Elle ne l'a pas vu sortir. On a reconstitué toute la scène avec elle et on a fouillé toute la maison. Sans résultat. Sa mallette était dans son bureau, au poste. Il ne l'avait même pas rapportée chez lui. Je vous l'ai dit, nous n'avons aucune piste. Vous étiez notre meilleur candidat et vous voilà hors de cause. Ce qui me ramène à ma première question : vos agissements peuvent-ils avoir un rapport avec ce qui s'est passé ?

Bosch ne pouvait se résoudre à lui confier ce qu'il pensait, car il savait, au plus profond de lui-même, ce qui était arrivé à Pounds. Mais ce n'était pas la culpabilité qui l'en empêchait. C'était le désir de garder sa mission pour lui seul. A cet instant, il comprit que la vengeance était une chose solitaire, un objectif intime, dont on ne parlait pas.

– Je ne connais pas la réponse. Je n'ai rien dit à Pounds. Mais il voulait ma peau. Vous le savez bien. Ce type est mort, mais c'était un sale con et il voulait ma peau. Je suppose qu'il était à l'affût de tout ce qui me concernait. Plusieurs personnes m'ont vu traîner au poste la semaine dernière. La nouvelle est peut-être parvenue à ses oreilles et il est possible qu'il soit tombé sur quelque chose. C'était un piètre enquêteur. Il a peut-être commis une erreur. Je ne sais pas.

Irving l'observa avec un regard mort. Bosch savait qu'il essayait de déterminer la part de vérité et la part de baratin dans ce qu'il disait. Il prit la parole le premier :

– Il a dit qu'il devait rencontrer quelqu'un d'important.

– Oui.

– Écoutez, chef, j'ignore ce que vous a dit McKittrick au sujet de la discussion que j'ai eue avec lui, mais vous savez qu'il y avait aussi des personnes importantes impliquées dans cette affaire… je parle du meurtre de ma mère. Vous y étiez.

– Oui, j'y étais comme vous dites, mais je n'ai pas participé à l'enquête. J'ai seulement découvert le corps.

– McKittrick vous a parlé d'Arno Conklin ?

– Non, pas aujourd'hui. Mais, à l'époque, oui. Je me souviens qu'une fois je lui ai demandé où en était l'enquête, et il m'a dit de poser la question à Arno. Il m'a dit qu'Arno servait de bouclier à quelqu'un qui était impliqué dans l'affaire.

– Arno Conklin était donc une personne importante.

– C'est un vieillard aujourd'hui ! S'il est encore de ce monde.

– Il vit toujours, chef. Et n'oubliez pas une chose : les gens importants s'entourent toujours de gens importants. Ils ne sont jamais seuls. Conklin est âgé, mais il y a peut-être près de lui quelqu'un qui ne l'est pas.

– Qu'essayez-vous de me dire, Bosch ?

– Je vous demande de me laisser en paix. Il faut que je continue. Je suis le seul à pouvoir le faire. Je vous demande d'écarter Brockman et tous les autres de mon chemin.

Irving l'observa longuement. Bosch sentait bien que le chef adjoint de la police ne savait pas quelle attitude adopter. Il se leva.

- Je vous tiendrai au courant, dit-il.

– Vous ne me dites pas tout, Bosch.

– C'est mieux ainsi.

En sortant dans le couloir, il repensa à quelque chose et revint dans la pièce.

– Comment vais-je faire pour rentrer chez moi ? C'est vous qui m'avez amené ici.

Irving décrocha le téléphone.

CHAPITRE TRENTE-CINQ

En franchissant la porte de la Division des Affaires internes, au cinquième étage, Bosch ne vit personne derrière le comptoir. Il attendit quelques instants l'arrivée de Toliver, qu'Irving avait chargé de reconduire Bosch chez lui, mais le jeune inspecteur des A.I. demeurait invisible. Sans doute encore une astuce pour jouer avec ses nerfs, se dit-il. Il ne voulait pas être obligé de passer derrière le comptoir pour courir après Toliver et se contenta de crier son nom. Une porte était entrouverte au fond de la pièce, et Bosch aurait parié que Toliver l'avait entendu.

Mais ce fut Brockman qui apparut lorsque la porte s'ouvrit. Celui-ci regarda longuement Bosch sans rien dire.

– Toliver doit me ramener chez moi. Je ne veux plus avoir affaire à vous, Brockman.

– C'est bien dommage.

– Allez chercher Toliver.

– Je vous conseille de vous méfier de moi, Bosch.

– Je m'en doute. Je serai sur mes gardes.

– Vous ne me verrez pas approcher.

Bosch reporta son attention sur la porte d'où il s'attendait à voir surgir Toliver à tout moment. Il avait hâte de mettre fin à cette comédie et de se faire raccompagner chez lui. Il envisagea même de laisser tomber et de prendre un taxi, mais à cette heure de pointe, cela lui coûterait au moins cinquante dollars et il ne les avait pas sur lui. En outre, l'idée qu'un type des Affaires internes lui serve de chauffeur n'était pas pour lui déplaire.

– Hé, le tueur !

Bosch se retourna vers Brockman. Il en avait marre de tout ça.

– Ça fait quel effet de baiser entre meurtriers ? Pour aller jusqu'en Floride, c'est que ça doit valoir le coup.

Bosch s'efforça de rester calme, mais sentit son visage le trahir car il comprit soudain à qui, et à quoi, Brockman faisait allusion.

– De quoi parlez-vous ?

Devant l'air surpris qu'avait pris Bosch, Brockman eut le visage illuminé d'une joie sadique.

– Oh, mince ! Elle ne vous avait rien dit ?

– Dit quoi ?

Bosch avait envie de bondir par-dessus le comptoir pour se jeter sur Brockman, mais il parvint à se maîtriser, en apparence du moins.

– Je vais vous le dire. Je pense que votre petite histoire pue très fort et je vais percer ce putain d'abcès. Monsieur Propre, là-haut, ne pourra plus vous protéger.

– Il vous a ordonné de me laisser tranquille, paraît-il. J'ai été disculpé.

– Je l'emmerde, et vous aussi. Quand je débarquerai avec votre alibi dans un cercueil, il sera bien obligé de vous laisser tomber.

Toliver franchit la porte derrière le comptoir. Il tenait des clés à la main. Il vint se placer derrière Brockman, les yeux baissés.

– La première chose que j'ai faite, c'est de foutre son nom dans l'ordinateur, reprit Brockman. Elle a un casier, Bosch. Vous l'ignoriez ? Elle a tué quelqu'un elle aussi, comme vous. Qui se ressemble s'assemble, je suppose. Joli couple.

Bosch était assailli par des milliers de questions, mais il ne voulait pas les poser à ce type. Il sentit un vide immense et profond s'ouvrir en lui ; il ne parvenait plus à retenir ses sentiments pour Jazz. Mais, soudain, il s'aperçut qu'elle lui avait livré tous les signes et qu'il n'avait pas su les lire. Malgré tout, le sentiment qui s'accrochait à lui avec le plus de force était celui de la trahison.

Il ignora volontairement Brockman pour s'adresser à Toliver :

– Alors, petit, vous me ramenez chez moi ou pas ?

Toliver fit le tour du comptoir sans souffler mot.

– Hé, Bosch, je peux déjà vous coincer pour fréquentation illicite. Mais ça ne me suffit pas.

Bosch ouvrit la porte du couloir. Le règlement du LAPD interdisait aux policiers de fréquenter des criminels. Savoir si Brockman était capable de soutenir cette accusation était le dernier des soucis de Bosch. Il franchit la porte, suivi par Toliver. Avant qu'elle ne se referme, Brockman lança :

– Embrassez-la de ma part, assassin !

CHAPITRE TRENTE-SIX

Assis à côté de Jerry Toliver dans la voiture qui le ramenait chez lui, Bosch gardait le silence. Submergé par une cascade de pensées qui menaçaient d'engloutir son esprit, il avait décidé d'ignorer tout bonnement le jeune inspecteur des Affaires internes. Toliver avait branché l'émetteur-récepteur et les échanges sporadiques entre policiers étaient la seule chose qui ressemblât plus ou moins à une conversation. Ils étaient tombés en plein dans les embouteillages de fin de journée et avançaient avec une lenteur exaspérante en direction de Cahuenga Pass.

Le ventre encore douloureux de la nausée qui l'avait secoué une heure plus tôt, Bosch gardait les bras croisés devant lui comme s'il berçait un enfant. Il savait qu'il devait cloisonner ses pensées. Et même s'il était tout à la fois désorienté et intrigué par les insinuations de Brockman concernant Jasmine, il devait mettre ça de côté. Pour l'instant, le meurtre de Pounds était plus important.

Il essaya de reconstituer la succession des événements, et la conclusion qu'il en tira était évidente. En débarquant dans la fête organisée chez Mittel et en montrant la photocopie de l'article du *Times*, il avait déclenché une réaction en chaîne qui s'était achevée par le meurtre de Harvey Pounds, l'homme dont il avait emprunté l'identité. Même s'il n'avait fait que donner son nom à Mittel lors de la soirée, celui-ci était parvenu, d'une manière ou d'une autre, à remonter jusqu'au véritable Pounds, qu'on avait alors torturé à mort.

C'était sans doute le coup de téléphone au DMV qui avait causé la perte de Pounds. Après avoir reçu la coupure de presse menaçante de la main d'un homme qui s'était présenté à lui sous le nom de Harvey Pounds, Mittel avait très certainement étendu son bras long et puissant pour découvrir qui était cet homme, et quel était son but. Mittel avait des relations qui allaient de Los Angeles à Sacramento, sans oublier Washington. Il n'avait dû avoir aucun mal à découvrir que le dénommé Harvey Pounds était flic. Le travail de financement des campagnes politiques mené par Mittel avait permis à ce dernier de mettre en selle bon nombre de législateurs à Sacramento. Nul doute qu'il possédait suffisamment de contacts au sein de la capitale de l'État pour savoir si quelqu'un s'intéressait de trop près à lui. S'il s'était renseigné, il avait certainement appris que Harvey Pounds, un lieutenant du LAPD, menait une enquête, non seulement sur lui, mais aussi sur quatre autres individus qui pouvaient être d'un intérêt vital pour lui : Arno Conklin, Johnny Fox, Jake McKittrick et Claude Eno.

Certes, toutes ces personnes étaient impliquées dans une affaire criminelle et un complot remontant à trente-cinq ans, mais Mittel étant au centre de cette conspiration, la curiosité dont faisait preuve ce Pounds était plus que suffisante pour qu'un homme dans sa position prenne les mesures nécessaires afin de découvrir ce qu'on lui voulait.

A en juger par la manière dont l'homme qu'il prenait pour Pounds l'avait abordé au cours de la soirée de bienfaisance, Mittel avait probablement cru être victime d'un maître chanteur. Et il savait comment régler ce genre de problèmes. De la même manière dont il avait réglé le cas Johnny Fox.

Voilà pourquoi on avait torturé Pounds, se dit Bosch. Mittel voulait s'assurer que le problème n'avait pas fait tache d'huile ; il avait besoin de savoir qui, à part Pounds, était au courant. Malheureusement, Pounds lui-même ne savait rien. Il n'avait rien à avouer. Alors, on l'avait torturé, jusqu'à ce que son cœur lâche.

Mais dans l'esprit de Bosch, une question demeurait sans réponse : que savait Arno Conklin de tout ça ? Bosch ne l'avait pas encore contacté. Avait-il entendu parler de l'homme qui avait approché Mittel ? Avait-il donné ordre d'exécuter Pounds, ou bien Mittel avait-il agi de son propre chef ?

Bosch comprit vite que sa théorie avait un défaut et qu'il devait la peaufiner. En se faisant passer pour Pounds, il avait affronté Mittel directement lors de la soirée de collecte de fonds. Le fait que Pounds ait été torturé avant de mourir prouvait que Mittel n'était pas présent à ce moment-là, car il aurait vu qu'ils se trompaient de victime. D'où une question : avaient-ils conscience d'avoir tué la mauvaise personne et étaient-ils à la recherche de la bonne ?

Plus il réfléchissait au problème, plus cela lui paraissait évident. Mittel n'était pas le genre d'homme à se mettre du sang sur les mains. Commander une exécution ne lui posait certainement aucun problème, mais il ne voulait pas être là au moment où officiait le bourreau. Bosch songea que le surfeur en costume l'avait vu, lui aussi, lors de la réception, et que de ce fait il ne pouvait être impliqué directement dans le meurtre de Harvey Pounds. Restait le type que Bosch avait aperçu par la porte vitrée de la maison. L'homme à la large carrure et au cou épais, celui auquel Mittel avait montré la coupure de presse, celui qui avait glissé et perdu l'équilibre en lui courant après dans l'allée de la propriété.

Bosch comprit alors qu'il s'en était fallu de peu qu'il se retrouve à la place de Pounds. Il glissa la main dans sa poche de veste et sortit ses cigarettes pour en allumer une.

– Ça vous ennuie de ne pas fumer ? demanda Toliver.

C'étaient les premières paroles qu'il prononçait depuis trente-cinq minutes qu'ils roulaient.

– Oui, ça m'ennuie.

Bosch alluma sa cigarette, rangea son briquet et baissa la vitre.

– Voilà. Vous êtes content ? dit-il. Les gaz d'échappement sont plus toxiques que le tabac.

– C'est un véhicule non-fumeur.

Pour le confirmer, Toliver tapota avec son index le badge aimanté fixé sur le cendrier du tableau de bord. C'était un de ces petits machins qu'on avait distribués quand la municipalité avait adopté une loi antitabac qui interdisait de fumer dans tous les bâtiments publics et la moitié du parc de voitures de la police. L'insigne représentait une cigarette dans un rond rouge barré d'un trait de la même couleur. Sous le cercle, on pouvait lire : MERCI DE NE PAS FUMER. Bosch décolla l'aimant et le jeta par la vitre ouverte. Il le vit rebondir sur la chaussée et aller se coller au bas de la portière d'une autre voiture dans la file voisine.

– Voilà. Maintenant, c'est une voiture fumeur.

– Vous êtes vraiment dingue, Bosch. Vous le savez ?

– Collez-moi une amende, petit. Vous l'ajouterez à l'accusation de fréquentation illicite que prépare votre patron. Je m'en fous.

Ils replongèrent dans le silence, tandis que la voiture continuait de s'éloigner de Hollywood, au pas.

– Il bluffe, Bosch. Je croyais que vous aviez pigé.

– Comment ça ?

Il était surpris par l'aveu de Toliver.

– Il veut vous avoir au bluff, c'est tout. Il est furax à cause du coup de la table. Mais il sait bien que son accusation ne tient pas debout. C'est une vieille affaire. Homicide volontaire. Une histoire de violences conjugales. Elle est sortie au bout de cinq ans, en liberté conditionnelle. Il suffit que vous disiez que vous étiez pas au courant et il l'a dans le cul.

Bosch pouvait presque deviner ce qui s'était passé. Jasmine lui avait pratiquement tout raconté lors de leur séance de confessions. Elle était restée trop longtemps avec quelqu'un, voilà ce qu'elle lui avait dit. Il repensa au tableau qu'il avait vu dans l'atelier. Le portrait en gris avec ces taches de peinture rouge, comme du sang. Il essaya d'en détacher son esprit.

– Pourquoi me racontez-vous ça, Toliver ? Pourquoi tirez-vous dans le dos de vos amis ?

– Parce que ce ne sont pas mes amis. Et je voudrais bien savoir pourquoi vous m'avez dit ça tout à l'heure dans le couloir.

Bosch ne se souvenait pas de ce qu'il lui avait dit.

– Vous m'avez dit qu'il n'était pas trop tard. Trop tard pour quoi ?

– Pour foutre le camp, lui répondit Bosch qui se souvenait maintenant des paroles qu'il avait prononcées d'un ton sarcastique. Vous êtes encore jeune. Vous avez intérêt à laisser tomber les Affaires internes avant qu'il soit trop tard. Si vous restez trop longtemps, vous ne pourrez plus jamais vous en échapper. C'est ça que vous voulez ? Passer votre vie à faire tomber les flics qui refilent de la came à des putes ?

– Mon rêve, c'est d'être muté à Parker Center, mais je ne veux pas attendre dix ans comme tous les autres. Les A.I., c'est le moyen le plus facile et le plus rapide d'y entrer, pour un Blanc.

– Le jeu n'en vaut pas la chandelle, voilà ce que je dis. Tous ceux qui restent aux A.I. plus de deux ou trois ans sont condamnés à y passer leur vie car plus personne n'en veut ensuite, plus personne ne leur fait confiance. Ce sont des lépreux. Réfléchissez. Il y a pas que Parker Center.

Un nouveau silence s'ensuivit. Sans doute Toliver essayait-il de réunir des arguments.

– Il faut bien quelqu'un pour faire la police dans la police. On dirait qu'un tas de gens n'arrivent pas à le comprendre.

– C'est juste. Malheureusement, personne ne fait la police dans la police qui fait la police dans la police. Réfléchissez à ça.

Leur conversation fut interrompue par la sonnerie stridente d'un téléphone portable. Sur la banquette arrière de la voiture se trouvaient toutes les affaires que les inspecteurs des A.I. avaient confisquées chez Bosch. Irving avait ordonné qu'on les lui restitue. Parmi elles, il y avait sa mallette et, à l'intérieur de celle-ci, son téléphone qui sonnait. Penché par-dessus son siège, il ouvrit sa mallette pour récupérer son portable.

– Bosch, j'écoute.

– Russell à l'appareil.

– Désolé, je n'ai rien à vous dire pour l'instant, Keisha. Je continue d'enquêter.

– C'est moi qui ai quelque chose à vous dire. Où êtes-vous ?

– Dans les bouchons. Sur la 101, près de la sortie de Barham.

– Il faut que je vous parle, Bosch. Je dois pondre un article pour demain. Je parie que vous aurez un commentaire à faire, ne serait-ce que pour votre défense.

– Ma défense ?

Un grand bruit sourd résonna en lui et il eut envie de demander : « Quoi encore ? », mais il se retint.

– De quoi parlez-vous ?

– Vous avez lu mon article aujourd'hui ?

– Non, je n'ai pas eu le temps. Que…

– Il concerne la mort de Harvey Pounds. La suite paraît demain… Ça vous concerne, Bosch.

Nom de Dieu, se dit-il. Malgré tout, il s'efforça de rester calme. Si Keisha Russell détectait la moindre panique dans sa voix, elle serait convaincue du bien-fondé de ses informations, quelles qu'elles fussent. Il devait la convaincre qu'elles étaient fausses. Il devait saper sa confiance. Mais il se souvint tout à coup que Toliver était assis à ses côtés.

– Je ne peux pas vous parler pour l'instant. A quelle heure est le bouclage ?

– Maintenant. Il faut qu'on se parle tout de suite.

Bosch consulta sa montre. Il était 6 heures moins vingt-cinq.

– Vous pouvez attendre jusqu'à 6 heures, pas vrai ?

Il avait déjà travaillé avec des journalistes et savait que la première édition du *Times* bouclait à 18 heures.

– Non, je peux pas attendre. Si vous avez quelque chose à dire, dites-le maintenant.

– Impossible. Donnez-moi un quart d'heure et rappelez-moi. Je ne peux pas vous parler pour l'instant.

Après un court silence, elle dit :

– Je ne pourrai pas attendre plus longtemps. J'espère que vous pourrez me parler.

Ils avaient atteint la sortie de Barham ; ils seraient chez lui dans dix minutes.

— Ne vous inquiétez pas. En attendant, prévenez votre rédac' chef que vous risquez d'annuler votre article.

— Pas question.

— Écoutez, Keisha, je sais ce que vous allez me demander. C'est un coup monté, et c'est faux. Il faut me faire confiance. Je vous expliquerai dans un quart d'heure.

— Comment savez-vous que c'est du bidon ?

— Je le sais. L'info vient d'Angel Brockman.

Il referma son téléphone et se tourna vers Toliver.

— Vous voyez ? C'est ça le métier dont vous rêvez ? Vous voulez faire ça toute votre vie ?

Toliver garda le silence.

— En rentrant, vous direz à votre chef qu'il peut se fourrer le *Times* de demain dans le cul. Il n'y aura pas d'article. Vous avez vu… même les journalistes ne font pas confiance aux types des Affaires internes. Il a suffi que je prononce le nom de Brockman. Et elle va faire marche arrière quand je lui dirai que je suis au courant de tout. Personne ne vous fait confiance, Jerry. Laissez tomber.

— Parce que tout le monde aurait confiance en vous ? C'est ça, Bosch ?

— Non, pas tout le monde. Mais je dors la nuit et je fais ce boulot depuis vingt ans. Vous croyez que vous pourrez en dire autant ? Vous avez combien d'années derrière vous ? Cinq, six ? Je vous en donne dix, Jerry. Pas plus. Dix ans et salut. Mais vous ressemblerez déjà à ces types qui ont trente ans de carrière.

Sa sinistre prédiction fut accueillie par un silence de pierre. Bosch ne savait même pas pourquoi il s'inquiétait pour ce type. Toliver faisait partie de l'équipe qui essayait de l'enfoncer dans la boue. Mais quelque chose dans le visage frais de ce jeune inspecteur l'incitait à lui accorder le bénéfice du doute.

A la sortie du dernier virage de Woodrow Wilson Drive, Bosch aperçut sa maison. Il aperçut aussi une voiture blanche avec une plaque d'immatriculation jaune garée juste devant — et un type coiffé d'un casque de chantier jaune tenant une boîte à outils. Gowdy, l'inspecteur des bâtiments.

— Merde, dit Bosch. C'est encore un coup fourré des A.I. ?

— Je ne… Si c'est ça, je ne suis pas au courant.

— Non, bien sûr.

Sans un mot, Toliver s'arrêta devant la maison et Bosch descendit de voiture en récupérant ses affaires. Gowdy le reconnut et se dirigea vers lui immédiatement, tandis que Toliver repartait.

– Me dites pas que vous habitez ici ! lui lança Gowdy. Cette maison a été condamnée. On a reçu un appel pour nous avertir que quelqu'un avait piraté l'arrivée d'électricité.

– On m'a prévenu, moi aussi. Vous avez vu quelqu'un ? Je venais justement jeter un coup d'œil.

– Me prenez pas pour un con, Bosch. Je vois bien que vous avez fait des travaux. Faut que vous compreniez une chose : vous n'avez pas le droit de réparer cette baraque, vous ne pouvez même pas y entrer. La date de démolition est déjà dépassée. Je vais rédiger une injonction et faire venir un entrepreneur municipal pour s'en occuper. On vous enverra la note. Inutile d'attendre plus longtemps. Alors, je vous conseille de vider les lieux car je vais couper le jus et cadenasser les portes.

Il déposa sa boîte à outils par terre et l'ouvrit pour en sortir un jeu de charnières en acier et des cadenas destinés à condamner les portes.

– Écoutez, j'ai pris un avocat, dit Bosch. Il essaie de trouver un arrangement avec vos services.

– Il n'y a pas d'arrangement possible. Je regrette. Si vous retournez dans cette maison, vous risquez d'être arrêté. Même chose si je m'aperçois que les cadenas ont été forcés. J'appellerai les flics de North Hollywood. J'en ai marre de jouer au chat et à la souris avec vous.

Pour la première fois, Bosch se dit que tout cela était peut-être de l'esbroufe : ce type voulait du fric, voilà tout. Peut-être même ignorait-il que Bosch était flic. Rares étaient les flics qui pouvaient se permettre de vivre par ici, et d'ailleurs ils n'y vivraient pas, même s'ils en avaient les moyens. Si Bosch avait pu acheter cette maison, c'était grâce au paquet de fric qu'il avait touché quelques années auparavant pour un téléfilm inspiré d'une des affaires qu'il avait résolues.

– Écoutez, Gowdy, jouons cartes sur table, d'accord ? Je suis un peu lent à comprendre. Dites-moi ce que vous voulez, vous l'aurez. Je veux sauver ma maison. C'est la seule chose qui m'importe.

Gowdy l'observa longuement sans rien dire, et Bosch comprit qu'il s'était trompé. Il vit l'indignation dans le regard de Gowdy.

– Continuez dans cette voie et vous allez vous retrouver en taule immédiatement, mon gars. Je veux bien oublier ce que vous venez de dire. Mais...

– Je suis désolé. (Bosch se retourna vers la maison.) C'est juste que... cette maison est la seule chose que je possède.

– Non, vous avez bien plus que ça. Mais vous n'y avez pas réfléchi, voilà tout. Écoutez, je veux bien vous faire une fleur. Je vous donne cinq minutes pour aller récupérer ce dont vous avez besoin. Ensuite, je fous les cadenas. Désolé. C'est comme ça et pas autrement. Si cette baraque s'écroule sur celle d'en dessous, peut-être que vous me remercierez.

Bosch acquiesça.

Il entra chez lui et prit la valise rangée sur l'étagère du haut dans le placard du vestibule. Il y déposa son arme de rechange, puis y fourra le maximum de vêtements provenant de la penderie de la chambre. Il transporta la valise pleine à craquer jusqu'à l'auvent et revint chercher un deuxième chargement. Il ouvrit les tiroirs de sa commode, en renversa le contenu sur le lit, enveloppa le tout dans les draps et retourna déposer son baluchon dehors.

Il avait déjà dépassé les cinq minutes accordées, mais Gowdy n'était toujours pas venu le chercher. Bosch l'entendait donner des coups de marteau sur la porte.

En dix minutes, Bosch eut rassemblé sous l'auvent un gros tas d'affaires, dont une boîte où il conservait ses souvenirs et ses photos, un coffret ininflammable contenant ses papiers importants, une pile de courrier non ouvert et de factures impayées, sa chaîne stéréo et deux caisses renfermant sa collection de 33 tours et de CD de jazz. En contemplant cet amoncellement, il se sentit déprimé. Il y avait là beaucoup trop de choses pour entrer dans une Mustang, même si ça ne faisait pas beaucoup après quarante-cinq ans passés sur cette terre.

– Ça y est ?

Bosch se retourna. C'était Gowdy. Il tenait un marteau dans une main et un loquet dans l'autre. Bosch aperçut le gros cadenas qui pendait à un des passants de son pantalon.

– Ouais, dit-il. Allez-y.

Bosch s'éloigna pour laisser l'inspecteur des bâtiments faire son travail. Les coups de marteau venaient de débuter lorsque son téléphone portable sonna. Il avait complètement oublié Keisha Russell.

Il avait rangé son téléphone dans sa poche de veste au lieu de le remettre dans sa mallette. Il répondit très vite.

– Bosch, j'écoute.

– Bonjour, inspecteur. Docteur Hinojos à l'appareil.

– Oh... Bonjour.

– Un problème ?

– Non, enfin… J'attendais un coup de fil. Écoutez… je ne dois pas encombrer la ligne. Puis-je vous rappeler dans quelques minutes ?

Il consulta sa montre. Il était 6 heures moins cinq.

– Oui. Je serai à mon cabinet jusqu'à 6 heures et demie. Je voulais vous parler d'une chose, et aussi savoir comment ça s'était passé au sixième étage après mon départ.

– Tout va bien, merci, mais je vous rappelle.

A peine eut-il refermé le téléphone que celui-ci sonna de nouveau dans sa main.

– Bosch, dit-il.

– Bosch, je suis à la bourre et j'ai pas le temps d'écouter des bobards. (C'était Russell. Elle n'avait pas non plus le temps de se présenter.) Il paraît que l'enquête sur le meurtre de Harvey Pounds s'oriente vers la police elle-même et que des inspecteurs vous ont interrogé pendant plusieurs heures aujourd'hui. Ils ont fouillé votre domicile et vous considèrent comme le suspect numéro 1.

– Le suspect numéro 1 ? On n'emploie jamais cette expression, Keisha. Mais, maintenant, je sais que vous avez discuté avec un de ces connards des A.I. Ces types seraient incapables de mener une enquête sur un meurtre même si le coupable venait se jeter à leurs pieds.

– N'essayez pas de changer de sujet. Ma question est très simple : avez-vous un commentaire à faire pour mon article qui doit paraître demain ? Si vous avez quelque chose à dire, j'ai juste le temps de l'ajouter pour la première édition.

– Officiellement, je n'ai rien à dire.

– Et officieusement ?

– Officieusement, et avec interdiction de citer mon nom et d'utiliser mes propos, je peux vous dire que votre article, c'est du bidon, Keisha. Vous n'avez rien, du vent. Si vous publiez votre histoire telle que vous me l'avez résumée, vous serez obligée d'écrire un autre article demain pour rectifier. Pour dire que je ne suis absolument pas suspect. Et, après ça, vous devrez changer de rubrique.

– Ah oui ? Et on peut savoir pourquoi ? demanda-t-elle d'un ton hautain.

– Parce qu'il s'agit d'un coup monté orchestré par les Affaires internes, d'un complot. Et que demain, quand tous les flics liront l'article, ils le sauront et ils sauront aussi que vous êtes tombée dans le panneau. Ils ne vous feront plus confiance. Ils penseront que vous servez de porte-parole aux types du genre Brockman. Plus personne ne voudra vous refiler des tuyaux. Moi y compris. Vous serez obligée de glaner des bribes d'informations ici et là et de recopier les communiqués de presse. Et, évidemment, chaque fois que Brockman voudra se payer un autre flic, il décrochera son téléphone pour vous appeler.

Il y eut un silence au bout du fil. En levant les yeux, Bosch vit les premières lueurs du soleil couchant rosir le ciel. Il regarda sa montre. Keisha avait encore une minute avant le bouclage.

– Vous êtes toujours là, Keisha ?

– Bosch, vous me foutez la trouille.

– C'est qu'il y a de quoi. Vous avez une minute pour prendre une décision.

– Laissez-moi vous poser une question : avez-vous agressé Pounds et l'avez-vous fait passer à travers une vitre il y a quinze jours de ça ?

– Officiellement ou non ?

– Peu importe. J'ai besoin d'une réponse. Vite !

– Entre nous, c'est plus ou moins exact.

– Ça fait de vous le suspect idéal. Je ne vois pas…

– Keisha. J'étais absent pendant trois jours. Je suis rentré aujourd'hui. Brockman m'a conduit au poste et m'a interrogé pendant moins d'une heure. Mon alibi a été confirmé et ils m'ont relâché. Je ne suis pas suspect. En ce moment, je suis devant chez moi. Vous entendez les coups de marteau ? Ça vient de ma maison. Je suis avec un menuisier. Est-ce qu'on laisse les « suspects numéro 1 » rentrer chez eux le soir ?

– Comment puis-je confirmer tout ça ?

– Aujourd'hui ? Vous ne pouvez pas. Il faut choisir. Brockman ou moi. Demain, vous pourrez appeler le chef adjoint Irving, il vous donnera confirmation… s'il accepte de vous parler.

– Bordel de merde ! Bon Dieu, Bosch ! Si je vais voir mon rédac' chef à l'heure du bouclage pour lui dire que l'article auquel il réservait la première page depuis 3 heures de l'après-midi ne tient pas debout… je risque de devoir me chercher une autre rubrique, voire un autre canard pour la publier.

– Il se passe d'autres choses dans le monde, Keisha. Ils trouveront bien un autre sujet pour la une. Et, au bout du compte, ce sera payant pour vous. Je ferai passer le mot.

Un nouveau silence s'ensuivit. Keisha réfléchissait.

– Je n'ai plus le temps de discuter. Il faut que j'essaie de choper mon rédac' chef. Salut, Bosch. J'espère que je travaillerai encore ici la prochaine fois qu'on se parlera.

Elle raccrocha avant qu'il puisse lui dire au revoir.

Il remonta jusqu'à la Mustang garée un peu plus haut dans la rue et redescendit en voiture vers la maison. Gowdy avait fini de poser les loquets et les cadenas ; les deux portes étaient condamnées. L'inspecteur des bâtiments avait regagné sa voiture et se servait de son capot comme d'un bureau pour remplir des documents fixés sur une planchette. Il prenait tout son temps, sans doute pour s'assurer que Bosch quittait bien les lieux. Celui-ci entreprit de charger ses affaires à bord de la Mustang. Sans savoir où aller.

Bosch chassa cette pensée déprimante et repensa à Keisha Russell. Pouvait-elle encore à ce stade empêcher la publication de son papier ? Son article devait déjà avoir une vie propre, tel un monstre vivant dans l'ordinateur du journal. Keisha, son Dr Frankenstein, n'avait peut-être plus le pouvoir de l'arrêter.

Ayant tout entreposé à l'intérieur de la Mustang, Bosch salua Gowdy d'un geste, remonta dans sa voiture et descendit vers le bas de la colline. Arrivé à Cahuenga, il ne sut quelle direction prendre car il ne savait toujours pas où aller. A droite, c'était Hollywood. A gauche, il y avait la Vallée. C'est alors qu'il songea au Mark Twain. Situé à quelques rues seulement du poste de police de Wilcox, à Hollywood, le Mark Twain était un vieil hôtel qui proposait des studios généralement propres et nettement plus agréables que ce qu'il y avait autour. Bosch y avait déjà planqué des témoins à plusieurs reprises. Il savait également qu'on pouvait louer des petits deux-pièces avec salle de bains. Il décida de tenter sa chance et tourna à droite. Le téléphone sonna presque au moment où il prenait cette décision. C'était encore Keisha Russell.

– Vous me devez une fière chandelle, Bosch. L'article est mort et enterré.

Il en fut tout à la fois soulagé et agacé. C'était un raisonnement typique de journaliste.

– Qu'est-ce que vous racontez ? C'est vous qui devez me remercier de vous avoir sauvé la mise.

– Oui, bon, on verra. J'ai quand même l'intention de vérifier tout ça demain. Et s'il se trouve que vous avez dit vrai, je m'adresserai à Irving pour me plaindre de Brockman. J'aurai sa peau.

– C'est déjà fait.

Comprenant qu'elle venait de confirmer, sans le vouloir, l'identité de son informateur, Keisha eut un petit rire gêné.

– Qu'a dit votre rédacteur en chef ?

– Il me prend pour une imbécile. Mais je lui ai dit qu'il se passait d'autres choses dans le monde.

– Bien envoyé.

– Oui, je vais garder cette réplique dans mon ordinateur. Bon, et maintenant ? On en est où avec ces vieux articles que je vous ai donnés ?

– Ils continuent à faire leur effet. Je ne peux toujours rien vous dire pour l'instant.

– Évidemment. Franchement, je me demande pourquoi je continue à vous aider, Bosch, mais bon… Vous vous rappelez que vous m'avez interrogée sur Monte Kim, le type qui a écrit le premier article que je vous ai donné ?

– Monte Kim. Oui.

– Je me suis renseignée ; un des vieux correcteurs du journal m'a dit qu'il vivait toujours. Après avoir bossé au *Times*, il a travaillé quelque temps pour le bureau du procureur. J'ignore ce qu'il fait maintenant, mais j'ai son adresse et son numéro de téléphone. Il vit dans la Vallée.

– Vous pouvez me les donner ?

– Oui, d'autant plus qu'ils sont dans l'annuaire.

– Merde, je n'y avais même pas pensé.

– Vous êtes peut-être un bon inspecteur, Bosch, mais vous feriez un très mauvais journaliste.

Elle lui donna l'adresse et le numéro de téléphone, promit de le rappeler et raccrocha. Bosch posa son téléphone sur le siège et réfléchit à ce nouvel élément en s'enfonçant dans Hollywood. Monte Kim avait travaillé pour le procureur. Bosch croyait savoir lequel.

CHAPITRE TRENTE-SEPT

Le type assis derrière le comptoir à la réception du Mark Twain n'eut pas l'air de le reconnaître. Bosch était pourtant quasiment certain qu'il s'agissait de l'homme auquel il avait déjà eu affaire lorsqu'il avait loué des chambres pour des témoins. C'était un grand type mince, avec le dos et les épaules voûtés de celui qui porte un lourd fardeau. A croire qu'il était assis derrière ce comptoir depuis Eisenhower.

– Vous vous souvenez de moi ? J'habite un peu plus loin.

– Ouais, ouais, je me souviens. Mais j'ai rien dit parce que je savais pas si vous étiez là incognito ou pas.

– Non. Je ne suis pas incognito. J'aimerais savoir s'il vous reste une grande chambre de libre, au fond. Avec un téléphone.

– Vous en voulez une ?

– Si je vous pose la question, vous savez...

– Qui c'est que vous allez y mettre cette fois ? Je veux plus des types des gangs. La dernière fois, ils ont...

– Non, non, pas des types de gangs. Rien que moi.

– C'est pour vous ?

– Exact. Je vous promets de ne pas taguer les murs. C'est combien ?

Le réceptionniste parut stupéfait que Bosch veuille lui louer une chambre. Il finit par se ressaisir et lui annonça qu'il avait le choix : trente dollars par jour, deux cents la semaine ou cinq cents le mois. Payables d'avance. Bosch paya pour une semaine avec sa carte de crédit et attendit impatiemment que le type vérifie que son compte était suffisamment approvisionné.

– Combien pour se garer sur l'emplacement livraison, devant ?

– Ça se loue pas.

– Je veux laisser ma bagnole devant pour éviter qu'un de vos clients me la dépouille, lui renvoya Bosch en faisant glisser un billet de cinquante dollars sur le comptoir.

– Si les flics du stationnement se pointent, dites-leur que c'est O.K.

– Entendu.

– Vous êtes gérant ?

– Et proprio. Depuis vingt-sept ans.

– Désolé.

Bosch alla chercher ses affaires dans la Mustang. Il dut effectuer trois voyages pour tout déposer dans la chambre 214. Celle-ci était située sur l'arrière de l'hôtel, ses deux fenêtres donnant sur une ruelle. Derrière s'élevait une construction d'un étage qui abritait deux bars et un sex-shop, mais Bosch ne s'attendait pas à débarquer dans un lieu paradisiaque. Le Mark Twain n'était pas le genre d'hôtel où on trouve un peignoir en éponge dans la penderie et des petits bonbons à la menthe sur l'oreiller tous les soirs. De fait, il ne valait guère mieux que les établissements où on donne son argent au gars de la réception à travers une ouverture dans la vitre à l'épreuve des balles.

La chambre se composait de deux pièces. Dans la première se trouvaient une commode et un lit, avec seulement deux brûlures de cigarette sur le couvre-lit, et un téléviseur encastré dans un cadre métallique fixé au mur. Il n'y avait pas le câble, ni même de télécommande, ni de *Télé Guide* offert par la direction. L'autre pièce comportait un canapé vert miteux, une petite table pour deux et une kitchenette équipée d'une moitié de frigo, d'un four à micro-ondes fixé au mur et d'une cuisinière électrique à deux plaques. La salle de bains était dans le petit couloir entre les deux pièces ; le carrelage blanc y était aussi jaune que les dents d'un vieillard.

Malgré ce décor sinistre, et en espérant que son séjour n'y serait que temporaire, Bosch fit de son mieux pour transformer cette chambre en chez-soi. Il suspendit ses vêtements dans la penderie, déposa sa brosse à dents et sa trousse de rasage dans la salle de bains et brancha son répondeur sur le téléphone bien que personne ne connaisse son numéro. Il se promit d'appeler les télécoms dès le lendemain matin pour faire installer un transfert d'appel sur son ancienne ligne.

Cela fait, il installa sa chaîne stéréo sur la commode. Dans l'immédiat, il se contenta de poser les enceintes par terre, de chaque côté du meuble. Fouillant dans le carton qui contenait ses CD, il tomba sur un disque de Tom Waits intitulé *Blue Valentine*. Il ne l'avait pas écouté depuis des années.

Il s'assit sur le lit, près du téléphone, et écouta la musique. Pendant quelques minutes, il envisagea d'appeler Jazz en Floride, mais il ne savait pas ce qu'il pourrait lui dire, ou lui demander. Pour finir, il décida qu'il valait mieux laisser passer un peu de temps. Il alluma une cigarette et gagna la fenêtre. La ruelle était calme. Au-dessus des toits, il aperçut la tour très travaillée du Hollywood Athletic Club tout proche. C'était un immeuble magnifique, l'un des derniers à Hollywood.

Il tira les rideaux moisis et se retourna pour contempler sa nouvelle maison. Après un instant d'immobilité, il arracha le couvre-lit et le reste pour refaire le lit avec ses propres draps et couvertures. Certes, le geste était purement symbolique, mais il l'aida à se sentir moins seul. Et, surtout, il lui donna un peu le sentiment qu'il savait où allait sa vie et lui permit d'oublier pendant encore quelques minutes la mort de Harvey Pounds.

Il s'assit sur le lit qu'il venait de faire, se laissa aller contre les oreillers dressés à la tête de lit et alluma une cigarette. En examinant ses blessures aux doigts, il constata que les croûtes avaient laissé place à des parcelles de peau rose et dure. La cicatrisation était parfaite. Il espéra que le reste guérirait aussi bien, mais en douta. Il savait qu'il était responsable. Il savait qu'il devrait payer. D'une manière ou d'une autre.

Comme par automatisme, il prit le téléphone sur la table de chevet et le posa sur sa poitrine. C'était un vieil appareil à cadran rotatif. Il décrocha le combiné et regarda fixement le cadran. Qui appeler ? Pour dire quoi ? Il raccrocha et se redressa sur le lit. Il fallait qu'il sorte.

CHAPITRE TRENTE-HUIT

Monte Kim habitait dans Willis Avenue à Sherman Oaks, au cœur d'une ville fantôme composée d'immeubles condamnés à la démolition après le tremblement de terre. Celui de Kim était un bâtiment gris et blanc qui se dressait entre deux bâtisses vides – ou censées l'être. En s'approchant, Bosch vit des lumières s'éteindre dans un des bâtiments. Des squatters, se dit-il. Comme lui autrefois, ceux-ci redoutaient en permanence l'arrivée d'un inspecteur de la ville.

Curieusement, l'immeuble de Kim semblait avoir été totalement épargné par le tremblement de terre, à moins qu'il n'ait été déjà remis en état. Bosch penchait plutôt pour la première hypothèse. A ses yeux, cet immeuble disait plus la violence aveugle de la nature, ou alors un entrepreneur qui ne travaillait pas au rabais. Il avait tenu bon, alors que les autres s'étaient lézardés et affaissés.

La construction était de forme banalement rectangulaire, avec accès aux appartements de tous les côtés, même si, pour arriver aux entrées, il fallait d'abord sonner pour se faire ouvrir un portail électronique de deux mètres de haut. Les flics appelaient ça des « portes placebo » car elles permettaient à ceux qui habitaient derrière de se sentir mieux, mais n'avaient, en réalité, aucun effet dissuasif. De fait, elles ne servaient qu'à dresser un obstacle de plus devant les visiteurs autorisés. Les autres n'avaient qu'à les escalader, et c'était ce qu'ils faisaient, et dans toute la ville. Des portes placebo, on en trouvait partout.

La voix de Kim ayant résonné dans l'interphone, Bosch annonça simplement qu'il était de la police, et la porte métallique s'ouvrit dans un bourdonnement. Bosch sortit ensuite son porte-insigne de sa poche, tandis qu'il se dirigeait vers l'appartement numéro 8, au rez-de-chaussée. Puis, quand Kim lui ouvrit, il glissa son insigne par l'entrebâillement de la porte, à quelques centimètres de son visage, en le tenant de manière à ce que son doigt dissimule le mot LIEU-TENANT, et s'empressa de refermer l'étui et de le ranger dans sa poche.

— Excusez-moi, mais j'ai pas bien vu votre nom, dit Kim en blo-quant l'entrée.

— Hieronymus Bosch. Mais on m'appelle Harry.

— Vous avez le même nom que le peintre.

— Parfois, je me sens si vieux que j'ai l'impression que c'est lui qui porte mon nom. Comme ce soir, par exemple. Puis-je entrer ? Ce ne sera pas long.

L'air perplexe, Kim le conduisit dans le living-room. C'était une pièce de taille correcte, propre et bien rangée, avec un canapé, deux fauteuils et une cheminée à gaz à côté du téléviseur. Kim prit un des fauteuils, Bosch s'asseyant au bout du canapé. Il découvrit un caniche blanc qui dormait sur la moquette, à côté du fauteuil de son maître. Obèse et rougeaud, celui-ci avait des traits épais et des lunettes qui lui pinçaient les tempes, les rares cheveux qu'il lui restait étant teints en brun. Il portait un cardigan rouge par-dessus une chemise blanche et un vieux pantalon de treillis. Bosch, qui s'attendait à trouver un homme plus âgé, ne lui donna pas soixante ans.

— Je suppose que c'est à ce moment-là que je vous demande : « De quoi s'agit-il ? » lança-t-il.

— Oui, et c'est là que je vous explique, normalement. Le problème, c'est que je ne sais pas par où commencer. J'enquête sur deux homi-cides et vous pouvez m'aider. Mais j'aimerais que vous ayez d'abord l'obligeance de me laisser vous poser quelques questions concernant une vieille histoire. Après, quand on aura fini, je vous expliquerai tout.

— C'est plutôt inhabituel, mais...

Kim leva les mains et fit un petit geste pour montrer qu'il n'y voyait pas d'inconvénient. Il s'installa plus confortablement dans son fauteuil, jeta un regard au chien et plissa les yeux comme si cela pouvait l'aider à se concentrer sur les questions à venir. Bosch vit apparaître une pellicule de sueur sur le paysage défolié de son cuir chevelu.

— Vous avez donc été journaliste au *Times*. Pendant combien de temps ?

— Oh, là, là, juste quelque temps, au début des années 60. Mais comment le savez-vous ?

— Monsieur Kim, laissez-moi d'abord vous poser mes questions. Quel genre de boulot faisiez-vous au *Times* ?

– Je m'occupais des affaires criminelles.

– Et aujourd'hui ?

– Je travaille à domicile. Je m'occupe de relations publiques. J'ai un bureau à l'étage, dans l'autre pièce. Autrefois, j'avais un vrai bureau à Reseda, mais l'immeuble a été condamné. On voyait le jour à travers les fissures.

A l'instar de la majorité des habitants de L.A., Kim ne se sentait pas obligé d'expliquer qu'il faisait allusion aux dégâts provoqués par le tremblement de terre. C'était évident.

– Je m'occupe de plusieurs petites entreprises, reprit-il. J'ai été le porte-parole de l'usine General Motors de Van Nuys avant qu'ils mettent la clé sous la porte. Après, je me suis installé à mon compte.

– Pourquoi avez-vous quitté le *Times* dans les années 60 ?

– On m'a… Dites, on m'accuse de quelque chose ou quoi ?

– Non, absolument pas, monsieur Kim. J'essaie simplement de vous connaître. Faites-moi plaisir, répondez. Je vais en venir au fait. Donc, vous avez démissionné du *Times* ?

– Oui. On m'a proposé un meilleur boulot. On m'a offert de devenir l'attaché de presse du procureur de l'époque, Arno Conklin. Et j'ai accepté. C'était mieux payé, plus intéressant que les faits divers et les perspectives d'avenir étaient meilleures.

– Qu'entendez-vous par là ?

– En fait, j'avais tort. Je pensais qu'avec Arno tout serait possible. C'était un type bien. Je me disais qu'en restant avec lui je finirais tôt ou tard au bureau du gouverneur, peut-être même au Sénat, à Washington. Mais ça ne s'est pas passé comme ça. Je me suis retrouvé à Reseda, dans un bureau dont les murs fendus laissaient entrer l'air. Mais je ne comprends pas pourquoi la police s'intéresse à…

– Que s'est-il passé avec Conklin ? Pourquoi ça n'a pas marché ?

– Ce n'est pas à moi qu'il faut poser la question. Tout ce que je sais, c'est qu'en 68 il projetait de se faire élire procureur général et avait le poste à portée de main. Et puis… il a laissé tomber. Il a abandonné la politique pour redevenir avocat. Et pas pour ramasser les paquets de dollars qui attendent tous ces gars quand ils se recyclent dans le privé. Il a ouvert son propre cabinet, tout seul. J'étais admiratif. D'après ce que j'ai entendu dire, plus de la moitié des affaires dont il s'occupait concernaient le bien public. La plupart du temps, il travaillait gratuitement.

– Comme s'il faisait acte de pénitence ?

– Je ne sais pas. C'est possible.

– Pourquoi a-t-il tout laissé tomber ?

— Aucune idée.

— Vous ne faisiez pas partie du cercle des intimes ?

— Non. Conklin n'avait pas de cercle d'intimes autour de lui. Il n'avait qu'un seul type.

— Gordon Mittel.

— Exact. Vous voulez savoir pourquoi il ne s'est pas présenté, demandez donc à Gordon.

Kim s'aperçut alors que Bosch avait introduit le nom de Gordon Mittel dans la conversation.

— Il s'agit de Gordon Mittel ? demanda-t-il.

— Laissez-moi finir mes questions. A votre avis, pourquoi Conklin ne s'est-il pas présenté à l'élection ? Vous avez forcément une petite idée.

— D'abord, n'étant pas officiellement candidat, il n'était pas obligé de faire une déclaration publique pour expliquer son retrait. Il ne s'est pas présenté, un point c'est tout. Mais pas mal de rumeurs ont circulé à l'époque.

— Lesquelles ?

— Oh, un tas de trucs. On a dit qu'il était homo. Et d'autres choses encore. On parlait de problèmes financiers. On racontait que la Mafia menaçait de le liquider si jamais il était élu. Des trucs dans ce genre. Mais tout ça, ce n'étaient que des bruits de couloirs qui circulaient parmi les politicards.

— Il ne s'est jamais marié ?

— Pas que je sache. Mais de là à dire qu'il était homo… En tout cas, moi, je n'ai jamais rien remarqué.

Le sommet de son crâne luisait de sueur. Il faisait chaud dans la pièce, et pourtant, Kim conservait son cardigan. Bosch changea brutalement de sujet.

— Parlez-moi de la mort de Johnny Fox, dit-il.

Il vit une brève étincelle s'allumer dans le regard de Kim, puis disparaître, mais cela lui suffit.

— Johnny Fox ? Qui est-ce ?

— Allons, Monte, c'est de l'histoire ancienne. On se fout de savoir ce que vous avez fait. Ce qui m'intéresse, c'est l'envers du décor. C'est pour ça que je suis venu.

— Vous parlez de l'époque où j'étais journaliste ? J'ai écrit un tas d'articles. Ça remonte à trente-cinq ans. J'étais un gamin. Je me souviens pas de tout.

— Mais vous vous souvenez de Johnny Fox. C'était lui, votre ticket pour ce brillant avenir, celui qui ne s'est jamais concrétisé.

– Écoutez… Pourquoi vous êtes venu ici ? Vous n'êtes pas flic. C'est Gordon qui vous envoie ? Après tout ce temps, vous croyez, vos copains et vous, que je…

Il n'acheva pas sa phrase.

– Je suis flic, Monte. Et vous avez de la chance que je vous aie trouvé avant Gordon. Le passé est en train de remonter. Les fantômes reparaissent. Vous avez lu dans le journal l'histoire de ce flic retrouvé mort dans le coffre de sa bagnole à Griffith Park ?

– J'ai vu ça aux infos. C'était un lieutenant.

– Exact. C'était même le mien. Il enquêtait sur deux vieilles affaires. Dont celle de Johnny Fox. Et il a fini dans le coffre de sa bagnole. Alors, vous m'excuserez si je suis un peu nerveux et brutal, mais j'ai besoin de savoir ce qui s'est passé avec Johnny Fox. C'est vous qui avez écrit l'article sur lui. Après qu'on l'a assassiné, vous avez écrit un article pour en faire un ange. Et vous vous êtes retrouvé dans l'équipe de Conklin. Je me fous de ce que vous avez fait, je veux seulement savoir ce qui s'est passé.

– Je suis en danger ?

Bosch répondit par un haussement d'épaules très étudié, genre « va-savoir-et-quelle-importance ? ».

– Si vous êtes en danger, on peut vous protéger. Mais si vous ne nous aidez pas, on ne peut rien faire. Vous savez comment ça se passe.

– Ah, mon Dieu ! Je le savais… Vous avez parlé de plusieurs vieilles affaires, non ?

– Oui. Une des filles de Johnny qui a été tuée environ un an avant lui. Elle s'appelait Marjorie Lowe.

Kim secoua la tête. Ce nom ne lui disait rien. Il fit glisser sa main sur son crâne, s'en servant comme d'une raclette pour repousser la sueur sur les côtés, là où les cheveux étaient plus fournis. Bosch sentit que le gros type qu'il avait en face de lui était à point pour répondre à ses questions.

– Alors, Fox ? demanda-t-il. Je n'ai pas toute la nuit.

– Écoutez… Je sais rien, moi. C'était juste un échange de services.

– Je vous écoute.

Kim mit un bon moment à se ressaisir avant de parler.

– Vous savez qui était Jack Ruby ?

– Le type de Dallas ?

– Oui, celui qui a buté Oswald. Johnny Fox était le Jack Ruby de L.A. Même époque, même genre de bonhomme. Il faisait travailler des filles, jouait au casino et savait graisser la patte des flics en cas de besoin… pour éviter de se retrouver en taule. Le petit gangster classique de Hollywood. Quand il s'est retrouvé sur la liste des macchabées au commissariat de Hollywood, j'ai vu son nom, mais ça ne m'intéressait pas. Johnny Fox était un minable et on n'écrivait pas d'articles sur les minables. Et puis, un de mes indics parmi les flics m'a dit que Johnny travaillait pour Conklin.

– Et ça, ça méritait un article.

– Oui. J'ai appelé Mittel, le directeur de campagne de Conklin, et je lui ai posé la question. Pour avoir sa réaction. Je ne sais pas si vous connaissez bien cette époque, mais Conklin avait une réputation sans tache. Il incarnait le type intègre qui s'attaque à tous les vices de la ville, et on découvrait qu'il y avait un gangster dans son équipe. De quoi faire un sacré article. Même si Fox n'avait pas de casier judiciaire, à ma connaissance, il y avait des dossiers sur lui et j'y avais accès. Cet article risquait de causer des dégâts et il le savait.

Il s'arrêta brusquement, au bord de son histoire. Il connaissait la suite, mais pour qu'il la raconte à voix haute, il allait falloir le pousser dans le vide.

– Mittel était au courant, dit Bosch. C'est pour ça qu'il vous a proposé un arrangement. Il ferait de vous l'attaché de presse de Conklin si vous expurgiez votre article.

– Pas exactement.

– Je vous écoute. Quel était cet arrangement ?

– Je suis sûr qu'il y a prescription pour…

– Ne vous en faites pas pour ça. Racontez-moi tout, et personne, à part nous deux et votre chien, ne sera au courant.

Kim inspira profondément avant de continuer.

– On était en pleine campagne électorale et Conklin avait déjà un porte-parole. Mittel m'a offert le poste de porte-parole adjoint après les élections. J'aurais un bureau au palais de justice de Van Nuys et m'occuperais de tout ce qui concernait la Vallée.

– Si Conklin était élu.

– C'était joué d'avance. A moins que cette histoire avec Fox ne crée des problèmes. Mais j'ai étouffé le coup en usant de certains moyens de pression. Et j'ai dit à Mittel que je voulais devenir le seul porte-parole d'Arno après l'élection ; c'était ça ou rien. Il m'a rappelé un peu plus tard pour me dire qu'il était d'accord.

– Après en avoir parlé à Conklin.

– Sans doute. Quoi qu'il en soit, j'ai écrit un article qui gommait tous les détails du passé de Fox.

– Je l'ai lu.

– C'est tout ce que j'ai fait. Et j'ai eu le poste. On n'en a plus jamais reparlé.

Bosch l'observa. Kim était un être faible. Il n'avait pas compris que le métier de journaliste était une vocation, exactement comme celui de flic. C'est à soi-même qu'on s'y prête serment. Apparemment, Kim n'avait eu aucun mal à renier sa parole. Bosch n'imaginait pas une personne comme Keisha Russell agissant de la même manière dans des conditions identiques. Il s'efforça de masquer son mépris et poursuivit.

– Faites un effort de mémoire. C'est important. Quand vous avez appelé Mittel pour lui parler du passé de Fox, avez-vous eu l'impression qu'il était déjà au courant ?

– Oui, il savait. J'ignore si les flics le lui avaient dit le jour même ou s'il savait depuis le début. Mais il savait que Fox était mort, et il savait qui il était. Je crois qu'il était un peu étonné que je sois au courant ; en tout cas, il était impatient de conclure un arrangement pour éviter que cette histoire se retrouve dans le journal... C'était la première fois que je faisais ce genre de choses. Et je le regrette.

Kim baissa les yeux sur son chien, puis il regarda fixement la moquette beige, comme si c'était un écran sur lequel il voyait de quelle manière sa vie avait brutalement bifurqué le jour où il avait accepté cet arrangement. Il comparait la direction qu'elle suivait alors et l'endroit où elle l'avait conduit.

– Votre article ne mentionnait aucun nom de flic, dit Bosch. Vous vous rappelez qui menait l'enquête ?

– Non. Ça remonte à loin. Sans doute des gars de la Criminelle de Hollywood. En ce temps-là, ils s'occupaient des accidents mortels. Aujourd'hui, ils ont une brigade spécialisée.

– Claude Eno ?

– Eno ? Je me souviens de lui. C'est possible. Oui, je crois bien que je... Oui, oui, c'était lui. Ça me revient maintenant. Même qu'il était seul. Son équipier avait été muté, ou il avait pris sa retraite, je ne sais plus, et il bossait en solo en attendant l'arrivée d'un nouvel équipier. C'est pour ça qu'ils lui refilaient les accidents de la circulation. Généralement, il y avait moins de boulot côté enquêtes.

– Comment se fait-il que vous vous en souveniez ?

Kim fit la moue en cherchant une réponse.

– En fait... Comme je vous le disais, je regrette ce que j'ai fait. Alors, disons que j'y pense souvent. C'est pour ça que je me souviens.

Bosch acquiesça. Il n'avait pas d'autres questions et songeait déjà à ce qu'impliquaient ces révélations : tout concordait. Lowe et Fox,

Eno s'était occupé des deux affaires, puis il avait pris sa retraite en laissant derrière lui une société bidon qui portait les noms de Conklin et Mittel et lui avait permis de récolter mille dollars par mois pendant vingt-cinq ans. Comparé à Eno, Bosch trouva que Kim s'était contenté de peu. Il s'apprêtait à prendre congé quand il pensa à autre chose.

— Vous dites que Mittel ne vous a plus jamais reparlé de cet arrangement, ni de Fox.

— Exact.

— Et Conklin… vous a-t-il dit quelque chose à propos de l'un ou l'autre ?

— Non, il ne m'en a jamais reparlé, lui non plus.

— Quels rapports aviez-vous avec lui ? Il vous traitait comme un maître chanteur ?

— Non, parce que je n'en étais pas un, protesta Kim, mais son ton manquait de conviction. Je faisais un boulot pour lui, et je le faisais bien. Il était toujours très gentil avec moi.

— Il est effectivement mentionné dans votre article sur Fox. Je ne l'ai pas sur moi, mais Conklin y affirme n'avoir jamais rencontré Fox.

— Oui. C'était un mensonge. Un truc que j'avais inventé.

Bosch ne comprenait pas.

— Comment ça ? Vous voulez dire que vous avez inventé ce mensonge ?

— Au cas où ils reviendraient sur leur parole. J'ai fait dire à Conklin qu'il ne connaissait pas ce type, car j'avais la preuve qu'il le connaissait. Et ils le savaient. Comme ça, s'ils annulaient notre accord après l'élection, je pouvais déterrer l'article et montrer que Conklin connaissait Fox, malgré ses affirmations. Je pouvais laisser entendre qu'il connaissait aussi le passé de Fox quand il l'avait engagé. Ça n'aurait pas servi à grand-chose puisqu'il aurait déjà été élu, mais il y aurait quand même eu des dégâts au niveau de son image. C'était mon petit contrat d'assurance. Vous comprenez ?

Bosch acquiesça.

— Quelle preuve aviez-vous que Conklin connaissait Fox ?

— J'avais des photos.

— Quelles photos ?

— Elles avaient été prises par le photographe mondain du *Times* lors du bal de la Saint-Patrick à la Loge maçonnique de Hollywood, deux ans environ avant l'élection. Il y avait deux photos. On y voyait

Conklin et Fox assis à la même table. C'étaient des chutes, mais un jour où...

— Des quoi ?

— Des photos jamais publiées. Des clichés ratés. Mais j'avais l'habitude de jeter un œil sur tous les reportages mondains au labo, pour savoir qui étaient les célébrités du moment, qui elles fréquentaient et ainsi de suite. C'était toujours très utile. Bref, un jour, je suis tombé sur ces photos de Conklin avec un gars que j'avais déjà vu, mais pas moyen de savoir où. A cause de l'environnement. Fox n'était pas dans son milieu ce soir-là et, sur le coup, je ne l'ai pas reconnu. Mais quand Fox a été tué et qu'on m'a dit qu'il bossait pour Conklin, j'ai repensé aux photos et j'ai fait le rapprochement. C'était Fox. Je suis allé récupérer les clichés.

— Ils étaient simplement assis à la même table ?

— Sur les photos ? Oui. Et ils souriaient. On voyait bien qu'ils se connaissaient. Ce n'étaient pas des photos posées. En fait, c'est pour ça qu'on les avait mises au rebut. Elles ne convenaient pas pour la rubrique mondaine.

— Y avait-il d'autres personnes avec eux ?

— Oui, deux femmes. C'est tout.

— Allez me chercher ces photos.

— Oh, je ne les ai plus. Je les ai foutues en l'air dès que je n'en ai plus eu besoin.

— Ne vous foutez pas de ma gueule, Kim, d'accord ? Vous n'avez jamais cessé d'en avoir besoin. C'est sans doute grâce à elles que vous êtes toujours vivant. Allez les chercher ou je vous embarque pour dissimulation de preuves et je reviens avec un mandat pour tout foutre en l'air chez vous.

— O.K., d'accord ! Putain ! Attendez-moi. J'en ai gardé une.

Il se leva et monta l'escalier. Bosch reporta son attention sur le chien. L'animal portait un gilet assorti au cardigan de son maître. Il entendit une porte de penderie qui glisse sur des roulettes, puis un bruit sourd. Comme celui d'une boîte qu'on fait tomber d'une étagère. Quelques secondes plus tard, Kim redescendait l'escalier d'un pas pesant. En passant devant Bosch, il lui tendit une photo 18 × 24 en noir et blanc, jaunie sur les bords. Bosch l'examina longuement.

— La deuxième est dans un coffre à la banque, précisa Kim. C'est à peu près la même, en plus net. On y reconnaît bien Fox.

Bosch garda le silence. Il continuait de regarder la photo. Elle avait été prise au flash. Les visages étaient surexposés, blancs comme neige. On y voyait Conklin assis à une table, en face d'un homme que Bosch supposa être Fox. Une demi-douzaine de verres étaient posés sur la table. Conklin avait un large sourire et les paupières lourdes – c'était sans doute la raison pour laquelle la photo n'avait pas été retenue –, et Fox tournant légèrement le dos à l'objectif, ses traits n'étaient pas identifiables. Il fallait le connaître pour savoir que c'était lui, se dit Bosch. Aucun des deux hommes ne semblait avoir remarqué la présence du photographe. Les flashs devaient crépiter dans tous les coins.

Mais c'étaient surtout les deux femmes qui retenaient l'attention de Bosch. L'une d'elles, vêtue d'une robe noire serrée à la taille, se tenait debout près de Fox ; elle se penchait en avant pour lui parler à l'oreille. Ses cheveux étaient noués en chignon sur le haut de son crâne. Meredith Roman. En face, assise à côté de Conklin, qui la masquait en partie, il y avait Marjorie Lowe. Pour quiconque ne la connaissait pas, se dit Bosch, elle n'était pas reconnaissable, elle non plus. Conklin fumait et tenait une main levée devant lui. Son bras cachait la moitié du visage de Marjorie. On aurait dit que celle-ci se penchait au coin d'un mur pour regarder l'objectif.

Bosch retourna la photo. Au dos, un tampon indiquait TIMES PHOTO BORIS LUGAVERE. Le cliché était daté du 17 mars 1961, soit sept mois avant la mort de sa mère.

– Vous avez montré cette photo à Conklin ou à Mittel ?

– Oui. Quand j'ai exigé le poste de porte-parole. J'en ai donné un double à Gordon. Il a bien vu que c'était la preuve qu'il connaissait Fox.

Mittel avait sans doute vu aussi la preuve que Conklin connaissait une personne assassinée, se dit Bosch. Kim Monte ignorait l'importance de ce qu'il détenait. Pas étonnant qu'il ait décroché le poste de porte-parole. Mon vieux, tu as de la chance d'être encore en vie, pensa-t-il sans le dire.

– Mittel savait-il qu'il s'agissait seulement d'un double ?

– Oui, je le lui ai bien fait comprendre. Je n'étais pas idiot.

– Conklin vous a-t-il parlé de cette photo ?

– Non, pas à moi. Mais je suppose que Mittel lui en a parlé. Souvenez-vous… je vous ai dit qu'il n'avait pas donné de réponse immédiate au sujet du poste que je réclamais. A qui pouvait-il en référer alors qu'il était directeur de campagne ? A Conklin, forcément.

– Je la garde, dit Bosch en brandissant la photo.

– J'ai encore l'autre.

– Êtes-vous resté en contact avec Arno Conklin durant tout ce temps ?

– Non. Je ne lui ai pas parlé depuis… une vingtaine d'années.

– Vous allez l'appeler et je…

– Je sais même pas où il vit.

– Moi, je le sais. Vous allez l'appeler et lui dire que vous voulez le voir tout de suite. Ce soir, impérativement. Dites-lui que ça concerne Johnny Fox et Marjorie Lowe. Et personne ne doit savoir que vous venez le voir.

– Je peux pas faire un truc pareil.

– Mais si, voyons. Où est le téléphone ? Je vous aiderai.

– Non, impossible. Je ne peux pas aller le voir comme ça… Vous ne pouvez pas m'obliger.

– Vous n'irez pas le voir, Monte. C'est moi qui irai. Alors, où est le téléphone ?

CHAPITRE TRENTE-NEUF

Arrivé à la maison de retraite Lifecare du Park La Brea, Bosch se gara sur un emplacement réservé aux visiteurs et descendit de sa Mustang. Le bâtiment semblait plongé dans l'obscurité ; seules quelques lumières étaient allumées derrière des fenêtres des étages supérieurs. Il consulta sa montre – il n'était que 21 h 50 – et se dirigea vers les portes vitrées du hall.

Il sentait une boule se former dans sa gorge à mesure qu'il approchait. Au fond de lui-même il avait toujours su, depuis qu'il avait refermé le dossier d'homicide, que sa cible se nommait Conklin et qu'on en arriverait forcément à cette confrontation. Il était sur le point d'affronter l'homme qu'il soupçonnait d'avoir tué sa mère et d'avoir ensuite usé de son pouvoir, et utilisé les gens qui l'entouraient, pour échapper aux conséquences de son crime. A ses yeux, Conklin était le symbole même de tout ce qu'il n'avait jamais eu dans sa vie. Le pouvoir, un foyer, la satisfaction. Et qu'importe si, au cours de son enquête, un tas de gens lui avaient décrit Conklin comme un chic type. Bosch connaissait le secret qui se cachait derrière ce « chic type ». Sa haine montait avec chaque pas qu'il faisait.

A l'entrée du hall, un gardien en uniforme était assis derrière un bureau, occupé à remplir une grille de mots croisés déchirée dans le *Times Sunday Magazine*. Peut-être planchait-il dessus depuis dimanche. Il leva les yeux sur Bosch comme s'il l'attendait.

– Monte Kim, annonça Bosch. Un des résidents m'attend. Arno Conklin.

– Oui, il m'a prévenu. (Le gardien consulta une feuille fixée sur une planche, qu'il retourna vers Bosch en lui tendant son stylo.) Ça fait une paye qu'il a pas reçu de visites. Signez ici, je vous prie. C'est tout en haut, au 907.

Bosch signa et laissa tomber le stylo sur la planche

– Il est tard, commenta le gardien. D'habitude, les visites s'arrêtent à 21 heures.

– Qu'est-ce que ça signifie ? Vous voulez que je m'en aille ? Très bien. (Il brandit sa mallette.) M. Conklin n'aura qu'à venir en fauteuil roulant à mon cabinet, demain, pour récupérer ça. Je me déplace exprès, mon vieux. Rien que pour lui. Interdisez-moi de monter si vous voulez, je m'en fous. Mais pas lui.

– Oh là, oh là, du calme, l'ami ! J'ai simplement dit qu'il était tard, mais vous ne m'avez pas laissé finir. Je vais pas vous empêcher de monter. Y a aucun problème. M. Conklin a bien insisté et c'est pas une prison ici. Ce que je veux vous dire, c'est que tous les visiteurs sont partis, vous comprenez ? Les gens dorment. Alors, faites pas trop de bruit, c'est tout. Pas de quoi en faire un plat.

– 907, vous dites ?

– Oui. Je vais l'appeler pour le prévenir que vous montez.

– Merci.

Bosch passa devant le gardien pour se diriger vers l'ascenseur, sans un mot d'excuse. A vrai dire, il l'avait déjà oublié. Une seule chose, une seule personne, occupait ses pensées.

L'ascenseur était à peu près aussi véloce que les habitants de cette résidence. Arrivé enfin au neuvième étage, Bosch sortit dans le couloir et passa devant un poste d'infirmières, déserté ; l'infirmière de garde devait s'occuper d'un pensionnaire. Bosch partit dans le mauvais sens avant de rectifier son erreur et de rebrousser chemin. La peinture et le linoléum du couloir étaient neufs, mais même les endroits pour gens fortunés comme celui-ci ne parvenaient pas à supprimer totalement l'odeur diffuse d'urine et de désinfectant, le parfum de ces vies closes derrière ces portes closes. Il trouva enfin la chambre 907 et frappa. Une voix faible lui dit d'entrer. Un gémissement plus qu'un murmure.

Bosch n'était pas préparé à découvrir ce qui l'attendait quand il ouvrit la porte. La chambre était éclairée par une seule lumière, une petite lampe de chevet près du lit. La majeure partie de la pièce était plongée dans l'obscurité. Un vieil homme était assis dans son lit, adossé contre trois oreillers ; il tenait un livre dans ses mains décharnées, des lunettes à double foyer reposant sur son nez. Mais le plus sinistre, le plus inquiétant dans ce tableau était de voir les draps et les couvertures ramenés autour de la taille du vieil homme alors qu'ils étaient parfaitement plats tout autour. Le lit était plat. Il n'y avait pas de jambes. Le choc qu'éprouva Bosch fut encore aggravé par la vision du fauteuil roulant à droite du lit. On avait jeté une couverture écossaise sur le siège. Mais deux jambes dans un pantalon noir et une paire de mocassins dépassaient de dessous et descendaient jusqu'au repose-pied. C'était comme si une moitié de cet homme était allongée dans le lit, tandis que l'autre était restée assise dans le fauteuil. La stupeur de Bosch devait se lire sur son visage.

– C'est une prothèse, expliqua la voix rocailleuse venue du lit. J'ai perdu mes jambes… Le diabète. Il ne reste presque plus rien de moi. Sauf la vanité d'un vieillard. Je me suis fait fabriquer ces jambes pour paraître en public.

Bosch s'approcha de la lumière. La peau du vieil homme ressemblait au dos d'un papier peint qui se décolle. Jaunâtre, pâle. Ses yeux étaient enfoncés profondément dans les orbites sombres de son visage squelettique, ses cheveux n'étaient plus que des filaments au-dessus de ses oreilles. Sous la peau tavelée de ses mains couraient des veines bleues grosses comme des vers de terre. Conklin était la mort incarnée. Elle avait plus d'emprise sur lui que la vie.

Le vieillard posa son livre sur la table de chevet, ce simple geste semblant lui demander un terrible effort. Bosch aperçut le titre. *La Pluie de néon.*

– C'est un policier, dit Conklin avec un petit croassement. C'est devenu mon plaisir. J'ai appris à apprécier ce genre d'écrits. Je n'avais jamais pris le temps. Approchez, Monte, n'ayez pas peur de moi. Je ne suis qu'un vieillard inoffensif.

Bosch s'avança jusqu'à ce que la lumière éclaire son visage. Il vit Conklin l'observer de ses yeux chassieux, et conclure qu'il n'était pas Monte Kim. Beaucoup de temps s'était écoulé depuis les faits, mais Conklin semblait se souvenir.

– Je suis venu à la place de Monte, avoua Bosch.

Conklin tourna légèrement la tête et Bosch vit son regard se poser sur le bouton d'appel d'urgence sur la table de chevet. Sans doute comprit-il qu'il n'avait aucune chance de l'atteindre, ni même assez de forces. Il se retourna vers Bosch.

– Qui êtes-vous ?

– Moi aussi, je m'intéresse aux énigmes policières.

– Vous êtes policier ?

– Oui. Je m'appelle Harry Bosch et je veux que vous me…

Il s'interrompit. Un changement s'était opéré sur le visage de Conklin. Bosch n'aurait su dire si c'était de la peur, ou peut-être le souvenir, mais quelque chose avait changé. Conklin leva les yeux vers Bosch, et celui-ci s'aperçut que le vieil homme souriait.

– Hieronymus Bosch, dit-il dans un murmure. Comme le peintre.

Bosch hocha la tête, lentement. Il s'aperçut alors qu'il était dans un état de choc semblable à celui du vieillard.

– Comment le savez-vous ?

– J'ai entendu parler de vous.

– Par qui ?

– Votre mère. Elle m'a parlé de vous et de votre nom étrange. J'étais amoureux de votre mère, vous savez.

Bosch eut l'impression de recevoir un sac de sable en pleine poitrine. Il sentit ses poumons se vider de tout leur air et dut poser la main sur le lit pour conserver son équilibre.

– Asseyez-vous. Je vous en prie. Asseyez-vous.

D'une main tremblante, Conklin lui montra le bout du lit et hocha la tête lorsque Bosch s'exécuta.

– Non ! s'écria celui-ci en se relevant d'un bond une seconde après s'être assis. Vous vous êtes servi d'elle, et vous l'avez tuée. Ensuite, vous avez payé des gens pour enterrer votre crime avec elle. C'est pour ça que je suis ici. Je suis venu pour connaître la vérité. Je veux l'entendre de votre bouche et je n'ai aucune envie d'entendre des conneries, comme par exemple que vous l'aimiez et autre. Vous êtes un menteur.

Il y avait une lueur de supplication dans les yeux de Conklin, mais il détourna le regard vers le coin obscur de la pièce.

– Je ne connais pas la vérité, dit-il, et sa voix était comme des feuilles mortes que le vent fait glisser sur le trottoir. J'assume toute la responsabilité et, de ce fait, on pourrait dire que je l'ai tuée, en effet. Mais je ne connais qu'une seule vérité : je l'aimais. Traitez-moi de menteur si vous voulez, c'est pourtant la vérité. En me croyant, vous pourriez ressusciter un vieil homme.

Bosch ne comprenait ni ce qui se passait ni ce qu'il entendait.

– Elle était avec vous ce soir-là, dit-il. A Hancock Park.

– Oui.

– Que s'est-il passé ? Qu'avez-vous fait ?

– Je l'ai tuée… avec mes paroles, avec mes actes. Il m'a fallu des années et des années pour en prendre conscience.

Bosch se rapprocha encore ; il toisait le vieil homme. Il avait envie de le saisir par les épaules et de le secouer pour lui arracher des propos cohérents. Mais Arno Conklin était si frêle qu'il craignait de le briser.

– De quoi parlez-vous ? Regardez-moi ! Qu'est-ce que vous racontez ?

Conklin fit pivoter sa tête sur un cou pas plus large qu'un verre de lait. Il regarda Bosch et acquiesça d'un air solennel.

– Nous avions fait des projets ce soir-là, Marjorie et moi. J'étais tombé amoureux d'elle, voyez-vous, contre toute logique, contre tous les avis. Le mien et ceux des autres. Nous allions nous marier. C'était décidé. Et nous vous ferions sortir de votre foyer pour orphelins. Nous avions un tas de projets. C'est ce soir-là que nous les avons faits. Nous étions tellement heureux que nous en avons pleuré. Le lendemain, c'était un samedi. Je voulais qu'on aille à Las Vegas. On prendrait la voiture et on roulerait toute la nuit avant de changer d'avis ou qu'on nous oblige à en changer. Marjorie était d'accord. Elle est retournée chez elle chercher ses affaires… et elle n'est jamais revenue.

– C'est ça votre histoire ? Et vous espérez que je…

– Après le départ de votre mère, j'ai passé un coup de téléphone, un seul. Mais ça a suffi. J'ai appelé mon meilleur ami pour lui annoncer la bonne nouvelle et lui demander d'être mon témoin. Je voulais qu'il nous accompagne à Las Vegas. Savez-vous ce qu'il m'a répondu ? Il a décliné l'honneur d'être mon témoin. Il m'a dit que si j'épousais cette… cette femme, j'étais fini. Il m'a dit qu'il ne me laisserait pas faire. Il nourrissait de grandes ambitions pour moi.

– Gordon Mittel.

Conklin hocha tristement la tête.

– Vous êtes en train de me dire que Mittel l'a tuée ? Et vous ne le saviez pas ?

– Je ne le savais pas.

Conklin posa les yeux sur ses mains frêles et serra ses poings minuscules sur la couverture. Des poings totalement impuissants. Bosch garda le silence.

– J'ai mis des années à comprendre, reprit Conklin. Il n'était pas possible d'imaginer qu'il ait pu faire ça. Et puis, je l'avoue, je pensais surtout à moi à ce moment-là. J'étais un lâche qui pensait seulement à s'en tirer.

Bosch avait du mal à suivre ce qu'il disait, mais c'était comme si Conklin ne s'adressait pas à lui. Le vieil homme se racontait l'histoire à lui-même. Soudain, il s'arracha à sa rêverie pour regarder Bosch.

– Je savais que vous viendriez un jour.

– Pourquoi ?

– Je savais que vous voudriez savoir. Même si vous étiez le seul. Je le savais. C'était forcé. Vous étiez son fils.

– Racontez-moi ce qui s'est passé ce soir-là. Racontez-moi tout.

– Il faut que vous me donniez à boire. J'ai la gorge sèche. Il y a un verre là-bas, sur la commode, et une fontaine dans le couloir. Ne laissez pas couler l'eau trop longtemps, sinon elle est trop froide et ça me fait mal aux dents.

Bosch regarda le verre sur la commode avant de revenir sur Conklin. Une angoisse le saisit soudain : il craignait, en quittant la chambre, ne serait-ce qu'une minute, que le vieil homme meure subitement et emporte son histoire avec lui. Bosch ne saurait jamais ce qui s'était passé.

– Allez-y. Ne vous inquiétez pas. Je ne risque pas de m'en aller.

Bosch jeta un coup d'œil en direction du bouton d'appel. Une fois de plus, Conklin lut dans ses pensées.

– Je suis plus près de l'enfer que du paradis à cause de ce que j'ai fait. A cause de mon silence. J'ai besoin de raconter mon histoire. Et vous ferez un meilleur confesseur que n'importe quel prêtre.

En sortant dans le couloir avec le verre, Bosch vit la silhouette d'un homme disparaître au bout du couloir. Il lui sembla que l'homme portait un costume. Ce n'était pas le gardien. Puis il avisa le distributeur d'eau, alla y remplir le verre et retourna dans la chambre. Conklin lui prit le verre des mains avec un sourire timide et un merci murmuré, avant de boire. Bosch lui reprit le verre ensuite pour le poser sur la table de chevet.

– Reprenons. Vous dites qu'elle vous a quitté ce soir-là et qu'elle n'est jamais revenue. Comment avez-vous appris ce qui s'était passé ?

– Le lendemain. J'avais peur qu'il soit arrivé quelque chose. Alors, j'ai fini par appeler mon bureau pour savoir ce qui s'était passé durant la nuit, d'après les rapports de police. On m'a appris, entre autres choses, qu'il y avait eu un meurtre à Hollywood. Ils avaient le nom de la victime... C'était elle. Ce fut le jour le plus affreux de ma vie.

– Que s'est-il passé ensuite ?

Conklin se massa le front et continua :

– J'ai appris qu'on l'avait découverte au petit matin. Elle... J'étais en état de choc. Je ne pouvais pas y croire. J'ai chargé Mittel de mener une enquête, mais ça n'a rien donné. Et puis, l'homme qui m'avait... présenté à Marjorie m'a contacté.

– Johnny Fox.

– Oui. Il avait entendu dire que la police le recherchait. Il était innocent, affirmait-il. Il me menaçait. Si je ne le protégeais pas, il révélerait à la police que Marjorie était avec moi ce soir-là. C'aurait été la fin de ma carrière.

– Alors, vous l'avez protégé.

– Je l'ai adressé à Gordon. Celui-ci a enquêté sur les affirmations de Fox et confirmé son alibi. Je ne me souviens plus exactement de quoi il était question. Fox jouait aux cartes ou je ne sais quoi dans un endroit rempli de témoins. Enfin convaincu que Fox n'était pas mêlé à cette affaire, j'ai appelé les inspecteurs chargés de l'enquête et me suis occupé de son interrogatoire. Pour protéger Fox, et donc me protéger moi aussi, Gordon et moi avons concocté une histoire en racontant aux inspecteurs que Fox était un témoin clé dans le cadre d'une importante procédure judiciaire. Notre plan a fonctionné. Les inspecteurs se sont orientés dans une autre direction. J'ai discuté avec l'un d'eux ; il m'a dit qu'à son avis Marjorie avait été victime d'une espèce de maniaque sexuel. Ils étaient plutôt rares en ce temps-là, voyez-vous. Cet inspecteur n'était pas très optimiste quant à l'issue de l'enquête. Et moi, je crains de n'avoir jamais soupçonné... Gordon. Comment peut-on faire une chose aussi effroyable à une personne innocente ? L'atroce vérité était là, juste devant moi, mais pendant longtemps je ne l'ai pas vue. J'étais un imbécile. Un pantin.

– Vous êtes en train de me dire que ce n'était pas vous le meurtrier et que ce n'était pas Fox non plus ? Vous êtes en train de me dire que Mittel l'a tuée parce qu'elle représentait une menace pour votre carrière politique, mais qu'il vous l'a caché ? Qu'il a agi de son propre chef, sans vous en parler ?

– Oui, exactement. Je lui ai tout avoué, le soir où je l'ai appelé ; je lui ai dit que Marjorie comptait plus que toutes les ambitions qu'il nourrissait pour moi, que toutes celles que je nourrissais moi-même. Ce serait la fin de ma carrière politique, disait-il, mais moi, j'étais prêt à l'accepter. Du moment que je pouvais recommencer une nouvelle vie avec elle. Je crois que ces minutes ont été les plus douces de ma vie. J'étais amoureux et j'avais pris une décision.

Son poing frappa mollement la couverture en un geste d'impuissance.

– J'ai dit à Mittel que je me foutais pas mal des dommages que cela pouvait entraîner pour ma carrière. Je lui ai dit qu'on allait partir. Je ne savais pas encore où. La Jolla, San Diego... j'ai lancé quelques noms comme ça, par pur défi. Je lui en voulais terriblement de ne pas partager la joie de notre décision. Mais en agissant ainsi, je l'ai provoqué, je m'en rends compte maintenant, et j'ai hâté la mort de votre mère.

Bosch l'observa longuement. Sa souffrance semblait sincère. Ses yeux étaient aussi hantés que les hublots d'un navire englouti. Derrière, il n'y avait que les ténèbres.

– Mittel vous a finalement avoué ce qu'il avait fait ?

– Non, mais je l'avais deviné. Sans doute le savais-je déjà, de manière inconsciente. Quoi qu'il en soit, bien des années plus tard il a dit un truc qui a été comme un déclic. Ça confirmait tout. C'est là que nos relations ont cessé.

– Que vous a-t-il dit ? Et quand ?

– Très longtemps après. A l'époque où je me préparais à briguer le poste de procureur général. Vous rendez-vous compte de cette mascarade ? Moi, le menteur, le lâche, le manipulateur, je prétendais accéder au poste de magistrat le plus élevé de l'État. Un jour, Mittel est venu m'expliquer qu'il fallait que je me marie avant les élections. Il n'a pas pris de gants. Des rumeurs circulaient à mon sujet, paraît-il, et elles risquaient de me faire perdre des voix. Je lui ai répondu que c'était grotesque ; je n'allais pas me marier uniquement pour rassurer quelques ploucs de Palmdale ou autre bled paumé. C'est alors qu'il a lâché une remarque, comme ça en passant, de manière désinvolte, en sortant du bureau.

Conklin s'interrompit pour tendre la main vers le verre d'eau. Bosch l'aida à s'en saisir, et le vieillard y but à petites gorgées. Il dégageait une forte odeur médicinale. C'était horrible. Bosch avait l'impression de se trouver à la morgue au milieu des cadavres. Quand Conklin eut fini de boire, Bosch reprit le verre et le reposa sur la table de chevet.

– Quelle était cette remarque ?

– En sortant du bureau, il a dit, je m'en souviens mot pour mot : « Des fois, je regrette de t'avoir évité un scandale avec cette pute. Peut-être que si je ne l'avais pas fait, on n'aurait pas ce problème aujourd'hui. Au moins saurait-on que tu n'es pas homo. » Voilà exactement ce qu'il a dit.

Bosch le regarda fixement.

– C'était peut-être simplement une façon de parler, dit-il. Peut-être cela voulait-il seulement dire qu'il vous avait épargné le scandale de cette liaison avec elle en faisant le nécessaire pour vous protéger. Ça ne veut pas forcément dire qu'il l'a tuée, ou l'a fait tuer. Vous avez été procureur, vous savez que ce n'est pas suffisant. Il n'y a aucune preuve concrète. Lui avez-vous posé la question de manière directe ?

– Non. Jamais. J'étais trop intimidé. Gordon commençait déjà à devenir très puissant. Bien plus puissant que moi. C'est pour ça que je n'ai rien dit. J'ai sabordé ma campagne et mis la clé sous la porte.

J'ai quitté la scène politique et je n'ai plus jamais reparlé à Gordon Mittel depuis ce temps. Ça fait plus de vingt-cinq ans maintenant.

– Vous avez ouvert un cabinet d'avocat.

– Oui. J'ai surtout fait du travail d'avocat commis d'office… pour m'imposer pénitence… à cause de ce que j'avais provoqué. J'aimerais pouvoir dire que ça m'a aidé à refermer les blessures de mon âme, mais ça n'a pas suffi, hélas. Je suis un homme désespéré, Hieronymus. Dites-moi une chose : êtes-vous venu pour me tuer ? Je le mérite, ne vous laissez pas influencer par ma triste histoire.

Surpris par cette question, Bosch resta muet un instant. Puis il demanda :

– Et Johnny Fox ? Il vous tenait à sa merci depuis ce soir-là ?

– En effet. Et dans le genre maître chanteur, il était très doué.

– Que s'est-il passé avec lui ?

– J'ai été obligé de l'engager dans mon effectif de campagne, en le payant cinq cents dollars par semaine à ne rien faire. Voyez quelle triste comédie était devenue ma vie. Il a été écrasé par une voiture avant de toucher sa première paye.

– Mittel ?

– Je suppose que c'est lui le responsable, en effet, même si, je le reconnais, il fait un bouc émissaire idéal pour toutes les mauvaises actions auxquelles j'ai participé.

– Vous n'avez pas pensé que la mort de Fox était une drôle de coïncidence ?

– Rétrospectivement, les choses sont beaucoup plus claires, dit Conklin en secouant la tête d'un air affligé, mais, à l'époque, je me souviens surtout d'avoir béni le ciel de la chance que j'avais. L'épine plantée dans mon pied m'était ôtée par l'opération du Saint-Esprit. Mais souvenez-vous qu'à ce moment-là j'étais loin de me douter que la mort de Marjorie avait un rapport avec moi. Dans mon esprit, Fox était simplement un type qui cherchait à gagner du fric. Quand il a disparu, par la grâce d'un accident automobile providentiel, je me suis réjoui. On a soudoyé un journaliste pour étouffer le passé de Fox et tout est rentré dans l'ordre. Du moins, le croyait-on. Aussi intelligent soit-il, Gordon n'avait pas imaginé que je serais incapable d'oublier Marjorie. Et je ne l'ai toujours pas oubliée.

– Et McCage ?

– Qui ça ?

– La McCage Incorporated. Les pots-de-vin que vous versiez au flic ? Claude Eno.

Conklin prit le temps de préparer sa réponse.

– Je connaissais Claude Eno, évidemment. Mais je me fichais pas mal de lui. En tout cas, je ne lui ai jamais donné un sou.

– La société McCage était enregistrée dans le Nevada. Elle appartenait à Eno. Mittel et vous figuriez en tête de l'organigramme. C'était une combine pour percevoir les pots-de-vin. Eno touchait mille dollars par mois. Versés par Mittel et par vous.

– Non ! s'écria Conklin avec toute la vigueur dont il était capable, mais son cri de protestation ressemblait à un toussotement. Je n'ai jamais entendu parler de cette société. Gordon a peut-être tout organisé en signant à ma place ou en me faisant signer des documents à mon insu. Il s'occupait d'un tas de choses à ma place. Je signais ce qu'il me demandait de signer.

Il avait dit cela en regardant Bosch droit dans les yeux, et Bosch le crut. Conklin avait déjà avoué des choses bien plus accablantes. Pourquoi aurait-il nié avoir soudoyé Eno ?

– Comment a réagi Mittel quand vous avez tout plaqué, quand vous lui avez annoncé que vous laissiez tomber ?

– A cette époque-là, il était déjà très puissant. Politiquement, je veux dire. Son cabinet juridique avait pour clients tout le gratin de la ville et ses ambitions politiques prenaient de l'ampleur. Malgré tout, je restais sa pièce maîtresse. Le plan consistait à s'emparer du poste de procureur général, puis du siège de gouverneur. Et Dieu sait quoi ensuite. Alors, disons que Gordon… n'était pas content. Je refusais de le voir, mais nous nous sommes parlé au téléphone. Voyant qu'il ne pouvait pas me faire changer d'avis, il m'a menacé.

– De quelle façon ?

– En disant que si j'essayais de nuire à sa réputation, il ferait en sorte que je sois accusé de la mort de Marjorie. Et j'étais certain qu'il n'hésiterait pas à le faire.

– Le meilleur ami devenu le pire ennemi. Comment vous êtes-vous retrouvé dans ses griffes ?

– Disons qu'il s'est faufilé par la porte entrouverte pendant que j'avais la tête tournée. Quand j'ai découvert son vrai visage, il était trop tard… Je ne crois pas avoir rencontré homme plus arriviste et sournois que Gordon dans toute ma vie. C'était… c'est un homme dangereux. Je regrette d'avoir placé votre mère sur son chemin.

Bosch se contenta de hocher la tête. Il n'avait plus de questions à poser et ne savait pas quoi ajouter. Après un moment de silence, durant lequel Conklin sembla se perdre dans ses pensées, le vieillard reprit la parole :

– Voyez-vous, jeune homme, je crois qu'on ne rencontre qu'une fois dans sa vie la personne qui est faite pour vous. Le jour où vous croyez l'avoir rencontrée, accrochez-vous à elle de toutes vos forces. Peu importe ce qu'elle a fait dans le passé. Cela importe peu. Seul le présent compte.

Bosch acquiesça de nouveau. Il ne trouvait rien à dire.

– Et ma mère, comment l'avez-vous rencontrée ? demanda-t-il finalement.

– Oh... C'était dans un bal. On me l'a présentée et, évidemment, comme elle était plus jeune, je ne pensais pas qu'elle s'intéresserait à moi. Mais j'avais tort... Nous avons dansé. Nous nous sommes revus. Et je suis tombé amoureux d'elle.

– Vous ne connaissiez pas son passé ?

– A ce moment-là, non. Mais elle a fini par me l'avouer. A ce stade, je m'en fichais.

– Et Fox dans tout ça ?

– C'était le lien. Il nous avait présentés. Je ne savais rien de lui non plus. Il se prétendait homme d'affaires. Et en effet, pour lui, c'était une sorte de manœuvre commerciale. On présente la fille au procureur et on attend de voir ce qui se passe. Je ne l'ai jamais payée et elle ne m'a jamais demandé d'argent. Pendant que nous étions en train de tomber amoureux, Fox, lui, devait faire ses petits calculs.

Bosch se demandait s'il devait sortir de sa mallette la photo donnée par Monte Kim pour la montrer à Conklin, mais il décida finalement de ne pas torturer la mémoire du vieil homme avec la réalité d'une photo. Conklin se remit à parler pendant que Bosch continuait à s'interroger.

– Je suis très fatigué et vous n'avez toujours pas répondu à ma question.

– Quelle question ?

– Êtes-vous venu pour me tuer ?

Bosch observa son visage et ses vieilles mains inutiles et sentit naître en lui un vague sentiment de compassion.

– Je ne sais pas pour quelle raison je suis venu. Je savais simplement que je devais venir.

– Vous voulez en savoir plus sur elle ?

– Ma mère ?

– Oui.

Bosch réfléchit. Les souvenirs qu'il avait de sa mère étaient vagues et de plus en plus confus. Et les témoignages d'autres personnes étaient rares.

– Comment était-elle ?

Conklin prit le temps de réfléchir avant de répondre :

– Ce n'est pas facile de la décrire. J'étais très attiré par elle… avec son petit sourire en coin… Je savais qu'elle avait des secrets. Comme tout le monde, j'imagine. Mais les siens étaient profondément enfouis. Et, malgré tout, elle débordait de vie. Et voyez-vous, je crois que je n'étais pas comme elle quand nous nous sommes rencontrés. C'est elle qui m'a apporté ça.

Il réussit à prendre le verre d'eau et le vida. Bosch lui proposa d'aller le remplir, mais Conklin repoussa son offre d'un geste.

– J'avais connu d'autres femmes ; toutes voulaient m'exhiber comme un trophée. Votre mère n'était pas comme ça. Elle préférait rester à la maison ou aller pique-niquer dans Griffith Park plutôt que de sortir dans les clubs de Sunset Strip.

– Comment avez-vous appris… ce qu'elle faisait ?

– C'est elle qui me l'a dit. Le soir où elle m'a parlé de vous. Elle m'a expliqué qu'elle devait me dire la vérité car elle avait besoin de mon aide. J'avoue que… le choc a été… J'ai d'abord pensé à moi. A me protéger. Mais j'admirais le courage qu'il lui avait fallu pour tout m'avouer et, surtout, j'étais amoureux. Je ne pouvais pas l'abandonner.

– Et Mittel, comment l'a-t-il su ?

– Je le lui ai dit. Aujourd'hui encore, je le regrette.

– Si elle… Si elle était comme vous la décrivez, pourquoi faisait-elle… ce qu'elle faisait ? Je n'ai jamais… compris.

– Moi non plus. Comme je vous le disais, votre mère avait des secrets. Elle ne me les a pas tous avoués.

Bosch tourna la tête vers la fenêtre. La chambre donnait au nord. Il voyait scintiller les lumières des collines de Hollywood dans la brume qui montait des canyons.

– Elle disait que vous étiez un vrai petit dur, reprit Conklin dans son dos. (Il avait la voix éraillée ; cela faisait probablement des mois qu'il n'avait pas parlé autant.) Un jour, elle m'a dit qu'il pouvait lui arriver n'importe quoi, elle savait que vous étiez assez solide pour vous en sortir.

Bosch garda le silence et continua de regarder par la fenêtre.

– Avait-elle raison ? lui demanda le vieil homme.

Les yeux de Bosch longèrent les crêtes des collines, au nord. Quelque part, tout là-haut, brillaient les lumières du vaisseau spatial de Mittel. Il était là-haut quelque part, et attendait Bosch. Celui-ci se retourna vers Conklin qui, lui, attendait toujours sa réponse.

– Je crois que le jury n'a pas encore délibéré.

CHAPITRE QUARANTE

Bosch s'appuya contre la paroi d'acier de l'ascenseur qui descendait. Ses sentiments étaient bien différents de ceux qui l'avaient habité quelques instants plus tôt dans ce même ascenseur alors qu'il le conduisait au neuvième étage. Il était arrivé en proie à une haine qui se débattait dans sa poitrine tel un félin pris dans un filet. Il ne connaissait même pas l'homme qui en était l'objet. Et maintenant, il le considérait comme un être pitoyable, une moitié d'homme couchée dans son lit avec ses mains fragiles pliées sur la couverture, attendant, espérant même, que la mort vienne mettre fin à ses souffrances intimes.

Car Bosch le croyait. Il y avait dans le récit qu'il lui avait fait, dans sa douleur, quelque chose de trop authentique ; ce ne pouvait pas être de la comédie. Conklin avait dépassé depuis longtemps le stade des faux-semblants. C'était devant la fosse qu'il se trouvait. Il s'était traité de lâche et de pantin et, aux yeux de Bosch, un homme ne pouvait graver des mots plus cruels sur sa propre tombe.

Et si Conklin disait vrai, Bosch savait qu'il avait déjà rencontré son véritable ennemi face à face. Gordon Mittel. Le stratège. L'organisateur. Le meurtrier. L'homme qui tenait les ficelles du pantin. Ils allaient se revoir. Mais, cette fois, Bosch était décidé à mener la danse.

Il appuya de nouveau sur le bouton du rez-de-chaussée, comme si cela pouvait inciter l'ascenseur à descendre plus vite. C'était un geste inutile, il le savait bien, et, pourtant, il recommença.

Quand la porte de l'ascenseur s'ouvrit enfin, le hall lui apparut, désert et stérile. Le gardien était toujours assis derrière son bureau, plongé dans ses mots croisés. On n'entendait même pas le murmure lointain d'une télévision. Uniquement le silence de ces vies de vieillards. Il lui demanda s'il devait signer en repartant, et celui-ci le congédia d'un simple geste.

— Désolé pour tout à l'heure, j'ai été con, dit Bosch.

— Vous en faites pas pour ça, mon vieux. Ça arrive aux meilleurs d'entre nous.

Bosch se demanda à quoi il faisait allusion, mais ne dit rien. Il hocha la tête d'un air pénétré, comme si la plupart des grandes leçons de la vie lui venaient des gardiens d'immeuble. Il franchit les portes vitrées et descendit les quelques marches conduisant au parking. Le temps avait fraîchi et Bosch remonta le col de sa veste. Le ciel était clair et la lune aussi tranchante qu'une faucille. En approchant de la Mustang, il remarqua que le coffre de la voiture voisine était ouvert et qu'un homme était penché en avant, au-dessus du pare-chocs arrière, un cric à la main. Bosch accéléra le pas en espérant que le type ne lui demanderait pas de l'aider. Il faisait trop froid et il en avait marre de discuter avec des inconnus.

Il passa devant l'homme accroupi, mais n'étant pas habitué aux clés de la Mustang de location, il dut s'y reprendre à plusieurs fois pour trouver la bonne. Au moment où il l'introduisait dans la serrure, il entendit une semelle racler le bitume dans son dos et une voix qui disait :

— Hé, excusez-moi...

Bosch se retourna en essayant de trouver rapidement une excuse pour ne pas aider le type. Il ne vit que la tache floue du bras qui s'abattait avec force. Puis ce fut l'explosion, rouge écarlate, couleur de sang.

Et le noir complet.

CHAPITRE QUARANTE ET UN

Bosch suivait de nouveau le coyote. Mais, cette fois, l'animal ne l'entraînait pas sur le chemin au milieu des broussailles, à flanc de colline. Le coyote n'était pas dans son élément. Il conduisait Bosch sur une pente raide, en béton. En regardant autour de lui, Bosch s'aperçut qu'il se trouvait sur un pont très haut enjambant une vaste étendue d'eau que ses yeux suivaient jusqu'à l'infini. Il fut pris de panique lorsque le coyote le distança. Alors il se lança à sa poursuite, mais l'animal atteignit le sommet du pont et disparut. Bosch était seul. Péniblement, il avança jusqu'au point culminant et examina les alentours. Le ciel rouge sang semblait battre comme un cœur.

Bosch avait beau scruter les alentours, le coyote s'était volatilisé.

Mais, soudain, il n'était plus seul. Des mains invisibles le saisissaient par-derrière et le poussaient vers le garde-fou. Bosch se débattit. Il agita furieusement les coudes et planta ses talons dans le bitume afin de résister à la poussée. Il essaya de parler, d'appeler au secours, mais aucun son ne sortait de sa bouche. Tout en bas, il voyait l'eau scintiller comme les écailles d'un poisson.

Puis, aussi brusquement qu'elles s'étaient emparées de lui, les mains disparurent et il se retrouva seul de nouveau. Il fit volte-face, il n'y avait personne. Quelque part derrière lui, il entendit une porte claquer. Il se retourna, il n'y avait personne. Et il n'y avait pas de porte.

CHAPITRE QUARANTE-DEUX

Bosch se réveilla dans l'obscurité et la douleur en entendant des éclats de voix étouffés. Il était couché sur une surface dure et le moindre geste exigeait un terrible effort. Il fit glisser sa main sur le sol et conclut qu'il s'agissait d'un tapis ou d'une moquette. Il était dans une maison, couché par terre. Tout au bout de l'étendue obscure, il aperçut un petit trait de lumière pâle. Il le fixa du regard un long moment comme un point de repère avant de s'apercevoir qu'il s'agissait d'un rai de lumière qui filtrait sous une porte.

Il se redressa en position assise, ce simple mouvement ayant pour effet de faire dégouliner et fondre tout son organisme à la manière d'un tableau de Dali. La nausée le submergea ; il ferma les yeux et attendit plusieurs secondes que son équilibre lui revienne. Il porta la main à la tempe d'où irradiait sa douleur et sentit ses cheveux collés par une matière poisseuse, dont l'odeur était celle du sang. Délicatement, ses doigts s'enfouirent dans ses cheveux, jusqu'à une plaie d'environ cinq centimètres de long. Apparemment, le sang avait eu le temps de coaguler. La blessure ne saignait plus.

S'estimant incapable de tenir debout, il décida de ramper vers la lumière. Le rêve du coyote lui revint subitement, avant de disparaître dans un éclair de douleur écarlate.

La porte était verrouillée, la poignée ne tournait pas. Il n'était pas surpris. Mais cet effort l'avait épuisé. Adossé contre le mur, il ferma les yeux. L'instinct qui le poussait à chercher un moyen de fuite et l'envie qu'il avait de s'allonger pour reprendre des forces se livraient bataille en lui. L'affrontement fut interrompu lorsque les voix se firent entendre de nouveau. Bosch savait qu'elles ne venaient pas de derrière la porte. Elles étaient plus lointaines, mais assez proches malgré tout pour être audibles.

– Espèce de connard !

– Je vous le répète, vous m'avez jamais parlé d'une mallette. Vous…

– Il en avait forcément une. Sers-toi de ta cervelle !

– Vous m'avez demandé de vous l'amener, je vous l'ai amené. Si vous voulez, je retourne à la bagnole pour voir si y a une mallette. Mais je vous assure, vous m'avez pas parlé de…

– C'est trop tard, abruti ! Ça doit grouiller de flics. A l'heure qu'il est, ils ont sûrement récupéré la voiture et la mallette.

– J'ai vu aucune mallette, moi. Peut-être qu'il en avait pas.

– Et peut-être que j'aurais dû faire confiance à quelqu'un d'autre.

Bosch comprit qu'ils parlaient de lui et reconnut la voix du type en colère : c'était celle de Gordon Mittel. Elle avait le débit tranchant et hautain de l'homme qu'il avait rencontré lors de la soirée de collecte de fonds. Il ne connaissait pas l'autre voix, mais il croyait savoir à qui elle appartenait. Bien que soumise et sur la défensive, c'était une voix bourrue, où résonnaient les échos de la violence. Il s'agissait sans doute du type qui l'avait frappé. Celui qu'il avait aperçu en compagnie de Mittel dans la maison, au cours de cette même soirée.

Il lui fallut plusieurs minutes pour réfléchir au motif de leur dispute. Une mallette. Sa mallette. Elle n'était pas dans la voiture, il le savait. Il comprit tout à coup qu'il l'avait sans doute oubliée dans la chambre de Conklin. Il l'avait prise pour pouvoir lui montrer la photo que lui avait donnée Monte Kim et les relevés de banque retrouvés dans le coffre-fort d'Eno, et confronter le vieil homme à ses mensonges. Mais celui-ci n'avait pas menti. Il n'avait pas nié qu'il connaissait sa mère, bien au contraire. La photo et les relevés n'avaient donc plus d'utilité. La mallette était restée au pied du lit, oubliée.

Il repensa à l'échange violent qu'il venait d'entendre. Mittel avait dit à l'autre type qu'il ne pouvait pas retourner là-bas, à cause de la police. Cela n'avait aucun sens. A moins que quelqu'un ait été témoin de son agression. Le gardien de la résidence ? Cette idée fit naître un espoir, qu'il étouffa aussitôt en songeant à une autre explication. Mittel avait décidé d'éliminer tous les dangers potentiels, et Conklin en faisait forcément partie. Bosch s'affaissa contre le mur. Il savait qu'il était maintenant le dernier témoin gênant. Il resta assis par terre en silence, jusqu'à ce que la voix de Mittel résonne à nouveau.

– Va le chercher. Amène-le-moi.

Aussi vite qu'il le pouvait et sans avoir de plan, Bosch rampa vers l'endroit où il pensait être couché quand il était revenu à lui. Il percuta un objet massif, y prit appui des deux mains et constata qu'il s'agissait d'une table de billard. A tâtons, il en trouva un des coins et plongea la main dans la poche, ses doigts se refermant sur une boule. Il la sortit de la poche et chercha un endroit où la cacher. Finalement, il la glissa à l'intérieur de sa veste, dans sa manche gauche, où elle roula jusqu'au creux de son coude. Elle avait largement assez de place. Bosch aimait les vestes larges qui lui donnaient plus d'aisance pour dégainer son arme. Et les manches étaient toujours trop amples. En gardant le bras légèrement plié, il pensait pouvoir dissimuler la lourde boule de billard dans les plis de sa manche.

Entendant une clé tourner dans la serrure, il se déplaça vers la droite et s'allongea de tout son long sur la moquette en fermant les yeux. Et il attendit. La porte s'ouvrit, une lumière traversant ses paupières closes. Puis, plus rien. Pas un bruit, pas un mouvement. Il attendit.

– Laisse tomber, Bosch. Ça ne marche que dans les films.

Bosch ne bougea pas.

– T'as foutu du sang partout sur la moquette ! Y en a même sur la poignée de la porte.

Bosch comprit qu'il avait laissé des traces en rampant jusqu'à la porte et en revenant. Le plan qu'il avait improvisé pour surprendre et neutraliser son adversaire n'avait plus aucune chance de réussir. Il ouvrit les yeux. Il y avait une lumière au plafond, juste au-dessus de lui.

– O.K., dit-il. Qu'est-ce que vous voulez ?

– Debout. Allez, hop.

Bosch se leva lentement. C'était un véritable effort, mais il en rajouta un peu, histoire de gagner du temps. Une fois debout, il aperçut les taches de sang sur le tapis vert de la table de billard. Aussitôt, il fit mine de trébucher pour se retenir au coin de la table en espérant que le type n'y avait rien vu en entrant.

– Fous pas tes sales pattes là-dessus, bordel ! Cette table vaut cinq mille dollars. Regarde-moi ça, t'as foutu du sang... Ah, putain.

– Désolé. Je rembourserai.

– Ça, ça m'étonnerait. Allez, amène-toi.

Bosch le reconnut. C'était bien lui, le type qu'il avait vu lors de la réception chez Mittel. Son visage s'accordait parfaitement à sa voix. Brutal, massif, il avait dû briser quelques planches avec sa tête.

Il avait un teint rougeaud et de petits yeux marron qui semblaient ne jamais ciller.

Il n'était pas en costume. A la place, il portait une large combinaison bleue visiblement toute neuve. Une combinaison de protection. Bosch savait que les tueurs professionnels s'en servaient souvent. C'était plus facile à nettoyer après une exécution et on ne risquait pas de tacher son costume. On ôtait sa combinaison et hop, ni vu ni connu.

Bosch lâcha le billard et avança d'un pas, mais il se pencha aussitôt en avant, les bras croisés sur le ventre. C'était la meilleure façon, pensait-il, de masquer son « arme ».

– Vous n'y êtes pas allé mollo, gémit-il. J'ai la tête qui tourne. Je crois que je vais vomir.

– Si tu dégueules, je te fais nettoyer avec ta langue, comme un putain de chat.

– Bon, peut-être que je vais me retenir.

– T'es un petit marrant, toi. Allez, avance.

L'homme s'éloigna de la porte à reculons, puis il fit signe à Bosch de sortir et de passer devant. Celui-ci constata alors qu'il tenait une arme dans la main, le long du corps. Un Beretta .22, semblait-il.

– Je sais ce que tu penses. C'est qu'un .22. Tu te dis que tu peux prendre le risque de recevoir deux ou trois bastos. Erreur, mec. J'ai foutu des balles à pointe creuse. Une seule suffira à te descendre. Tu te retrouveras avec un trou de la taille d'un bol de soupe dans le dos. Penses-y. Allez, marche devant.

Il n'était pas bête et prenait soin de garder ses distances, remarqua Bosch. Pas moins de deux mètres, malgré son arme. Dès que Bosch eut franchi la porte, le type lui indiqua la direction. Ils empruntèrent d'abord un couloir, traversèrent une sorte de living-room, puis une autre pièce qui elle aussi pouvait passer pour un living-room. Mais celle-ci, Bosch la reconnut grâce aux portes-fenêtres. C'était la pièce qui donnait sur le jardin de la propriété de Mittel à Mount Olympus.

– Allez, sors. Il t'attend dehors.

– Avec quoi m'avez-vous frappé ?

– Avec le cric. J'espère t'avoir fendu le crâne ; remarque, ça change pas grand-chose.

– Je parie que vous avez réussi. Félicitations.

Bosch s'arrêta devant une des portes-fenêtres, comme s'il s'attendait à ce qu'elle s'ouvre devant lui. Dehors, la grande tente blanche avait disparu. Un peu plus loin, au bord du promontoire, il vit Mittel qui tournait le dos à la maison. Sa silhouette se découpait sur les lumières de la ville qui s'étendaient à l'infini en contrebas.

– Ouvre.

– Oh, pardon. Je croyais que... peu importe.

– Ouais, c'est ça. Grouille-toi. On n'a pas toute la nuit.

Là-bas dans le jardin, Mittel se retourna. Bosch remarqua qu'il tenait le porte-cartes contenant sa pièce d'identité dans une main et, dans l'autre, l'insigne du lieutenant. Le tueur arrêta Bosch en posant une main sur son épaule, puis il reprit ses distances en reculant de deux pas.

– Alors, comme ça, votre vrai nom, c'est Bosch ?

L'ancien procureur devenu éminence grise de la politique souriait.

– Oui. C'est mon vrai nom.

– Comment allez-vous, monsieur Bosch ?

– Appelez-moi inspecteur.

– Ah, c'est donc inspecteur ? Je me posais la question, voyez-vous. C'est ce qui est écrit sur votre pièce d'identité, mais l'insigne ne dit pas la même chose. J'y lis « lieutenant ». C'est très curieux. Je crois avoir lu une histoire sur un lieutenant de police dans le journal. Celui qu'on a retrouvé mort, sans son insigne. Oui, je suis sûr que c'est ça. Est-ce qu'il ne s'appelait pas Harvey Pounds, par hasard ? Le nom que vous avez utilisé quand vous êtes venu parader ici l'autre soir ? J'en ai bien l'impression, mais corrigez-moi si je me trompe, inspecteur Bosch.

– C'est une longue histoire, Mittel, mais je suis bien flic. Si vous voulez vous éviter quelques années de prison, je vous conseille de me débarrasser de ce cinglé avec son flingue et d'appeler une ambulance. J'ai au minimum une commotion cérébrale. Peut-être pire.

Mittel glissa l'insigne dans une de ses poches de veste et le porte-cartes dans l'autre.

– Désolé, dit-il, je crois qu'on n'appellera personne. Je crois que nous avons dépassé le stade des gestes humanitaires. Mais puisqu'on parle de l'existence humaine, quelle horreur de penser que votre petit numéro de l'autre soir a coûté la vie à un innocent.

– Ce n'est pas une horreur, c'est un crime. Vous avez tué un innocent.

– Ah. Je pensais plutôt que c'était vous qui l'aviez tué. Car quand même, c'est vous le véritable responsable.

– Un vrai avocat que vous êtes. Vous faites porter le chapeau à d'autres. Vous auriez dû rester en dehors de la politique, Gordie. Et continuer dans la justice. Aujourd'hui, vos spots de pub passeraient à la télé.

Mittel sourit.

– Et renoncer à tout ça ?

D'un large geste des deux mains, il lui montra la maison et le panorama. Bosch suivit l'arc de cercle de son bras comme s'il contemplait la maison, mais il cherchait en réalité à localiser le type au Beretta. Celui-ci se tenait juste derrière lui, à environ deux mètres, l'arme pendant le long de son corps. Il était encore trop loin pour que Bosch puisse tenter quoi que ce soit. Surtout dans son état. Il déplaça légèrement le bras et sentit la boule de billard nichée au creux de son coude. C'était un contact rassurant, mais il n'avait rien d'autre.

– La justice, c'est pour les crétins, inspecteur Bosch. Mais je me vois obligé de rectifier. Je ne pense pas faire vraiment de la politique. Je me considère plutôt comme un « arrangeur ». Je règle les problèmes en tous genres et pour le compte de n'importe qui. Il se trouve que les problèmes politiques sont ma spécialité. Sauf que, maintenant, je me vois obligé de régler un problème qui n'est pas politique, et qui n'est pas celui de quelqu'un d'autre, mais le mien.

Il haussa les sourcils comme s'il avait du mal à y croire.

– Et c'est pour ça que je vous ai invité ici. Que j'ai demandé à Jonathan de vous faire venir. Je savais bien qu'en surveillant Arno Conklin, nous verrions reparaître notre pique-assiette de l'autre soir. Et je n'ai pas été déçu.

– Vous êtes un homme intelligent, Mittel.

Bosch tourna légèrement la tête pour observer le dénommé Jonathan du coin de l'œil. Celui-ci était toujours hors d'atteinte. Bosch devait trouver le moyen de l'attirer vers lui.

– Garde ton calme, Jonathan, dit Mittel. M. Bosch ne mérite pas qu'on perde son sang-froid. Ce n'est qu'un petit inconvénient.

Bosch reporta son attention sur Mittel.

– Comme Marjorie Lowe ? Elle aussi n'était qu'« un petit inconvénient » ? Quelqu'un qui ne comptait pas ?

– Ah, voilà un sujet de conversation intéressant. C'est donc ça, inspecteur Bosch ?

Bosch le foudroya du regard. La fureur l'empêchait de parler.

– La seule chose que je peux reconnaître, c'est d'avoir utilisé sa mort à mon avantage. Disons que j'ai profité de l'occasion.

– Je connais toute l'histoire, Mittel. Vous vous êtes servi d'elle pour contrôler Conklin. Mais il a fini par découvrir vos mensonges.

La partie est terminée. Vous pouvez me faire ce que vous voulez, mes collègues vont rappliquer. Vous pouvez en être sûr.

– Ah, le vieux coup du « Rendez-vous-la-maison-est-cernée ». Je ne vous crois pas. Cette histoire d'insigne... quelque chose me dit que vous avez dépassé les bornes dans cette affaire. C'est ce qu'on appelle une enquête officieuse, il me semble, et s'être servi d'un nom d'emprunt et avoir sur vous l'insigne d'un mort confirme mon sentiment... Je crois que personne ne viendra. Pas vrai ?

Bosch réfléchit à toute vitesse, mais ne trouvant rien à lui répondre, il garda le silence.

– Je pense que vous n'êtes qu'un pauvre petit maître chanteur qui a, Dieu sait comment, découvert un secret, et qui veut en tirer profit. Eh bien, nous allons vous donner une récompense, inspecteur Bosch.

– Il y a d'autres gens qui en savent aussi long que moi, Mittel. Qu'allez-vous faire ? Les éliminer tous ?

– Je vais réfléchir à cette suggestion.

– Et Conklin ? Il connaît toute l'histoire. S'il m'arrive quoi que ce soit, je peux vous assurer qu'il ira directement chez les flics.

– Vous pouvez même dire qu'Arno Conklin est déjà avec la police. Mais je doute qu'il leur raconte des tas de choses.

Bosch accusa le coup. Il supposait que Conklin était mort, mais il espérait encore s'être trompé. Sentant la boule de billard glisser dans sa manche, il croisa les bras.

– Apparemment, reprit Mittel, l'ancien procureur Conklin s'est jeté par la fenêtre après votre visite.

Mittel fit un pas de côté pour lui montrer les lumières tout en bas. Au loin, Bosch aperçut les bâtiments éclairés de Park La Brea. Des lumières rouges et bleues tournoyaient au pied d'un des immeubles. La résidence de Conklin.

– Pour lui, cet instant a dû être dramatique, ajouta Mittel. Il a choisi de mourir plutôt que de céder au chantage. Il est resté un homme de principes jusqu'au bout.

– C'était un vieillard ! s'écria Bosch avec fureur. Pourquoi, nom de Dieu ?

– Baissez d'un ton, inspecteur Bosch, sinon Jonathan va devoir vous faire taire.

– Vous ne vous en tirerez pas cette fois, lui renvoya Bosch d'une voix tendue comme un arc.

– Pour Conklin, je pense que la police conclura au suicide. Il était très malade, vous savez.

– C'est ça, un cul-de-jatte qui va jusqu'à la fenêtre et décide de se balancer dans le vide !

– Si la police n'y croit pas, peut-être optera-t-on pour un scénario de rechange en découvrant vos empreintes dans la chambre. Car je suis certain que vous nous avez fait la gentillesse d'en laisser quelques-unes.

– Oui, avec ma mallette.

Cet aveu fit à Mittel l'effet d'une gifle cinglante.

– Eh oui, dit Bosch. Je l'ai laissée là-bas. Et elle contient de quoi faire grimper les flics jusqu'ici, Mittel. Ils vont rappliquer !

Bosch hurla cette dernière phrase pour le tester.

– Jon ! aboya Mittel.

A peine ce mot eut-il jailli de la bouche de Mittel que Bosch reçut un coup violent derrière la tête. Il tomba à genoux, mais en prenant soin de garder son bras replié pour maintenir la boule de billard en place. Et lentement, plus lentement que nécessaire, il se releva. Le coup étant venu de la droite, il en déduisit que Jonathan l'avait frappé avec la main qui tenait le Beretta.

– En m'indiquant où se trouvait la mallette, vous avez répondu à ma question principale, dit Mittel. L'autre, évidemment, portait sur le contenu de cette mallette, et en quoi il me concernait. Malheureusement, n'ayant pas la mallette et ne pouvant pas la récupérer, je n'ai aucun moyen de vérifier la véracité de vos affirmations.

– Autrement dit, vous l'avez dans le cul.

– Non, inspecteur. Je pense que cette expression caractérise beaucoup mieux votre situation. Toutefois, j'ai encore une question à vous poser avant d'en finir avec vous. Pourquoi ? Pourquoi vous donner tant de mal pour une histoire si ancienne et si insignifiante ?

Bosch le dévisagea longuement avant de répondre.

– Parce que tout le monde compte, Mittel. Tout le monde.

Il vit Mittel adresser un petit signe de tête à Jonathan. La discussion était terminée. C'était à lui de jouer.

– Au secours !

Bosch avait hurlé de toutes ses forces. Il savait que le tueur interviendrait immédiatement. Anticipant le même coup de crosse venant de la droite, Bosch se jeta de ce côté-là. Simultanément, il tendit le bras gauche et se servit de la force centrifuge pour faire passer la boule de sa manche jusque dans sa main. Et dans le même mouvement, il arma son bras. Tournant la tête, il découvrit Jonathan à quelques centimètres de lui, au moment où il abaissait le bras pour frapper, les doigts crispés sur le Beretta. Il vit également la surprise sur son visage lorsque Jonathan comprit que son coup allait manquer sa cible alors que son élan l'empêchait d'en modifier la trajectoire.

Comme prévu, le bras de Jonathan frappa dans le vide et le tueur se retrouva en position vulnérable. Bosch en profita pour frapper lui aussi, en exécutant un arc de cercle. Jonathan plongea sur la gauche au tout dernier moment, mais la boule de billard serrée dans le poing de Bosch l'atteignit malgré tout avec une extrême violence sur le côté droit de la tête. Il y eut comme le bruit d'une ampoule qui claque et le corps de Jonathan suivit l'élan de son bras. L'homme tomba à plat ventre dans l'herbe, couché sur son pistolet.

Presque aussitôt, il tenta de se relever, mais Bosch lui décocha un terrible coup de pied dans les côtes. Jonathan roula sur lui-même et libéra le Beretta tandis que Bosch lui sautait sur les reins à genoux et lui écrasait son poing sur la nuque encore deux fois avant de s'apercevoir qu'il tenait toujours la boule de billard et qu'il avait suffisamment amoché son adversaire.

Le souffle aussi court que s'il venait de remonter à la surface, il regarda autour de lui et avisa le pistolet. Il s'en empara et chercha Mittel. Celui-ci avait fichu le camp.

Un léger bruit de pas précipités dans l'herbe attira l'attention de Bosch ; il tourna la tête vers le bout du jardin, au nord. Juste à temps pour voir Mittel disparaître dans l'obscurité, à l'endroit où le gazon impeccablement tondu cédait place aux broussailles des collines.

– Mittel ! hurla-t-il.

Puis il se releva d'un bond pour se lancer à sa poursuite.

A l'endroit où il l'avait vu disparaître, il découvrit une sorte de sentier au milieu des fourrés. Il s'agissait en réalité d'un vieux chemin de coyote, agrandi au fil du temps par des pieds humains. Il le dévala. A moins d'un mètre sur sa droite, un précipice gigantesque s'ouvrait au-dessus de la ville.

Aucune trace de Mittel. Il suivit le chemin qui longeait le précipice jusqu'à ce que la maison ait disparu derrière lui. Finalement, il s'arrêta de courir : il n'avait trouvé aucun indice indiquant que Mittel avait emprunté ce chemin et se trouvait dans les parages.

Il était à bout de souffle, une douleur lancinante palpitait sous son crâne à l'endroit de sa blessure. Il déboucha devant un grand rocher qui se dressait sur le côté du chemin et constata qu'il était entouré de vieilles bouteilles de bière et autres déchets. Ce promontoire était un lieu d'observation très prisé. Glissant le Beretta dans sa ceinture et s'aidant de ses deux mains pour assurer ses prises et son équilibre, il escalada les trois mètres de paroi rocheuse. Arrivé au sommet, il exécuta lentement un tour complet sur lui-même. Personne. Il tendit l'oreille, mais le bourdonnement de la circulation tout en bas l'empêcha d'entendre les éventuels déplacements de Mittel dans les fourrés. Il décida d'abandonner et de retourner à la maison pour alerter la police de l'air avant que Mittel ne puisse s'échapper. Si l'hélicoptère arrivait à temps, ils pourraient le localiser avec un projecteur.

Alors que Bosch redescendait prudemment du rocher, Mittel jaillit soudain de l'obscurité sur sa droite. Il s'était caché derrière d'épaisses broussailles. Il se jeta sur Bosch, le fit rouler jusque sur le chemin et l'écrasa de tout son poids. Bosch sentit qu'il essayait de s'emparer du Beretta glissé dans sa ceinture. Mais Bosch était plus jeune et plus fort. L'attaque surprise était le dernier atout de Mittel. Bosch referma ses bras autour de lui et roula sur la gauche. Soudain, le corps de son adversaire sembla se volatiliser. Mittel avait disparu.

Bosch se redressa, regarda autour de lui et rampa jusqu'au bord du précipice. Puis il sortit le pistolet de sa ceinture et se pencha en avant pour regarder en bas. Il ne trouva que des ténèbres en scrutant le flanc de la colline rocailleuse. A environ cent cinquante mètres en contrebas, il distingua enfin les toits rectangulaires des maisons. Il savait qu'elles étaient construites le long des routes sinueuses qui montaient en serpentant de Hollywood Boulevard et Fairfax Avenue. Il effectua un autre tour complet et regarda de nouveau en bas. Mittel était toujours invisible.

Il étudia le paysage qui s'étendait derrière lui jusqu'au moment où il repéra enfin les lumières de jardin qui scintillaient derrière une des maisons situées juste en dessous. Il vit un homme sortir de chez lui, armé d'un fusil, on l'aurait bien dit. L'homme s'approcha lentement d'un jacuzzi, en pointant son arme droit devant lui. Arrivé au bord du bassin, il tendit la main vers ce qui semblait être le boîtier électrique extérieur.

La lumière du jacuzzi s'alluma, dessinant la silhouette d'un cadavre flottant au milieu d'un cercle bleu. Même du haut de la colline, Bosch vit les volutes de sang qui s'échappaient du corps. La voix de l'homme au fusil gravit la colline, intacte :

– Ne sors pas, Linda ! Appelle la police. Dis-leur qu'on a un mort dans notre jacuzzi !

L'homme ayant levé les yeux vers le haut de la colline, Bosch s'éloigna prestement du bord et se demanda aussitôt pourquoi il avait eu le réflexe de se cacher.

Il se releva et regagna lentement la maison de Mittel en suivant le chemin. Il regarda les lumières de la ville qui scintillaient dans la nuit et les trouva belles. Il repensa à Conklin et à Pounds et chassa de son esprit le sentiment de culpabilité en songeant à Mittel : sa mort refermait enfin le cercle débuté il y a si longtemps. Il revit l'image de sa mère sur la photo de Monte Kim. Son petit air timide derrière le bras de Conklin. Il attendait le sentiment de satisfaction et de triomphe qui devait normalement accompagner l'accomplissement de la vengeance. En vain. Il se sentait seulement vidé et épuisé.

Lorsque enfin il déboucha sur la magnifique pelouse derrière la magnifique maison, le dénommé Jonathan avait disparu.

CHAPITRE QUARANTE-TROIS

Le chef adjoint Irvin S. Irving s'encadra dans le montant de la porte de la salle d'examen. Bosch était assis au bord de la table rembourrée, tenant une poche de glace sur sa tête. Le médecin la lui avait donnée après lui avoir recousu le crâne. Bosch remarqua la présence d'Irving au moment où il remontait la poche de glace.

– Comment vous sentez-vous, Bosch ?

– Je survivrai, je crois. En tout cas, c'est ce qu'ils m'ont dit.

– On ne peut pas en dire autant de Mittel. Il a fait le grand plongeon.

– Oui. Et l'autre type ?

– Rien. Mais on connaît son nom. Vous avez dit aux policiers que Mittel l'avait appelé Jonathan. Il s'agit certainement de Jonathan Vaughn. Il travaillait pour Mittel depuis longtemps. On le cherche, on fait le tour des hôpitaux. Apparemment, vous l'avez suffisamment amoché pour qu'il se fasse soigner.

– Vaughn...

– On se renseigne sur ses antécédents. Rien pour l'instant. Il n'a pas de casier.

– Depuis quand bossait-il pour Mittel ?

– On ne sait pas exactement. On a interrogé les collaborateurs de Mittel à son cabinet. Des gens pas très coopératifs. Ils nous ont dit que Vaughn faisait partie des meubles. La plupart l'ont décrit comme le factotum de Mittel.

Bosch hocha la tête et rangea cette information dans un coin de sa mémoire.

– Il y a aussi le chauffeur, ajouta Irving. Lui, on l'a arrêté, mais il ne dit pas grand-chose. C'est une sorte de surfeur abruti. D'ailleurs, même s'il le voulait, il ne pourrait pas parler.

– Comment ça ?

– Il a la mâchoire brisée. De ça non plus, il ne veut pas parler.

Bosch se contenta de hocher la tête encore une fois en observant Irving. Il semblait n'y avoir aucun sous-entendu dans ses propos.

– Le toubib dit que vous avez une sacrée commotion cérébrale, mais que le crâne n'est pas ouvert. C'est juste une blessure superficielle.

– Bizarre, j'aurais cru le contraire. J'ai l'impression que ma tête ressemble au dirigeable Goodyear, avec un trou dedans.

– Combien de points de suture ?

– Je crois qu'il a parlé de dix-huit.

– Le toubib a dit que vous auriez certainement des migraines. L'hématome va persister quelques jours et les hémorragies oculaires aussi. Mais c'est plus impressionnant que dangereux.

– Ravi de savoir qu'on vous tient au courant. Moi, je n'ai pas eu le privilège de voir le toubib. Uniquement des infirmières.

– Il doit passer d'une minute à l'autre. Il attendait probablement que vous ayez repris vos esprits.

– Que voulez-vous dire ?

– Vous étiez un peu dans le cirage quand on vous a retrouvé là-haut, Harry. Vous êtes sûr de vouloir parler de tout ça maintenant ? Ça peut attendre. Vous êtes blessé et vous devez...

– Non, je vais très bien. J'ai envie d'en parler. Vous êtes allé à Park La Brea ?

– Oui. C'est là que j'étais quand on a reçu l'appel de Mount Olympus. Ah, au fait, j'ai votre mallette dans ma voiture. Vous l'aviez laissée là-bas, n'est-ce pas ? Dans la chambre de Conklin...

Bosch voulut acquiescer, mais s'arrêta car ça lui faisait tourner la tête, à force.

– Tant mieux, dit-il. Il y a un truc que je veux garder.

– La photo ?

– Vous avez fouillé dedans ?

– Bosch ! Vous êtes encore groggy, ma parole ! On a retrouvé votre mallette sur le lieu d'un crime.

– Oui, vous avez raison, pardon.

Il chassa son objection d'un petit geste. Il était las de se battre.

– L'équipe du labo qui s'occupe de la villa m'a déjà raconté ce qui s'était passé là-haut. Du moins, une première version, basée sur les indices matériels. Ce que je ne comprends pas très bien, c'est ce qui vous a conduit là-bas. Quel rapport entre toutes ces histoires ? Vous voulez me faire un topo, ou on attend demain ?

Bosch hocha la tête, juste une fois, et attendit que ses pensées s'éclaircissent. Il n'avait pas encore essayé de rassembler cette histoire en un tout cohérent. Après un instant de réflexion, il décida de faire une tentative.

– Je suis prêt, dit-il.

– O.K. Je vais commencer par vous lire vos droits.

– Quoi ? Encore ?!

– Simple procédure, pour qu'on ne nous accuse pas de laxisme envers quelqu'un de la maison. N'oubliez pas que dans les deux endroits où vous êtes allé ce soir, un homme a sauté dans le vide. Ça fait mauvais effet.

– Je n'ai pas tué Conklin.

– Je le sais, et nous avons le témoignage du gardien de la résidence. Il affirme que vous êtes reparti avant que Conklin fasse le plongeon. Vous ne serez pas inquiété. Malgré tout, je dois suivre la procédure. Vous êtes toujours disposé à parler ?

– Je renonce à mes droits.

Irving lui en fit quand même la lecture et Bosch déclara qu'il y renonçait officiellement.

– Je n'ai pas apporté de formulaire de renonciation. Vous le signerez plus tard.

– Vous voulez que je vous raconte toute l'histoire ?

– Oui. Toute l'histoire.

– C'est parti…

Il marqua un temps d'arrêt.

– Harry ?

– O.K., on y va. En 1961, Arno Conklin fait la connaissance de Marjorie Lowe. Elle lui a été présentée par un petit truand local du nom de Johnny Fox, qui gagnait sa vie avec ce genre de magouilles. La première rencontre entre Arno et Marjorie a eu lieu lors de la Saint-Patrick à la Loge maçonnique de Cahuenga.

– C'est la photo qui se trouvait dans votre mallette ?

– Oui. Et lors de cette première rencontre, à en croire Arno, et je le crois, il ignorait que Marjorie était une professionnelle et Fox un mac. Fox avait arrangé la rencontre car il y avait sans doute vu l'occasion qui se présentait, et il lorgnait vers l'avenir. Si Conklin avait su qu'il s'agissait d'une sorte de guet-apens, il aurait pris ses distances. N'oubliez pas qu'il menait la lutte contre le vice.

– Autrement dit, il ne savait pas lui non plus qui était Fox.

– C'est ce qu'il m'a affirmé. Il m'a dit qu'il était innocent. Si ça vous semble difficile à avaler, l'autre hypothèse est encore plus invraisemblable : le procureur Conklin se serait affiché ouvertement avec ce genre d'individus. Je penche pour la version d'Arno. Il ne savait pas.

– D'accord, il ne savait pas qu'on le manipulait. Quel était l'intérêt de Fox et de… votre mère ?

– Pour Fox, c'est simple. A partir du moment où Conklin sortait avec elle, Fox avait la mainmise sur lui et pouvait le contrôler à sa guise. Pour Marjorie, c'est autre chose. J'ai beau y réfléchir, ça demeure confus. Mais une chose est sûre : la plupart des femmes dans sa situation cherchent un moyen de s'en sortir. Peut-être est-elle entrée dans le jeu de Fox parce qu'elle avait elle aussi une idée derrière la tête. Elle cherchait un moyen de changer de vie.

Irving ajouta un élément à cette hypothèse :

– Et elle avait un enfant dans un orphelinat et voulait l'en faire sortir. Être avec Arno Conklin, ça pouvait être utile.

– Exact. Mais il s'est passé quelque chose qu'aucun des trois n'avait imaginé. Arno et Marjorie sont tombés amoureux. Conklin, au moins. Et il était persuadé qu'elle aussi.

Irving s'assit sur une chaise dans le coin de la pièce, croisa les jambes et observa Bosch d'un air songeur. Sans rien dire. Mais son attitude indiquait qu'il était captivé par son récit et que, pas un instant, il ne le mettait en doute. Bosch, lui, était fatigué de tenir la poche de glace sur sa tête ; il avait envie de s'allonger. Mais il n'y avait que la table d'examen. Il poursuivit son histoire :

– Donc, ils tombent amoureux, leurs relations continuent et, un jour, elle lui avoue la vérité. Ou peut-être que Mittel a enquêté et a tout raconté à Arno. Peu importe. Ce qui est important, c'est qu'à un moment donné Conklin est au courant de la situation. Et, là encore, il surprend tout le monde.

– Comment ça ?

– Le 27 octobre 1961, il demande à Marjorie de l'épouser.

– C'est lui qui vous a dit ça ? Arno ?

– Oui. Il voulait l'épouser. Et elle aussi. Ce soir-là, il a finalement décidé de tout envoyer balader et a pris le risque de tout perdre pour avoir ce qu'il désirait le plus.

Bosch plongea la main dans la poche de sa veste posée sur la table pour y prendre ses cigarettes. Irving intervint.

– Je crois que… Rien, laissez tomber.

Bosch alluma une cigarette.

– C'était l'acte le plus courageux de sa vie. Vous vous rendez compte ? Il fallait un sacré cran pour être prêt à tout risquer comme ça… Malheureusement, il a commis une erreur.

– Laquelle ?

– Il a appelé son ami Gordon Mittel pour lui demander de les accompagner à Las Vegas et d'être son témoin. Mittel a refusé. Il savait que ce mariage serait la fin d'une carrière politique prometteuse pour Conklin, et peut-être aussi la fin de sa propre ascension politique. Mais il ne s'est pas contenté de refuser d'être le témoin d'Arno Conklin. A ses yeux, Conklin était le cheval blanc qui le conduirait à l'intérieur du château. Il nourrissait de grands projets pour lui... et surtout pour lui-même. Pas question de laisser une... petite pute de Hollywood tout foutre en l'air sans réagir. Il savait, grâce au coup de téléphone de Conklin, que Marjorie était rentrée chez elle pour préparer ses affaires. Mittel s'est rendu là-bas et l'a interceptée d'une manière ou d'une autre. Peut-être lui a-t-il dit que c'était Conklin qui l'envoyait. Je ne sais pas.

– Et il l'a tuée.

Bosch acquiesça et, cette fois, il n'eut pas de vertige.

– Je ne sais pas où ça s'est passé, peut-être dans sa voiture. Il a fait croire à un crime sexuel en l'étranglant avec sa ceinture et en arrachant ses vêtements. Le sperme... il était déjà là, car elle venait de voir Conklin... Ensuite, Mittel a transporté le corps dans la ruelle près du Boulevard et l'a jeté aux ordures. Et depuis ce jour, ce meurtre est resté un secret. Pendant des années.

– Jusqu'à ce que vous remettiez votre nez dans le dossier.

Bosch ne répondit pas. Il savourait sa cigarette et le soulagement de la fin de l'affaire.

– Et Fox dans tout ça ? demanda Irving.

– Comme je vous le disais, Fox était au courant de la liaison entre Marjorie et Arno. Et il savait qu'ils étaient ensemble peu de temps avant qu'on découvre le corps de Marjorie dans la ruelle. Ce renseignement lui offrait un moyen de pression énorme sur un homme très influent, même si celui-ci était innocent. Et Fox s'en est servi. Dieu seul sait quels profits il a pu en tirer. Toujours est-il que, moins d'un an plus tard, il faisait partie du personnel de campagne d'Arno. Il s'était accroché à lui comme une sangsue. Pour finir, Mittel, l'arrangeur de problèmes, est intervenu. Fox a été écrasé par un chauffard alors qu'il distribuait des tracts pour Conklin... paraît-il. C'était facile à organiser : il suffisait de faire croire à un accident. Le chauffeur avait pris la fuite, un point c'est tout. Rien de surprenant. L'inspecteur qui a enquêté sur le meurtre de Marjorie Lowe a aussi enquêté sur l'accident de voiture. Avec le même résultat. Personne n'a été arrêté.

– McKittrick ?

– Non. Claude Eno. Il est mort maintenant. Il a emporté son secret dans la tombe. Mais Mittel l'a payé pendant vingt-cinq ans.

– Les relevés bancaires qui se trouvaient dans la mallette ?

– Oui. Fouillez un peu et vous trouverez certainement des documents établissant le lien entre Mittel et ces versements. Conklin m'a affirmé qu'il n'était pas au courant et je le crois… Voulez-vous que je vous dise ? Quelqu'un devrait s'intéresser à toutes les élections auxquelles Mittel a participé pendant toutes ces années. On découvrira sûrement que c'était une véritable crapule, quelqu'un qui n'aurait pas démérité à la Maison-Blanche du temps de Nixon.

Bosch écrasa sa cigarette sur le côté d'une poubelle au pied de la table d'examen et jeta son mégot dedans. Il commençait à avoir très froid et remit sa veste maculée de boue et de sang séché.

– Vous avez l'air d'un clodo avec ça, Harry. Pourquoi vous ne…

– J'ai froid.

– O.K.

– Il n'a même pas crié.

– Hein ?

– Mittel. Il n'a même pas hurlé en tombant de la colline. J'arrive pas à comprendre.

– Il n'y a rien à comprendre. C'est juste…

– Et je ne l'ai pas poussé. Il m'a sauté dessus dans les fourrés. On a roulé au sol et il a basculé dans le vide. Il n'a même pas hurlé.

– Je vois. Personne ne dit que…

– J'ai simplement commencé à poser des questions sur elle et les gens se sont mis à mourir les uns après les autres.

Bosch contemplait un tableau de contrôle visuel fixé sur le mur du fond. Il ne comprenait pas à quoi pouvait bien servir ce truc dans une salle des urgences.

– Bon Dieu… Pounds… Je…

– Je sais ce qui s'est passé, lui dit Irving.

Bosch se tourna vers lui.

– Ah bon ?

– Nous avons interrogé tous les membres de la brigade. Edgar m'a avoué qu'il avait interrogé l'ordinateur au sujet de Fox, à votre demande. J'en conclus que Pounds a entendu votre conversation ou qu'il en a eu vent. Je crois qu'il surveillait de près tout ce que faisaient vos collègues les plus proches après votre départ en congé d'office. Il a dû vouloir aller plus loin, et il est tombé sur Mittel et Vaughn. Il a interrogé les fichiers du DMV sur toutes les personnes concernées. Et, pour moi, c'est remonté jusqu'à Mittel. Avec tous ces éléments qu'il avait, il aurait dû se méfier.

Bosch ne disait rien. Il se demandait si Irving croyait véritablement à ce scénario ou s'il lui faisait comprendre qu'il savait ce qui s'était réellement passé, mais avait décidé de laisser couler. Peu importe. Qu'Irving le tienne ou pas pour responsable, qu'il intente ou pas une action contre lui, Bosch savait que le plus difficile serait d'affronter sa conscience.

– Bon Dieu, répéta-t-il. Ils l'ont tué à ma place.

Tout son corps fut pris de frissons, comme si le fait de prononcer ces mots à voix haute avait provoqué un exorcisme. Il jeta la poche de glaçons dans la poubelle et serra ses bras autour de son torse. Mais les frissons continuaient. Il avait l'impression qu'il ne pourrait jamais plus se réchauffer ; ces tremblements n'étaient pas une affliction passagère et feraient partie de lui à jamais. Il sentit le goût salé des larmes dans sa bouche et s'aperçut qu'il pleurait. Il tourna le dos à Irving et tenta de lui dire de s'en aller, mais il était incapable de parler. Ses mâchoires étaient serrées comme un poing.

– Harry ? Ça va, Harry ?

Bosch parvint à hocher la tête. Irving ne voyait-il pas que tout son corps tremblait ? Il enfonça ses mains dans les poches de sa veste et en referma les pans autour de lui. Il y avait un objet dans sa poche gauche, il essaya de le sortir.

– Le médecin a bien précisé que vous risquiez d'être très émotif, lui disait Irving. A cause du coup que vous avez reçu sur la tête…, on a parfois des réactions bizarres. Ne vous en… Harry, vous êtes sûr que ça va ? Vous devenez tout bleu. Je vais… Je vais prévenir quelqu'un. Je…

Il se tut lorsque Bosch parvint à extraire l'objet de sa poche de veste. Il tenait dans sa main tremblante une boule de billard numéro 8, noire. Elle était presque entièrement recouverte de sang. Pour la lui prendre, Irving dut lui tordre les doigts.

– Je vais chercher quelqu'un, dit-il simplement.

Bosch se retrouva seul dans la pièce, à attendre que quelqu'un veuille bien venir et que ses démons s'en aillent.

CHAPITRE QUARANTE-QUATRE

A cause de sa commotion cérébrale, Bosch avait les pupilles dilatées et bordées d'hématomes violacés et gonflés. Il avait surtout une sacrée migraine et plus de 39 de fièvre. Par précaution, le médecin des urgences ordonna qu'on le transfère à l'hôpital et le mette en observation. Résultat, il ne put pas s'endormir avant 4 heures du matin. Il essaya de tuer le temps en lisant le journal et en regardant les « talk-shows » à la télé, mais cela ne fit qu'accroître ses douleurs. Pour finir, il contempla fixement les murs jusqu'à ce qu'une infirmière vienne l'examiner et lui annonce qu'il pouvait dormir. A partir de là, les infirmières ne cessèrent d'entrer dans sa chambre et de le réveiller toutes les deux heures. Elles lui examinaient les yeux, lui prenaient sa température et lui demandaient comment il se sentait. Mais pas une fois elles ne lui donnèrent de quoi lutter contre sa migraine. Elles lui disaient de se rendormir. S'il rêva du coyote ou d'autre chose durant ces brefs cycles de sommeil, il n'en garda aucun souvenir.

Finalement, sur les coups de midi, il se leva pour de bon. D'abord chancelant, il retrouva bien vite son équilibre. Il se rendit au cabinet de toilette et observa son reflet dans la glace. Il éclata de rire et, pourtant, ce qu'il voyait n'avait rien de drôle. Simplement, il semblait prêt à s'esclaffer ou à fondre en larmes, ou les deux en même temps, à tout moment.

Sur son crâne, une petite plaque de cheveux rasés laissait apercevoir des points de suture en forme de L. Il ressentit une vive douleur en touchant sa blessure, mais cela aussi le fit rire. Avec ses doigts, il parvint à rabattre ses cheveux pour camoufler sa cicatrice tant bien que mal.

Les yeux, c'était autre chose. Dilatés et étoilés de petites veines rouges, ils évoquaient la fin pitoyable de quinze jours de beuverie.

En dessous, des triangles violacés pointaient vers les coins de ses yeux. Bosch ne se souvenait pas d'avoir jamais eu deux coquards en même temps.

De retour dans sa chambre, il remarqua qu'Irving avait déposé sa mallette au pied de sa table de chevet. En se penchant pour la récupérer, il faillit perdre l'équilibre, mais réussit à se retenir au bord de la table au dernier moment. Il se recoucha avec la mallette et en examina le contenu. Sans but véritable, il voulait juste faire quelque chose.

Il feuilleta son carnet, mais il avait du mal à se concentrer sur les mots. Il relut la carte de Noël vieille de cinq ans que lui avait envoyée Meredith Roman, devenue Katherine Register. Il décida de l'appeler. Il voulait lui expliquer ce qui s'était passé avant qu'elle ne l'apprenne dans les journaux ou à la télé. Il trouva son numéro dans son carnet et se servit du téléphone de la chambre. Il tomba sur son répondeur.

– Meredith, euh… Katherine… C'est Harry Bosch. J'aimerais vous parler dès que vous aurez une minute. Il s'est passé certaines choses et je crois que… euh, vous vous sentirez soulagée quand je vous raconterai. Appelez-moi.

Il laissa une série de numéros sur le répondeur, dont ceux de son téléphone portable, de l'hôtel Mark Twain et de sa chambre d'hôpital, puis il raccrocha.

De la pochette à soufflet dans le couvercle de la mallette, il sortit la photo que lui avait donnée Monte Kim. Il observa longuement le visage de sa mère. La pensée qui se fraya un chemin en lui prit la forme d'une question. Pour Bosch, il ne faisait aucun doute que Conklin avait aimé sa mère. Mais cet amour avait-il été réciproque ? Il se rappela un jour où sa mère lui avait rendu visite à l'orphelinat McClaren. Elle lui avait promis de l'en faire sortir. A l'époque, la procédure judiciaire traînait en longueur et il savait que sa mère n'avait aucune confiance dans les tribunaux. Quand elle lui avait fait cette promesse, elle ne pensait pas aux moyens légaux ; elle cherchait un moyen de contourner les obstacles. Et sans doute aurait-elle trouvé une solution si on lui en avait laissé le temps.

En regardant la photo, Bosch comprit que Conklin faisait peut-être simplement partie de cette promesse, de la combine. Leur mariage était un moyen qu'elle avait trouvé pour le faire sortir de là. La mère célibataire affligée d'un casier judiciaire allait devenir l'épouse d'un homme influent. Conklin avait les moyens de faire sortir Harry, de rendre son fils à Marjorie Lowe. Peut-être l'amour n'avait-il rien à voir dans tout ça, finalement, se dit-il. Sa mère avait sauté sur l'occasion. Durant toutes ses visites à McClaren, jamais elle ne lui avait parlé de Conklin, ni d'aucun autre homme en particulier. Si elle avait été réellement amoureuse, ne le lui aurait-elle pas dit ?

En se posant cette question, Bosch songea que c'était peut-être le désir qu'avait eu sa mère de le sauver qui, pour finir, avait entraîné sa mort.

– Ça ne va pas, monsieur Bosch ?

L'infirmière entra dans la chambre d'un pas énergique et déposa bruyamment le plateau-repas sur la table. Bosch ne répondit pas. Il fit à peine attention à elle. Elle prit la serviette en papier du plateau pour essuyer les larmes qui coulaient sur les joues de Bosch.

– Ce n'est rien, dit-elle d'une voix apaisante. Tout va bien.

– Ah bon ?

– C'est à cause de votre blessure. Il ne faut pas avoir honte. Les traumatismes crâniens perturbent les émotions. On passe du rire aux larmes en quelques secondes. Je vais ouvrir les rideaux. Peut-être que ça vous remontera le moral.

– Je préfère qu'on me laisse tranquille.

Ignorant sa remarque, l'infirmière tira les rideaux de la chambre, et Bosch découvrit un autre bâtiment à une vingtaine de mètres de là. La vue lui remonta effectivement le moral. Elle était si moche qu'elle le fit éclater de rire. Elle lui rappela également qu'il se trouvait au Cedars Hospital. Il reconnaissait l'autre tour.

L'infirmière referma la mallette pour pouvoir installer la table roulante au-dessus du lit. Le plateau contenait un steak dans une assiette avec des carottes et des pommes de terre, un petit pain qui semblait aussi dur que la boule de billard qu'il avait trouvée dans sa poche la veille au soir, et une sorte de dessert rouge enveloppé dans du plastique. La vue et l'odeur de ce plateau-repas lui donnaient la nausée.

– Je mangerai pas ce truc-là. Il n'y a pas des Frosted Flakes ?

– Vous devez faire un vrai repas.

– Je viens de me réveiller. Vous m'avez empêché de dormir toute la nuit. Je peux pas manger ce truc, ça me donne envie de vomir.

Elle s'empressa de reprendre le plateau et de gagner la porte.

– Je vais voir ce que je peux faire pour les Frosted Flakes.

Avant de sortir, elle se retourna vers lui et lui sourit.

– Allez, haut les cœurs.

– Merci pour le conseil.

Bosch ne savait pas quoi faire de sa peau, à part attendre que le temps passe. Il repensa à sa rencontre avec Mittel, à tout ce qui s'y était dit et à ce que ça signifiait. Il y avait quelque chose qui le tracassait.

Il fut interrompu dans ses pensées par une petite sonnerie provenant du panneau sur le côté du lit. Il se pencha et constata qu'il s'agissait du téléphone. Il décrocha.

– Allô ?

– Harry ?

– Oui.

– C'est Jazz. Comment ça va ?

Il y eut un long silence. Bosch ne savait pas s'il était prêt pour cette conversation, mais il ne pouvait y échapper.

– Harry ?

– Oui, ça va. Comment m'as-tu retrouvé ?

– Grâce au type qui m'a appelée hier. Irving quelque chose. Il…

– Le chef adjoint Irving.

– Oui. Il m'a appelée pour me dire que tu étais blessé. Et il m'a donné le numéro.

Bosch était furieux, mais il essaya de ne pas le montrer.

– Je vais bien, mais je ne peux pas encore trop parler.

– Que s'est-il passé ?

– C'est une longue histoire. J'ai pas envie de la raconter pour l'instant.

Elle garda le silence. C'était un de ces moments où deux personnes tentent d'interpréter un silence, de comprendre la signification des paroles qui ne sont pas prononcées.

– Tu es au courant, hein ?

– Pourquoi tu ne m'as rien dit, Jasmine ?

– Je…

Nouveau silence.

– Tu veux que j'en parle maintenant ? lui demanda-t-elle.

– Je ne sais pas…

– Que t'a-t-il dit ?

– Qui ça ?

– Irving.

– Je ne l'ai pas appris par lui. Il ne sait pas. Ça venait de quelqu'un d'autre. Quelqu'un qui essaie de me faire du mal.

– C'était il y a longtemps, Harry. Je veux t'expliquer ce qui s'est passé… mais pas au téléphone.

Bosch ferma les yeux pour essayer de réfléchir. Le simple fait d'entendre la voix de Jasmine ravivait la sensation d'intimité qui les unissait. Mais il devait s'interroger pour savoir s'il voulait s'impliquer davantage.

– Écoute, Jazz… Il faut que je réfléchisse…

– Que voulais-tu que je fasse, hein ? Que je porte un écriteau, ou je ne sais quoi, pour t'avertir dès le début ? Quel était le moment idéal pour t'en parler ? Juste après le premier verre de citronnade ? J'aurais dû dire : « Tiens, au fait, il y a six ans, j'ai tué le type avec qui je vivais quand il a essayé de me violer pour la deuxième fois dans la nuit ? » Tu aurais préféré ça ?

– Écoute, Jazz…

– Écoute quoi ? Les flics d'ici n'ont pas cru à mon histoire. Pouvais-je attendre autre chose de toi ?

Bosch entendit qu'elle pleurait au bout du fil bien qu'elle essayât de le cacher. Il l'entendit dans sa voix remplie de solitude et de souffrance.

– Tu m'as dit des choses, reprit-elle. Et je croyais…

– Jazz, on a juste passé un week-end ensemble. Tu attaches trop…

– Je t'interdis ! Ne dis pas que ça ne comptait pas !

– Tu as raison. Je suis désolé… Écoute… Le moment est mal choisi. J'ai trop de trucs en tête. Je te rappellerai quand…

Elle ne dit rien.

– D'accord ?

– O.K. Harry, rappelle-moi.

– Entendu. Au revoir, Jazz.

Il raccrocha et garda les yeux fermés un instant. Enveloppé par la torpeur qui naît des espoirs brisés, il se demanda s'il aurait l'occasion de jamais lui reparler un jour. En analysant ses pensées, il s'apercevait à quel point elles semblaient identiques à celles de Jasmine. Et la peur qu'il éprouvait n'était pas due au geste qu'elle avait commis, quels que soient les détails. Non, il avait peur, en l'appelant, de se retrouver lié à une personne encore plus torturée que lui.

Il rouvrit les yeux et s'efforça de chasser ces pensées. Mais elles revinrent avec force et il se surprit à s'émerveiller du hasard de leur rencontre. Une petite annonce dans un journal. Qui aurait pu être libellée ainsi : « Meurtrière vivant seule cherche alter ego masculin. » Il rit tout haut, mais ce n'était pas drôle.

Il alluma la télévision pour se changer les idées. Un animateur de talk-show interviewait des femmes qui avaient volé le mari de leurs meilleures amies. Les meilleures amies en question étaient invitées elles aussi, et chaque question se transformait en combat de rue verbal. Bosch coupa le son et continua de regarder l'émission pendant une dizaine de minutes, observant les grimaces des visages haineux de ces femmes.

Finalement, il éteignit la télé et appela le poste des infirmières par le biais de l'interphone pour savoir si on avait pensé à ses céréales. L'infirmière qui lui répondit n'était pas au courant de son désir de se faire servir un petit déjeuner à l'heure du déjeuner. Il essaya encore une fois d'appeler Meredith Roman, mais raccrocha en tombant de nouveau sur le répondeur.

Juste au moment où, tiraillé par la faim, il envisageait de réclamer le retour de son steak, une infirmière lui apporta un autre plateau. Celui-ci contenait une banane, un petit verre de jus d'orange et un bol en plastique avec une mini-boîte de Frosted Flakes et un carton de lait. Il remercia l'infirmière et commença à manger les corn-flakes à même la boîte. Le reste, il n'en voulait pas.

Il décrocha le téléphone, composa le numéro du standard de Parker Center et demanda le bureau du chef adjoint Irving. La secrétaire qui lui répondit lui annonça qu'Irving était en conférence avec le préfet de police et ne pouvait pas être dérangé. Bosch lui laissa son numéro.

Il appela ensuite Keisha Russell au journal.

– Bosch à l'appareil.

– Bosch ! Où êtes-vous ? Vous avez éteint votre portable ou quoi ?

Bosch sortit son téléphone de sa mallette. Il vérifia l'état de la batterie.

– Désolé, il est déchargé.

– Bravo. Et moi dans tout ça ? Les deux personnages les plus importants de l'article que je vous ai donné meurent la nuit dernière et vous ne m'appelez même pas ? Je croyais qu'on avait conclu un marché.

– Hé, je vous appelle, non ?

– Vous avez quelque chose pour moi ?

– Dites-moi d'abord ce que vous savez. Qu'est-ce qu'on raconte sur cette histoire ?

– Motus du côté de la police. J'attendais de vos nouvelles.

– Mais qu'est-ce qu'ils disent, réellement ?

– Rien, je vous le répète. Ils disent qu'ils enquêtent sur ces deux décès et que rien ne prouve qu'il existe un rapport entre les deux. Ils essaient de faire passer ça pour une énorme coïncidence.

– Et l'autre type ? Ont-ils retrouvé Vaughn ?

– Vaughn ?

Bosch ne comprenait pas ce qui était en train de se tramer ;

pourquoi cherchait-on à étouffer l'affaire ? Il savait qu'il ferait mieux d'attendre les explications d'Irving, mais la colère montait dans sa gorge.

– Bosch ? Vous êtes toujours là ? Qui est ce type dont vous parlez ?

– Que disent-ils sur moi ?

– Vous ? Ils ne parlent pas de vous.

– L'autre type s'appelle Jonathan Vaughn. Il était sur place, lui aussi. Là-haut, chez Mittel, hier soir.

– Bosch… Vous y étiez ?

Il ferma les yeux, mais son esprit ne parvenait pas à crever le voile que la police avait jeté sur cette affaire. Il ne comprenait pas.

– Nous avons conclu un accord, Harry. Racontez-moi tout.

Il s'aperçut que c'était la première fois qu'elle l'appelait par son prénom. Il garda le silence ; il essayait de deviner ce qui se passait et de peser toutes les conséquences s'il choisissait de tout lui dire.

– Bosch ?

Retour à la normale.

– O.K. Vous avez de quoi noter ? Je vais vous donner le point de départ. Pour la suite, il faudra vous adresser à Irving.

– Je l'ai déjà appelé. Il refuse de prendre mes appels.

– Il vous écoutera quand il saura que vous êtes au courant de l'histoire. Il n'aura pas le choix.

Quand Bosch eut fini son récit, il était épuisé et sa migraine était revenue. Il était prêt à dormir, si toutefois le sommeil voulait bien de lui. Il avait envie de tout oublier.

– C'est une histoire incroyable, Bosch, dit Keisha Russell. Je suis désolée… pour votre mère.

– Merci.

– Et Pounds ?

– Quoi, Pounds ?

– Y a-t-il un rapport ? Irving dirigeait cette enquête. Maintenant, il s'occupe de celle-ci.

– Il faudra lui poser la question.

– Si j'arrive à le joindre.

– Quand vous lui téléphonerez, dites à sa secrétaire de dire à Irving que vous l'appelez de la part de Marjorie Lowe. Il vous rappellera dès qu'il aura le message, je vous le garantis.

– Encore une chose, Bosch. On n'en a pas parlé au début, comme on aurait dû le faire. Puis-je vous citer comme source ?

Bosch réfléchit, mais pas longtemps.

– Oui, vous pouvez. Je ne sais pas ce que vaut mon nom désormais, mais vous pouvez l'utiliser.

– Merci. A plus tard. Vous êtes un chic type.

– Oui, un chic type.

Il raccrocha et ferma les yeux. Très vite, il se mit à somnoler, mais il n'aurait su dire combien de temps. Il fut dérangé par le téléphone. C'était Irving, et il était furieux.

– Qu'est-ce que vous avez fait ?

– Comment ça ?

– Je viens d'avoir un message d'une journaliste. Elle dit qu'elle m'appelle au sujet de Marjorie Lowe. Vous avez parlé de cette affaire à la presse ?

– A une seule journaliste.

– Que lui avez-vous dit exactement ?

– Assez de choses pour vous empêcher d'étouffer l'affaire.

– Bosch…

Irving n'acheva pas sa phrase. Il y eut un long silence, que Bosch fut le premier à briser.

– Vous aviez l'intention de refermer le couvercle, n'est-ce pas ? De tout balancer à la poubelle avec ma mère. Après tout ce qui est arrivé, elle ne compte pas plus qu'autrefois.

– Vous parlez sans savoir.

Bosch se redressa dans son lit. Lui aussi était furieux maintenant. Une vague de vertiges l'assaillit. Il ferma les yeux, le temps qu'elle reflue.

– Eh bien, racontez-moi ce que je ne sais pas. D'accord, chef ? C'est vous qui parlez sans savoir. Je suis au courant de ce que la police raconte. Comme quoi il n'y aurait aucun lien entre les morts de Conklin et de Mittel. Quel genre de… Vous croyez que je vais laisser passer ça ? Et Vaughn, hein ? Pas une seule allusion. Un salopard qui a balancé Conklin par la fenêtre et qui s'apprêtait à me liquider, moi aussi. C'est lui qui a buté Pounds, et la police ne cite même pas son nom ? Allez, chef, dites-moi donc ce que je ne sais pas.

– Écoutez-moi, Bosch. Écoutez-moi bien. Pour qui travaillait Mittel ?

– Je ne sais pas et je m'en fous.

– Il travaillait pour des gens très puissants. Quelques-unes des personnes les plus puissantes de cet État, et même de ce pays. Et aussi…

– Je m'en fous !

– … une majorité de membres du conseil municipal.

– Et alors ? Où voulez-vous en venir ? Le conseil municipal, le gouverneur, les sénateurs…, ils sont tous impliqués, eux aussi ? Vous voulez les couvrir, c'est ça ?

– Calmez-vous, Bosch, et essayez de réfléchir. Écoutez-vous ! Il ne s'agit pas de ça, évidemment. J'essaie de vous faire comprendre qu'en salissant Mittel, vous salissez un tas de gens très puissants qui étaient en rapport avec lui ou qui utilisaient ses services. Cela risquerait d'avoir des conséquences incommensurables pour toute la police, pour vous et pour moi.

Et voilà, tout était dit, pensa Bosch. Irving le pragmatique avait fait le choix, sans doute en accord avec le préfet, de placer la police et eux-mêmes à l'abri de la vérité. Cette combine puait aussi fort qu'un tas d'ordures en décomposition. Bosch sentit une immense fatigue le submerger comme une lame de fond. Il s'y noyait. Il en avait assez de tout ça.

– Et en couvrant ces gens, vous les aidez de manière… incommensurable, c'est ça ? Je parie que le préfet et vous avez passé la matinée au téléphone pour transmettre le message à ces gens si puissants. Ils vous devront une fière chandelle, ils devront une fière chandelle à la police. Formidable, chef. C'est un bel arrangement. Et tant pis, après tout, si la vérité n'y trouve pas son compte.

– Je vous demande de la rappeler, Bosch. Rappelez cette journaliste. Dites-lui que vous avez reçu un coup sur la tête et que…

– Non ! Je ne rappellerai personne. C'est trop tard. J'ai raconté l'histoire.

– Mais pas toute l'histoire. Car elle est aussi désastreuse pour vous, n'est-ce pas ?

Nous y voilà, se dit Bosch. Irving savait. Ou il savait tout, ou il avait deviné que Bosch s'était servi du nom de Pounds et qu'il était donc responsable, en définitive, de sa mort. Et il se servait de cette information comme d'une arme contre lui.

– Si je ne réussis pas à étouffer l'affaire, ajouta Irving, je serai sans doute contraint d'engager une action contre vous.

– Je m'en fous, lui répondit Bosch avec calme. Vous pouvez me faire tout ce que vous voulez, la vérité éclatera, chef. La vérité.

– Mais est-ce vraiment la vérité ? Toute la vérité ? J'en doute et, au fond de vous-même, vous en doutez aussi. Nous ne connaîtrons jamais toute la vérité.

Il y eut un silence. Bosch attendit qu'Irving ajoute quelque chose, mais comme le silence s'éternisait, il raccrocha. Il débrancha le téléphone et s'endormit enfin.

CHAPITRE QUARANTE-CINQ

Bosch se réveilla à 6 heures du matin en se souvenant confusément que son sommeil avait été interrompu par un horrible repas et les visites répétées des infirmières pendant la nuit. Il avait la tête dans du coton. Délicatement, il palpa sa blessure : elle était moins sensible que la veille. Il se leva et marcha un peu dans la chambre. Il semblait avoir retrouvé son sens de l'équilibre. Dans le miroir de la salle de bains, il constata que ses yeux étaient encore veinés de sang, mais qu'il avait les pupilles moins dilatées. Le moment était venu de quitter cet endroit. Après s'être habillé, il sortit de la chambre, sa mallette à la main et sa veste sur le bras.

Arrivé devant le poste des infirmières, il appuya sur le bouton de l'ascenseur et attendit. Une des infirmières l'observait, assise derrière son comptoir. Apparemment, elle ne le reconnaissait pas, surtout avec ses vêtements civils.

– Excusez-moi, monsieur, lui dit-elle, je peux vous aider ?

– Non, tout va bien.

– Vous êtes un patient ?

– Plus maintenant. Je m'en vais. Chambre 1419. Bosch.

– Attendez un peu, monsieur. Où allez-vous ?

– Je m'en vais. Je rentre chez moi.

– Hein ?

– Envoyez-moi la facture.

Les portes de l'ascenseur s'ouvrirent, il s'y engouffra.

– Vous n'avez pas le droit ! s'écria l'infirmière. Attendez, je vais chercher le médecin.

Bosch la salua d'un petit geste

– Attendez !

Les portes se refermèrent.

Il acheta un journal dans le hall et prit un taxi devant l'hôpital.

Il demanda au chauffeur de le conduire à Park La Brea. En chemin, il lut l'article de Keisha Russell. Publié en première page, il résumait assez bien ce qu'il lui avait raconté la veille. D'un bout à l'autre, la journaliste avait pris soin de préciser que l'enquête suivait son cours, mais, dans l'ensemble, c'était du bon boulot.

Bosch était cité à plusieurs reprises, en tant que source, mais aussi en tant qu'acteur principal du drame. Irving était cité également. Le chef adjoint avait sans doute fini par décider de lâcher toute la vérité, à tout le moins quelque chose qui en était relativement proche, après que Bosch eut craché le morceau. C'était la solution pragmatique. De cette façon, il donnait l'impression de maîtriser la situation et d'être la voix de la raison et de la prudence. Les propos de Bosch étaient généralement suivis de ceux d'un Irving qui précisait que l'enquête en était à son commencement et qu'il fallait se garder de tirer des conclusions définitives.

La partie de l'article que préférait Bosch concernait les déclarations de plusieurs hauts fonctionnaires – surtout des membres du conseil municipal –, qui se disaient choqués par les décès de Mittel et Conklin et abasourdis d'apprendre que ces derniers avaient été impliqués dans des meurtres. Enfin, on apprenait que l'homme de main de Mittel, Jonathan Vaughn, était accusé de meurtre et recherché par la police.

Concernant Pounds, l'article restait plus vague. Nulle part il n'était mentionné qu'on soupçonnait Bosch d'avoir utilisé l'identité du lieutenant et que, ce faisant, il avait provoqué sa mort. Keisha Russell rappelait simplement les propos d'un Irving disant que le lien entre la mort de Pounds et cette affaire n'était pas encore établi, mais qu'apparemment Pounds aurait découvert la même piste que Bosch.

Irving n'avait pas tout dit à Russell, même après avoir menacé Bosch. Celui-ci en déduisit que le chef adjoint ne voulait pas laver le linge sale de la police dans les médias. La vérité aurait fait mal à Bosch, mais elle n'aurait pas épargné la police non plus. Si Irving décidait d'entreprendre une action contre lui, il le ferait à l'intérieur du département. L'affaire resterait privée.

La Mustang de location de Bosch était toujours sur le parking du La Brea Lifecare. Il avait de la chance ; les clés étaient encore sur la portière où il les avait laissées quand Vaughn l'avait attaqué. Il paya à la caisse et récupéra sa voiture.

Avant de retourner au Mark Twain, il décida de monter faire un tour à Mount Olympus. Il brancha son téléphone portable sur l'allume-cigares pour le recharger et prit la direction de Laurel Canyon Boulevard.

Arrivé dans Hercules Drive, il ralentit à la hauteur du portail barrant l'entrée du vaisseau spatial échoué de Mittel. La grille était fermée, une bande jaune de la police pendait entre les barreaux. Bosch ne vit aucune voiture dans l'allée. L'endroit était calme, paisible. Il savait qu'une pancarte À VENDRE ferait bientôt son apparition et qu'un nouveau génie viendrait s'installer, convaincu d'être le maître de tout ce qu'il apercevait à ses pieds.

Bosch repartit. De fait, ce n'était pas la maison de Mittel qu'il voulait voir.

Un quart d'heure plus tard, il sortait du virage familier de Woodrow Wilson et sentit tout de suite que les choses avaient changé. Sa maison avait disparu et cette absence était aussi flagrante et choquante qu'une dent cassée au milieu d'un sourire.

Au bord de la chaussée, devant son ancienne adresse, deux énormes bennes de chantier étaient remplies de morceaux de bois, de bouts de métal tordu et de verre brisé : les restes de sa maison. Un container mobile avait été installé un peu plus loin et Bosch supposa – espéra – qu'il contenait des objets récupérables sauvés avant que la maison ne soit rasée.

Il se gara et gagna le petit chemin de pierres qui autrefois conduisait à sa porte. Puis il regarda en contrebas : il ne restait plus que les six pylônes de soutènement qui jaillissaient à flanc de colline comme des pierres tombales. Il pourrait refaire construire une maison sur ces piliers. S'il le désirait.

Un mouvement parmi les acacias, au pied des pylônes, attira son regard. Il entr'aperçut une tache brune et la tête d'un coyote qui marchait à pas feutrés dans les buissons. Il n'avait pas entendu Bosch et ne leva pas la tête. Très vite, il disparut. Harry le perdit de vue dans les fourrés.

Il resta là encore une dizaine de minutes, à attendre en fumant une cigarette, mais ne revit pas le coyote. Il adressa un adieu silencieux à l'endroit. Il avait le sentiment qu'il n'y reviendrait plus jamais.

CHAPITRE QUARANTE-SIX

Quand il arriva au Mark Twain, la ville commençait juste sa journée. De sa chambre il entendit le camion des éboueurs descendre la ruelle et emporter une semaine de déchets. Il repensa à sa maison maintenant répartie dans deux bennes à ordures.

Fort heureusement, le ululement d'une sirène le détourna de ses pensées. Une voiture de police et pas un camion de pompiers, il l'identifia tout de suite. Il savait qu'il n'avait pas fini d'en entendre : le poste de police se trouvait au bout de la rue. Il arpenta les deux pièces avec un sentiment d'impatience et d'isolement, comme si, au-dehors, la vie continuait de s'écouler pendant qu'il était coincé à l'intérieur. Il se prépara un café avec la machine qu'il avait apportée de chez lui, et cela ne fit qu'accentuer sa nervosité.

Il essaya de se replonger dans le journal, mais rien ne l'intéressait, hormis l'article de première page qu'il avait déjà lu. Malgré tout, il feuilleta le mince cahier des informations locales et apprit que les salles du tribunal administratif du comté allaient être équipées de sous-main à l'épreuve des balles que les juges pourraient dresser devant eux au cas où un dingue ferait irruption en canardant tout le monde. Il jeta le cahier et reprit la section principale du *Times*.

Il relut l'article concernant son enquête sans parvenir à se défaire du sentiment grandissant que quelque chose clochait ; un élément avait été oublié, ou bien il manquait un détail. L'article de Keisha Russell n'était pas en cause. Le problème ne venait pas de là. Simplement, l'histoire imprimée noir sur blanc lui paraissait moins convaincante que lorsqu'il l'avait racontée à la journaliste ou à Irving.

Il reposa le journal, s'allongea sur le lit et ferma les yeux. Une fois de plus, il se repassa le film des événements de la veille et s'aperçut alors que le problème qui le tracassait n'était pas dans l'article, mais dans ce que Mittel lui avait dit. Il essaya de se rappeler précisément les paroles qu'ils avaient échangées sur la pelouse si bien entretenue derrière la maison de l'homme riche. Que s'était-il dit ? Que lui avait donc avoué Mittel ?

Bosch savait qu'à cet instant, dans le jardin, Mittel paraissait en position de totale invulnérabilité. Capturé, blessé et condamné, Bosch était impuissant devant lui. Vaughn, le chien d'attaque, se tenait prêt dans son dos, avec son arme. Dans ce contexte, se dit-il, un homme avec l'ego de Mittel n'avait aucune raison de se retenir. D'ailleurs, il ne lui avait rien caché. Il s'était même vanté de son plan destiné à contrôler Conklin et les autres. Il avait librement, bien que de manière indirecte, avoué être à l'origine des morts de Conklin et de Pounds. Pourtant, malgré ces aveux, il n'avait pas réagi de la même façon au meurtre de Marjorie Lowe.

A travers les images fragmentées de cette scène nocturne, Bosch essaya de se remémorer les paroles exactes de Mittel, mais elles lui échappaient. Sa mémoire visuelle était plus fidèle. Mittel était debout devant l'étendue de lumières. Mais les mots, eux, demeuraient insaisissables. La bouche de Mittel remuait, mais ses paroles s'envolaient. Enfin, à force de creuser dans sa mémoire, ça lui revint. Ça y était, enfin il se rappelait. Une « occasion ». Mittel avait qualifié la mort de Marjorie Lowe d'« occasion ». Était-ce un aveu de culpabilité ? Reconnaissait-il avoir tué ou fait tuer Marjorie ? Ou reconnaissait-il simplement que sa mort avait représenté une occasion à saisir ?

Bosch ne pouvait répondre à cette question, et cette incertitude était comme un poids mort dans sa poitrine. Il s'efforça de la chasser de ses pensées et finit par dériver vers le sommeil. Les bruits de la ville au-dehors, même les sirènes étaient réconfortants. Il était arrivé au seuil de l'inconscience et allait y plonger lorsqu'il rouvrit soudain les yeux.

– Les empreintes, dit-il à voix haute.

Une demi-heure plus tard, après s'être rasé, douché et changé, il roulait en direction du centre-ville. Il avait chaussé ses lunettes de soleil et s'observa dans le rétroviseur. Ses yeux meurtris étaient cachés. Il s'humecta les doigts et se plaqua les cheveux sur le crâne afin de dissimuler au mieux ses points de suture et l'endroit où on l'avait rasé.

Arrivé au USC Medical Center, il traversa le parking de derrière pour aller se garer au fond, près des emplacements réservés aux véhicules des services du coroner du comté de Los Angeles. Il entra par une des portes du garage et salua d'un geste le gardien qui le connaissait de vue et lui renvoya un hochement de tête. Théoriquement, les enquêteurs n'avaient pas le droit d'entrer par là, mais Bosch l'avait toujours fait. Il arrêterait le jour où quelqu'un déposerait plainte. Celle-ci ne risquait pas d'émaner d'un gardien payé au SMIC.

Il monta à la salle des légistes au deuxième étage en espérant non seulement tomber sur quelqu'un qu'il connaissait, mais surtout sur quelqu'un avec qui il ne s'était pas fâché au fil des ans.

Il poussa la porte battante et fut aussitôt frappé par l'odeur du café frais. C'était la seule bonne surprise. Il n'y avait que Larry Sakai dans la pièce, assis à une table, face à des journaux éparpillés. Bosch n'avait jamais beaucoup aimé cet homme qui travaillait pour le bureau du coroner, et Sakai le lui rendait bien.

– Tiens, Harry Bosch ! dit ce dernier en levant les yeux de dessus le journal qu'il tenait entre ses mains. Quand on parle du loup… je lisais justement ton nom dans le canard. Je croyais que tu étais à l'hôpital.

– Non, je suis là, tu vois bien. Où sont passés Hounchell et Lynch ? Ils sont dans les parages ?

Hounchell et Lynch étaient deux légistes qu'il connaissait et qui accepteraient de lui rendre service sans se poser trop de questions. Des chics types.

– Non. Ils sont partis étiqueter et emballer des macchabées. C'est très animé ce matin. Les affaires reprennent, on dirait.

Bosch avait entendu des rumeurs circuler sur Sakai : chargé de récupérer les victimes dans un immeuble qui s'était effondré lors du tremblement de terre, il y serait allé avec un appareil photo pour photographier les morts écrabouillés par les plafonds dans leurs lits et aurait vendu, sous un faux nom, ses clichés à un journal à scandales. Voilà le genre de type que c'était.

– Il n'y a personne d'autre ?

– Non, Bosch. Il n'y a que moi. Qu'est-ce que tu veux ?

– Rien.

Bosch revint vers la porte, puis sembla hésiter. Il avait besoin de comparer les empreintes et ne voulait pas attendre. Il se retourna vers Sakai.

– Écoute, Sakai, dit-il, j'ai besoin d'un service. Tu veux bien m'aider ? Je te revaudrai ça.

Sakai se pencha en avant sur sa chaise. Bosch vit dépasser l'extrémité d'un cure-dents entre ses lèvres.

– Je sais pas trop, Bosch. C'est un peu comme si une vieille pute ayant le sida me proposait une deuxième passe à l'œil, à condition que je lui paie la première.

Sakai rit de la comparaison qu'il venait d'inventer.

– O.K., très bien.

Bosch pivota sur ses talons et poussa la porte en ravalant sa colère. Il avait fait deux pas dans le couloir lorsque Sakai le rappela – comme il l'avait espéré. Il inspira profondément et retourna dans la salle.

– Allons, Bosch, j'ai jamais dit que je voulais pas t'aider. J'ai lu ce qui t'était arrivé et, franchement, je compatis.

Ouais, tu parles ! songea Bosch.

– O.K., dit-il.

– Qu'est-ce que tu veux ?

– Il me faudrait les empreintes d'un de tes clients qui est au congélo.

– Lequel ?

– Mittel.

D'un petit signe de tête, Sakai montra le journal qu'il avait jeté sur la table.

– Celui-là ?

– Je n'en connais pas d'autre.

Sakai réfléchit un instant.

– Tu sais, dit-il enfin, on refile toujours un jeu d'empreintes aux inspecteurs chargés de l'enquête.

– Épargne-moi ton baratin, Sakai. Tu sais que je suis au courant et tu sais aussi, si tu as lu le journal, que je ne m'occupe pas de l'enquête. Mais j'ai besoin de ces empreintes. Tu as l'intention d'aller me les chercher ou bien je perds mon temps ?

Sakai se leva. Bosch savait que Sakai savait qu'en faisant marche arrière maintenant, après avoir entrouvert la porte, il placerait Bosch en position de supériorité dans cet univers obscur des relations entre hommes, et dans tous leurs rapports ultérieurs. En revanche, si Sakai allait jusqu'au bout et lui fournissait les empreintes, alors l'avantage serait dans son camp.

– Calme-toi, Bosch, reprit-il. Je vais aller te les chercher, tes empreintes. Sers-toi donc une tasse de café et assieds-toi. Tu mettras un quarter dans la boîte.

Bosch détestait l'idée de devoir quoi que ce soit à Sakai, mais le jeu en valait la chandelle. Ces empreintes étaient à sa connaissance le seul moyen de clore l'enquête. Ou de la rouvrir de manière brutale.

Il se servit une tasse de café et, moins d'un quart d'heure plus tard, l'homme du coroner était de retour. Il agita la fiche cartonnée pour faire sécher l'encre, la tendit à Bosch et se dirigea vers le comptoir pour se servir un autre café.

– C'est bien les empreintes de Gordon Mittel ?

– Lui-même. C'est le nom qui est marqué sur l'étiquette accrochée à son orteil. Dis donc... il a sacrément morflé dans sa chute !

– Tant mieux.

– J'ai l'impression que cette histoire dans le journal, c'est pas aussi solide que le disent les gars du LAPD si tu viens ici en douce pour récupérer les empreintes du gars.

– C'est du solide, Sakai, rassure-toi. Et j'espère que je ne recevrai pas de coups de fil de journalistes pour me parler de ces empreintes. Sinon, je reviens.

– Ménage-toi, Bosch. Prends tes empreintes et tire-toi. J'ai jamais connu quelqu'un qui se donnait autant de mal pour filer des remords à la personne qui lui rendait service.

Bosch jeta son gobelet de café dans la poubelle et se dirigea vers la sortie. Arrivé à la porte, il s'arrêta.

– Merci.

Ce mot lui écorchait la langue. Ce type était un sale con.

– N'oublie pas, Bosch, lui renvoya Sakai. Tu me dois un service.

Bosch se retourna vers Sakai, occupé à remuer la crème dans son café. Bosch revint vers lui en glissant la main dans sa poche. Puis il s'arrêta devant le comptoir, sortit un quarter et le déposa dans la fente de la petite boîte en fer qui contenait la cagnotte du café.

– Voilà pour toi, dit-il. On est quittes.

Sur quoi il sortit et, dans le couloir, entendit Sakai le traiter de connard. Pour Bosch, c'était le signe que tout allait bien en ce bas monde. Le sien, au moins.

En arrivant à Parker Center un quart d'heure plus tard, Bosch s'aperçut qu'il avait un problème. Irving ne lui avait pas rendu sa plaque d'identité, car elle faisait partie des pièces à conviction retrouvées dans la veste de Mittel dans le jacuzzi. Il traîna devant l'entrée du bâtiment jusqu'à ce qu'il voie un groupe d'inspecteurs et d'employés administratifs sortir de l'annexe de l'hôtel de ville et se diriger vers Parker Center. Il profita de ce que le groupe entrait et contournait le guichet d'accueil pour se faufiler derrière eux et parvint ainsi à passer devant le planton sans se faire remarquer.

Hirsch était à son poste devant son ordinateur du Service des empreintes. Bosch lui demanda s'il avait toujours le « Lifescan » des empreintes relevées sur la boucle de la ceinture.

– Ouais, j'attendais que vous veniez les chercher.

– J'aimerais les comparer avec un autre jeu que j'ai apporté.

Hirsch le regarda, mais son hésitation fut de courte durée.

– Faites voir.

Bosch sortit de sa mallette la fiche d'empreintes que lui avait fournie Sakai et la lui tendit. Hirsch l'examina un instant en l'orientant vers la lumière du plafonnier.

– Elles sont nettes, dit-il. Vous n'avez pas besoin de la machine, je suppose ? Vous voulez juste les comparer avec celles que vous m'aviez apportées ?

– Voilà.

– Je peux y jeter un œil tout de suite, si vous voulez attendre.

– Je veux bien attendre.

Hirsch sortit la fiche informatisée de son bureau et l'emporta avec la fiche du coroner jusqu'à son plan de travail afin de les examiner toutes les deux sous une loupe lumineuse. Bosch regarda ses yeux aller et venir d'une fiche à l'autre, comme si Hirsch suivait les déplacements d'une balle de tennis de part et d'autre d'un filet.

En observant ce petit manège, Bosch pria le ciel que Hirsch se retourne vers lui pour lui annoncer que les deux jeux concordaient. Il voulait en finir une bonne fois pour toutes. Il voulait refermer ce dossier.

Au bout de cinq minutes de silence, le match de tennis s'acheva, et Hirsch releva la tête pour annoncer le score.

CHAPITRE QUARANTE-SEPT

Carmen Hinojos ouvrit la porte de sa salle d'attente et parut agréablement surprise de voir Bosch sur le canapé.

— Harry ! dit-elle. Comment allez-vous ? Je ne pensais pas vous voir aujourd'hui.

— Pourquoi ? C'est le jour de ma séance, non ?

— Si, mais j'ai lu dans le journal que vous étiez à l'hôpital.

— J'ai rendu ma chambre.

— Était-ce bien raisonnable ? Vous avez l'air...

— Pitoyable ?

— Non, je ne voulais pas dire ça. Allez...

Elle le fit entrer dans son cabinet, où ils prirent leurs places respectives.

— En fait, dit Bosch, je me sens encore plus mal que j'en ai l'air.

— Pourquoi ça ? Que se passe-t-il ?

— J'ai fait tout ça pour rien.

Cette affirmation fit naître une expression de perplexité sur le visage de Hinojos.

— Je ne comprends pas, dit-elle. J'ai lu l'article ce matin. Vous avez élucidé tous les meurtres, dont celui de votre mère. Je ne pensais pas que vous réagiriez de cette façon.

— Ne croyez pas tout ce que vous lisez, docteur. Laissez-moi clarifier certaines choses. Ce que j'ai réussi à faire au cours de ma soi-disant « mission », c'est à provoquer la mort de deux hommes et à en tuer un troisième de mes propres mains. C'est vrai que j'ai élucidé... un, deux, trois meurtres, et ce n'est pas mal. Mais je n'ai pas élucidé celui que je voulais élucider au départ. Autrement dit, j'ai tourné en rond en semant les morts sur mon passage. Alors, dans quel état espériez-vous me voir arriver ?

— Vous avez bu ?

— J'ai bu deux bières au déjeuner, mais c'était un long déjeuner et j'estime que deux bières, c'est le minimum requis, compte tenu de ce que je viens de vous raconter. Mais non… je ne suis pas saoul, si c'est ce que vous voulez savoir. Et je ne suis pas en service, alors quelle importance ?

— Je croyais que nous étions d'accord pour diminuer la…

— Merde à la fin. On est dans le monde réel ! Ce n'est pas ça que vous disiez, l'autre jour ? Le monde « réel » ? Depuis la dernière fois qu'on s'est vus, j'ai tué un homme, docteur. Et vous me demandez de diminuer ma consommation d'alcool ? Comme si ça changeait quoi que ce soit !

Il sortit ses cigarettes, en alluma une et déposa le paquet et son briquet Bic sur le bras du fauteuil. Carmen Hinojos l'observa longuement avant de reprendre la parole :

— Vous avez raison, dit-elle. Je suis désolée. Venons-en à ce que je considère comme le cœur du problème. Vous dites que vous n'avez pas élucidé le meurtre que vous aviez décidé d'élucider. Il s'agit, bien évidemment, du meurtre de votre mère. Certes, je me fie uniquement à ce que j'ai lu, mais le *Times* de ce matin l'attribue à Gordon Mittel. Êtes-vous en train de me dire que vous possédez la certitude qu'il s'agit d'une erreur indiscutable ?

— Oui. J'ai la certitude qu'il s'agit d'une erreur indiscutable.

— Pourquoi ?

— C'est simple. Les empreintes. Je suis allé à la morgue pour relever les empreintes de Mittel et les ai fait comparer avec celles qui étaient sur l'arme du crime, la ceinture. Elles ne correspondent pas. Mittel n'est donc pas le meurtrier. Ce n'était pas lui. Attention, ne vous méprenez pas. Je ne suis pas rongé par le remords à cause de Mittel. C'était un type qui décidait de tuer les gens et les faisait tuer. Tout simplement. Au mois deux fois, à coup sûr ; et il n'aurait pas hésité à me faire tuer, moi aussi. Alors, qu'il crève ! Il a eu ce qu'il méritait. Mais Pounds et Conklin, je les trimbalerai longtemps avec moi. Peut-être à jamais. Et, d'une manière ou d'une autre, je le paierai. Simplement, le poids serait plus facile à supporter s'il y avait eu une bonne raison. N'importe laquelle. Vous comprenez ? Mais il n'y en a aucune. Plus maintenant.

— Je comprends. Je ne… je ne sais pas comment procéder. Voulez-vous qu'on parle de ce que vous éprouvez concernant Pounds et Conklin ?

— Non. J'y ai déjà suffisamment réfléchi. Aucun des deux n'était innocent. Ils ont fait certaines choses. Cela dit, ils n'étaient pas obligés de mourir de cette façon. Surtout Pounds, nom de Dieu ! Mais je ne peux pas en parler. Je ne veux même pas y penser.

– Comment allez-vous faire pour continuer à vivre, alors ?

– Je ne sais pas. Comme je vous le disais, je dois payer.

– Que va faire la police, à votre avis ?

– Je n'en sais rien. Et je m'en fous. Ça dépasse le cadre de la police. Je dois décider de ma pénitence.

– Qu'est-ce que ça veut dire, Harry ? Vous m'inquiétez.

– Rassurez-vous, je n'irai pas au placard. C'est pas mon genre.

– Le placard ?

– Je ne vais pas manger mon revolver.

– D'après ce que vous me dites, il est évident que vous avez accepté la responsabilité de ce qui est arrivé à ces deux hommes. Vous l'assumez. En vérité, c'est le démenti que vous refusez. C'est une base sur laquelle vous pouvez bâtir quelque chose Cette histoire de pénitence m'inquiète. Vous devez continuer à vivre, Harry. Peu importe le châtiment que vous vous infligerez. Ça ne les fera pas revivre. La meilleure chose que vous ayez à faire, c'est de continuer.

Bosch garda le silence. Brusquement, il en avait assez de tous ces conseils, de l'intrusion de Hinojos dans son existence. Il se sentait plein de rancœur et de frustration.

– Ça vous ennuie si on abrège la séance ? demanda-t-il. Je ne me sens pas en forme.

– Je comprends. Ce n'est pas grave. Mais je vous demande de me promettre une chose. Promettez-moi qu'on reparlera de tout ça avant que vous preniez une décision.

– Vous parlez de ma pénitence ?

– Oui, Harry.

– O.K., on en parlera.

Il se leva et tentait d'esquisser un sourire qui ressemblait plus à un froncement de sourcils lorsque quelque chose lui revint.

– Au fait, excusez-moi de ne pas vous avoir rappelée l'autre soir, quand vous m'avez téléphoné. J'attendais un appel et je ne pouvais pas vous parler. Ensuite, ça m'est sorti de la tête. J'espère que vous vouliez juste prendre de mes nouvelles et que ce n'était pas important.

– Ne vous inquiétez pas. Moi aussi, j'avais oublié. J'appelais pour savoir comment s'était terminée la réunion avec le chef Irving. Je voulais savoir aussi si vous aviez envie qu'on parle des photos. Mais ça n'a plus d'importance maintenant.

– Vous les avez regardées ?

– Oui. J'avais quelques remarques à vous faire, mais…

– Je vous écoute, dit-il en se rasseyant.

Elle le regarda, parut réfléchir à sa demande et décida enfin de se lancer.

– Je les ai là.

Elle se pencha pour sortir l'enveloppe d'un des tiroirs inférieurs de son bureau, disparaissant quasiment aux yeux de Bosch. Elle se redressa et déposa l'enveloppe sur le bureau.

– Vous devriez les récupérer, je crois.

– Irving a repris le dossier d'homicide et la boîte des pièces à conviction. Il ne lui manque plus que les photos.

– On dirait que ça vous dérange, ou que vous ne lui faites pas confiance. C'est un changement.

– N'est-ce pas vous qui avez dit que je ne faisais confiance à personne ?

– Pourquoi n'avez-vous pas confiance en lui ?

– Je ne sais pas. Disons que j'ai perdu mon suspect. Gordon Mittel est hors de cause et je repars de zéro. Je pensais en termes de pourcentages…

– C'est-à-dire ?

– Je ne connais pas les chiffres exacts, mais un certain nombre d'homicides sont déclarés par le coupable lui-même. C'est l'histoire du mari en larmes qui appelle la police et annonce que sa femme a disparu. La plupart du temps, c'est un mauvais acteur. En fait, il l'a tuée, mais il croit qu'en appelant la police il va convaincre tout le monde de son innocence. Ou bien tenez… regardez les frères Menendez. L'un des deux gamins appelle les flics « bouh, bouh, maman et papa sont morts », mais on découvre qu'en réalité c'est son frère et lui qui les ont flingués. Il y a eu une affaire semblable dans les collines il y a quelques années. Une jeune fille avait disparu. Dans Laurel Canyon. On en a parlé dans les journaux, à la télé. Les habitants du coin ont organisé des battues et tout le tintouin et, quelques jours plus tard, un adolescent qui participait aux recherches a retrouvé le corps sous un tronc d'arbre mort, près de Lookout Mountain. En fait, c'était lui le meurtrier. Je l'ai fait avouer en un quart d'heure. Depuis le début des recherches, j'attendais celui qui découvrirait enfin son corps. Question de pourcentages. Il était déjà suspect avant même que je connaisse son identité.

– Et c'est Irving qui a découvert le corps de votre mère.

– Oui. Et il la connaissait. Il me l'a avoué, un jour.

– Ça me paraît invraisemblable.

– Oui. Tout le monde se disait la même chose sur Mittel. Jusqu'à ce qu'on le repêche dans le jacuzzi.

– Il n'y a pas d'autre scénario possible ? Les enquêteurs de l'époque avaient peut-être raison de penser qu'il s'agissait d'un maniaque sexuel dont il était quasiment impossible de retrouver la trace.

– Il y a toujours d'autres scénarios.

– A ceci près qu'on dirait toujours que vous cherchez à rejeter la faute sur une personne qui incarne le pouvoir ou une forme d'autorité. Ce n'est peut-être pas le cas ici. Peut-être n'est-ce qu'une manifestation de votre désir de condamner la société pour ce qui est arrivé à votre mère... et à vous.

Il secoua la tête. Il ne voulait pas entendre ça.

– Vous savez, dit-il, tout ce charabia psychomachin... Je ne... Parlons plutôt des photos.

– Pardon.

Elle regarda fixement l'enveloppe posée sur le bureau, comme si elle voyait les photos qu'elle contenait.

– J'ai eu beaucoup de mal à les regarder. Concernant leur intérêt au niveau médico-légal, je n'ai pas trouvé grand-chose. Ces photos sont le signe de ce que j'appellerais un homicide « déclaratif ». Le fait que la ligature, la ceinture, soit toujours serrée autour du cou de votre mère semble indiquer que le meurtrier voulait faire comprendre à la police qu'il savait exactement ce qu'il faisait, qu'il agissait de manière délibérée et exerçait un contrôle absolu sur sa victime. Je pense que le choix de l'emplacement est lui aussi assez significatif. La poubelle n'avait pas de couvercle ; elle était ouverte. Cela signifie que le meurtrier, en déposant le corps à cet endroit, ne cherchait pas à le cacher. C'était aussi un...

– Il voulait la comparer à un tas d'ordures.

– Voilà. Deuxième déclaration. S'il avait seulement voulu se débarrasser du corps, il aurait pu le jeter n'importe où dans la ruelle, mais il a choisi la poubelle. Inconsciemment ou pas, il voulait dire quelque chose sur votre mère. Et pour faire ce genre de déclaration sur quelqu'un, il fallait qu'il la connaisse un peu. Qu'il sache qui elle était. Qu'il sache que c'était une prostituée... Qu'il en sache assez pour la juger.

L'image d'Irving resurgit dans l'esprit de Bosch, mais ce dernier garda le silence. Puis il demanda :

– Ne pourrait-il pas plutôt s'agir d'un réquisitoire contre toutes les femmes ? Imaginons une saloperie de détraqué, un cinglé qui haïssait les femmes en général et les considérait toutes comme des...

ordures ? Dans ce cas, il n'était pas obligé de la connaître personnellement. Peut-être ce type voulait-il simplement assassiner une
prostituée, n'importe laquelle, pour exprimer son message.

– Oui, c'est possible, mais, comme vous, je me fie aux pourcentages. Le genre de détraqué dont vous me parlez, ceux que dans notre
« charabia psychomachin » nous appelons des « psychopathes », soit
dit en passant est beaucoup plus rare que le meurtrier qui s'en prend
à des cibles précises, à des femmes précises.

Bosch secoua la tête et se tourna vers la fenêtre.

– Qu'y a-t-il ? demanda-t-elle.

– C'est frustrant, voilà tout. Il n'y avait quasiment rien dans le
dossier d'homicide concernant son entourage ; personne ne s'est
vraiment intéressé aux voisins, par exemple. Aujourd'hui, ce n'est
plus possible. Et j'ai l'impression que c'est sans espoir.

Il repensa à Meredith Roman. Certes, il pourrait aller la voir pour
l'interroger sur les relations et les clients de sa mère, mais avait-il le
droit de réveiller cette partie de son existence ?

– N'oubliez pas une chose, reprit Hinojos. En 1961, une affaire
comme celle-ci devait sembler impossible à résoudre. Les inspecteurs
ne savaient même pas par où commencer. Ces crimes étaient beaucoup moins fréquents qu'aujourd'hui.

– Ils sont quasiment impossibles à résoudre aujourd'hui encore.

Tous deux restèrent muets un instant. Bosch réfléchissait à une
hypothèse : le meurtrier était un cinglé qui tuait au hasard, un serial
killer disparu depuis belle lurette dans les ténèbres du temps. Dans
ce cas, son enquête privée était terminée. C'était un échec.

– Vous avez d'autres commentaires sur ces photos ?

– Non, c'est tout ce que... Non, attendez. J'ai remarqué autre
chose. Mais ça vous a peut-être déjà frappé.

Elle ouvrit l'enveloppe, glissa la main à l'intérieur et fit glisser une
des photos.

– Je ne veux pas voir ça ! s'exclama Bosch.

– Ce n'est pas une photo de votre mère. Ce sont ses vêtements
disposés sur une table. Vous pouvez la regarder ?

Elle avait arrêté son geste ; la photo était encore à moitié dans
l'enveloppe. Bosch lui fit signe de la sortir.

– J'ai déjà vu les vêtements.

– Dans ce cas, vous avez sûrement remarqué ce détail.

Elle fit glisser la photo vers le bord du bureau et Bosch se pencha
pour l'examiner. C'était une photo en couleurs, jaunie par le temps
malgré l'enveloppe. Les vêtements qu'il avait découverts dans la boîte

des pièces à conviction étaient étalés sur une table, comme une femme aurait pu les disposer sur un lit avant de s'habiller. Bosch pensa aux découpages de poupées de carton. La ceinture avec la boucle en forme de coquillage était là, elle aussi, mais entre le chemisier et la jupe noire, et non pas autour du cou imaginaire.

– Ce qui m'a paru étrange, reprit Hinojos, c'est la ceinture.

– L'arme du crime.

– Oui. Regardez : la boucle est un gros coquillage argenté et il y en a des petits tout autour. C'est une ceinture assez voyante.

– Exact.

– Mais les boutons du chemisier sont dorés. Par ailleurs, les photos du corps montrent qu'elle portait des pendants d'oreilles en or et une chaîne en or autour du cou. Ainsi qu'un bracelet.

– Oui, je sais. Ils étaient dans la boîte, eux aussi.

Bosch ne comprenait pas où elle voulait en venir.

– Écoutez, Harry, ce n'est pas une règle universelle, c'est pourquoi j'hésite à en parler. Mais, généralement, les gens…, les femmes ne mélangent pas l'or et l'argent. En outre, il me semble que votre mère était bien habillée ce soir-là. Elle avait mis des bijoux assortis aux boutons de son chemisier. Les couleurs allaient bien ensemble et elle était très élégante. Ce que je veux dire, c'est qu'à mon avis elle n'aurait pas porté cette ceinture avec le reste. La boucle était en argent, et trop voyante.

Il garda le silence. Quelque chose d'acéré tentait de se frayer un chemin en lui.

– Dernière chose : la jupe se boutonne sur le côté. C'est un style qui existe toujours ; j'ai moi-même une jupe plus ou moins semblable. Ce qui est pratique avec ce genre de jupe, c'est qu'on peut la porter avec ou sans ceinture. Il n'y a pas de passants.

Bosch regardait fixement la photo.

– Pas de passants ? répéta-t-il.

– Non.

– Vous voulez dire que…

– Que ce n'était peut-être pas sa ceinture. Peut-être que…

– Non, elle était bien à elle. Je m'en souviens. La boucle en forme de coquillage. Je la lui avais offerte pour son anniversaire. Je l'ai reconnue officiellement le jour où McKittrick est venu m'annoncer la nouvelle

– Dans ce cas… ça détruit toute ma petite théorie. Je suppose que lorsqu'elle est arrivée chez elle, le meurtrier l'attendait avec la ceinture.

– Non, ça ne s'est pas passé chez elle. En fait, on n'a jamais trouvé le lieu du crime. Écoutez… peu importe que cette ceinture soit à elle ou pas… Quelle était votre théorie ?

– Oh, je ne sais pas… Je me disais que la ceinture appartenait peut-être à une autre femme qui aurait pu provoquer le geste du meurtrier. On appelle ça un « transfert d'agression ». Ça ne tient plus debout maintenant, enfin, je veux dire… dans ce cas précis, mais il existe de nombreux exemples de ce que je voulais suggérer. Un homme utilise les bas de son ancienne petite amie pour étrangler une autre femme. En fait, dans son esprit, il étrangle sa petite amie. Grosso modo. Je pensais qu'il s'était peut-être passé la même chose avec la ceinture.

Bosch ne l'écoutait plus. Il se tourna vers la fenêtre, mais ne vit plus rien non plus. Dans son esprit, en revanche, il vit toutes les pièces s'emboîter. L'argent et l'or, la ceinture avec deux trous agrandis, deux amies aussi proches que des sœurs. Une pour toutes, toutes pour une.

Sauf que l'une des deux allait changer de vie parce qu'elle avait trouvé son prince charmant.

Et que l'autre se retrouvait sur le carreau.

– Harry, ça ne va pas ?

Il se retourna vers Hinojos.

– Vous venez de trouver. Je crois.

– Quoi donc ? Qu'est-ce que j'ai trouvé ?

Il prit sa mallette et en sortit la photo prise le soir du bal de la Saint-Patrick, plus de trente ans auparavant. Certes, les chances étaient maigres, mais il fallait qu'il vérifie. Cette fois, il ne regarda pas sa mère. Il regarda Meredith Roman, debout derrière Johnny Fox assis à la table. Et pour la première fois, il remarqua qu'elle portait la ceinture avec la boucle en forme de coquillage argenté. Elle l'avait empruntée.

Brusquement, tout devint clair. C'était elle, Meredith Roman, qui avait aidé Harry à choisir la ceinture pour sa mère. Elle l'avait guidé et avait choisi cette ceinture-là, non pas parce qu'elle plairait à sa mère, mais parce qu'elle lui plaisait à elle et qu'elle savait qu'elle pourrait la porter. Entre amies qui partageaient tout…

Il rangea la photo dans sa mallette et se leva.

– Il faut que j'y aille, dit-il.

CHAPITRE QUARANTE-HUIT

Bosch utilisa la ruse qu'il avait déjà employée pour pénétrer à l'intérieur de Parker Center. En sortant de l'ascenseur au quatrième étage, il faillit bousculer Hirsch qui attendait pour descendre. Saisissant le jeune technicien par le bras, il l'entraîna dans le couloir, tandis que les portes de l'ascenseur se refermaient.

– Vous rentrez chez vous ? lui dit-il.

– C'était mon intention.

– J'ai besoin d'un dernier service. Je vous inviterai à déjeuner, je vous inviterai à dîner, je vous offrirai tout ce que vous voulez si vous faites ça pour moi. C'est très important et il n'y en a pas pour longtemps.

Hirsch le regarda. Bosch sentait qu'il commençait à regretter d'avoir mis le doigt dans l'engrenage.

– Que dit-on, Hirsch ? « Quand le vin est tiré, il faut le boire » ? Alors ?

– J'ai jamais entendu cette expression-là.

– Moi, si.

– Ce soir, je dîne avec ma petite amie et je...

– Formidable. Ça ne sera pas long. Vous serez à l'heure pour votre dîner.

– Bon, d'accord. Qu'est-ce que vous voulez ?

– Hirsch, vous êtes mon héros, vous le savez ?

Bosch doutait qu'il ait une petite amie. Ils retournèrent au laboratoire. L'endroit était désert ; il était presque 17 heures et la journée avait été calme. Bosch posa sa mallette sur un des bureaux délaissés et l'ouvrit. Il sortit la carte de Noël en la tenant par un coin, entre deux ongles. Il la leva en l'air pour la montrer à Hirsch.

– J'ai reçu cette carte il y a cinq ans. Vous croyez que vous pourriez y relever des empreintes ? Celles de l'expéditeur ? Vous trouverez certainement les miennes, c'est sûr.

Hirsch observa la carte, le front plissé. Sa lèvre inférieure dessina une moue dubitative. Il jaugeait l'ampleur du défi.

– Je peux essayer, mais je ne vous promets rien. Généralement, les empreintes sur papier sont stables. Les sécrétions de la peau restent longtemps. Elles laissent des marques en relief sur le papier, même après évaporation. La carte était dans une enveloppe ?

– Oui, elle y est restée cinq ans, jusqu'à la semaine dernière.

– Un bon point.

Hirsch prit délicatement la carte que lui tendait Bosch et se dirigea vers un des plans de travail. Il ouvrit la carte et la fixa sur une planche.

– Je vais essayer à l'intérieur. C'est mieux. Il y a moins de chances de tomber sur vos empreintes et, généralement, la personne qui écrit met ses doigts à l'intérieur. C'est embêtant si je l'abîme ?

– Faites ce qu'il faut.

Hirsch examina d'abord la carte à l'aide d'une loupe, puis il souffla délicatement dessus. Il tendit le bras vers la rangée de pulvérisateurs disposés au-dessus du plan de travail et prit celui portant l'étiquette NINHYDRIN. Il en pulvérisa une très fine couche sur la carte dont les bords virèrent au violet en l'espace de quelques minutes. Des formes diffuses commencèrent alors à y éclore, telles les fleurs qui l'ornaient. Des empreintes digitales.

– Il faut que je les fasse ressortir, ajouta Hirsch plus pour lui-même qu'à l'intention de Bosch.

Il leva les yeux vers l'étagère où étaient rangés les réactifs et trouva ce qu'il cherchait : un pulvérisateur portant la mention CHLORURE DE ZINC. Il en répandit un peu sur la carte.

– Voilà qui devrait faire apparaître les gros nuages.

Les empreintes virèrent effectivement au violet foncé, tels des nuages menaçants chargés de pluie. Hirsch prit ensuite un flacon étiqueté RP. Bosch savait que cela signifiait « Révélateur physique ». Après que Hirsch en eut pulvérisé sur la carte, les empreintes passèrent au gris foncé et devinrent plus nettes. Hirsch les examina avec sa loupe lumineuse.

– Je crois que ça devrait suffire, dit-il. On n'aura pas besoin du laser. Regardez ici, inspecteur.

Il lui montra une empreinte qui semblait avoir été laissée par un pouce, à gauche de la signature de Meredith Roman, accompagnée de deux autres doigts, plus petits, juste au-dessus.

– On dirait des marques laissées par quelqu'un qui tient la carte pendant qu'il écrit. Ça pourrait être vous ?

Le technicien approcha ses doigts des marques grises sans les toucher et imita la position de la main qui avait laissé ces empreintes. Bosch secoua la tête.

– Je l'ai simplement ouverte pour la lire. Je crois que ce sont les empreintes qu'on cherche.

– O.K. Et maintenant ?

Bosch retourna vers sa mallette pour récupérer les fiches d'empreintes que Hirsch lui avait rendues peu de temps avant. Il sélectionna la carte contenant les empreintes relevées sur la ceinture coquillage.

– Tenez. Comparez celles-ci avec celles de la carte de Noël.

– C'est parti.

Hirsch approcha la grosse loupe entourée d'un cercle lumineux et recommença une nouvelle partie de tennis oculaire pour comparer les empreintes.

Pendant ce temps, Bosch essaya d'imaginer ce qui s'était passé. Marjorie Lowe devait partir à Las Vegas pour épouser Arno Conklin. Pour elle, cette idée devait être aussi merveilleuse qu'incroyable. Elle était rentrée chez elle pour faire ses bagages. Ils projetaient de rouler toute la nuit. Si Arno avait l'intention d'emmener son témoin, peut-être Marjorie voulait-elle emmener sa demoiselle d'honneur. Peut-être était-elle montée chez Meredith pour lui demander de l'accompagner. Ou peut-être était-elle simplement montée pour récupérer la ceinture que son fils lui avait offerte. Ou pour lui dire au revoir.

En tout cas, c'était à ce moment-là qu'il s'était passé quelque chose. Que lors de la plus belle nuit de sa vie, Meredith l'avait tuée.

Bosch repensa aux rapports d'interrogatoire qu'il avait lus dans le dossier d'homicide. Meredith avait déclaré à Eno et McKittrick que le rendez-vous de Marjorie, la nuit où on l'avait assassinée, avait été arrangé par Johnny Fox. Mais elle avait ajouté qu'elle n'était, elle, pas allée à cette soirée parce que Fox l'avait frappée la veille et qu'elle ne pouvait pas se montrer dans cet état. Dans leur rapport, les inspecteurs avaient noté qu'elle avait un bleu sur la joue et la lèvre fendue.

Pourquoi n'avaient-ils pas compris immédiatement ? se demanda Bosch. C'était en assassinant Marjorie que Meredith avait reçu ces coups. La tache de sang sur le chemisier de Marjorie provenait de la lèvre de Meredith.

Mais Bosch savait bien pourquoi ils n'avaient pas vu l'évidence. Il savait que les deux inspecteurs avaient immédiatement rejeté cette hypothèse, à supposer qu'elle les ait seulement effleurés, parce que

Meredith était une femme. Et parce que Fox avait confirmé son histoire. Il avait avoué l'avoir frappée.

Bosch croyait enfin comprendre ce qui s'était passé. Meredith tue Marjorie et, quelques heures plus tard, elle interrompt Fox durant sa partie de cartes pour l'avertir. Elle lui demande de l'aider à se débarrasser du corps et à cacher son crime.

Fox a dû s'empresser d'accepter, au point d'admettre, sans trop de peine, qu'il l'avait frappée, parce qu'il voyait loin. Certes, la mort de Marjorie représentait une perte de revenus, mais ce manque à gagner serait compensé par le pouvoir que ce meurtre lui donnait sur Conklin et Mittel. Et si le crime n'était jamais résolu, ce serait encore mieux. Il représenterait une menace permanente pour eux. Fox pouvait aller trouver la police à tout moment et lui raconter ce qu'il savait en faisant porter le chapeau à Conklin.

Mais Fox ignorait que Mittel pouvait être aussi calculateur et vicieux que lui. Il ne l'avait appris à ses dépens qu'un an plus tard, dans La Brea Boulevard.

Si les motivations de Fox étaient évidentes, celles de Meredith demeuraient confuses aux yeux de Bosch. Avait-elle commis ce meurtre pour les raisons qu'il avait imaginées ? L'abandon d'une amie pouvait-il provoquer une rage aussi meurtrière ? Il commença à se demander s'il ne manquait pas une pièce du puzzle. Il ne savait pas tout. Le dernier secret appartenait à Meredith Roman et il allait devoir le lui arracher.

Au milieu de toutes ces interrogations, une étrange pensée se fraya un chemin en lui. Marjorie Lowe avait été tuée aux alentours de minuit. Mais Fox n'avait reçu le coup de téléphone et abandonné sa partie de cartes que quatre heures plus tard. Bosch avait maintenant des raisons de penser que le meurtre avait eu lieu chez Meredith. Mais alors... qu'avait-elle fait pendant quatre heures, avec le corps de sa meilleure amie gisant à ses pieds ?

– Inspecteur ?

Bosch se détourna de ses pensées pour regarder Hirsch qui était toujours penché au-dessus de sa loupe.

– Vous avez trouvé quelque chose ?

– Bingo.

Bosch se contenta d'un hochement de tête.

C'étaient les mêmes empreintes, mais cette terrible confirmation allait bien au-delà de ce qu'il avait imaginé. Elle lui disait que toutes ces choses qu'il avait tenues pour vraies dans son existence pouvaient être aussi mensongères que Meredith Roman elle-même.

CHAPITRE QUARANTE-NEUF

Le ciel avait la couleur d'une fleur de ninhydrin sur du papier blanc. Dépourvu de nuages, il virait au violet foncé à mesure que vieillissait le crépuscule. Bosch pensa aux couchers de soleil dont il avait parlé à Jazz et s'aperçut que, ça aussi, c'était un mensonge. Tout était mensonge.

Il arrêta la Mustang devant chez Katherine Register. Encore un autre mensonge. La femme qui habitait là s'appelait Meredith Roman. Le fait de changer de nom n'avait pas changé son geste, ni non plus transformé sa culpabilité en innocence.

De la rue, il n'apercevait aucune lumière, aucun signe de vie. Il était prêt à attendre, mais ne voulait pas affronter les pensées qui ne manqueraient pas de l'assaillir s'il restait assis dans sa voiture. Il descendit, traversa la pelouse et frappa à la porte.

En attendant qu'on lui ouvre, il sortit une cigarette, mais au moment où il allait l'allumer, il s'arrêta. Il n'avait pris cette cigarette que par pur réflexe, comme chaque fois qu'il arrivait sur les lieux d'un crime où des victimes étaient mortes depuis longtemps. Son instinct avait réagi avant même que lui-même ne perçoive consciemment l'odeur qui s'échappait de la maison. Derrière la porte, dehors, elle était quasiment imperceptible, mais elle était bien là. Il jeta un coup d'œil derrière lui : la rue était déserte. Il reporta son attention sur la porte et essaya la poignée. Elle tourna dans sa main. A peine eut-il poussé la porte qu'il fut assailli par une bouffée d'air froid qui charriait la puanteur.

La maison était silencieuse. On n'entendait que le bourdonnement du climatiseur sous la fenêtre de la chambre. C'est là qu'il la découvrit. Il comprit tout de suite que Meredith Roman était morte depuis plusieurs jours. Son corps était allongé sur le lit, sous les draps, sa tête reposant sur l'oreiller. Seul son visage, ou plutôt ce qu'il en restait, était visible. Bosch ne s'attarda pas sur cette vision. La décomposition était déjà bien avancée. Meredith Roman avait dû mourir le jour où il lui avait rendu visite.

Sur la table de chevet étaient posés deux verres vides, une bouteille de vodka à moitié vide et un flacon de comprimés entièrement vide. Bosch se pencha pour lire l'étiquette. Celle-ci portait le nom de Katherine Register : un comprimé chaque soir avant de se coucher. Des somnifères.

Meredith avait affronté son passé et s'était infligé son propre châtiment. Suicide. Certes, le légiste devrait le confirmer, mais Bosch savait. Il se tourna vers la commode. Il se souvenait de la boîte de Kleenex et avait besoin d'un mouchoir en papier pour effacer ses traces. Là, sur le dessus du meuble, à côté des photos dans leurs cadres dorés, une enveloppe portant son nom l'attendait.

Il la récupéra, piocha quelques mouchoirs dans la boîte et quitta la chambre. Dans le living-room, à bonne distance du foyer de pestilence, mais pas encore assez, il retourna l'enveloppe pour l'ouvrir et constata que le rabat était déchiré. Elle avait déjà été ouverte. Peut-être Meredith avait-elle voulu relire ce qu'elle avait écrit. Peut-être avait-elle hésité au dernier moment avant d'accomplir son geste ? Il repoussa cette question et sortit la lettre. Elle était datée de la semaine précédente. Le mercredi. Le lendemain de sa visite.

Cher Harry,
Si tu lis cette lettre, c'est que mes craintes que tu découvres un jour la vérité étaient fondées. Si tu lis cette lettre, la décision que j'ai prise ce soir est la bonne et je ne regrette pas de l'avoir prise. Car, vois-tu, je préfère affronter le jugement de l'Au-delà plutôt que de supporter ton regard si tu connais la vérité.
Je sais ce que je t'ai pris. Je l'ai toujours su. Ça ne sert à rien de dire que je suis désolée, ou d'essayer de t'expliquer. Mais je suis toujours stupéfaite de voir comment la vie peut basculer pour toujours dans un instant de rage incontrôlée. J'étais furieuse après Marjorie quand elle est venue me voir ce soir-là, remplie d'espoir et de bonheur. Elle me quittait. Pour une nouvelle vie avec toi. Avec lui. Pour une vie qu'elle et moi ne croyions possible qu'en rêve.
Qu'est-ce que la jalousie, sinon le reflet de ses propres échecs ? J'étais jalouse, furieuse, et je l'ai frappée. Ensuite, j'ai plus ou moins tenté de cacher ce que j'avais fait. Je suis désolée, Harry, je te l'ai volée et, en faisant cela, je t'ai privé de toutes tes chances. J'ai porté le poids de la culpabilité depuis ce jour, et je le porte encore. Il y a longtemps que j'aurais dû payer pour mon péché, mais quelqu'un m'en a dis-

suadée et m'a aidée à m'en tirer. Aujourd'hui, il n'y a plus personne pour me convaincre.

Je ne sollicite pas ton pardon, Harry. Ce serait une insulte. Je veux juste que tu saches combien je regrette, et que tu saches aussi que, parfois, les gens qui échappent au châtiment n'y échappent pas vraiment. Je n'ai pas échappé au mien. Ni autrefois ni aujourd'hui. Adieu.

Meredith.

Il relut la lettre et resta figé un long moment, à réfléchir. Finalement, il la replia et la remit dans l'enveloppe. Puis il s'approcha de la cheminée, enflamma l'enveloppe avec son briquet Bic et la jeta dans l'âtre. Il regarda le papier se recroqueviller et se consumer jusqu'à ce qu'il éclose comme une rose noire et s'éteigne.

Il se rendit ensuite dans la cuisine et décrocha le téléphone après avoir enveloppé sa main de mouchoirs en papier. Il déposa le combiné sur le comptoir et composa le 911. Alors qu'il se dirigeait vers la sortie, il entendit la voix fluette de la standardiste de la police de Santa Monica qui voulait savoir qui était à l'appareil et quel était le problème.

Il claqua la porte d'entrée derrière lui, sans la verrouiller, et essuya la poignée avec les mouchoirs. A cet instant, une voix s'éleva dans son dos.

– Elle écrit des jolies lettres, hein ?

Il se retourna. Vaughn était assis dans un fauteuil en rotin dans la véranda. Il tenait un autre .22 dans la main, encore un Beretta, apparemment. Et il n'avait pas l'air mal en point. Contrairement à Bosch, il n'avait ni coquards, ni points de suture.

– Vaughn.

Bosch ne trouva rien d'autre à dire. Il ne comprenait pas comment ce type avait pu le retrouver. Avait-il eu le culot de traîner autour de Parker Center pour le suivre jusque-là ? Bosch tourna la tête vers la rue en se demandant combien de temps il faudrait au dispatcher de la police pour envoyer une voiture à l'adresse indiquée par le standard informatique. Bien qu'il n'ait rien dit au téléphone, Bosch savait qu'ils finiraient par envoyer une voiture pour vérifier. Il avait appelé pour qu'ils trouvent le corps de Meredith. S'ils tardaient trop, ils risquaient de découvrir le sien en prime. Il devait gagner du temps, faire parler Vaughn le plus longtemps possible.

– Ouais, jolie lettre, reprit l'homme au pistolet. Mais elle a oublié quelque chose, tu crois pas ?

– Quoi donc ?

Vaughn sembla ne pas avoir entendu la question.

– C'est curieux, dit-il. Je savais que ta mère avait un môme, mais je ne t'avais jamais vu, même de loin. Elle me gardait à distance. Je devais pas être assez bien pour elle.

Bosch ne le lâcha pas des yeux, tandis que tous les éléments se mettaient enfin en place dans sa tête.

– Johnny Fox, dit-il.

– En chair et en os.

– Je ne comprends pas. Mittel…

– Mittel m'a fait tuer, c'est ça ? Non, pas exactement. En fait, on pourrait dire que je me suis tué moi-même. J'ai lu l'histoire que la police a balancée dans le journal d'aujourd'hui. C'est un tissu de conneries. Dans l'ensemble.

Bosch acquiesça. Il comprenait, maintenant.

– Meredith a tué ta mère, mon gars. Désolé. Moi, je lui ai juste filé un coup de main après.

– Et vous vous êtes servi de sa mort pour mettre le grappin sur Conklin.

Bosch n'avait pas besoin de sa confirmation. Il essayait juste de gagner du temps.

– Ouais, c'était ça le but, approcher Conklin. Et ça a bien marché. Ça m'a sorti du caniveau. Mais je me suis aperçu rapidement que le vrai pouvoir, c'était Mittel qui l'avait. Ça se sentait. Des deux, seul Mittel pouvait tenir la distance. Alors, je me suis rangé dans son camp. Il voulait assurer son emprise sur le *golden boy*. Il avait besoin d'un atout dans sa manche. Je l'ai aidé.

– En vous tuant ? Je ne comprends pas.

– Mittel m'a expliqué que le pouvoir ultime est celui qu'on possède sans que les gens le sachent, jusqu'au jour où on s'en sert. En fait, Mittel a toujours cru que c'était Conklin qui avait tué ta mère.

Bosch acquiesça de nouveau. Il voyait se profiler l'histoire.

– Et vous n'avez jamais dit à Mittel que Conklin n'était pas le meurtrier.

– Exact. Je ne lui ai jamais avoué que c'était Meredith. Maintenant que tu sais ça, essaie de voir les choses de son côté. Mittel pensait que si Conklin était le coupable et s'il me croyait mort, il se sentirait à l'abri. Car, pour lui, j'étais le seul danger, le seul type qui pouvait l'impliquer dans cette affaire. Or, Mittel voulait que Conklin se sente en sécurité. Il voulait que Conklin soit détendu. Il ne voulait pas qu'il perde sa motivation, son ambition. Conklin irait loin, et Mittel ne voulait pas le voir hésiter un seul instant. Mais en même temps, il voulait garder un atout en réserve, un truc qu'il pourrait sortir de sa manche si jamais Conklin essayait de quitter les rangs. Cet atout, c'était moi. Alors, on a organisé ce petit accident, Mittel et moi. En vérité, Mittel n'a jamais été obligé de jouer son atout ; Conklin lui a donné entièrement satisfaction ensuite, et pendant des années. Le jour où il a refusé de se présenter au poste de procureur général, Mittel avait eu le temps de diversifier ses investissements. Il avait un membre du Congrès, un sénateur et un quart des politiciens locaux sur sa liste de clients. Disons qu'il avait eu le temps de grimper sur les épaules de Conklin pour se hisser vers des sommets plus élevés. Il n'avait plus besoin d'Arno.

Bosch continuait d'acquiescer en réfléchissant à ce scénario. Pendant toutes ces années, Conklin avait cru que Mittel avait tué Marjorie, et Mittel avait cru que c'était Conklin le meurtrier. En vérité, ce n'était ni l'un ni l'autre.

— Mais alors, qui était l'homme que vous avez écrasé ?

— Oh, un type quelconque. Peu importe. C'était un volontaire, dirons-nous. Je l'avais trouvé dans Mission Street. Il croyait distribuer des tracts pour Conklin. J'avais planqué mon badge au fond de la sacoche que je lui avais filée. Il n'a jamais compris ce qui lui arrivait, ni pourquoi.

— Comment avez-vous réussi à berner tout le monde ? demanda Bosch, même si, là encore, il pensait déjà connaître la réponse.

— Mittel avait Eno dans sa poche. On s'était arrangé pour que ça se produise quand il était de service. Il s'est occupé de tout, et Mittel s'est occupé de lui.

Bosch voyait bien comment ce coup monté offrait aussi à Fox un formidable moyen de pression sur Mittel. Et il l'avait suivi comme une ombre depuis ce jour. Un peu de chirurgie esthétique, une nouvelle garde-robe, plus chic, et voilà, il était devenu Jonathan Vaughn, fidèle bras droit du petit génie de la stratégie, le grand manitou de la politique.

— Comment saviez-vous que je viendrais ici ?

— J'ai toujours gardé un œil sur elle. Je savais qu'elle habitait ici. Seule. Après notre petite… « bagarre » l'autre soir, là-haut sur la colline, je suis venu me planquer ici, et dormir. Tu m'as filé une sacrée migraine, mon salaud. Avec quoi tu m'as frappé, nom de Dieu ?

— Une boule de billard.

— Ah, j'aurais dû y penser quand je t'ai enfermé dans cette pièce.

Bref, je l'ai trouvée comme ça en arrivant, morte dans son lit. J'ai lu la lettre et j'ai compris qui tu étais. Je savais que tu reviendrais. Surtout après avoir laissé le message sur son répondeur hier.

– Vous êtes resté pendant tout ce temps… avec le…

– On finit par s'habituer. J'ai branché la clim à fond et j'ai fermé la porte. Au bout d'un moment, on n'y fait même plus attention.

Bosch essaya d'imaginer. Parfois, il croyait, lui aussi, avoir fini par s'habituer à cette odeur, mais non, il savait bien que non.

– Qu'est-ce qu'elle a oublié dans sa lettre, Fox ?

– Elle ne dit pas qu'elle avait, elle aussi, des visées sur Conklin. En fait, c'est d'abord elle que je lui avais présentée. Mais la sauce n'a pas pris. Alors, je l'ai branché avec Marjorie, et là… boum, le coup de foudre. Mais personne n'aurait pu imaginer qu'il finirait par décider de l'épouser. Surtout pas Meredith. Il n'y avait qu'une place sur le cheval derrière le beau cavalier blanc. Et cette place était pour Marjorie. Meredith n'a pas pu le supporter. J'aurais bien voulu voir ce combat de chiffonniers.

Bosch ne dit rien, mais la vérité lui brûlait le visage comme un coup de soleil. Finalement, tout se résumait à cela : un combat de chiffonniers entre deux putes.

– On va prendre ta voiture.

– Pourquoi ?

– Pour aller chez toi.

– Pour quoi faire ?

Fox n'eut pas le temps de répondre. Une voiture de patrouille de la police de Santa Monica s'était arrêtée devant la maison au moment où Bosch posait sa question. Deux agents en descendirent.

– Reste calme, Bosch, ordonna Fox à voix basse. Reste calme si tu veux vivre un peu plus longtemps.

Bosch le vit braquer le canon de son arme sur les deux policiers qui approchaient. Ceux-ci ne le voyaient pas à cause de l'épaisse haie de bougainvillées qui bordait la véranda. L'un d'eux demanda :

– Y a quelqu'un qui a appelé la po…

Bosch prit deux pas d'élan et plongea par-dessus la balustrade en hurlant :

– Il est armé ! Il est armé !

Couché dans l'herbe du jardin, Bosch entendit les pas de Fox résonner sur le plancher de la véranda. Fox semblait se précipiter vers la porte. C'est alors que le premier coup de feu retentit. Il venait de derrière lui – de Fox. Les deux flics ripostèrent aussitôt. Ce fut un vrai feu d'artifice. Bosch fut incapable de compter les coups qu'on tirait. Il resta allongé à plat ventre dans l'herbe, les bras en croix, paumes ouvertes, en priant le ciel qu'aucun d'entre eux ne canarde dans sa direction.

La fusillade ne dura que huit secondes. Quand les échos des détonations cédèrent place au silence, Bosch hurla :

— Je ne suis pas armé ! Je suis officier de police ! Ne craignez rien ! Je suis un policier non armé !

Il sentit dans son cou le canon d'une arme encore chaude.

— Tes papiers ?

— Dans ma poche intérieure, à droite.

Mais il se souvint qu'il n'avait pas récupéré son badge. Le flic l'agrippa violemment par les épaules.

— Je vais te mettre sur le dos.

— Attendez. J'ai pas mon badge.

— A quoi tu joues ? Retourne-toi.

Bosch s'exécuta.

— Je ne l'ai pas sur moi. Mais j'ai une pièce d'identité. Dans la poche intérieure gauche.

Le flic commença à le fouiller. Bosch avait peur.

— Je ne vais rien faire de mal.

— La ferme.

Le flic sortit le portefeuille de Bosch et examina le permis de conduire à travers l'étui plastifié.

— Ça donne quoi, Jimmy ? hurla son collègue que Bosch ne voyait pas. Il est réglo ?

— Il dit qu'il est flic, mais il a pas d'insigne. J'ai son permis de conduire.

Il se pencha au-dessus de Bosch et le palpa de la tête aux pieds pour s'assurer qu'il n'était pas armé.

— Je suis clean.

— O.K. Retourne-toi.

Bosch se remit sur le ventre, on le menotta dans le dos. Puis il entendit le flic réclamer des renforts et une ambulance par radio.

— Allez, debout.

Bosch obéit de nouveau. Il put alors voir ce qui se passait derrière lui, dans la véranda. L'autre flic pointait son arme sur Fox qui s'était recroquevillé devant la porte de la maison. Le premier flic obligea Bosch à gravir les marches de la véranda, et Bosch constata alors que Fox était encore en vie. Sa poitrine remuait ; il était blessé aux deux jambes et au ventre, une autre balle lui ayant apparemment traversé les deux joues. Il avait la mâchoire béante. Mais ses yeux semblaient encore plus grands ouverts pour voir venir la mort.

– Je savais que tu tirerais, connard, lui dit Bosch. Crève !

– La ferme ! dit le flic prénommé Jimmy.

Son collègue entraîna Bosch à l'écart. Dans la rue, Bosch vit les voisins former de petits groupes ou regarder la scène de leur véranda. Rien de tel qu'une bonne fusillade dans un quartier résidentiel de banlieue pour rassembler les gens, pensa-t-il. L'odeur de la poudre flottant dans l'air était plus efficace que n'importe quel barbecue.

Le jeune flic se planta devant Bosch. Sa plaque indiquait qu'il s'appelait D. Sparks.

– Alors, c'est quoi tout ce bordel ? Si t'es flic, raconte-nous ce qui se passe.

– Vous êtes deux héros, voilà ce qui se passe.

– Accouche, mec. J'ai pas le temps d'écouter des conneries.

Bosch entendit des sirènes au loin.

– Je m'appelle Bosch. Je suis du LAPD. Ce type que vous avez flingué est soupçonné d'avoir assassiné Arno Conklin, l'ancien procureur de ce comté, et le lieutenant du LAPD Harvey Pounds. Je parie que vous avez entendu parler de ces deux affaires.

– T'entends ça, Jim ? (Il se retourna vers Bosch.) Où est ton insigne ?

– On me l'a volé. Je peux vous filer un numéro de téléphone. Appelez le chef adjoint Irvin Irving. Il vous expliquera.

– On verra ça. Et lui, qu'est-ce qu'il fout là ? interrogea-t-il en montrant Fox.

– Il m'a dit qu'il se planquait. J'ai reçu un coup de téléphone me demandant de venir à cette adresse, et il était là, en embuscade. Je pouvais l'identifier, vous comprenez ? Il était obligé de me liquider.

Le flic reporta son attention sur Fox en se demandant s'il devait croire une histoire aussi incroyable.

– Vous êtes arrivés juste à temps, les gars. Il allait me buter.

Sparks acquiesça. Finalement, cette histoire commençait à lui plaire. Mais, soudain, une interrogation creusa son front.

– Qui a appelé le 911 ?

– C'est moi, dit Bosch. En arrivant ici, j'ai trouvé la porte ouverte et je suis entré. J'appelais la police quand ce type m'a sauté dessus. J'ai laissé tomber le combiné parce que je savais que vous alliez rappliquer.

– Pourquoi appeler la police alors qu'il ne vous avait pas encore agressé ?

– A cause de ce que j'ai découvert dans la chambre du fond.

– Quoi donc ?

– Il y a une femme dans le lit. A vue de nez, elle est morte depuis environ une semaine.

– Qui est-ce ?

Bosch dévisagea le jeune flic.

– Aucune idée.

CHAPITRE CINQUANTE

– Pourquoi n'avez-vous pas révélé que vous saviez qu'elle avait tué votre mère ? Pourquoi avoir menti ?

– Je ne sais pas. Je n'ai pas réfléchi. Mais il y avait dans sa lettre, et dans son geste ultime, quelque chose qui... Je ne sais pas comment dire... j'ai eu l'impression que c'était suffisant. J'ai eu envie de tirer un trait.

Carmen Hinojos hocha la tête comme si elle comprenait alors qu'il n'en était pas sûr lui-même.

– Je pense que c'était une bonne décision, Harry.

– Vraiment ? J'ai bien peur que vous soyez la seule de cet avis.

– Je ne me place pas au niveau de la procédure ou de la justice. Je me place sur un plan purement humain. Je pense que vous avez fait le bon choix. Pour vous.

– Oui, peut-être...

– Ça vous a fait du bien ?

– Non, pas vraiment... Vous aviez raison, vous savez.

– Ah, oui ? A quel sujet ?

– Au sujet de la recherche du coupable. Vous m'avez mis en garde. Vous avez dit que je risquais de me faire plus de mal que de bien. C'était un euphémisme... je me suis imposé une foutue mission.

– Je regrette d'avoir eu raison. Mais comme je vous l'ai dit lors de notre dernière séance, la mort de ces hommes ne peut pas...

– Je ne vous parle plus d'eux. Voyez-vous, je sais maintenant que ma mère essayait de m'arracher à cet orphelinat. Comme elle me l'avait promis ce jour-là près du grillage, je vous en ai parlé. Qu'elle ait été amoureuse de Conklin ou pas, c'est à moi qu'elle pensait avant tout. Il fallait qu'elle me fasse sortir de là, et Conklin était le meilleur moyen d'y parvenir. Autrement dit, en définitive, c'est à cause de moi qu'elle est morte.

– Oh, je vous en prie, ne pensez pas ça, Harry. C'est ridicule.

Bosch sentit que la colère contenue dans sa voix était bien réelle.

– En suivant ce genre de raisonnement, reprit-elle, vous pouvez trouver un tas de raisons pour expliquer pourquoi on l'a tuée ; vous pouvez dire qu'en venant au monde vous avez provoqué l'enchaînement de circonstances qui a conduit à sa mort. Vous voyez combien c'est ridicule ?

– Non.

– C'est le même argument que vous avez évoqué l'autre jour en parlant des gens qui n'assument pas leur responsabilité. A l'inverse, il y a des gens qui prennent trop de responsabilités... et vous commencez à leur ressembler. Laissez tomber, Harry. Oubliez ça. Laissez quelqu'un d'autre assumer la responsabilité de certaines choses. Même si ce quelqu'un est mort. Le fait d'être mort n'absout pas de tous les crimes.

Bosch était impressionné par la violence de son admonestation. Il la regarda longuement. Il sentait que cet éclat de colère marquait une rupture naturelle dans leur séance. On en avait fini de discuter de sa culpabilité. Hinojos y avait mis fin, et donné ses instructions.

– Pardon d'avoir élevé la voix, dit-elle.

– C'est rien.

– Avez-vous des nouvelles de vos supérieurs ?

– Rien pour l'instant. J'attends la décision d'Irving.

– Comment ça ?

– Il n'a pas évoqué ma... culpabilité devant les journalistes. La balle est dans son camp maintenant. Soit il prend des mesures contre moi avec l'aide des Affaires internes... s'il parvient à prouver que j'ai utilisé l'identité de Pounds..., soit il laisse tomber. Je parie qu'il va laisser tomber.

– Pourquoi ça ?

– Le LAPD n'aime pas l'autoflagellation. Vous voyez ce que je veux dire ? Cette affaire fait du bruit et, s'ils s'en prennent à moi, ils savent qu'il y a toujours le risque que cela s'ébruite et que la police en sorte amochée une fois de plus. Irving se considère comme le protecteur de l'image de la police. Il fera passer ça avant son désir d'avoir ma peau. Sans compter que ça lui donnera un moyen de pression sur moi. Enfin... à son idée.

– Vous semblez très bien connaître Irving et la police.

– Pourquoi ?

– Le chef Irving m'a appelée ce matin pour me demander de lui envoyer le plus vite possible un compte rendu d'évaluation positif.

– Il a dit ça ? Il réclame un avis positif m'autorisant à reprendre mes fonctions ?

– Oui, je vous répète ses paroles. Pensez-vous être prêt ?

Bosch réfléchit un instant, mais ne répondit pas à la question.

– A-t-il déjà fait ça ? lui demanda-t-il. Vous a-t-il déjà dicté ce que vous deviez penser ?

– Non. C'est une première, et j'avoue que ça m'inquiète énormément. En accédant à sa requête, je sape mon autorité. C'est un vrai dilemme parce que je ne veux pas que vous vous retrouviez pris entre deux feux.

– S'il ne vous forçait pas la main, quel serait votre avis ? Positif ou négatif ?

Elle joua avec un crayon sur son bureau, le temps de réfléchir.

– Le but est proche, Harry, mais je pense que vous avez encore besoin d'un peu de temps.

– Dans ce cas, ne le faites pas. Ne lui donnez pas ce qu'il demande.

– Voilà un sacré changement. Il y a encore une semaine, vous ne parliez que de retrouver votre travail.

– C'était il y a une semaine.

La tristesse était palpable dans sa voix.

– Arrêtez donc de vous frapper à mort avec ça, lui renvoya-t-elle. Le passé est comme une massue et, à force de vous taper sur la tête avec, vous risquez de causer des dégâts importants et irréversibles. J'ai l'impression que vous approchez de la limite. Faites-en ce que vous voulez, mais je pense que vous êtes un homme bon, sain et gentil. Ne vous infligez pas tout ce mal. Ne gâchez pas ce que vous avez, ce que vous êtes, à cause de ce genre de raisonnements.

Bosch acquiesça comme s'il comprenait, mais il avait déjà repoussé les paroles de Hinojos, dès qu'il les avait entendues.

– J'ai beaucoup réfléchi ces deux derniers jours, dit-il.

– A quoi ?

– A tout.

– Et alors ? Vous avez pris des décisions ?

– Presque. Je crois que je vais tirer ma révérence…, quitter la police.

Elle se pencha en avant, les bras croisés sur son bureau. Une ride d'inquiétude lui barrait le front.

– Qu'est-ce que vous racontez, Harry ? Je ne vous reconnais plus. Votre métier et votre vie ne font qu'un. Je pense qu'il est bon de prendre un peu de recul, mais je n'ai pas parlé de rupture complète.

Je... (Soudain, une idée sembla lui traverser l'esprit.) C'est votre façon de faire pénitence ? De vous punir pour ce qui est arrivé ?

– Je ne sais pas... Mais je... Il y a un prix à payer pour ce que j'ai fait. C'est tout. Irving ne fera rien. Moi si.

– Vous avez commis une erreur, Harry. Une grave erreur, en effet. Mais pour cette raison, vous abandonnez votre métier, la seule chose que, de votre propre aveu, vous faites bien ? Vous allez tout foutre en l'air ?

Il hocha la tête.

– Avez-vous déjà rempli les papiers de démission ?

– Non.

– Ne le faites pas.

– Et pourquoi ? Je ne peux plus continuer. J'ai l'impression d'être enchaîné à une ribambelle de fantômes.

Il soupira. C'était le même débat qu'il menait seul dans sa tête depuis ces deux derniers jours, depuis le soir où il s'était rendu chez Meredith Roman.

– Laissez faire le temps, lui dit Hinojos. Je vous demande juste de réfléchir. Vous êtes en congé avec solde. Profitez-en. Profitez de ce temps. Je dirai à Irving qu'il n'aura pas son avis favorable tout de suite. En attendant, accordez-vous du temps pour réfléchir. Partez quelque part, allez vous asseoir sur une plage. Et, surtout, réfléchissez avant de remplir les papiers.

Bosch leva les mains pour indiquer qu'il se rendait.

– Je vous en prie, Harry. Je veux l'entendre de votre bouche.

– D'accord. Je réfléchirai.

– Merci.

Elle laissa passer un moment de silence pour bien marquer qu'il avait promis.

– Vous vous rappelez ce que vous m'avez dit à propos du coyote que vous avez vu dans la rue la semaine dernière ? lui demanda-t-elle soudain. Vous savez ? Celui auquel vous vous compariez ?

– Oui, je m'en souviens.

– Je crois savoir ce que vous avez ressenti. Je n'aimerais pas penser que c'est la dernière fois que je le vois, ce coyote.

CHAPITRE CINQUANTE ET UN

De l'aéroport, Bosch emprunta l'autoroute jusqu'à la sortie d'Armenia, puis il obliqua vers le sud, en direction de Swann et s'aperçut qu'il n'avait même pas besoin de consulter la carte fournie par l'agence de location de voitures. Arrivé à Swann, il prit vers l'est dans Hyde Park et descendit South Boulevard jusque chez elle. Au bout de la rue, il vit la baie scintiller dans le soleil.

En haut des marches, il vit que la porte était ouverte, mais qu'elle en avait fermé le battant grillagé. Il frappa.

— C'est ouvert !

C'était sa voix. Il poussa la porte-moustiquaire et entra dans la salle de séjour. Elle n'était pas là, mais la première chose qu'il remarqua fut le tableau accroché au mur, à l'endroit où, précédemment, il n'y avait qu'un clou. C'était le portrait d'un homme, dans l'ombre. L'homme était assis à une table, seul. Il avait le coude appuyé sur une table, sa joue reposant dans le creux de sa main qui lui masquait en partie le visage ; les yeux profondément enfoncés constituaient le point central du tableau. Bosch contempla celui-ci un instant, jusqu'au moment où il entendit de nouveau sa voix.

— Hé ho ? Je suis là.

Il remarqua que la porte de l'atelier était entrouverte. Il s'en approcha et la poussa. Elle était là, devant son chevalet ; la palette qu'elle tenait dans sa main était couverte de taches brunes. Sa joue droite portait une petite cicatrice de peinture ocre. Elle sourit en le voyant.

— Harry, dit-elle.

— Bonjour, Jasmine.

Il marcha vers elle et vint se placer à côté du chevalet. Elle venait juste d'attaquer un portrait. Mais elle avait commencé par les yeux.

Les mêmes yeux que ceux du portrait accroché dans la pièce voisine. Les mêmes que ceux qu'il voyait dans la glace.

Elle s'approcha de lui timidement, mais il n'y avait pas la moindre lueur de gêne ou d'embarras dans son regard.

– Je savais qu'en peignant ton portrait tu reviendrais, lui dit-elle.

Elle posa son pinceau dans une vieille boîte de café fixée au chevalet, se rapprocha encore de lui et l'enlaça. Ils s'embrassèrent, sans un mot. L'étreinte fut d'abord pleine de douceur, puis il plaqua sa main dans son dos pour l'attirer contre son torse, comme si elle était un pansement miraculeux capable d'arrêter son hémorragie. Au bout d'un moment, elle recula, leva les bras et prit le visage de Bosch dans ses mains.

– Laisse-moi voir si j'ai bien rendu tes yeux, dit-elle en lui ôtant ses lunettes de soleil.

Il sourit. Il savait que ses hématomes violacés avaient presque disparu, mais qu'il avait encore les yeux cernés de rouge et constellés de petits vaisseaux éclatés.

– Bon sang, mais ces yeux tout rouges… Tu as pris le dernier avion ?

– C'est une longue histoire. Je te raconterai plus tard.

– Allez, remets-moi ça ! dit-elle en riant et lui recollant ses lunettes sur le nez.

– Ce n'est pas drôle, dit-il. Ça fait mal.

– Non, ce n'est pas pour ça que je ris. Je ris parce que tu as de la peinture sur le visage.

– Je ne suis pas le seul.

Du bout du doigt, il caressa la balafre qu'elle avait sur la joue. Ils s'enlacèrent de nouveau. Il savait qu'ils pourraient parler plus tard et se contenta de la serrer contre lui, de respirer son odeur en contemplant, par-dessus son épaule, l'étendue bleue et scintillante de la baie, et il repensa à ce que lui avait dit le vieil homme dans son lit : Quand vous trouvez celle que vous croyez être la bonne, accrochez-vous à elle de toutes vos forces. Bosch ne savait pas si Jasmine était la bonne, mais il s'accrocha à elle de toutes les forces qui lui restaient.

RÉALISATION : I.G.S. - CHARENTE-PHOTOGRAVURE À L'ISLE-D'ESPAGNAC
IMPRESSION : IMPRIMERIE BUSSIÈRE CAMEDAN À SAINT-AMAND (9-99)
DÉPÔT LÉGAL : OCTOBRE 1999. N° 28534-2 (993981/1)

David Laing Dawson
La Villa des ombres
Minuit passé, une enquête du Dr Snow

Bradley Denton
Blackburn

Stephen W. Frey
Offre publique d'assassinat
Opération vautour

Sue Grafton
K comme killer
L comme lequel ?
M comme machination
N comme nausée

George Dawes Green
La Saint-Valentin de l'homme des cavernes

Dan Greenburg
Le Prochain sur la liste

Jack Hitt
Meurtre à cinq mains

Anthony Hyde
China Lake

David Ignatius
Nom de code : SIRO

Jonathan Kellerman
La Clinique
La Sourde

Philipp Kerr
Une enquête philosophique

Paul Levine
L'Héritage empoisonné

Cadavres incompatibles
Trésors sanglants

Elsa Lewin
Le Parapluie jaune

Herbert Lieberman
Nécropolis
Le Tueur et son ombre
La Fille aux yeux de Botticelli
Le Concierge

Michael Malone
Enquête sous la neige
Juges et Assassins

Dominique Manotti
Sombre Sentier

Alexandra Marinina
Le Cauchemar
La Mort pour la mort

Andreu Martín
Un homme peut en cacher un autre

Dallas Murphy
Loverman

Kyotaro Nishimura
Les Dunes de Tottori

Michael Pearce
Enlèvements au Caire

Sam Reaves
Le taxi mène l'enquête

Edward Sklepowich
Mort dans une cité sereine
L'Adieu à la chair

April Smith
Montana Avenue

Austin Wright
Tony et Susan

L. R. Wright
Le Suspect
Mort en hiver
Pas de sang dans la clairière